# O LIVRO DOS NEGÓCIOS

# O LIVRO DOS NEGÓCIOS

GLOBOLIVROS

WWW.DK.COM

**GLOBOLIVROS**

## DK

**EDITOR SÊNIOR**
Sam Atkinson
**EDITOR DE ARTE**
Amy Child
**EDITORES**
Scarlett O'Hara, Alison Sturgeon
**PESQUISA DE IMAGENS**
Sumedha Chopra
**GERENTE EDITORIAL**
Esther Ripley
**GERENTE EDITORIAL DE ARTE**
Karen Self
**PUBLISHER**
Sarah Larter
**DIRETOR DE ARTE**
Phil Ormerod
**DIRETOR DE PUBLICAÇÃO ASSOCIADO**
Liz Wheeler
**DIRETOR DE PUBLICAÇÃO**
Jonathan Metcalf
**DESIGNER DA CAPA**
Laura Brim
**EDITOR DA CAPA**
Manisha Majithia
**GERENTE DE DESENVOLVIMENTO DE DESIGN DA CAPA**
Sophia Tampakopoulos
**ILUSTRAÇÕES**
James Graham
**PRODUÇÃO, PRÉ-PRODUÇÃO**
Rebecca Fallowfield
**PRODUTOR**
Gemma Sharpe

PROJETO ORIGINAL
**STUDIO8 DESIGN**

PRODUZIDO PARA DK POR
**COBALT ID**

**EDITORES DE ARTE**
Darren Bland, Paul Reid
**EDITORES**
Richard Gilbert, Diana Loxley,
Sarah Tomley, Marek Walisiewicz

## EDITORA GLOBO

**EDITORA RESPONSÁVEL**
Camila Werner

**EDITORES ASSISTENTES**
Sarah Czapski Simoni
Lucas de Sena Lima

**ASSISTENTE EDITORIAL**
Milena Martins

**TRADUÇÃO**
Rafael Longo

**REVISÃO DE TEXTO**
Vanessa Rodrigues
e Laila Guilherme

**EDITORAÇÃO ELETRÔNICA**
Duligraf Produção Gráfica Ltda.

Editora Globo S/A
Rua Marquês de Pombal, 25 – 20.230-240
Rio de Janeiro – RJ – Brasil
www.globolivros.com.br

Texto fixado conforme as regras do Novo Acordo Ortográfico da Língua Portuguesa (Decreto Legislativo nº 54, de 1995)

Todos os direitos reservados. Nenhuma parte desta edição pode ser utilizada ou reproduzida – por qualquer meio ou forma, seja mecânico ou eletrônico, fotocópia, gravação etc. –, nem apropriada ou estocada em sistema de banco de dados sem a expressa autorização da editora.

Título original: *The Business Book*

2ª edição, 2017 – 1ª reimpressão, 2018
Impressão e acabamento: Gráfica Santa Marta

Copyright © 2014 by Dorling Kindersley Limited
Uma empresa Penguin Random House

Copyright da tradução © 2014
by Editora Globo

---

CIP-BRASIL. CATALOGAÇÃO NA PUBLICAÇÃO
SINDICATO NACIONAL DOS EDITORES DE LIVROS, RJ

L761
2. ed.

O livro dos negócios / [tradução Rafael Longo]. – 2. ed. – São Paulo: Globo Livros, 2017.
352 p. : il.

Tradução de: The business book
ISBN 978-85-250-6442-4

1. Empreendedorismo. I. Longo, Rafael. II. Título.

17-41261                                              CDD: 658.4012
                                                                  CDU: 65.012.2

# COLABORADORES

## IAN MARCOUSÉ, CONSULTOR EDITORIAL

Ian Marcousé é professor de educação em negócios e economia no Institute of Education de Londres. Já organizou diversos livros de negócios para os melhores alunos do BTEC, incluindo os conhecidos títulos da série *A-Z Business Studies*. É fundador e diretor da A-Z Business Training Ltd.

## PHILIPPA ANDERSON

Philippa Anderson é consultora em comunicação e negócios e já escreveu artigos, matérias de revista e livros sobre vários aspectos dos negócios, de pesquisa de mercado a liderança. Ela também atua como consultora de comunicações para multinacionais como 3M, Anglo American e Coca-Cola.

## ALEXANDRA BLACK

Alexandra Black estudou comunicação empresarial antes de começar a escrever, o que a levou ao Japão, onde trabalhou no jornal financeiro do grupo Nikkei Inc e no Banco J. P. Morgan. Depois disso, trabalhou para uma editora de marketing direto em Sydney, Austrália, antes de se mudar para Cambridge, no Reino Unido. Escreve sobre vários assuntos, incluindo negócios, história e moda.

## DENRY MACHIN

Denry Machin é orientador adjunto na Keele University, no Reino Unido, e está terminando sua pesquisa de doutorado sobre a aplicação da mentalidade empresarial voltada à educação. Também trabalha para a Harrow International Management Services como gerente de projetos, ajudando no desenvolvimento da atuação da Harrow School na Ásia. É autor de vários livros de negócios, além de artigos em periódicos.

## NIGEL WATSON

Nigel Watson lecionou administração e economia para os melhores alunos do International Baccalaureate nos últimos 25 anos. É autor e coautor de livros e artigos em periódicos nesses dois campos de estudo.

# SUMÁRIO

**10 INTRODUÇÃO**

## COMECE PEQUENO, PENSE GRANDE
### INICIANDO E DESENVOLVENDO UM NEGÓCIO

**20** Se puder sonhar, poderá fazer
Vencendo os desafios na fase inicial

**22** Há uma lacuna no mercado, mas há um mercado na lacuna?
Descobrindo um nicho lucrativo

**24** Você pode aprender tudo o que precisa sobre o seu concorrente olhando na lata de lixo dele
Estudando a concorrência

**28** O segredo nos negócios é saber algo que ninguém mais sabe
Destacando-se no mercado

**32** Seja o primeiro ou seja o melhor
Obtendo uma vantagem

**40** Coloque todos os ovos numa única cesta e depois cuide bem dela
Gerenciando riscos

**42** A sorte é um dividendo do suor. Quanto mais você sua, mais sortudo você fica
A sorte (e como virar sortudo)

**43** Amplie sua visão e mantenha a estabilidade enquanto avança
Dê o segundo passo

**44** Nada que é grande foi criado de repente
A qual ritmo crescer

**46** O papel do CEO é capacitar as pessoas a se sobressair
De empreendedor a líder

**48** Forças do hábito são muito fracas para ser sentidas até que estejam fortes demais para ser quebradas
Mantendo a evolução da prática empresarial

**52** Uma corporação é um organismo vivo: tem que continuamente trocar de pele
Reinventando e se adaptando

**58** Sem crescimento e progresso contínuos, o sucesso não tem sentido
A curva de Greiner

**62** Se você acredita em algo, trabalhe à noite e nos fins de semana – não vai parecer trabalho
A *startup* leve

## ACENDENDO A CHAMA
### LIDERANÇA E RECURSOS HUMANOS

**68** Gerentes fazem o que é certo; líderes fazem a coisa certa
Liderando bem

**70** Nenhum de nós é tão esperto quanto todos nós
O valor da equipe

**72** A inovação deve ser invasiva e perpétua: qualquer um, em qualquer lugar, a qualquer hora
Criatividade e invenção

**74** A discordância contribui com tempero, entusiasmo e qualidade revigorante
Cuidado com os homens-sim

**76** Nenhum grande gerente ou líder caiu do céu
Deuses da administração

**78** Um líder é alguém que sabe o caminho, segue o caminho e mostra o caminho
Liderança eficaz

**80** O trabalho em equipe é o combustível que permite a pessoas comuns alcançar resultados incomuns
Organizando equipes e talentos

**86** Os líderes permitem que as grandes pessoas façam o trabalho que elas nasceram para fazer
Usando o máximo do seu talento

**88** O caminho adiante talvez não seja seguir adiante
Pensando fora da caixa

**90** Quanto mais uma pessoa puder fazer, mais você conseguirá motivá-la
Será que o dinheiro é a motivação?

**92** Seja uma enzima – um catalisador para a mudança
Mudando o jogo

**100** A pior doença que um executivo pode pegar é o egoísmo
Húbris e nêmesis

**104** A cultura é a forma pela qual um grupo de pessoas resolve problemas
Cultura organizacional

**110** A inteligência emocional é a intersecção do coração e da mente
Desenvolvendo a inteligência emocional

**112** A gestão é uma prática na qual arte, ciência e ofício se encontram
Os papéis gestores de Mintzberg

**114** Um camelo é um cavalo com o design feito por um comitê
Evite o pensamento de grupo

**115** A arte de pensar independentemente, mas junto
O valor da diversidade

# FAZENDO O DINHEIRO TRABALHAR
## GESTÃO FINANCEIRA

**120** Não se deixe envolver num negócio fraudulento
Jogue conforme as regras

**124** Altos executivos não devem ter cobiça
Lucro primeiro, depois os benefícios

**126** Se a riqueza for posta onde recebe juros, ela voltará em dobro
Investimentos e dividendos

**128** Tome emprestado no curto, empreste no longo
Ganhando dinheiro a partir do dinheiro

**130** Os interesses dos acionistas são os nossos
Prestação de contas e governança

**132** Faça produtos com a melhor qualidade ao menor custo pagando os maiores salários possíveis
Seus trabalhadores são seus clientes

**138** Use o DDO — dinheiro dos outros
Quem assume o risco?

**146** Nade contra a corrente. Siga o caminho oposto. Ignore a sabedoria convencional
Ignorando a manada

**150** A dívida é a pior pobreza
Alavancagem e risco em excesso

**152** O caixa é rei
Lucro vs. fluxo de caixa

**154** Só quando a maré está baixa é que dá para ver quem está nadando pelado
Risco fora do balanço

**155** O retorno sobre o patrimônio é uma meta financeira que pode se tornar um gol contra
Maximizando o retorno sobre o patrimônio

**156** Conforme o papel das empresas de *private equity* aumentou, aumentaram também os riscos envolvidos
O modelo das *private equity*

**158** Alocando custos de acordo com os recursos consumidos
Custeio baseado em atividades

# TRABALHANDO COM VISÃO
## ESTRATÉGIA E OPERAÇÃO

**164** Transforme todo desastre numa oportunidade
Aprendendo com o fracasso

**166** Se eu tivesse perguntado às pessoas o que queriam, provavelmente teriam dito "cavalos mais rápidos"
Liderando o mercado

**170** A coisa mais importante para lembrar é que a coisa mais importante é a coisa mais importante
Proteja o *core business*

**172** Você não precisa de uma empresa enorme, só de um computador e uma pessoa trabalhando meio período
O pequeno é bonito

**178** Não seja pego no meio
As estratégias de Porter

**184** A essência da estratégia é escolher o que não fazer
Estratégias boas e más

**186** Sinergia e outras mentiras
O desapontamento das aquisições

**188** A palavra chinesa "crise" é formada por dois caracteres: "perigo" e "oportunidade"
Gestão de crises

**190** Você não pode plantar no longo prazo se não puder comer no curto prazo
O equilíbrio entre o longo e o curto prazo

**192** Atratividade do mercado, atratividade do negócio
A matriz MABA

**194** Só os paranoicos sobrevivem
Evitando a complacência

**202** Para sobressair, baseie-se na capacidade das pessoas de aprender
A organização aprendiz

**208** O futuro do negócio é vender menos de mais
A Cauda Longa

**210** Para ser um otimista... tenha um plano de contingência para quando tudo dá errado
Planos de contingência

**211** Planos são inúteis, mas o planejamento é indispensável
Planejamento de cenários

**212** As forças competitivas mais fortes determinam a lucratividade de um setor
As cinco forças de Porter

**216** Se não tiver uma vantagem competitiva, não concorra
A cadeia de valor

**218** Se você não souber onde está, um mapa não vai ajudar
O Modelo de Maturidade de Capacitação

**220** O caos traz ansiedade, mas também permite a criatividade e o crescimento
Lidando com o caos

**222** Sempre faça o que é certo. Isso deixará metade da humanidade satisfeita e a outra, espantada
A moralidade nos negócios

**223** Não existe algo como um pequeno lapso na integridade
Conluio

**224** Facilite às pessoas fazer a coisa certa e dificulte ainda mais fazer a coisa errada
Criando uma cultura ética

# VENDAS DE SUCESSO
## A GESTÃO DE MARKETING

**232** O marketing é importante demais para ser deixado nas mãos do departamento de marketing
O modelo de marketing

**234** Conheça o cliente tão bem que o produto vai combinar com ele e se vender sozinho
Entendendo o mercado

**242** Atenção, interesse, desejo, ação
O modelo AIDA

**244** Miopia em marketing
Foco no mercado futuro

**250** O carro-chefe é
o coração da organização
Portfólio de produtos

**256** Crescer para longe do seu
cerne traz riscos;
a diversificação
os duplica
A matriz Ansoff

**258** Se você for diferente,
vai se destacar
Criando uma marca

**264** Só existe um chefe:
o cliente
Faça com que seus
clientes o amem

**268** Pintando o mundo
de verde
*Greenwashing —*
Desinformação verde

**270** As pessoas querem
que as companhias
acreditem em algo
além da maximização
do lucro
O apelo da ética

**271** Todo mundo quer
um algo
mais de graça
Promoções e incentivos

**272** Em tempos de vacas
gordas, todos querem
anunciar; em tempos
de vacas magras, todos
têm que anunciar
Por que fazer propaganda?

**274** Tente ter uma
mentalidade o mais
divertida possível
Causando alvoroço

**276** O *e-commerce* está se
transformando em
comércio móvel
O *M-Commerce*

**278** Tentar prever o
futuro é como dirigir

com os faróis apagados e
olhando pelo vidro traseiro
Previsões

**280** Produto, praça, preço
e promoção
Mix de marketing

# ENTREGANDO OS BENS
## PRODUÇÃO E PÓS-PRODUÇÃO

**288** Veja quanto, e não
quão pouco, você
consegue com um dólar
Maximize os benefícios
para o cliente

**290** Os custos não são feitos
para ser calculados.
Os custos existem para
ser reduzidos
Produção enxuta

**294** Se a torta não for
grande o suficiente,
faça uma maior
Satisfazendo a demanda

**296** Elimine os passos
desnecessários
Simplifique os processos

**300** Qualquer ganho vindo
da eliminação de
desperdício
é ouro na mina
O ideal de produção
de Juran

**302** Máquinas, instalações
e pessoas deveriam
trabalhar juntas para
agregar valor
*Kaizen*

**310** Aprendizado e inovação
seguem lado a lado
Aplicando e testando
ideias

**312** Os seus clientes mais
insatisfeitos são a sua
melhor fonte de aprendizado
*Feedback* e inovação

**314** A tecnologia é o grande e
barulhento motor da
mudança
A tecnologia certa

**316** Sem o *big data* você
está cego e surdo
no meio de
uma autoestrada
Tirando proveito
do *big data*

**318** Ponha o produto nas mãos
do cliente, e ele falará por si só
A qualidade vende

**324** O desejo de ter algo um
pouco melhor e um pouco
antes do necessário
Obsolescência programada

**326** Tempo é dinheiro
Gestão baseada em tempo

**328** Um projeto sem
caminho crítico
é como um barco
sem leme
Método do caminho crítico

**330** Pegando o melhor
dos melhores
*Benchmarking*

**332** DIRETÓRIO

**340** GLOSSÁRIO

**344** ÍNDICE

**351** AGRADECIMENTOS

# INTRODU

# ÇÃO

# INTRODUÇÃO

Desde que bens e serviços começaram a ser comercializados nas primeiras civilizações, as pessoas pensam em negócios. O surgimento de produtores especializados e o uso do dinheiro como meio de troca foram meios pelos quais as pessoas e as sociedades puderam, usando termos modernos, alcançar uma "vantagem empresarial". Os antigos egípcios, os maias, os gregos e os romanos sabiam que a criação de riqueza por meio do comércio era fundamental para obter poder, além de garantir a base sobre a qual a civilização poderia prosperar.

As lições dos primeiros comerciantes ressoam até hoje. A especialização revelou os benefícios da economia de escala – em que os custos de produção diminuem conforme mais itens são produzidos. O dinheiro contribuiu para a consolidação do conceito de "valor agregado", ao vender produtos por um valor maior que o custo para a sua produção. Mesmo na época do escambo, os produtores sabiam que era vantajoso diminuir os custos e aumentar o valor dos bens. As empresas de hoje talvez usem tecnologias diferentes e consigam atuar em escala global, mas a essência dos negócios pouco mudou ao longo dos milênios.

### Uma era de mudanças

No entanto, o estudo dos negócios como uma atividade independente surgiu apenas recentemente. Os termos "gerente" e "gerenciamento" não apareciam na língua inglesa antes do final do século XVI. No texto *The Visible Hand*, de 1977, o dr. Alfred Chandler divide a história da administração em dois períodos: pré-1850 e pós-1850. Antes de 1850, empresas locais, familiares, dominavam o cenário dos negócios. Já que o comércio era feito numa escala relativamente pequena, não se dava muita atenção às outras modalidades de negócio.

O crescimento das ferrovias em meados do século XIX, seguido pela Revolução Industrial, capacitou os negócios a crescer além do que era gerido por amigos e parentes, e além do alcance local. Para prosperar nesse cenário cada vez mais internacional, os negócios precisavam de processos e estruturas diferentes e mais rigorosos. O escopo geográfico e o crescente tamanho de tais negócios exigiam novos níveis de coordenação e comunicação – em poucas palavras, a administração precisava de gerenciamento.

### Gerenciando a produção

O foco inicial da nova casta de gerentes estava na produção. Conforme a manufatura passou dos artesãos individuais para as máquinas, exigindo escalas maiores, estudiosos como Henri Fayol examinaram maneiras cada vez mais eficientes de operação. As teorias de Gerenciamento Científico, inicialmente formuladas por Frederick Taylor, sugeriam que existe "uma forma melhor" para desempenhar tarefas. Os negócios eram organizados em rotinas precisas, e o papel dos trabalhadores consistia apenas em supervisionar e "alimentar" as máquinas, como se fossem parte delas. Com o advento das linhas de produção no começo do século XX, a administração foi caracterizada pela padronização e pela produção em massa.

Se por um lado o carro Modelo T, de Henry Ford, é visto como uma enorme realização da industrialização, por outro Ford questionou: "Por que é que toda vez que peço um par de mãos elas sempre vêm com um cérebro junto?". A produção pode ter

A arte da administração é tão velha quanto a raça humana.
**Edward D. Jones, banqueiro norte-americano (1893-1982)**

# INTRODUÇÃO 13

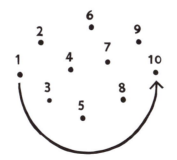

aumentado, mas com esse aumento também cresceu o conflito entre gerentes e funcionários. As condições de trabalho eram péssimas, e os negócios ignoravam o contexto sociológico do trabalho – a produtividade era mais importante que as pessoas.

**Estudando pessoas**
Nos anos 1920, surgiu uma nova influência sobre a forma de pensar a administração – o Movimento das Relações Humanas, dentro dos estudos comportamentais. A partir do trabalho dos psicólogos Elton Mayo e Abraham Maslow, os negócios começaram a reconhecer o valor das relações humanas. Os trabalhadores deixaram de ser vistos somente como "engrenagens na máquina", passando a ser indivíduos com necessidades únicas. A gerência ainda focava na eficiência, mas percebeu que os trabalhadores eram mais produtivos quando suas necessidades sociais e emocionais eram supridas. Pela primeira vez a organização e o ambiente do trabalho, o trabalho em equipe, a remuneração e os benefícios não financeiros passaram a ser considerados importantes para a motivação do pessoal.

Nos anos que se seguiram à II Guerra Mundial, as práticas de administração mudaram uma vez mais. As inovações do tempo de guerra trouxeram avanços tecnológicos significativos, os quais podiam ser aplicados aos negócios. Os gerentes começaram a fazer análises quantitativas, usando computadores para solucionar problemas operacionais. As relações humanas não foram esquecidas, mas, dentro do escopo da administração, a mensuração voltou ao primeiro plano.

**Marcas globais**
O período do pós-guerra presenciou o crescimento das multinacionais e dos grandes grupos empresariais – negócios com interesses diversos e múltiplos, espalhados pelo mundo inteiro. A guerra fez com que o mundo parecesse menor e abriu caminho para marcas globais. Ainda nascentes, tais marcas globais cresceram como

O empreendedorismo tem a ver com sobrevivência e nutre o pensamento criativo. Os negócios não são uma ciência financeira, tendo a ver com comércio – comprar e vender.
**Anita Roddick, empreendedora britânica (1942-2007)**

fruto da revolução da mídia – televisão, revistas e jornais deram aos negócios os meios para alcançar audiências em massa. Os negócios sempre usaram a propaganda para informar os clientes a respeito dos produtos e para persuadi-los a comprá-los, mas a mídia de massa garantiu a plataforma para um novo e mais amplo campo – o marketing. Nos anos 1940, o executivo norte-americano especialista em propaganda Rosser Reeves promoveu a Proposta Única de Venda (USP, no inglês). Ao redor dos anos 1960, os métodos de marketing mudaram: em vez de simplesmente falar ao cliente sobre os produtos, as empresas começaram a ouvir o que os clientes queriam, para depois adaptar os produtos e serviços a esses desejos.

No princípio, o marketing teve seus críticos. No começo dos anos 1960, a promoção dos produtos se tornou mais importante que a qualidade, e aumentou a insatisfação dos clientes. Como forma de reação e tendo que enfrentar uma crescente concorrência dos fabricantes japoneses, as empresas ocidentais adotaram uma nova mentalidade de negócios: a Gestão da Qualidade Total (TQM, no inglês) e a gestão de Zero Defeito. Guiada pelos teóricos de gestão, como W. Edwards Demming e Philip B. Crosby, a qualidade era vista como responsabilidade de toda a empresa, não apenas daqueles na linha de produção. Combinando a mentalidade de Relações Humanas »

com a abordagem de marketing focada no cliente, muitas empresas adotaram a filosofia japonesa do *kaizen*: "melhora contínua de tudo, por todos". Todo o pessoal, em todos os níveis, foi incumbido de melhorar os processos e os produtos por meio de "círculos de controle da qualidade". Se, por um lado, a TQM não causa mais o mesmo alvoroço, a qualidade continua sendo importante. A iteração moderna da TQM é o Seis Sigmas, um *approach* à melhoria de processos que foi desenvolvido pela Motorola em 1986 e adaptado por Jack Welch enquanto CEO da General Electric.

### Gurus e pensadores

A história da administração surgiu como um tópico à parte nos anos 1970. O dr. Alfred Chandler avançou no estudo da história da administração partindo de algo descritivo para algo analítico – seu curso na Harvard Business School enfatizava a importância da capacitação organizacional, além do aprendizado contínuo. Baseados em Chandler, especialistas em gestão dos anos 1980 e 1990, como Michael Porter, Igor Ansoff, Rosabeth Moss Kanter, Henry Mintzberg e Peter Drucker, encorajavam as empresas a considerar o ambiente onde se inseriam, bem como a necessidade das pessoas, permanecendo sempre abertas a mudanças. A manutenção das condições para o crescimento empresarial e o correto posicionamento dos produtos dentro de seus mercados eram considerados chave para a estratégia dos negócios. Além disso, o que distinguia esses gurus dos que vieram antes deles – que costumavam abordar questões operacionais – era o foco na própria liderança. Por exemplo, *A era do paradoxo*, de Charles Handy, revelava os paradoxos da liderança e reconhecia as vulnerabilidades e as fragilidades dos próprios gerentes. A liderança no contexto dos negócios, reconheciam esses escritores, não é algo fácil de alcançar.

### O pioneirismo digital

Assim como a televisão e a mídia de massa haviam feito antes, o crescimento da internet nos anos 1990 e 2000 anunciou uma nova era para os negócios. Se por um lado o exagero levou à quebra de muitas *startups* on-line na bolha das "pontocom" de 1997 a 2000, os pioneiros do comércio eletrônico (*e-commerce*) lançaram os fundamentos de um cenário de negócios que viria a ser dominado pela inovação. Desde as *startups* tecnológicas de garagem – como a Hewlett-Packard e a Apple – aos websites, aplicativos móveis e fóruns de mídia social do atual cenário de negócios, a tecnologia é cada vez mais vital para as empresas.

A explosão de novos negócios graças à tecnologia também ajudou a expandir a disponibilidade financeira. Durante os anos 1980 e 1990, as finanças se tornaram uma disciplina à parte. As fusões corporativas e as enormes aquisições tornaram-se uma porta para as empresas crescerem além de seus limites operacionais. Tal alavancagem introduziu o marketing e a estratégia no dicionário da administração. No final dos anos 1990, acabou surgindo o *venture capital*: a abertura de pequenas empresas por investidores em busca de lucro. O risco de começar e gerenciar um negócio continua, mas as oportunidades oferecidas pela tecnologia e pelo acesso mais fácil a financiamentos facilitaram o processo de dar os primeiros passos. O microcrédito, bem como o apoio de redes e comunidades on-line com pessoas parecidas, dispensando consultorias de

Os negócios podem ser uma fonte de mudança progressiva.
**Jerry Greenfield, empresário norte-americano, cofundador do fabricante de sorvetes Ben and Jerry's (1951-)**

# INTRODUÇÃO 15

negócios, fez com que as empresas se tornassem cada vez mais empreendedoras.

Uma mentalidade mais recente sobre a administração de empresas trouxe à tona a diversidade e a responsabilidade social. Os negócios são encorajados, e cada vez mais cobrados por lei, a empregar pessoas de variadas origens e a se portar de forma ética, onde quer que operem no mundo. Empresas de vestuário como Nike e Adidas exigem que seus fornecedores provem que as condições de trabalho em suas fábricas satisfaçam os padrões exigidos. Sustentabilidade, reciclagem, diversidade e preocupação ambiental se juntaram à mentalidade dos negócios, lado a lado com o gerenciamento e o risco.

## Novos horizontes

Se a mentalidade empresarial mudou, também mudou a natureza do próprio negócio. Onde antes uma empresa estava restrita à sua região, hoje as oportunidades são verdadeiramente globais. A globalização quer dizer, no entanto, que as empresas estão mais competitivas que nunca. Mercados emergentes criam novas oportunidades e ameaças. As empresas talvez consigam terceirizar sua produção para países de mão de obra barata, mas, conforme suas economias crescem, tais nações emergentes geram uma nova concorrência. A China, por exemplo, talvez seja "a fábrica do mundo", mas suas empresas locais também começaram a ser uma ameaça às do Ocidente. Assim como a recessão global de 2007/2008, com sua crescente incerteza econômica, tem provado, os negócios no século XXI estão cada vez mais interdependentes e desafiadores. Começar um negócio pode ser fácil, mas para sobreviver os empreendedores precisam ter a tenacidade de levar sua ideia ao mercado, a perspicácia empresarial de transformar um bom plano numa empresa lucrativa e a habilidade financeira de manter seu sucesso.

## Mudança contínua

Por séculos, fatores sociais, políticos e tecnológicos forçaram as empresas e as pessoas a criar novas formas de gerar lucro. Quer seja fazendo escambo com uma vila vizinha ou buscando modos de lucrar com redes sociais, a mentalidade empresarial mudou e evoluiu para espelhar as necessidades das sociedades cuja riqueza ela cria. Às vezes, como na crise financeira de 2008, as empresas fracassaram em seu intento. Em outras circunstâncias – como, por exemplo, no legado dos produtos inovadores da Apple –, as empresas têm obtido um espetacular sucesso. A administração é um assunto fascinante. Ela nos cerca e nos afeta diariamente. Um passeio em qualquer rua importante, uma volta no supermercado ou uma busca na internet sobre quase qualquer assunto revela o comércio em suas mais variadas modalidades. No seu cerne a administração tem a ver, como sempre teve, com a sobrevivência e o lucro – com o avanço das pessoas e da sociedade. Conforme o mundo continua a se abrir e as oportunidades de negócios a se multiplicar, o interesse pela administração nunca foi tão relevante ou desafiador. Além disso, para aqueles com espírito empreendedor, nunca houve tanta recompensa nos negócios. ■

A administração, mais do que qualquer outra ocupação, é um constante lidar com o futuro, um constante cálculo, um exercício instintivo de previsão.
**Henry R. Luce, editor norte-americano (1898-1967)**

# COMECE P
# PENSE GR

## INICIANDO E DESENVOLVENDO UM NEGÓCIO

# EQUENO, ANDE

# INTRODUÇÃO

Todo negócio começa do mesmo ponto: uma ideia. O que acontece com essa ideia determina o sucesso do negócio.

De acordo com a revista *Entrepreneur*, quase metade de todas as novas empresas quebra nos primeiros três anos. Vencer os desafios nessa fase inicial é duro. Primeiro, e o mais importante, uma ideia, não importa quão boa ela seja, tem que estar combinada com um espírito empreendedor, definido como a disposição a assumir riscos. Sem um espírito empreendedor, uma grande ideia talvez nunca avance. Mas nem todas as ideias são boas. Seria tolice do empreendedor se apressar em oferecer seu produto no mercado sem uma preparação anterior, além de uma pesquisa e de um planejamento cuidadoso. O risco talvez seja inerente ao abrir uma empresa, mas o empreendedor de sucesso é aquele que se dispõe não apenas a assumir riscos, mas também a ser capaz de gerenciá-los.

## Propostas realistas

Ter uma ideia é o primeiro passo – o próximo obstáculo é o financeiro. Algumas empresas iniciantes exigem bem pouco capital, e outras não exigem nada. No entanto, várias exigem um suporte significativo, e muitas precisarão buscar dinheiro em alguma etapa do seu processo de crescimento. Um empreendedor deve ser capaz de convencer os possíveis financiadores de que o conceito é válido e de que ele tem as habilidades e o conhecimento para transformar o conceito original num negócio de sucesso.

Daí se conclui que a ideia tem que ser lucrativa. Às vezes, uma ideia pode parecer fantástica no papel, mas quando posta em prática pode se tornar inviável economicamente. Para determinar se uma ideia tem potencial é preciso um estudo da concorrência e do mercado. Quem está concorrendo pelo tempo e pelo dinheiro do cliente? Será que esses concorrentes estão vendendo produtos que concorram diretamente com o seu ou será que são possíveis substitutos? Como os concorrentes são vistos no mercado? Qual é o tamanho do mercado?

A maioria dos mercados tem se tornado cada vez mais global, saturada e competitiva. Poucas empresas têm sorte

A única coisa pior que começar algo e fracassar... é não começar algo.
**Seth Godin, empreendedor norte--americano (1960-)**

suficiente para achar um nicho lucrativo – para ter sucesso, as companhias precisam fazer algo diferente de modo a se destacarem no mercado. A estratégia, para a maioria, é a diferenciação, o que quer dizer que elas têm que demonstrar aos clientes que oferecem algo que não está disponível na concorrência – uma Proposta Única ou Emocional de Venda (USP ou ESP, no inglês).

Tais tentativas de se destacar podem ser vistas em todo lugar. Qualquer empresa, em qualquer estágio da produção, desde a extração da matéria-prima até o serviço de pós-venda, tenta distinguir seus produtos ou serviços de todos os outros. Entre em qualquer livraria, por exemplo, e será capaz de ver uma infinidade de livros, geralmente sobre o mesmo tema, usando design, estilo ou até mesmo tamanho (grande ou pequeno) para se destacar do resto da concorrência.

Estar à frente quase sempre depende de uma ou duas coisas: ser o primeiro num novo nicho de mercado ou se diferenciar da concorrência. Por exemplo, em 1995 o eBay foi o primeiro no mercado de leilões on-line, o qual domina desde então. De modo similar, a Volvo foi a primeira a identificar a oportunidade para ônibus de luxo na Índia e tem feito boas vendas por lá. Por outro lado, o Facebook não foi, de forma alguma, a primeira rede social, mas é a de maior sucesso. Seu diferencial foi ter um produto melhor.

# COMECE PEQUENO, PENSE GRANDE

Assim que uma empresa é aberta, o desafio muda: o objetivo agora é manter as vendas e o crescimento no curto e no longo prazo.

### Adaptando-se para sobreviver
A sobrevivência empresarial no longo prazo depende de a empresa estar constantemente se reinventando e se adaptando para se manter adiante da concorrência. Em mercados dinâmicos, os quais crescem e evoluem o tempo todo, a ideia original que abriu a empresa talvez se torne irrelevante com o passar do tempo, e os concorrentes muito provavelmente vão copiá-la. O ecossistema no qual um negócio atua raramente, ou quase nunca, é estático. As empresas que existem nesses ecossistemas são organismos vivos que devem se adaptar para sobreviver. Em seu livro *Reinventing giants*, de 2013, Bill Fischer, Umberto Lago e Fang Liu observam que a empresa chinesa de utilidades domésticas Haier já havia se reinventado pelo menos três vezes nos últimos 30 anos. Em contraste, a Kodak, gigante americana do século XX, demorou a reagir ao surgimento da fotografia digital e faliu.

Além disso, assim como uma empresa tem que se adaptar, o seu dono também tem. A maioria dos negócios começa pequena e continua pequena. Poucos empreendedores estão dispostos a dar o segundo passo ou sabem fazê-lo: o de empregar pessoas que não são nem parentes nem velhos amigos. Esse é o começo da mudança de um empreendedor para um líder, o que exige um novo conjunto de habilidades, conforme novas demandas surgem para os fundadores do negócio. Onde antes bastavam energia, ideias e paixão, o negócio em evolução agora exige o desenvolvimento de sistemas, procedimentos e processos formais. Em poucas palavras, ele exige gerenciamento. Os fundadores devem desenvolver habilidades de delegar, comunicar e coordenar. Caso contrário, devem contratar pessoas que consigam fazer isso.

Como Larry Greiner descreveu em seu artigo de 1972 "Evolutions and Revolutions as Organizations Grow", conforme os negócios crescem, as demandas sobre ele mudam. A curva de Greiner é um gráfico que mostra como os estágios iniciais de crescimento dependem da iniciativa de um indivíduo e que as práticas empresariais em crescimento sustentável e bem-sucedido só podem ser alcançadas por pessoas experientes e sistemas rigorosos. O gerenciamento profissional, diferentemente do espírito empreendedor, torna-se essencial para a evolução do negócio.

Alguns líderes, como Bill Gates e Steve Jobs, por exemplo, se mostraram capazes de fazer a transição do fundador empreendedor para o líder corporativo. Muito outros, no entanto, lutam para fazer as mudanças necessárias. Alguns tentam e fracassam, enquanto outros decidem continuar pequenos.

### Buscando equilíbrio
Determinar a velocidade do crescimento representa, portanto, um equilíbrio entre as habilidades e as vontades do fundador. Mas, para sobreviver, a ideia deve ser original o suficiente para definir seu próprio nicho, e a pessoa ou grupo por trás dela deve demonstrar espírito empreendedor. Eles precisam da flexibilidade para adaptar a ideia – e a si mesmos – conforme aumentam as pressões do negócio e do mercado. A sorte faz a sua parte, mas é o equilíbrio desses fatores que determina se uma empresa iniciante pequena se tornará uma gigante. ■

Quando você tem que provar o valor de suas ideias ao convencer outras pessoas a pagar por elas, as coisas ficam bem mais claras.
**Tim O'Reilly, empresário irlandês (1954-)**

# SE PUDER SONHAR, PODERÁ FAZER
## VENCENDO OS DESAFIOS NA FASE INICIAL

## EM CONTEXTO

FOCO
**Empresas iniciantes (*startups*)**

DATAS IMPORTANTES
**Século XVIII** O termo "empreendedor" é usado para descrever alguém que está disposto a assumir riscos comprando a um preço dado e vendendo a um preço incerto.

**1946** O professor Arthur Cole escreve *An Approach to Entrepreneurship*, despertando interesse pelo fenômeno.

**2005** O site de microcrédito, sem fins lucrativos, Kiva.com é aberto para fazer pequenos empréstimos a microempresas.

**2009** Sites de *crowdfunding*, como o Kickstarter.com, permitem que as pessoas contribuam com dinheiro para as empresas.

**2013** Um estudo feito por Ross Levine e Yona Rubinstein mostra que, na adolescência, muitos empreendedores de sucesso exibiam comportamento agressivo, desrespeitavam as regras e se metiam em encrencas.

Os motivos para começar um negócio são muitos. Alguns sonham em ser seu próprio patrão, em transformar seus *hobbies* em um negócio lucrativo, em expressar sua criatividade ou em ser recompensados com muito dinheiro pelo seu trabalho duro. Apesar de a máxima de Walt Disney "se puder sonhar, pode fazer" valer para alguns, ir atrás de seu próprio sonho é arriscado. Os que tentam têm o espírito empreendedor para largar, sem medo, um emprego bem pago, se engajar em seus novos negócios e enfrentar um futuro cheio de incertezas. Outros talvez precisem de um empurrão. Com frequência a demissão (e o pagamento de uma indenização em dinheiro) pode servir como trampolim. Jovens empreendedores estão, cada vez mais,

# COMECE PEQUENO, PENSE GRANDE 21

**Veja também:** Descobrindo um nicho lucrativo 22–23 ▪ Gerenciando riscos 40–41 ▪ A sorte (e como virar sortudo) 42 ▪ Dê o segundo passo 43 ▪ De empreendedor a líder 46–47 ▪ Aprendendo com o fracasso 164–165 ▪ O pequeno é bonito 172–177

envolvidos nos cenários das *startups*. Talvez já tenham desenvolvido as habilidades necessárias para os negócios ao redor dos vinte anos, e desfrutam do entusiasmo e da liberdade de administrar suas próprias iniciativas.

## Mantendo a fé

Se por um lado as razões para começar uma *startup* podem variar, o que todos os empreendedores têm em comum é a disposição de assumir riscos. Poucos empreendedores acertam na primeira vez – é preciso resiliência e tenacidade para seguir adiante quando confrontados com o fracasso, e é preciso perseverança para permanecer confiantes quando clientes, bancos e investidores repetidamente dizem "não". Fé na ideia é essencial. Se por um lado algumas *startups* exigem pouco capital, a maioria precisa de dinheiro durante as primeiras fases de crescimento. Um dono de negócio deve ser capaz de convencer bancos ou outros investidores financeiros de que o seu conceito é válido e de que ele tem as habilidades necessárias para transformar suas ideias em negócios lucrativos, mesmo que demore. Demorou seis anos para que a Amazon obtivesse lucro. Recentemente, garantir financiamento para *startups* ficou um pouco mais fácil. Vários governos oferecem empréstimos ou programas. Empreendedores com grandes ideias conseguem levantar altas quantias de dinheiro e apoio gerencial de *venture capitalists*, aqueles cujo único propósito é incubar as *startups*. Para empresas iniciantes menores e para pessoas com pouco capital próprio, microcrédito e financiamento via *crowdfunding* – como o da Kickstarter.com – têm se tornado cada vez mais comuns.

## O plano de negócios

A chave para garantir financiamento é um plano de negócios. Um bom plano descreve a ideia, detalha qualquer pesquisa de mercado acessória, descreve as atividades operacionais e de marketing e faz previsões financeiras. O plano também deve sintetizar uma estratégia para crescimento a longo prazo e identificar contingências (ideias ou mercados alternativos) se as coisas não acontecerem conforme o planejado.

Mais importante ainda, um bom plano de negócios reconhece que a maior razão para o fracasso de uma empresa é a falta de dinheiro. Se por um lado empréstimos podem ajudar por um tempo, uma empresa tem que ser capaz de financiar suas operações com suas receitas. Um bom plano de negócios analisará fluxos de caixa futuros e identificará possíveis falhas.

Vencer os desafios no início de uma empresa é definido pela tenacidade em levar uma ideia ao mercado, a habilidade de garantir financiamento e perspicácia suficientes para transformar um bom plano numa empresa lucrativa no longo prazo. ▪

Manter um negócio é a maior dureza, mas manter o apetite já é metade do caminho.
**Wendy Tan White, executiva de negócios britânica (1970-)**

## "Tony" Fernandes

Tan Sri Anthony (Tony) Fernandes nasceu em Kuala Lumpur em 1964, filho de pai indiano e mãe malásia. Foi educado na Inglaterra e se formou na London School of Economics (LSE) em 1987. Trabalhou por pouco tempo na Virgin Records como *controller* financeiro antes de se tornar vice-presidente para o sudeste asiático do grupo Warner Music. Em 2001, Fernandes deixou a Warner para tentar carreira solo. Hipotecou sua casa para levantar dinheiro para comprar uma recém-criada companhia aérea com problemas financeiros, a AirAsia. Sua estratégia de baixo custo estava clara no lema da empresa: "Agora qualquer um pode voar". Um ano após assumir, a companhia havia pago sua dívida de US$ 11 milhões e atingido o ponto de equilíbrio. Fernandes acha que 50% dos seus clientes são passageiros de primeira viagem. A companhia é considerada, agora, uma das melhores do perfil de baixo custo.

Em 2007, Fernandes fundou a Tune Hotel, rede hoteleira de baixo custo que promete "camas de cinco estrelas pelo preço de uma". O conselho de Tony: "Sonhe o impossível. Nunca aceite não como resposta".

# HÁ UMA LACUNA NO MERCADO, MAS HÁ UM MERCADO NA LACUNA?
## DESCOBRINDO UM NICHO LUCRATIVO

## EM CONTEXTO

FOCO
**Estratégia de posicionamento**

DATAS IMPORTANTES
**Anos 1950 e 1960** Os mercados são dominados por grandes empresas oferecendo itens produzidos em massa, como a Coca-Cola. A escolha do consumidor é limitada, mas o escopo para produtos-alvo em novos setores de mercado é grande.

**Anos 1970 e 1980** Os mercados se tornam cada vez mais segmentados à medida que as empresas lançam novos produtos e os vendem para grupos cada vez menores.

**Anos 1990 e 2000** Empresas e marcas se posicionam de forma cada vez mais agressiva num mercado saturado.

**Anos 2010** Encontrar e manter nichos de mercado são ações apoiadas pelas habilidades promocionais da internet, a qual permite um marketing "personalizado" e a customização de produtos.

---

**Muitos mercados estão saturados**, com um monte de fornecedores correndo atrás dos mesmos clientes.

↓

Para esses fornecedores, a **concorrência diminui a lucratividade**.

↓

Lacunas de mercado – um novo produto ou setor do mercado – oferecem a perspectiva atraente de uma **lucratividade saudável**.

↓

Mas será que a lacuna garante negócios suficientes para **gerar lucro**?

↓

**Há uma lacuna no mercado, mas há um mercado na lacuna?**

---

Achar um espaço no mercado que ainda não foi ocupado pela concorrência é o Santo Graal da estratégia de posicionamento.

Infelizmente esses espaços – conhecidos como lacuna de mercado – são, com frequência, ilusórios, e as vantagens de encontrar algum deles também são ilusórias.

Apesar de a concorrência ser um fato da vida, ela faz com que os negócios sejam mais difíceis, contribuindo para uma pressão cada vez maior sobre os preços, custos crescentes (como o financiamento do desenvolvimento e marketing de novos produtos) e uma necessidade incessante de se destacar dos rivais nas operações e na esperteza. Por outro lado, os benefícios de encontrar uma lacuna de mercado – um pequeno segmento ou nicho de um mercado que ainda não foi descoberto pela concorrência – são óbvios: maior controle sobre os preços, custos menores e lucros maiores.

A identificação de uma lacuna de mercado, combinada com uma dose de espírito empreendedor, com frequência é suficiente para lançar um novo negócio. Em 2006, o fundador do Twitter, Jack Dorsey, combinou um meio de comunicação rápido com uma mídia social, oferecendo um serviço que ninguém ainda tinha visto. Grátis para a maioria dos usuários, a receita vem de empresas que pagam por *tweets* promocionais e por perfis: o Twitter teve receitas publicitárias de US$ 582 milhões em 2013.

# COMECE PEQUENO, PENSE GRANDE   23

**Veja também:** Destacando-se no mercado 28–31 ▪ Obtendo uma vantagem 32–39 ▪ Reinventando e se adaptando 52–57 ▪ As estratégias de Porter 178–183 ▪ Estratégias boas e más 184–185 ▪ A cadeia de valor 216–217 ▪ Mix de marketing 280–283

Nem todas as lacunas, no entanto, são lucrativas. O Amphicar, por exemplo, foi um carro anfíbio produzido na década de 1960 para consumidores norte-americanos que quisessem andar com ele em estradas e rios. Foi uma novidade excêntrica, mas o mercado era pequeno demais para dar lucro. A mesma coisa aconteceu com a água engarrafada para animais de estimação, lançada nos Estados Unidos em 1994. A Thirsty Cat! e a Thirsty Dog! fracassaram em atrair a atenção dos donos de animais.

**O posicionamento da Snapple** no saturado mercado de bebidas nos Estados Unidos foi a chave do seu sucesso. Ao focar num nicho de produtos saudáveis e se promover como uma empresa excêntrica, a Snapple foi capaz de lutar por uma participação de mercado maior que a de seus rivais (indicada aqui pelo tamanho dos círculos).

## Um nicho sustentável

A Snapple, fabricante de chás e bebidas saudáveis, é uma empresa que conseguiu encontrar um nicho sustentável e lucrativo. Uma olhada em qualquer prateleira de supermercado mostra que existem dezenas de marcas concorrendo. Muitas empresas fracassaram nesse mercado supercompetitivo: por exemplo, a Pepsi tentou capturar um mercado não existente para refrigerantes à base de cola com sua bebida de vida curta, com muita cafeína, AM.

O sucesso para a Snapple veio de posicionar seu produto como uma marca única – a empresa foi uma das primeiras a fabricar sucos e bebidas feitos exclusivamente de ingredientes naturais. Seus fundadores tinham uma loja de produtos naturais em Manhattan e adotaram o slogan "100% Natural". A Snapple se dirigia ao público que ia de uma cidade a outra para trabalhar, estudantes e pessoas que almoçavam fora de casa com uma nova e saudável bebida, combinando sua Proposta Única de Venda com um marketing irreverente, junto com garrafas pequenas para serem consumidas rapidamente. A distribuição se dava por meio de pequenas lojas às quais os clientes tinham acesso rápido. A tática a ajudou a garantir um nicho lucrativo e sustentável, distinguindo a Snapple de seus rivais nos anos 1980 e 1990. Em 1994, as vendas chegaram a US$ 674 milhões.

Territórios de mercado ainda não ocupados oferecem grandes oportunidades, mas o desafio é saber quais lacunas são lucrativas e quais são armadilhas. Durante os anos 1990, muitas empresas se entusiasmaram com o potencial do mercado "verde", que cobria uma grande variedade de produtos. Mas esse mercado não foi capaz de se materializar de forma lucrativa. Eis aqui um obstáculo potencial na identificação de lacunas de mercado baseada em pesquisas de mercado: os consumidores com frequência têm uma forte posição ou opinião a respeito de tendências – tais como a ecologia –, mas não prestam atenção a isso ao comprar produtos, principalmente se os preços forem mais altos. Muitas lacunas de mercado são tentadoras, porém ilusórias. ■

### Snapple

Contração das palavras inglesas "snappy" (rápida) e "apple" (maçã), a Snapple foi lançada em 1978 pela Unadulterated Food Products Inc. A empresa foi fundada em 1972 por Arnold Greenberg, Leonard Marsh e Hyman Golden em Nova York, EUA.

A popularidade da Snapple cresceu tanto que a empresa foi comprada várias vezes. A primeira compradora foi a Quaker Oats, que pagou US$ 1,7 bilhão em 1994, mas, devido a diferenças em visões estratégicas que levaram a uma queda nas vendas, a Unadulterated acabou sendo vendida para a Triarc em 1997 por US$ 300 milhões. Mais tarde, a Triarc vendeu a marca Snapple para a Cadbury Schwepps por US$ 1,45 bilhão, em setembro de 2000, e em maio de 2008 a Snapple se tornou parte do que hoje é conhecido como Dr. Pepper Snapple Group.

Vendidas como "Feita com as melhores coisas da Terra", as bebidas prontas da Snapple, incluindo chás, sucos e água, são oferecidas em mais de 80 países.

# VOCÊ PODE APRENDER TUDO O QUE PRECISA SOBRE O SEU CONCORRENTE OLHANDO NA LATA DE LIXO DELE

**ESTUDANDO A CONCORRÊNCIA**

## EM CONTEXTO

FOCO
**Ferramentas analíticas**

DATAS IMPORTANTES
**Anos 1950** Os pesquisadores de Harvard George Smith e C. Roland Christensen desenvolvem ferramentas para analisar empresas e concorrência.

**Anos 1960** O consultor de gestão norte-americano Albert Humphrey lidera um projeto de pesquisa que produz a análise SOFT – a precursora da análise SWOT.

**1982** O professor norte-americano Heinz Weihrich aperfeiçoa a matriz SWOT, transformando-a na matriz TOWS, a qual usa as ameaças à empresa como ponto de partida para a formulação da estratégia.

**2006** Os pesquisadores japoneses Shinno, Yoshioka, Marpaung e Hachiga desenvolvem um *software* que combina a análise SWOT com a AHP (Processo Analítico Hierárquico, no inglês).

Esteja a empresa consolidada ou ainda em seu estágio inicial, uma questão estratégica chave é a sua vantagem competitiva – um fator que lhe dá uma dianteira sobre seus concorrentes. A única forma de estabelecer, entender e proteger a dianteira competitiva é estudar a concorrência. Quem está concorrendo com a empresa pelo tempo e pelo dinheiro dos seus clientes? Eles vendem produtos concorrentes ou potenciais substitutos? Quais são suas forças ou fraquezas? Como o mercado os vê?

Para Ray Kroc, empresário norte--americano por trás do sucesso da rede de *fast-food* McDonalds, tudo isso pode ser feito inspecionando o lixo do concorrente. Mas existe um leque de ferramentas mais convencionais para

# COMECE PEQUENO, PENSE GRANDE    25

**Veja também:** Destacando-se no mercado 28–31 ▪ Obtendo uma vantagem 32–39 ▪ Pensando fora da caixa 88–89 ▪ Liderando o mercado 166–169 ▪ As estratégias de Porter 178–183 ▪ A matriz MABA 192–193 ▪ As cinco forças de Porter 212–215

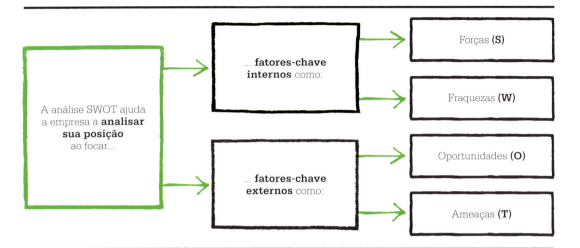

ajudar as empresas a entender a si mesmas, seus mercados e sua concorrência.

## Análise SWOT

A ferramenta mais comum é a análise SWOT. Criada pelo consultor de gestão Albert Humphrey em 1966, ela é usada para identificar as forças (S, no inglês) e as fraquezas (W) internas e para analisar as oportunidades (O) e ameaças (T) externas. Fatores internos que podem ser considerados como forças ou fraquezas incluem a experiência e a *expertise* da gerência; a habilidade da força de trabalho; a qualidade do produto; a saúde financeira da empresa; e a força de sua marca. Fatores externos que podem ser oportunidades ou ameaças incluem crescimento de mercado, novas tecnologias, barreiras à entrada no mercado, potencial de vendas no exterior e mudanças na demografia dos clientes, bem como suas preferências.

A análise SWOT, amplamente usada por todos os setores empresariais, está presente em qualquer curso básico de administração de empresas. É uma ferramenta criativa que permite à gerência avaliar a atual posição da empresa e imaginar possíveis posições no futuro.

## Uma ferramenta prática

Quando bem-feita, a análise SWOT deve ser capaz de moldar o planejamento estratégico e as tomadas de decisão. Ela ajuda a empresa a identificar o que ela consegue fazer melhor que a concorrência (ou vice-versa), quais mudanças precisaria fazer para minimizar ameaças e quais oportunidades lhe dariam uma vantagem competitiva. A chave para a adequação estratégica é garantir que os ambientes internos e externos da empresa se combinem: suas forças internas devem estar alinhadas com as oportunidades externas. Qualquer fraqueza interna deve ser tratada de modo a minimizar o potencial da ameaça externa.

Ao fazer a análise SWOT, as opiniões dos funcionários, e até mesmo dos clientes, devem ser incluídas – ela pode ser uma chance de ouvir a opinião de todas as partes relacionadas. Quanto mais opiniões forem consideradas, mais profunda será a análise e mais úteis serão os resultados. No entanto, há limitações. Se por um lado uma empresa pode ser capaz de julgar adequadamente suas fraquezas e forças internas, as projeções sobre eventos e tendências futuras (que afetarão as oportunidades e ameaças) estão sempre sujeitas a erro. As diversas partes relacionadas terão acesso a diferentes níveis de informação a respeito das atividades da empresa para entender sua posição atual. O equilíbrio é uma questão-chave: os gerentes mais experientes podem ter uma visão completa da empresa, mas »

Se você for exatamente aonde os seus concorrentes estão, você estará perdido
**Thorsten Heins, germano-canadense ex-CEO da Blackberry (1957-)**

# 26 ESTUDANDO A CONCORRÊNCIA

suas necessidades perspectivas precisam ser informadas através de visões alternativas oriundas de todos os níveis da organização.

Assim como com todas as ferramentas gerenciais, o fator que governa o sucesso da análise SWOT tem a ver com o fato de ela ajudar ou não nas ações da empresa. Mesmo as análises mais completas são inúteis se seus resultados não forem traduzidos em planos bem elaborados, novos processos e um desempenho melhor.

## Mapeamento do mercado

Uma ferramenta um pouco mais restrita, porém mais sofisticada, para a análise da posição da empresa, bem como de seus concorrentes, é o "mapeamento de mercado" (também conhecido como "mapeamento de percepção"). O mapeamento de mercado consiste em diagramas que representam um mercado e a posição dos produtos nesse mercado, oferecendo uma representação gráfica visual do estudo da concorrência. O processo é útil tanto internamente (para ajudar a empresa a entender seus próprios produtos) quanto externamente (para mapear como os clientes veem a marca em relação à concorrência).

Para desenhar um mapa de mercado, a empresa identifica vários fatores em relação às decisões de compra dos clientes, opostas umas às outras. No mercado de moda, um exemplo seria a inclusão de "tecnologia" vs. "moda", e "performance" vs. "lazer". Outros fatores podem incluir o preço do item (alto vs. baixo), a qualidade da produção (alta vs. baixa), estilo vs. tradição, se o item é durável vs. descartável. Duas dessas dimensões, ou pares opostos, são colocadas em eixos horizontais e verticais.

Com base na pesquisa de mercado ou no conhecimento da gerência, todos os produtos dentro de um mercado em particular podem ser colocados no mapa. A participação de mercado de cada produto pode ser representada pelo tamanho de suas imagens no mapa, mas é comum que os analistas escolham simplesmente fazer um esboço do mercado, sem se preocupar com o tamanho no mercado.

Uma empresa pode escolher entre compilar vários mapas de mercado, cada um representando diversas variáveis, analisando-as em seguida – uma a uma, ou juntas – para ter uma visão geral da posição da empresa no mercado.

## Achando lacunas

A meta do mapeamento de mercado é identificar oportunidades em que a empresa possa se diferenciar de seus concorrentes. São áreas nas quais a empresa oferece um valor único, e elas podem ser usadas para direcionar campanhas de marketing. O mapa também revela segmentos saturados, que representam uma ameaça concorrencial maior.

Para uma *startup*, um mapa de mercado pode ser usado para identificar uma lacuna viável – um local adequado onde posicionar a empresa enquanto ela se esforça para se estabelecer. Companhias já consolidadas podem usar o mapeamento de mercado junto com a análise SWOT para descobrir oportunidades e decidir se há força suficiente para explorar tais oportunidades. O mapa de mercado ajuda a formar a estratégia (a necessidade de reposicionar um produto para longe daquilo que seus concorrentes estão oferecendo, por exemplo) e as táticas (deixar de ser conservadora para se tornar mais

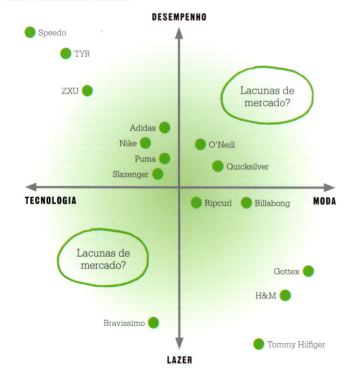

O **mapeamento de mercado** coloca num mesmo gráfico qualidades diferentes de produtos em dois eixos. Ao identificar os dois principais fatores de oposição para qualquer produto, é fácil ver as lacunas no mercado.

## COMECE PEQUENO, PENSE GRANDE   27

**O mercado de vestuário** é um setor competitivo com várias marcas de moda claramente definidas. O posicionamento da Speedo se dá ao redor de produtos técnicos e de alta performance.

esportiva) que ajudarão a empresa a alcançar sua meta.

Análises de mercado como essas podem, por exemplo, ter ajudado a TWG Tea, loja de chá de Cingapura, a identificar uma oportunidade no mercado. Fundada em 2008, a TWG tem como foco base de clientes um pouco mais velha, e rica, que as outras cafeterias ou aquelas que focam outros "estilos de vida". A TWG abriu novas lojas ao redor do mundo baseada no estudo da concorrência, na identificação de lacunas de mercado e no desenvolvimento de produtos e serviços para preencher tais lacunas.

### Foco interno
À medida que a empresa cresce, ela pode optar por desenhar um mapa só com seus próprios produtos. A análise de resultados pode ajudar a identificar quaisquer superposições entre diferentes produtos (apoiando decisões sobre quais produtos descontinuar e sobre quais concentrar pesquisa e desenvolvimento, além de gastos de marketing, por exemplo). Também pode ser usada para garantir que as divulgações de marketing se mantenham no caminho certo, ajudando a evitar superposições estratégicas. Reconhecida por produtos de performance técnica, a Speedo, por exemplo, precisa garantir que seu marketing reflita tal visão. Uma campanha que promovesse a Speedo como algo de moda talvez fosse arriscada ao confundir seus clientes, o que poderia prejudicar a marca.

A chave para um mapeamento de mercado bem-sucedido é a pesquisa de mercado. Se por um lado ela pode ser útil para comparar percepções internas e externas sobre um produto, bem como os produtos dos concorrentes, no fim das contas o que vale mais é a visão do cliente. Quando baseado em tais informações, apesar de os gerentes talvez discordarem, o mapa de mercado não pode estar "errado" – ele apenas representa, para o bem ou para o mal, como a marca é vista. O desafio para a gerência é usar o mapa, bem como o conhecimento das forças e fraquezas internas, para planejar uma resposta estratégica apropriada.

Tanto a análise SWOT quanto o mapeamento de mercado permitem à empresa entender melhor a si mesma, o mercado e, mais importante ainda, a concorrência. Da mesma forma, estar ciente das fraquezas pode evitar erros estratégicos como a produção de produtos ambiciosos ou a entrada num mercado já saturado. Uma apreciação das oportunidades e ameaças do mercado e a constante mudança na posição relativa dos produtos concorrentes são essenciais para o sucesso do planejamento estratégico de longo prazo. Para planejar aonde você está indo, é bom saber onde você está – bem como onde estão os seus concorrentes. ∎

### Albert Humphrey

Nascido em 1926, Albert Humphrey estudou na Universidade de Illinois, EUA, e no Massachusetts Institute of Technology (MIT), onde obteve o grau de mestre em engenharia química. Mais tarde fez um MBA na Universidade Harvard. Enquanto trabalhava no Stanford Research Institute (agora SRI International) entre 1960 e 1970, Humphrey inventou o Conceito das Partes Relacionadas, o qual tem sido usado, desde então, por líderes empresariais e políticos. Também fez pesquisas para identificar os motivos do fracasso no planejamento empresarial ao fazer entrevistas com mais de 5.000 executivos de mais de 1.100 empresas. Como resultado dessa pesquisa, ele inventou a análise SOFT: "O que é bom no presente é Satisfatório, o que é bom no futuro é Oportunidade; o que é ruim no presente é Falha, e o que é ruim no futuro é Ameaça". A falha foi mais tarde substituída por uma palavra mais suave e aceitável, Fraqueza, e o termo Satisfatório foi posteriormente substituído por Força (do inglês *Strength*), criando o agora famoso acrônimo SWOT.

# O SEGREDO NOS NEGÓCIOS É SABER ALGO QUE NINGUÉM MAIS SABE

**DESTACANDO-SE NO MERCADO**

**EM CONTEXTO**

FOCO
**Diferenciação**

DATAS IMPORTANTES
**1933** O livro do economista norte-americano Edward Chamberlin *Theory of Monopolistic Competition* descreve a diferenciação como um meio para a empresa cobrar mais por seus produtos ou serviços ao distingui-los da concorrência.

**Anos 1940** O conceito de Proposta Única de Venda (USP, no inglês) é apresentado por Rosser Reeves, executivo de propaganda na agência de publicidade de Nova York Ted Bates Inc.

**2003** O professor de marketing norte-americano Philip Kotler esboça a necessidade de as USPs serem substituídas pelas Propostas Emocionais de Venda (ESPs) em seu livro *Marketing de A a Z*.

Poucas empresas desfrutam os privilégios do poder de monopólio nos setores onde atuam. A maioria dos mercados se tornou cada vez mais global, saturada, portanto mais competitiva. Para alcançar sucesso comercial, as empresas precisam fazer algo diferente – como dizia o magnata e armador grego Aristóteles Onassis, elas precisam "saber algo que ninguém mais sabe" para se destacar da concorrência.

**Propostas Únicas de Venda**
Quando confrontadas com a concorrência, a estratégia da maioria das empresas é se diferenciar. Isso inclui oferecer aos clientes algo que a concorrência não oferece ou não é capaz de oferecer – uma Proposta

# COMECE PEQUENO, PENSE GRANDE    29

**Ver também:** Descobrindo um nicho lucrativo 22–23 ▪ Obtendo uma vantagem 32–39 ▪ Reinventando e se adaptando 52–57 ▪ As estratégias de Porter 178–183 ▪ Estratégias boas e más 184–185 ▪ A cadeia do valor 216–217

Poucas empresas desfrutam de **privilégios de monopólio** oferecidos pelas lacunas de mercado.

Para ter sucesso, especialmente em seus primeiros estágios de crescimento, uma empresa **deve se destacar**...

... o que exige diferenciação no **produto**, **serviço**, **processo** ou **marketing**.

Mas a diferenciação pode ser facilmente **copiada pelos concorrentes**.

Uma diferença duradoura só é mantida por uma **Proposta Única de Venda**.

Só assim as empresas conseguem verdadeiramente **se destacar no mercado**.

Única de Venda (USP, no inglês). O conceito foi desenvolvido pelo executivo norte-americano de propaganda Rosser Reeves nos anos 1940 para representar o momento crucial no qual uma diferença dramática faz com que um produto seja vendável a um preço mais alto que o da concorrência. USPs tangíveis são difíceis de ser feitas e de ser copiadas, o que as torna únicas.

As empresas têm que distinguir seus produtos ou serviços dos da concorrência em todos os estágios da produção – desde a extração da matéria-prima até o serviço de pós-venda. Produtos como as cafeteiras Nespresso e os calçados Crocs e prestadores de serviços como o grupo hoteleiro de acionistas majoritariamente asiáticos Tune Hotels são todos altamente diferenciados, com uma forte USP.

O primeiro benefício dessa especificidade, sempre que alcançada, é uma maior lealdade do consumidor, além de uma maior flexibilidade nos preços. A diferenciação protege os produtos e serviços da concorrência dos que os oferecem a preços menores; ela justifica preços mais elevados e protege a lucratividade; e é capaz de garantir ao negócio a vantagem competitiva necessária para que ele se destaque no mercado.

### O desafio da diferença
Por definição, nem todos os produtos podem ser únicos. A diferenciação custa caro, consome muito tempo e é difícil de ser alcançada, e as diferenças funcionais são facilmente copiadas – estratégias do tipo "eu também consigo" são comuns. A tecnologia das telas *touchscreen* foi apresentada ao mercado de celulares como um ponto de diferenciação do iPhone da Apple, mas agora está presente na maioria dos *smartphones*. A diferenciação normalmente não se mantém como uma especialidade por muito tempo.

Já que as especificidades funcionais são um tanto vagas, o guru de marketing Philip Kotler sugeriu que as empresas deveriam focar, como alternativa, nas Propostas Emocionais de Venda (ESP, no inglês). Em outras palavras, a tarefa do marketing é gerar uma conexão emocional com a marca que seja tão forte que faça os clientes perceber a diferença em relação à concorrência. Por exemplo, se por um lado o design e a funcionalidade dos tênis da Nike e da Adidas são diferentes, tais distinções são tão pequenas que elas representam muito pouco da diferença marginal na performance. As diferenças dos produtos são, no entanto, aumentadas na percepção do consumidor por meio do marketing e do poder da marca – a especificidade é alcançada pela imagem da marca, por promoções e por patrocínios.

A Apple conseguiu se diferenciar no sofisticado mercado de música digital ao combinar um *software* de uso fácil com um *hardware* de design arrojado, além de uma interface com o usuário capaz de integrar essas duas »

Não existem commodities. Todos os bens e serviços são diferenciáveis.
**Theodore Levitt, economista norte-americano (1925-2006)**

# DESTACANDO-SE NO MERCADO

características. O próprio produto – o aparelho iPod – não era funcionalmente muito diferente dos outros tocadores de música MP3, mas ele interagia com o *software* iTunes para criar uma experiência única para o consumidor. Tal experiência é a ESP da Apple, a qual ela promove em sua campanha publicitária "Pense Diferente".

## Destacando-se

Uma marca que alcançou essa especificidade é a inglesa de moda Superdry, a qual cresceu a ponto de ter mais de 300 lojas na Europa, na Ásia, na América do Sul, na América do Norte e na África do Sul. Capaz de capturar uma influência nova e internacional das imagens gráficas japonesas e da *vintage* norte--americana, combinada com os valores da alfaiataria inglesa, a Superdry rapidamente estabeleceu uma forte posição no supercompetitivo mercado de vestuário desde que foi fundada, em 2004. O negócio começou em cidades universitárias no Reino Unido, uma postura que fez com que a marca tivesse um apelo jovem. Apesar da pouca propaganda e sem usar a imagem de celebridades, a popularidade da Superdry cresceu de forma rápida. O visual claramente distinto da marca capturou com presteza a atenção das celebridades

(uma jaqueta usada pelo jogador David Beckham tornou-se um dos seus produtos mais vendidos, e o próprio Beckham virou um talismã não oficial da Superdry), garantindo publicidade grátis.

A Superdry enfocou a oferta de roupas com um caimento de moda e a atenção aos detalhes (que chegava até os pontos de costura). Usada por funcionários de escritório em suas horas de folga, estudantes, astros esportivos e celebridades, a marca conseguiu atingir uma base mais ampla de clientes. A maior parte das estratégias de diferenciação envolve o foco num segmento do mercado. A Superdry optou por focar todos. A mistura única da marca entre a moda e a comodidade ao vestir, o conforto com estilo e a presença de textos japoneses misteriosos mas sem nenhum sentido acabou tornando-se um mix difícil de ser replicado pelos concorrentes.

## Mantendo a especificidade

Como muitas empresas já descobriram, a popularidade pode ser a inimiga da diferença. Uma vez que as roupas Superdry se tornaram cada vez mais comuns ao redor do mundo, sua especificidade e sua diferença diminuíram. O desafio para a Superdry, assim como para todas as empresas, é proteger sua especificidade ao mesmo tempo que

expande seu alcance – destacando--se da multidão, ao mesmo tempo que dá boas-vindas à mesma multidão às suas lojas.

A diferenciação pode se dar em qualquer ponto da cadeia de valor. O destaque não está limitado aos produtos e serviços – ele pode ocorrer em qualquer dos diversos processos internos capazes de ser traduzidos numa melhor experiência para o cliente. A varejista sueca de móveis IKEA, por exemplo, se diferencia não apenas por um design contemporâneo e preços baixos, mas também por toda a experiência do cliente no varejo. A empresa consegue preços baixos, em parte, devido ao modelo de varejo em que o cliente escolhe sozinho e monta os produtos – a experiência do cliente envolve escolher os produtos entre o vasto *showroom* e depósitos e, tendo levado o produto para casa, na montagem do móvel.

Até mesmo a forma como a IKEA "guia" os compradores pelos seus corredores de mão única, com uma rota bem planejada no seu *showroom*, é exclusiva. Se por um lado essa tática encoraja as compras espontâneas, por outro ela também reforça os pontos de diferença da IKEA – os clientes são expostos a espaços predefinidos e ao *layout* dos móveis de modo a enfatizar o estilo contemporâneo da marca. Os preços podem ser mais baixos porque são necessários menos vendedores para guiar os clientes dentro das lojas.

## Diferente, mas igual

De modo paradoxal, a familiaridade também pode ser uma fonte de diferenciação. Toda a organização do McDonald's gira em torno de oferecer produtos de *fast-food* quase idênticos, com o mesmo serviço, em restaurantes

**A marca de moda Superdry** é uma empresa jovem que conquistou rapidamente uma fatia do mercado. O crescimento rápido desde sua fundação, em 2004, se deve em parte a um visual altamente diferenciado, quase *vintage*.

# COMECE PEQUENO, PENSE GRANDE

**A diferenciação** não é tão importante quando os produtos de uma empresa satisfazem os desejos dos clientes e não se sobrepõem aos da concorrência. Apesar de os riscos parecerem altos, a diferenciação é mais eficaz quando seus produtos são populares, mas se sobrepõem aos da concorrência.

idênticos em todo o mundo. Tal familiaridade diferencia o McDonald's de outros negócios locais, assim como de outros concorrentes globais que não conseguem manter a mesma consistência em todos os locais onde operam.

Num mercado em que empresas rivais promovem a especificidade de seus produtos de forma cada vez mais agressiva e complexa, os consumidores têm se tornado cada vez mais tarimbados no que diz respeito a distinguir a realidade da retórica. Se por um lado as diferenças não precisam ser tangíveis – a evidência mostra que a Proposta Emocional de Venda (ESP) geralmente já é suficiente –, o desafio para os negócios é que a diferenciação tem que ser genuína e confiável. Para desenvolver uma ligação emocional com os clientes, é preciso que a diferenciação seja entendida e oferecida, de modo consistente, por toda a organização. Princípios-chave bem definidos, que celebram a especificidade de uma empresa, devem cercar a experiência dos clientes em cada ponto de contato – a diferença tem que ser confiável, e ela só será confiável se o cliente puder contar com ela.

### Mantendo a diferenciação

Uma vez posta em prática, a diferenciação – quer seja funcional ou emocional – exige que ela seja cultivada e protegida. Destacar-se da multidão é uma batalha constante que se dá no coração e na mente de todos os funcionários da empresa, bem como nos dos clientes. Assim como as guerras jurídicas entre rivais – como no caso da Apple com a Samsung – demonstram, as especificidades talvez também tenham que ser resolvidas nos tribunais.

Todo setor tem líderes e seguidores – o que os diferencia é que os líderes geralmente têm pontos de diferenciação mais defensáveis. Quer seja nas características e na funcionalidade, na imagem da marca, no serviço, processo, na velocidade ou na conveniência, a especificidade tem que ser estabelecida e comunicada para que a empresa e seus produtos ou serviços se destaquem no mercado. A chave para o sucesso prolongado é garantir que tal diferenciação seja sustentável. ∎

### Rosser Reeves

O executivo norte-americano de propaganda Rosser Reeves (1910-1984) defendia a máxima de que um anúncio deveria mostrar o valor do produto, não a esperteza do redator de publicidade. Depois de uma breve passagem pela Universidade da Virgínia, de onde foi expulso por seu problema com a bebida, Reeves trabalhou como jornalista, tornando-se, mais tarde, redator publicitário antes de trabalhar para a agência Ted Bates, Inc., em Nova York, em 1940. Seu talento excepcional o fez tornar-se o principal executivo da firma em 1955. A ele cabe o crédito pela redefinição da propaganda na televisão e, entre outras coisas, por ter cunhado *slogans* como "derrete na sua boca, não na sua mão", feito para a fábrica de chocolates M&M'S. A Proposta Única de Venda de Reeves, desenvolvida originariamente nos anos 1940, foi descrita em seu livro *Reality of Advertising*. Seu legado sobrevive muito depois de sua morte – o estilo pioneiro de liderança foi inspiração para o personagem principal da série norte-americana de TV *Mad Men*.

Para ser insubstituível é preciso ser sempre diferente.
**Coco Chanel, estilista francesa (1881-1971)**

# SEJA O PRIMEIRO OU SEJA O MELHOR

## OBTENDO UMA VANTAGEM

# 34 OBTENDO UMA VANTAGEM

## EM CONTEXTO

**FOCO**
**Vantagem competitiva**

DATAS IMPORTANTES

**1988** Os pesquisadores norte-americanos David Montgomery e Marvin Lieberman escrevem "First-Mover Advantage", um esboço das vantagens competitivas de ser o primeiro no mercado.

**1995** Fundação da Amazon.com, a primeira de uma nova leva de varejistas on-line.

**1997-2000** Adotando o mantra "ser o primeiro", as empresas "pontocom" correm ao mercado; muitas fracassam quando as vantagens prometidas não se materializam.

**1998** Montgomery e Lieberman questionam seus achados originais em seu artigo "First-Mover (Dis)Advantages".

**2001** A Amazon.com tem seu primeiro resultado positivo. As vantagens de ser o primeiro no mercado foram significativas, mas um bom modelo de negócios foi mais importante.

---

**Os pioneiros** não têm concorrência e têm o potencial de **se tornar líderes de mercado**...

... mas, **a menos que o mercado seja estático**, e as inovações tecnológicas, limitadas, o **risco de fracasso é enorme**.

**Entrantes atrasados** chegam a um mercado reconhecido e **sabem quais erros evitar**.

Eles se **posicionam para se beneficiar** mais num mercado em constante mudança no qual a **inovação tecnológica** é avançada.

**Para ter uma vantagem competitiva, seja o primeiro ou seja o melhor.**

---

Se você precisar comprar um livro on-line, qual website você visitaria primeiro? Se você quiser pesquisar o autor de um livro, qual ferramenta de busca usaria? É provável que as respostas sejam Amazon e Google, respectivamente. A dominação desses dois gigantes da internet é tamanha que seus nomes definem seus respectivos mercados.

As duas organizações têm uma vantagem significativa nos mercados que lideram, mas atingiram tal importância por meios diferentes. A Amazon, fundada em 1995, ganhou sua vantagem por ser a primeira empresa a entrar no mercado de varejo on-line, estabelecendo sua marca e construindo uma base leal de clientes. O Google, por outro lado, não foi o primeiro por nenhum critério. Quando o Google foi lançado em 1998, o mercado já estava dominado por vários outros participantes. A sua vantagem veio ao oferecer um produto superior – ele não era apenas o mais rápido como também entregava uma pesquisa muito mais precisa que qualquer um de seus concorrentes.

Entrar primeiro num mercado traz vantagens significativas, mas também há benefícios em ser o segundo.

A chave é que, para ter uma vantagem competitiva no mercado, uma empresa precisa ou ser a primeira ou a melhor.

### Pioneiros de mercado

Os benefícios de ser o primeiro num mercado são conhecidos como a "vantagem do pioneiro", um termo popularizado em 1988 pelo professor da Stanford Business School David Montgomery e seu coautor, Marvin Lieberman. Apesar de a expressão ter sido cunhada dez anos antes, a ideia de Montgomery e Lieberman teve aplicação especial durante a bolha das empresas "pontocom", entre 1997 e

# COMECE PEQUENO, PENSE GRANDE

**Veja também:** Vencendo os desafios na fase inicial 20–21 ▪ Destacando-se no mercado 28–31 ▪ A qual ritmo crescer 44–45 ▪ A curva de Greiner 58–61 ▪ Criatividade e invenção 72–73 ▪ Mudando o jogo 92–99 ▪ O equilíbrio entre o longo e o curto prazo 190–191

**A Amazon.com** foi a primeira a entrar no mercado varejista on-line. Ela tem dominado o setor desde sua fundação, em 1995, criando um forte reconhecimento de marca e uma base fiel de clientes.

## A vantagem do pioneiro

Ser o primeiro de um grupo sem dúvida traz suas vantagens, e no caso das "pontocom" essas vantagens foram exageradas ao extremo. Os pioneiros geralmente se beneficiam de preços melhores, capturam uma significativa participação de mercado e têm sua marca fortemente identificada com o próprio mercado. Os pioneiros também têm mais tempo que aquelas empresas que entram depois para aperfeiçoar seus processos e sistemas e acumular conhecimento de mercado. Eles também conseguem garantir uma localização física mais favorável (um ponto físico especial na rua principal de uma cidade, por exemplo), garantem um quadro de funcionários especializados ou têm acesso a condições especiais com seus fornecedores (que talvez também se sintam propensos a entrar nesse mercado). Além disso, os pioneiros talvez consigam incorporar o custo de trocar fornecedores aos seus produtos, fazendo com que seja inconveniente para os clientes aceitar a oferta de um rival caso já tenham feito uma compra com eles. A Gillette, por exemplo, por ter inventado a lâmina de barbear em 1901, tem frequentemente alavancado sua vantagem de pioneira na criação de novos produtos, tais como um sistema de barbear que combina cabos baratos com lâminas caras.

2000. Estimuladas pelo exemplo da Amazon, várias empresas gastaram milhões lançando a si mesmas de forma agressiva no novo mercado on-line. A sabedoria que prevalecia na época rezava que ser o primeiro garantia que a marca da empresa se tornaria sinônimo daquele segmento e que a dominação do mercado iniciante criaria barreiras à entrada dos concorrentes que viessem depois.

No fim das contas, no entanto, gastos enormes, superexposição e acesso aos mercados onde havia pouca demanda foram o motivo do fracasso de muitas empresas "pontocom" arrogantes. Com notáveis exceções, elas descobriram que os retornos prometidos não estavam se tornando realidade e rapidamente esgotaram seu caixa – e, para muitas dessas pioneiras, o fracasso veio logo em seguida.

*As vantagens de pioneiro ocorrem quando uma empresa ganha uma oportunidade de pioneiro (por capacidade ou sorte) e se mantém em vantagem apesar de outros entrantes.*
**David Montgomery e Marvin Lieberman**

## Estratégias de mercado

No caso da Amazon.com, as vantagens de pioneira consistiam numa combinação de fatores. No mercado inicial do *e-commerce*, os clientes estavam propensos a comprar on-line, e a Amazon estava bem posicionada para explorar essa crescente curiosidade. Os livros representavam uma pequena e segura compra inicial, e o design do site da Amazon tornava as compras simples e prazerosas. Essas primeiras compras fizeram com que a organização adaptasse e aperfeiçoasse seus sistemas e ajustasse seu site para satisfazer as necessidades dos clientes – adicionando, por exemplo, seu sistema de pedido OneClick para garantir compras sem precisar entrar em detalhes de pagamento. »

## 36 OBTENDO UMA VANTAGEM

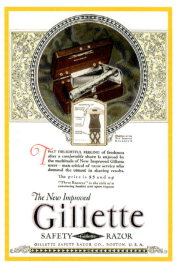

**A Gillette inventou a lâmina de barbear** em 1901, tendo consolidado, mais tarde, sua vantagem de pioneira ao desenvolver um sistema de barbear que dificultou aos seus clientes trocar de marca.

A Amazon também conseguiu criar sistemas de distribuição que garantiam uma entrega rápida e confiável de seus produtos. Apesar de os concorrentes poderem copiar esses sistemas, os clientes já confiavam na Amazon, e a lealdade à marca que a empresa desfrutava aumentou os custos emocionais de troca de fornecedor. Até hoje a Amazon desfruta os benefícios dessa confiança e lealdade, e quase um terço de todas as vendas de livros nos Estados Unidos são feitas via Amazon.com.

Um exemplo recente da importância das vantagens das empresas pioneiras são as "guerras de patente" que vêm sido travadas entre as principais fabricantes de *smartphones* (incluindo Apple, Samsung e HTC). As patentes ajudam a empresa a defender vantagens tecnológicas. No setor supercompetitivo dos *smartphones*, ser o primeiro no mercado com diferenciais tecnológicos oferece vantagem crítica, se bem que de curto prazo. Num setor em que o custo de troca de fornecedor é alto, mesmo vantagens de curto prazo podem ter um considerável impacto nas receitas.

Desde a publicação do artigo original de Montgomery e Lieberman, em 1988, a pesquisa acadêmica tem indicado que vantagens significativas acompanham os pioneiros no mercado, as quais podem ser diretamente atribuídas ao momento da entrada. A ironia é que num artigo retrospectivo publicado em 1998, "First-Mover (Dis) Advantages", Montgomery e Lieberman, se afastaram de suas descobertas originais sobre os benefícios de ser os primeiros a entrar num mercado.

Baseado no trabalho, dentre outros, dos pesquisadores Peter Golder e Gerard Tellis de 1993, o artigo de Montgomery e Lieberman de 1998 questionava por completo a noção de vantagem dos pioneiros. Em sua pesquisa, Golder e Tellis descobriram que quase metade dos pioneiros em sua amostra de 500 marcas, em 50 categorias de produtos, fracassou. Além disso, descobriram que havia poucos casos em que os entrantes atrasados não se tornaram lucrativos ou até mesmo líderes – na verdade, sua pesquisa identificou que a taxa de fracasso para os pioneiros era de 47%, comparada a apenas 8% dos que vieram a seguir.

### Aprendendo com os erros

O desafio para os pioneiros é que o mercado, com frequência, ainda não foi provado. Os pioneiros nesse setor dão um salto no escuro sem compreender, plenamente, as necessidades dos clientes ou a dinâmica do mercado. Os pioneiros geralmente lançam produtos ainda não testados voltados a clientes receptivos, e é raro quando acertam na primeira tentativa. Empresas maiores talvez consigam absorver as perdas de tais erros ao entrar cedo num mercado. As pequenas, por outro lado, talvez acabem descobrindo que estão ficando sem caixa e que seus fracos modelos de negócios estão desmoronando.

Os que entram depois têm a vantagem de aprender com os erros dos pioneiros ao ingressar num mercado já comprovado. Também conseguem evitar altos investimentos em processos e tecnologias arriscados e potencialmente falhos. Os pioneiros, por outro lado, talvez já tenham incorrido em "custos a fundo perdido" (investimento passado) em tecnologias antigas e menos eficientes, podendo ficar menos capazes de se adaptar conforme o setor amadurece. As empresas que vêm depois podem entrar num ponto no qual a tecnologia e os processos já estarão razoavelmente estabelecidos, com custo e risco menores.

Talvez essas empresas tenham que lutar para vencer a lealdade à marca dos pioneiros, porém a simples oferta de um produto superior que satisfaça mais as necessidades dos clientes talvez seja suficiente para lhes dar um lugar no mercado. O reconhecimento da marca é uma coisa, mas a superioridade técnica de produto talvez garanta aquela vantagem competitiva tão desejada. Além disso, como os custos dos investimentos ficaram mais baixos, as empresas que vêm depois com frequência têm sobras de caixa para ser usadas em marketing, compensando, assim, as vantagens de marca dos pioneiros.

Quando o Google, por exemplo, entrou no negócio de buscas na internet, em 1998, o mercado estava dominado

Artistas imaturos imitam; os maduros roubam.
**T. S. Elliot, poeta norte--americano (1888-1965)**

## COMECE PEQUENO, PENSE GRANDE    37

*Se os entrantes atrasados conseguirem passar à frente dos pioneiros, talvez seja melhor para as empresas entrar depois.*
**Peter Golder e Gerard Tellis**

por empresas como Yahoo, Lycos e AltaVista, todas com uma base de clientes consolidada e uma marca reconhecida. No entanto, o Google foi capaz de aprender com os erros desses antigos participantes e conseguiu, pura e simplesmente, criar um produto melhor. A organização percebeu que com tanta informação na internet as pessoas queriam resultados de busca que fossem completos e relevantes. Os vários participantes nesse mercado ofereciam uma variedade de sistemas para filtrar resultados de busca, mas o Google foi capaz de pegar o melhor desses sistemas e desenvolver seu próprio algoritmo, original, que acabou levando-o ao topo do mercado.

### Falhas dos pioneiros

Há muitos exemplos na história corporativa de pioneiros que não foram capazes de alcançar e manter uma vantagem competitiva. Fracassos famosos no mundo on-line incluem o Friends Reunited e o MySpace. Apesar de essas empresas ainda estarem em atividade, sua vantagem de pioneiros não foi suficiente para compensar o poder (e a superioridade do produto) do Facebook. De forma análoga, o eToys.com, fundado em 1999, era um dentre uma leva de varejistas on-line, mas a vantagem do pioneirismo não foi suficiente para manter o negócio, e a empresa acabou falindo em 2001 – por coincidência, o mesmo ano que a Amazon começou a vender brinquedos. (Ressuscitado alguns anos depois, o etoys.com agora pertence à Toys R Us.) O varejista de roupas on-line boo.com é um exemplo de um pioneiro que tinha superioridade tecnológica, mas estava adiante do seu tempo – o site era muito pesado em recursos para a maioria dos clientes com conexões à internet ainda muito lentas. Lançado em 1999, o boo.com foi à falência no ano seguinte – ser o primeiro não é uma garantia de sucesso se o modelo de negócios básico estiver falho.

Independentemente das evidências apresentadas por Golder e Tellis e de exemplos como o Google, ainda é válido dizer que a vantagem do pioneirismo consegue capturar o imaginário das empresas. Espelhando a corrida do ouro original das empresas "pontocom", o recente *boom* no mercado de aplicativos para *smartphones* e *tablets* baseados na internet (o mercado de "apps") está fortalecido pelo desejo de ser o primeiro. Milhares de aplicativos foram lançados na esperança de conquistar espaço em lucrativos segmentos desse novo mercado. Mas o sucesso não é garantido – um estudo de 2012 revelou que, na média, 65% dos usuários deletam aplicativos em até 90 dias depois de os terem instalado.

### *Timing* é tudo

A razão de os pioneiros nem sempre desfrutarem das vantagens prometidas é que várias vezes eles dependem do *timing*, ou seja, da sorte. Em seu artigo de 2005 "The Half-Truth of First-Mover Advantage", os pesquisadores norte-americanos Fernando Suarez e Gianvito Lanzolla identificaram a inovação tecnológica e a velocidade de desenvolvimento do mercado como cruciais na determinação ou não das vantagens de um pioneiro.

Suas descobertas sugerem que, quando um mercado se move »

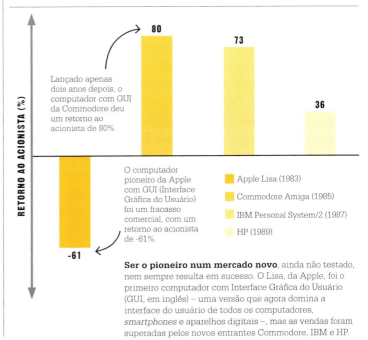

**Ser o pioneiro num mercado novo**, ainda não testado, nem sempre resulta em sucesso. O Lisa, da Apple, foi o primeiro computador com Interface Gráfica do Usuário (GUI, em inglês) – uma versão que agora domina a interface do usuário de todos os computadores, *smartphones* e aparelhos digitais –, mas as vendas foram superadas pelos novos entrantes Commodore, IBM e HP.

# 38 OBTENDO UMA VANTAGEM

lentamente e a evolução tecnológica é limitada, a vantagem dos pioneiros pode ser significativa. Eles usam o exemplo do mercado de aspiradores de pó e, em especial, de seu líder de longa data, a Hoover. Até o recente aparecimento dos aparelhos Dyson, o mercado era bom e o avanço tecnológico, lento. Sendo a primeira no mercado em 1908, a Hoover desfrutou de décadas de vantagens – uma vantagem que era (e em alguns casos ainda é) refletida no uso generalizado, em inglês, da marca da empresa como se fosse um verbo, "to hoover", como sinônimo de limpar.

Em outros setores, no entanto, nos quais a mudança tecnológica ou a evolução do mercado é rápida, os pioneiros com frequência estão em desvantagem. As primeiras ferramentas de busca são exemplos de negócios em que muito foi investido na cópia de uma tecnologia para acompanhar o rápido ritmo de mudança.

A vantagem original rapidamente se torna obsoleta em mercados muito dinâmicos. Conforme o mercado evolui, os que entram depois são aqueles que parecem estar na crista da onda, oferecendo elementos inovadores que se baseiam no conhecimento de mercado, bem como no aprendizado dos erros dos pioneiros. Os pioneiros talvez tenham experimentado uma vantagem de vida curta, mas em mercados dinâmicos tais vantagens raramente duram. Nem mesmo a Apple, que desfrutou vantagens significativas por entrar primeiro no mercado de *smartphones*, está imune às desvantagens dos pioneiros. Seus concorrentes, a Samsung em especial, foram capazes de escutar a reclamação de seus clientes sobre o iPhone, analisar as necessidades dos clientes e fabricar produtos com características e funcionalidade que foram bem-aceitas pelo mercado. A Apple, presa a tecnologias anteriores, demorou para reagir, e as vendas de iPhones caíram em decorrência disso.

## Necessidade dos clientes

Para ganhar uma vantagem, portanto, você nem sempre precisa ser o primeiro. Na verdade, a multinacional americana P&G, por exemplo, prefere entrar somente nos mercados nos quais ela possa se estabelecer como uma forte líder, ou o segundo lugar, no longo prazo – o que raramente ela consegue correndo como louca para ser a primeira.

A P&G busca mercados atraentes tanto demográfica quanto estruturalmente, com baixa exigência de capital e margens altas. Mas, e ainda mais importante, a organização insiste numa profunda compreensão

> Se você faz as coisas bem, faça-as melhor.
> **Anita Roddick, empreendedora britânica (1942-2007)**

das necessidades dos clientes em qualquer mercado no qual ingresse. Em outras palavras, ela prefere entrar em mercados maduros a ser a primeira em mercados novos.

A empresa valoriza relacionamentos de longo prazo com seus clientes e fornecedores. Sua visão de inovação é diferente das empresas pequenas que, no esforço de conquistar participação de mercado, lutam para ganhar uma vantagem pelo uso de tecnologia revolucionária – tecnologia inovadora que visa desestabilizar o mercado já existente. A P&G, talvez valorizando a pesquisa, considera tais estratégias como de vida curta. Ela percebe que inovações rápidas demais correm o risco de canibalizar suas próprias vendas e reduzir o retorno de investimentos em novos produtos. No mercado de fraldas descartáveis, por exemplo, a P&G estava mais de dez anos atrás do seu pioneiro. A agora famosa marca da empresa, Pampers, foi lançada em 1961, muito atrás da marca Chux da Johnson & Johnson, lançada em 1949. Naquela época, as fraldas descartáveis eram uma inovação recente, e os clientes

**O PalmPilot**, lançado em 1997, foi um produto não pioneiro de sucesso. Ele veio depois do Newton, produto fracassado da Apple, o primeiro assistente pessoal digital (PDA) a entrar no mercado.

## COMECE PEQUENO, PENSE GRANDE

ainda não estavam confortáveis com o seu uso. A P&G esperou que os clientes aceitassem o produto para só então entrar no mercado. Além disso, gastou quase cinco anos pesquisando cada um dos principais problemas da Chux, desenvolvendo um produto que era mais absorvente, vazava menos, era mais confortável para o bebê, tinha dois tamanhos e podia ser produzido a um custo muito menor. Hoje, a Forbes considera a Pampers uma das marcas mais poderosas, avaliada em mais de US$ 8,5 bilhões, e cujas fraldas são compradas por 25 milhões de clientes em mais de 100 países. Por outro lado, a Chux foi descontinuada pela Johnson & Johnson nos anos 1970 por causa da queda nas vendas.

### Garantindo uma fortaleza

Na verdade, se por um lado se aceita facilmente que a velocidade é algo bom ao entrar no mercado, ganhar uma vantagem talvez dependa menos do *timing* que de ter um produto apropriado. Claro que é importante se uma empresa está em primeiro, segundo ou último no mercado, mas isso é menos relevante que a adequação dos produtos ou serviços de uma empresa ao mercado e sua capacidade de entregar o que é prometido pela marca. Esses dois fatores podem ter um profundo impacto na viabilidade de longo prazo e no sucesso dos negócios.

A Amazon pode ter desfrutado de uma duradoura vantagem por ser uma pioneira, mas isso por si só não basta para explicar seu sucesso fenomenal. A Amazon equilibra sua vantagem de pioneira a uma vantagem competitiva sustentável. Seu website está cada vez mais fácil de ser usado, oferece um amplo leque de produtos complementares e consegue diminuir os custos, capacitando-a a oferecer preços imbatíveis no mercado. E, o mais importante, a Amazon não teve lucro até 2001 – ela gastou seus primeiros anos criando um produto melhor. Os alicerces do sucesso talvez tenham sido lançados pela sua vantagem pioneira, mas o diferencial da Amazon tem sido construído por uma prática de longo prazo fazendo um bom negócio.

Os pioneiros sem dúvida têm uma vantagem competitiva natural. Ela pode ser uma impressão que marca os clientes, um forte reconhecimento de marca, altos custos de substituição de fornecedores, controle de recursos escassos ou as vantagens da experiência, e tal vantagem acaba ajudando a garantir uma presença forte e duradoura no mercado. Mas, como mostram as pesquisas, os que vêm depois dos pioneiros, e seus seguidores, talvez também desfrutem de uma posição privilegiada. Ao aprender com os erros dos pioneiros, eles acabam oferecendo produtos melhores a um preço mais baixo. Com a ajuda de um marketing eficiente, esses benefícios podem servir de alavanca capaz de diluir as vantagens conseguidas pelos pioneiros. Para se tornar um líder de mercado, um negócio tem que ser ou o primeiro, criando impacto, ou precisa ser melhor. As empresas das quais nos lembramos, as Amazons ou Googles da vida, são aquelas que ou foram primeiras ou melhores, e aquelas das quais nos esquecemos são as que nunca tiveram vantagem alguma. ■

Ser penalizado por muita pressa, ou seja, a pouca velocidade.
**Platão, filósofo grego (429-347 a.C.)**

### Jeff Bezos

Nascido no dia 12 de janeiro de 1964 em Albuquerque, Novo México, EUA, Jeff Bezos sempre gostou, desde menino, de ciências e computadores. Estudou computação e engenharia elétrica na Universidade Princeton, tendo se formado com louvor em 1986.

Bezos começou sua carreira trabalhando em Wall Street e em 1990 tornou-se o mais jovem vice-presidente na empresa de investimentos D. E. Shaw. Quatro anos mais tarde, em 1994, deixou seu emprego bem pago para abrir a Amazon.com, a varejista de livros on-line – ele tinha trinta anos na época. Assim como com muitas empresas *startups* da internet, Bezos, com apenas uma meia dúzia de empregados, criou o novo negócio em sua garagem. Mas, conforme as operações cresceram, eles se mudaram para uma casinha. O site Amazon.com foi lançado oficialmente no dia 16 de julho de 1995. A Amazon abriu seu capital em 1997. O primeiro ano em que a empresa deu lucro foi 2001. Hoje, Bezos aparece na lista da revista *Forbes* como uma das pessoas mais ricas dos EUA, e a Amazon se mantém como um dos maiores sucessos globais na história da internet.

# COLOQUE TODOS OS OVOS NUMA ÚNICA CESTA E DEPOIS CUIDE BEM DELA
**GERENCIANDO RISCOS**

## EM CONTEXTO

FOCO
**Gerenciamento de riscos**

DATAS IMPORTANTES
**1932** É fundada a American Risk and Insurance Association.

**1963** Robert Mehr e Bob Hedges publicam *Risk Management in the Business Enterprise*, alegando que o objetivo do gerenciamento de risco é maximizar a eficiência produtiva da empresa.

**Anos 1970** A inflação e as mudanças no sistema monetário internacional (o fim do acordo de Bretton Woods) aumentam os riscos comerciais.

**1987** O Merril Lynch torna-se o primeiro banco a abrir um departamento de gerenciamento de riscos.

**2011** A US Financial Crisis Inquiry Commission afirma que a crise financeira de 2008 foi causada em parte por empresas financeiras que "assumiram riscos demais".

Os empreendedores são definidos por sua disposição em assumir riscos – principalmente o risco do fracasso do negócio. Isso é verdade, em especial, para aqueles que estão iniciando um empreendimento, porque mais da metade das *startups* fecha nos primeiros cinco anos. Riscos menores em negócios já estabelecidos têm a ver com o possível fracasso de novos produtos ou danos à marca ou à reputação da administração. Qualquer que seja o nível ou o tipo, no entanto, o risco é algo com que todo negócio tem que estar familiarizado, e tem que ser gerenciado cuidadosamente. O empresário norte-americano Andrew Carnegie, enquanto pensava sobre

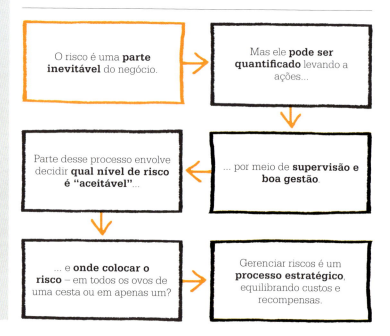

# COMECE PEQUENO, PENSE GRANDE 41

**Veja também:** A qual ritmo crescer 44–45 ▪ Húbris e nêmesis 100–103 ▪ Quem assume o risco? 138–145 ▪ Alavancagem e risco em excesso 150–151 ▪ Risco fora do balanço 154 ▪ Evitando a complacência 194–201 ▪ Planos de contingência 210 ▪ Planejamento de cenários 211

esses assuntos, sugeriu que, no que diz respeito ao gerenciamento de risco, talvez seja melhor colocar todos os ovos numa única cesta e cuidar bem dela.

Desde o colapso do Lehman Brothers (2008) até o desastre da BP com a Deepwater Horizon (2010), eventos no começo do século XXI conseguiram mudar radicalmente a forma como as empresas veem o risco. Elas agora consideram dois fatores: supervisão e gerenciamento. A "supervisão de risco" consiste em como os donos da empresa coordenam os processos de identificar, priorizar e gerenciar riscos críticos, além de garantir que esses processos sejam continuamente revisados. O "gerenciamento de riscos" se refere ao detalhamento dos procedimentos e políticas para evitar ou reduzir riscos.

## Riscos inerentes

O risco é inerente a qualquer atividade de negócios. As *startups*, por exemplo, correm o risco de ter poucos clientes, logo tendo uma receita insuficiente para cobrir os custos. Também há o risco de um concorrente copiar a ideia da empresa, talvez oferecendo uma alternativa melhor. Quando uma empresa pega dinheiro emprestado num banco, há o risco de as taxas de juros subirem, fazendo com que os pagamentos das prestações tornem-se um peso muito alto de administrar. As *startups* que fazem comércio com o exterior também estão expostas a riscos de taxa de câmbio.

Além disso, novos negócios, em especial, podem estar expostos ao risco de operar em apenas um mercado. Se, por um lado, grandes empresas com frequência diversificam suas operações para diluir os riscos, o sucesso de pequenas empresas geralmente tem a ver com o sucesso de uma ideia (aquela que originou a *startup*) ou a uma região geográfica. Um declínio naquele mercado ou área pode resultar em fracasso. É crucial que os novos negócios tenham em mente as mudanças de mercado, a fim de se posicionar e se adaptar a essas mudanças.

O utilitário de compartilhamento social de imagens Instagram, por exemplo, começou como um serviço de localização chamado Burbn. Ao enfrentar uma forte concorrência, o negócio mudou de rumo, virando um utilitário para o compartilhamento de imagens. Se o Instagram não tivesse reagido aos riscos, sendo esperto o suficiente para diversificar seus serviços (aos quais sempre adicionava novas características), ele talvez não tivesse

É impossível que o improvável nunca aconteça.
**Emil Gumbel, estatístico alemão (1891-1966)**

sobrevivido. No seu cerne, o risco é uma questão estratégica. Os donos de negócios devem ponderar cuidadosamente o risco operacional de uma *startup*, ou o risco de um novo produto ou projeto em relação aos lucros ou prejuízos – em outras palavras, as consequências estratégicas da ação vs. a inação. O risco tem que ser quantificado e gerenciado, e isso é um desafio estratégico constante. A sorte ajuda os corajosos, mas, tendo em conta a vida das pessoas e o sucesso do negócio, não se pode desprezar o cuidado. ∎

---

## Em águas profundas

**O desastre da British Petroleum** gerou pesadas multas e fez o governo dos EUA monitorar as práticas da empresa por quatro anos.

Mesmo empresas grandes e diversificadas talvez encontrem dificuldade em equilibrar o risco com uma potencial recompensa financeira. No dia 20 de abril de 2010, a Deepwater Horizon, plataforma continental de petróleo a serviço da British Petroleum (BP), explodiu, matando 11 trabalhadores e espalhando dezenas de milhares de barris de petróleo cru no Golfo no México.

Responsabilizou-se a administração pelo incidente, por sua incapacidade de quantificar e gerenciar adequadamente o risco.

A audiência oficial citou uma cultura na qual "cada dólar era importante". Segundo os analistas, a BP priorizou o retorno financeiro em detrimento do risco operacional. O CEO Tony Hayward, que assumiu o posto em 2007, havia sugerido que a péssima operação da companhia naquela época se devia aos cuidados excessivos. Junto com a pressão dos acionistas por retornos maiores, a atitude agressiva que se seguiu levou a cortes de gastos e a falhas de gerenciamento de riscos.

# A SORTE É UM DIVIDENDO DO SUOR. QUANTO MAIS VOCÊ SUA, MAIS SORTUDO VOCÊ FICA
## A SORTE (E COMO VIRAR SORTUDO)

**EM CONTEXTO**

FOCO
**Maximizando oportunidades**

DATAS IMPORTANTES
**1974** O empregado Art Fry, da 3M, usa o papel adesivo desenvolvido – e rejeitado como defeituoso – por um colega seis anos antes para marcar páginas em seu hinário de igreja. Esse uso aleatório levou ao Post-it.

**2009** Um artigo na *Harvard Business Review*, "Are 'Great Companies Just Lucky?", alegava que em apenas metade das 287 empresas de alta performance pesquisadas o sucesso poderia ser atribuído a práticas ou feitos específicos das próprias organizações.

**2013** Depois de cinco anos de trabalho duro, surgiu a música "Get Lucky", da banda Daft Punk. Resultado de uma colaboração dentro do próprio setor musical, pesquisa de mercado e marketing e publicidade fortes, o sucesso comercial da música demonstra o valor do planejamento nos negócios.

A sorte é considerada algo que as empresas não conseguem controlar. Mas, conforme o CEO do McDonald's, Ray Kroc, disse, "quanto mais você sua, mais sortudo fica", o que sugere que a sorte pode ser criada. A verdade é que ambas as afirmações são verdadeiras. Conforme os mercados ficam cada vez mais voláteis e menos previsíveis, a sorte desempenha um papel inevitável no sucesso dos negócios. Lance uma *startup* ao mesmo tempo que um rival, e pode ser que a sorte seja o que vai determinar quem terá sucesso e quem fracassará.

### Fazendo sua própria sorte
Um plano de negócios bem concebido é feito para dispensar a necessidade da sorte. Um boa ideia, sustentada por uma pesquisa de mercado detalhada e por um plano financeiro sólido, pode ajudar uma *startup* a enfrentar as intempéries do mercado. Um bom plano esboça um curso de ação em mercados turbulentos, protege contra o desconhecido e prepara a empresa para contingências.

Além disso, um plano bem concebido pode garantir que a empresa esteja numa posição capaz de se beneficiar das condições favoráveis de mercado. Em outras palavras, o que pode parecer sorte quase sempre é resultado de planejamento. Veja, por exemplo, o famoso caso do Post-it da 3M. A invenção de uma cola reutilizável foi acidental, mas foi uma sacada empresarial que transformou uma descoberta de sorte num sucesso comercial.

Com tantas variáveis, a sorte talvez contribua com a sobrevivência de uma *startup*. Mas um bom plano reduz a dependência da empresa em relação à sorte. ∎

A primeira regra da sorte nos negócios é que você deve perseverar em fazer a coisa certa. Surgirão oportunidades no seu caminho se você assim o fizer.
**Ronald Cohen, investidor britânico (1945-)**

**Veja também:** Vencendo os desafios na fase inicial 20–21 ▪ Obtendo uma vantagem 32–39 ▪ Entendendo o mercado 234–241 ▪ Previsões 278–279

COMECE PEQUENO, PENSE GRANDE   **43**

# AMPLIE SUA VISÃO E MANTENHA A ESTABILIDADE ENQUANTO AVANÇA
## DÊ O SEGUNDO PASSO

## EM CONTEXTO

FOCO
**Expandindo o negócio**

DATAS IMPORTANTES
**1800** O produtor francês de algodão Jean-Baptiste Say populariza o termo "empreendedor", que vem do verbo francês "entrepreneur".

**1999** O magnata chinês Li Ka-shing enfatiza a importância da visão para o crescimento do negócio dizendo: "Amplie sua visão e mantenha a estabilidade enquanto avança".

**2011** *A startup enxuta,* do empresário do ramo de tecnologia Eric Ries, recomenda o uso mais eficiente possível dos recursos por quem está começando, como forma de fazer um empreendimento prosperar.

**2011** O número de empreendedores ativos em países desenvolvidos cresce 20%, reflexo da queda no emprego por causa da crise econômica.

O cenário dos negócios parece estar dominado por gigantes corporativos, mas a realidade é que os pequenos negócios são muito mais numerosos que as grandes empresas numa margem significativa. Na verdade, a maioria dos negócios nunca cresce mais que o escopo de seu dono – eles começam pequenos e continuam pequenos. Nos Estados Unidos, mais de 99% das empresas empregam menos de 500 pessoas. Em 2012, havia quase 5 milhões de pequenas empresas (com menos de 49 empregados), mas apenas 6 mil empregavam mais que 250 pessoas.

A ambição, ou a sua falta, é um fator determinante para as empresas de pequeno porte. Muitos donos de pequenas empresas estão contentes com o estilo de vida que seu negócio lhes proporciona, e não desejam crescer. No entanto, o maior motivo para a falta de crescimento é financeiro. A expansão exige acesso a capital, difícil e caro para pequenas empresas. Além disso, a responsabilidade ilimitada significa que os ativos pessoais dos donos (como a casa da família) estão na linha de risco se o negócio fracassar – um risco que muitos não querem correr. O espírito empreendedor é definido como a disposição de assumir riscos. Os donos de negócios que ambicionam o crescimento têm que estar dispostos a dar o segundo passo, arriscado e importante. Para a maioria dos donos de pequenas empresas, isso quer dizer contratar o primeiro empregado que não seja um parente e começar a adquirir a liderança e as habilidades gerenciais compatíveis com o tamanho do negócio e gerenciar pessoas, sistemas e processos. ■

**As grandes empresas** podem parecer enormes carvalhos, mas tiveram um começo humilde. Uma diferença comum entre elas e as que continuam pequenas é sua disposição em assumir riscos.

**Veja também:** Vencendo os desafios na fase inicial 20–21 ■ Gerenciando riscos 40–41 ■ A curva de Greiner 58–61 ■ Quem assume o risco? 138–145 ■ O pequeno é bonito 172–177

# NADA QUE É GRANDE FOI CRIADO DE REPENTE
## A QUAL RITMO CRESCER

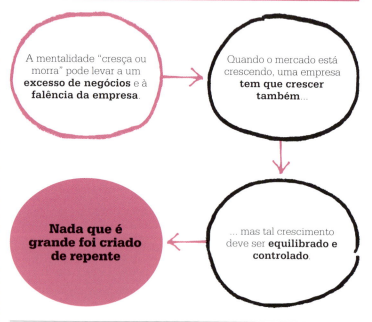

**EM CONTEXTO**

FOCO
**Crescimento dos negócios**

DATAS IMPORTANTES
**Anos 1970** Os consultores da McKinsey & Company desenvolvem a matriz MABA para ajudar conglomerados a decidir quais divisões devem crescer e a qual ritmo.

**2001** Neil Churchill – professor no INSEAD, escola de administração francesa – e John Mullins, professor na London Business School, Reino Unido – escrevem "How Fast Can Your Company Afford to Grow?", criando o conceito da taxa de crescimento autofinanciável (SFG).

**2002** A Toyota anuncia planos para se tornar a maior fabricante de carros do mundo. Oito anos depois, após fazer o *recall* de mais de 8 milhões de veículos com problemas de qualidade, a montadora admite ter crescido rápido demais.

**2012** Edward Hess escreve *Grow to Greatness: Smart Growth for Enterpreneurial Businesses*, descrevendo o crescimento como uma mudança recorrente.

Um motivo do fracasso de muitas empresas novas é, o que pode parecer surpresa, que elas cresceram rápido demais. Um crescimento excessivamente rápido pode fazer com que ultrapassem sua capacidade de financiar tal aumento: elas simplesmente ficam sem dinheiro para pagar suas operações diárias. Um dos maiores desafios para qualquer administrador é equilibrar a receita com a despesa, garantindo que haja caixa suficiente para fazer frente aos custos crescentes do negócio.

Em 2001, os professores de administração Neil Churchill e John Mullins criaram uma fórmula para calcular a velocidade na qual uma empresa pode crescer financiando-se a si mesma. Conhecida como taxa de

# COMECE PEQUENO, PENSE GRANDE 45

**Veja também:** Gerenciando riscos 40–41 ▪ A sorte (e como virar sortudo) 42 ▪ A curva de Greiner 58–61 ▪ Húbris e nêmesis 100–103 ▪ Lucro vs. fluxo de caixa 152–153 ▪ O pequeno é bonito 172–177 ▪ A matriz MABA 192–193

crescimento autofinanciável (SFG), ela ajuda os administradores a alcançar o equilíbrio adequado entre gastar e gerar caixa. Ela faz isso ao medir três coisas: o tempo que o dinheiro de uma empresa fica parado nos estoques antes de haver pago seus bens e serviços; a quantidade de dinheiro necessária para financiar cada quilo (ou real) em vendas; e a quantidade de caixa gerado por cada quilo (ou real) de vendas.

## Crescimento sustentável

Quando aplicada corretamente, a fórmula SFG determina a taxa na qual a empresa é capaz de sustentar o crescimento por meio apenas das receitas que gera – sem precisar procurar fontes externas de financiamento para mais dinheiro. Na sua essência, ela prevê uma taxa de crescimento sustentável e ajuda a evitar o crescimento excessivo das vendas. Quando o mercado está crescendo mais rápido que a SFG da empresa, Churchill e Mullins identificaram três formas de os administradores explorarem a oportunidade de crescimento: aumentar o fluxo de caixa, reduzir os custos ou aumentar os preços. Cada uma dessas três "alavancas" ajuda a gerar o caixa necessário para impulsionar um rápido crescimento.

Quando ainda era uma jovem *startup*, a marca de moda Superdry teve um crescimento fenomenal. Desde sua fundação no Reino Unido, em 2004, foram abertas novas lojas pelo mundo afora. Em 2012, no entanto, depois de vários sinais vindos dos lucros, ficou claro que a Superdry havia se transformado numa vítima do seu próprio sucesso. Os críticos sugeriram que a marca estava tão focada no crescimento que se esquecera de suas raízes na moda, fracassando em atualizar seus produtos a cada nova estação. Outras causas para o declínio foram problemas com fornecedores, erros contábeis e sua incapacidade de reagir rapidamente a uma concorrência feroz. Num reconhecimento tácito de que a culpa era do crescimento rápido, a empresa anunciou planos para rever a abertura de novas lojas.

O especialista em crescimento de empresas Edward Hess sugere que o crescimento pode adicionar valor para uma empresa, mas, se não for gerenciado adequadamente, é capaz de "causar estresse à cultura, aos

**A explosão** da Nebulosa de Hélix lembra o declínio de uma empresa que cresceu muito rapidamente: depois de ter usado todos os seus recursos energéticos, a estrela entrou em colapso e morreu.

controles, aos processos e às pessoas de uma empresa, fatalmente destruindo seu valor e até mesmo levando a companhia a crescer e morrer". O crescimento não é uma estratégia, mas um processo de mudança complexo, que exige mentalidade e procedimentos corretos, experimentação e ambiente favorável. ∎

Uma companhia lucrativa que tenta crescer muito rápido acaba ficando sem caixa – mesmo se o seu produto tiver enorme sucesso.
**Neil Churchill e John Mullins**

## Edward Hess

Tendo estudado em universidades da Flórida, da Virgínia e de Nova York, Edward Hess leciona e trabalha no mundo empresarial há mais de trinta anos. Começou sua carreira na petroleira Atlantic Richfield Company e foi um alto executivo de várias outras grandes empresas norte-americanas, incluindo a Arthur Andersen.

Hess é especialista em crescimento empresarial e o principal responsável por derrubar os "mitos" que dizem que o crescimento é sempre bom e sempre linear. Contrário à ideia de que as empresas devem "crescer ou morrer", sugere que elas provavelmente "crescerão e morrerão".

Hess é o autor de mais de dez livros e mais de 100 artigos ou estudos de caso. Atualmente leciona administração de empresas na Universidade da Virgínia, EUA.

### Principais obras

**2006** *The Search for Organic Growth*
**2010** *Crescimento inteligente*
**2012** *Grow to Greatness*

# O PAPEL DO CEO É CAPACITAR AS PESSOAS A SE SOBRESSAIR
## DE EMPREENDEDOR A LÍDER

### EM CONTEXTO

FOCO
**Crescimento dos negócios**

DATAS IMPORTANTES
**1972** O professor Larry Greiner sugere que várias etapas de crescimento dos negócios são precedidas por crises, e a primeira delas é a crise de liderança.

**2001** O especialista em liderança e mudança John Kotter escreve o artigo "What Leaders Really Do". Publicado na *Harvard Business Review*, ele faz uma distinção entre os papéis do gerente e do líder.

**2008** O artigo do acadêmico de negócios indiano Bala Chakravarthy e do economista norueguês Peter Lorange "Driving Renewal: The Entrepreneur-Manager" é publicado no *Journal of Business Strategy*. Nele, os autores chamam a atenção para uma nova leva de empreendedores na administração, capazes de gerenciar a renovação empresarial.

Nas etapas iniciais de um negócio, a habilidade mais importante que um fundador deve ter é o empreendedorismo – a visão de identificar oportunidades e a disposição de assumir riscos. Mas, conforme o negócio vai crescendo, as demandas mudam. Habilidades na gestão disciplinada e *expertise* corporativa se fazem nessecárias para coordenar uma empresa em crescimento. Alguns empreendedores são capazes de fazer a transição para a liderança, mas outros encontram dificuldades.

Um relatório da Ernst & Young de 2011 identificou os empreendedores como pessoas não conformistas, motivadas e perseverantes, apaixonadas e focadas, com uma mentalidade para

# COMECE PEQUENO, PENSE GRANDE    47

**Veja também:** Dê o segundo passo 43 ▪ A curva de Greiner 58–61 ▪ Liderando bem 68–69 ▪ Liderança eficaz 78–79 ▪ Desenvolvendo a inteligência emocional 110–111 ▪ Os papéis gestores de Mintzberg 112–113 ▪ A cadeia de valor 216–217

oportunidades. Outros estudos mostram os empreendedores como rebeldes, sem medo do fracasso e motivados por uma paixão pelo sucesso. Apesar de haver alguma sobreposição, não considerada por essa pesquisa, existem traços que definem um bom líder e gerente: cuidado com detalhes, organização, comunicação, inteligência emocional e habilidade de delegar. E, conforme notado pelo executivo indiano Vineet Nayar, a liderança efetiva envolve encorajar os outros dentro da empresa a perceber o seu potencial e sobressair.

### Fazendo a transição
Guru de negócios canadense, o professor Henry Mintzberg propôs que a gerência pode ser dividida em três categorias: a gestão pela informação, pelas pessoas e pela ação. Muitos empreendedores têm dificuldade em gerenciar pela informação – quase sempre não têm as habilidades para as redes sistêmicas e de comunicação sobre as quais as grandes empresas se desenvolvem.

Stelios Haji-Ioannou, nascido em Chipre, empreendedor e fundador do easyGroup, é conhecido por não conseguir ficar parado. Sua empresa foi aberta em 1998, uma companhia aérea de baixo custo, a easyJet, e agora inclui mais de 20 negócios "easy" que operam segundo o mesmo modelo de baixo custo. Haji-Ioannou tem mostrado aptidão pela estratégia e foco nos detalhes. Mas também é criticado por não ter habilidades de liderança, pela gestão micro e, o que é comum em empreendedores, por uma incapacidade de delegar e deixar que os gerentes gerenciem.

O professor norte-americano Larry Greiner identificou a liderança – a habilidade do fundador de uma empresa iniciante de fazer a transição de empreendedor para líder – como uma das maiores crises que as empresas enfrentam conforme crescem. Greiner sugere que o crescimento de sucesso geralmente exige a contratação de gerentes profissionais que trazem para a empresa um entendimento das exigências do mercado financeiro e dos bancos e – mais importante ainda – as habilidades de liderança necessárias para gerenciar organizações complexas. Os empreendedores talvez tenham uma infinidade de ideias, mas é preciso disciplina gerencial para transformar essas ideias em negócios de sucesso,

> A função da liderança é produzir mais líderes, não seguidores.
> **Ralph Nader, ativista político norte-americano (1934-)**

bem como as habilidades de liderança para levar as empresas nascentes para além de suas raízes empreendedoras.

As *startups* exigem a fagulha do empreendedorismo, mas o crescimento exige um conjunto de habilidades diferentes: um fundador deve fazer a transição entre ser aquele que toma as decisões sozinho para aquele que é um gerente disciplinado e um líder de sucesso. Os que não são capazes de fazer tal transição geralmente precisam dar lugar a profissionais que assumam tal função. Mas falar é mais fácil que fazer. ∎

### Zhang Yin

A empreendedora e magnata da reciclagem de papel Zhang Yin nasceu em Guangdong, China, em 1957. Reconhecendo que o setor exportador chinês tinha uma falta de materiais de papel para embalagem, Zhang (também conhecida por seu nome cantonês Cheung Yan), abriu um negócio de papel em Hong Kong em 1985.

Passando rapidamente de empreendedora a líder empresarial reconhecida, Zhang mudou-se para Los Angeles, EUA, onde foi cofundadora da empresa de exportação de papel America Chung Nam, em 1990. A empresa logo se tornou a principal exportadora de papel nos EUA e a maior exportadora em volume para a China. Em 1995, depois de voltar para Hong Kong, Zhang foi cofundadora da Nine Dragons Paper com seu marido e seu irmão. A empresa acabou se tornando a maior exportadora mundial de papel de embalagem.

Em 2006, com 49 anos, Zhang se tornou a primeira mulher a liderar a lista das pessoas mais ricas da China, pela revista *Hurun Report*. No ano seguinte, a Ernst & Young lhe deu o prêmio de "Empreendedora do Ano da China em 2007".

# FORÇAS DO HÁBITO SÃO MUITO FRACAS PARA SER SENTIDAS ATÉ QUE ESTEJAM FORTES DEMAIS PARA SER QUEBRADAS

## MANTENDO A EVOLUÇÃO DA PRÁTICA EMPRESARIAL

**EM CONTEXTO**

FOCO
**Média gerência**

DATAS IMPORTANTES
**Antes de 1850** O cenário empresarial é dominado por empresas pequenas e familiares.

**Anos 1850 e 1860** Uma rápida expansão do sistema ferroviário e a nova tecnologia industrial na Europa e nos EUA criam enormes possibilidades para negócios empreendedores.

**A partir de 1880** À medida que as empresas crescem, a administração ganha importância, e as empresas familiares começam a empregar gerentes profissionais.

**1982** O economista britânico Norman Macrae prevê a tendência dos "interpreendedores": gerentes com mentalidade empreendedora.

As pessoas são importantes na vida organizacional. Quer seja a iniciativa de um único empreendedor ou uma energia conjunta de milhares de empregados, são as pessoas que garantem que as coisas sejam feitas. Mas tal energia e iniciativa não ajudariam muito sem que os gerentes as estimulassem. A criação, a implementação e o gerenciamento dos processos organizacionais moldam as energias individuais para que se tornem um todo coerente – e, conforme uma empresa evolui, é a experiência da gerência que se torna essencial para redefinir esses processos.

Se por um lado a experiência gerencial é capaz de libertar um negócio, ela também pode escravizá-lo. A experiência rapidamente dá lugar à força do hábito, e em mercados cada vez mais

# COMECE PEQUENO, PENSE GRANDE   49

**Veja também:** Vencendo os desafios na fase inicial 20–21 ▪ Dê o segundo passo 43 ▪ Reinventando e se adaptando 52–57 ▪ A curva de Greiner 58–61 ▪ A *startup* leve 62–63 ▪ Cuidado com os homens-sim 74–75 ▪ O Modelo de Maturidade de Captação 218–219

> É a estrutura da organização, e não só os funcionários, que detém a chave da melhoria da qualidade da produção.
> **W. Edwards Deming, professor de administração norte-americano (1900-1993)**

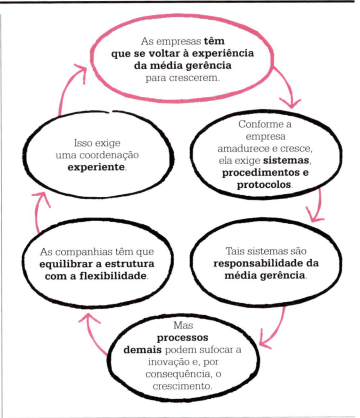

- As empresas **têm que se voltar à experiência da média gerência** para crescerem.
- Conforme a empresa amadurece e cresce, ela exige **sistemas, procedimentos e protocolos**.
- Tais sistemas são **responsabilidade da média gerência**.
- Mas **processos demais** podem sufocar a inovação e, por consequência, o crescimento.
- As companhias têm que **equilibrar a estrutura com a flexibilidade**.
- Isso exige uma coordenação **experiente**.

dinâmicos o hábito pode facilmente levar à acomodação e à estagnação. O perigo para a gestão é que, como já advertiu o investidor norte-americano Warren Buffet, as "forças do hábito são muito fracas para ser sentidas até que estejam fortes demais para serem quebradas".

## Média gerência

A importância da média gerência foi descrita pelo historiador da administração Alfred Chandler em seu texto de 1977, *The Visible Hand*, uma brincadeira com a metáfora do economista Adam Smith (a mão invisível), a qual explica as forças autorreguladoras do mercado. Chandler notou que antes de 1850 as empresas familiares dominavam os negócios nos Estados Unidos. Tinham péssimas redes de comunicação e eram limitadas na contratação de gente preparada, raramente crescendo além dos círculos dos parentes e amigos que pudessem ter educação formal e ser treinados para que lhes fosse confiada a gestão do negócio.

Mas, com o crescimento das redes ferroviárias nos anos 1850, o cenário gerencial começou a mudar. Melhorias nos transportes e nas comunicações permitiram às empresas crescer muito além do círculo de amigos ou parentes e além dos limites regionais. Contudo, para prosperar nesse novo ambiente, as empresas precisavam de processos e estruturas mais rigorosas. O crescimento cada vez maior do escopo geográfico e do tamanho dos negócios exigia novos níveis de coordenação e comunicação. Os negócios haviam crescido demais para ser administrados por uma única pessoa. Eles exigiam a supervisão de um grupo de pessoas. Isso marcou o surgimento e o crescimento do gerente profissional. Com o advento da padronização e da produção em massa, no começo do século XX, o papel da gerência cresceu. Os negócios passaram a ser feitos cada vez mais em escala global. Até mesmo antes da mecanização, a coordenação entre gerentes garantiu a produção em massa. A padronização transformou a gestão em ciência e os gerentes, numa engrenagem vital na máquina organizacional.

## Capacitação e negócio

Num artigo de 2007 na *Harvard Business Review*, "The Process Audit", o empresário norte-americano Michael Hammer resumiu a ciência da gestão (que é, em essência, a gestão dos processos de negócios) em dois fatores: habilidades de capacitação » e negócios. As capacidades de negócios brotam da alta gerência e incluem cultura, mecanismos de governança estritos e visão estratégica. A capacitação, no entanto, é tarefa da média gerência. Ela inclui desenvolvimento, infraestrutura, processos, protocolos, responsabilidades e gerenciamento de performance. Os capacitadores transformam visão em realidade.

### Percebendo a visão
Hammer alegava que, se por um lado a ambição por crescimento do negócio pode vir da sala do conselho, é a infraestrutura de uma empresa – desenvolvida e implementada pela média gerência – que torna o crescimento possível. A visão sem infraestrutura é apenas um sonho – não é capaz de se transformar em realidade. Os líderes de empresas em crescimento sabem que, independentemente de suas próprias aspirações, os tijolos do crescimento são colocados pela média gerência.

Na cervejaria japonesa Asahi, por exemplo, foi uma equipe da média gerência que desenvolveu a Super Dry Beer, dando largada à moda, no Japão, da cerveja "dry", garantindo à empresa conquistar uma maior participação de mercado. De forma semelhante, um grupo da média gerência na Motorola foi elogiado por ter desenvolvido com sucesso um novo sistema digital sem fio para um cliente em menos de um ano (o processo normalmente demora de dois a três anos).

Sentada entre os líderes seniores e o pessoal operacional, a média gerência é o canal de comunicação por meio do qual os executivos se mantêm antenados ao dia a dia dos negócios e das questões dos trabalhadores. A média gerência, conforme mostram os exemplos da Asahi e da Motorola, com frequência se encontra no cerne da inspiração e da transpiração corporativa – ela gera ideias e trabalha para fazer com que tais ideias sejam postas em prática. A média gerência também é a motivadora da eficiência funcional: melhorias nos custos, qualidade, agilidade e confiabilidade são fruto da média gerência e dos processos que ela cria.

### Crescendo o negócio
Conforme o negócio evolui, também é preciso que evoluam os processos gerenciais que o garantem. Se por um lado os estágios iniciais do crescimento dependem da iniciativa individual e do espírito empreendedor, a evolução de ações práticas em necessidades de crescimento sustentável precisa estar baseada em lições aprendidas por meio da experiência

A média gerência, como uma tecnologia, é o que capacita as organizações como as conhecemos hoje.
**Alfred Chandler, historiador norte-americano (1918-2007)**

empresarial. A verdadeira ciência da administração é a conversão da experiência em processos repetitivos e confiáveis – os problemas de hoje se transformam nos processos de amanhã e nas capacidades do ano seguinte.

O processo é a "base" da administração. Os processos de negócios são essenciais para manter a ordem. Assim como um sistema ferroviário de um país e as regras que o regem, os processos são a infraestrutura ao redor da qual a empresa se organiza. As práticas empresariais devem evoluir à medida que o negócio cresce de uma lojinha a uma rede, de um funcionário para muitos, de um negócio nacional para um multinacional.

### Cath Kidston

A estilista, autora e empreendedora inglesa Catherine Kidston nasceu em 1958. Criada com seus três irmãos perto de Andover, em Hampshire, ela esteve em internatos ingleses antes de se mudar para Londres, aos 18 anos.

Depois de trabalhar como assistente numa loja, gerenciou um negócio de cortinas antigas por cinco anos. Em 1992, ela vendeu o negócio e, um ano depois, abriu uma loja de acessórios, papéis de parede e tecidos antigos. Com £ 15 mil no bolso, ela teve que ser cuidadosa na compra do seu estoque, misturando seus próprios tecidos e papéis de parede com itens artesanais e tecidos do Leste Europeu. Tecidos da Europa chegavam na forma de edredons e fronhas, não em rolos de pano. Kidston percebeu que teria que improvisar e decidiu "cortar os panos e transformá-los em outras coisas". Ela manteve parte das roupas de cama, mas transformou a maioria dos itens em produtos como *nécessaires*. Nasceu, assim, a marca Cath Kidston.

O desenvolvimento da infraestrutura e a força de uma nova camada da média gerência foram fatores-chave na evolução da varejista britânica Cath Kidston, de uma única loja em 1993 para mais de 120 filiais e operações em todo o mundo em 2013, com lojas na Europa e na Ásia e planos de expansão na América do Norte. Amplamente conhecida por sua linha *vintage* de tecidos, papéis de parede e móveis rústicos pintados com cores vibrantes, o crescimento inicial da Kidston, comum a muitas *startups* de um único fundador, foi lento. No começo, eram necessárias seis semanas para fechar a contabilidade mensal, e conflitos internos na área de tecnologia da informação (TI) causaram problemas com as projeções de fluxo de caixa e com a gestão da cadeia de suprimentos. Demorou nove anos para que fosse aberta a segunda loja e outros dois anos para abrir a terceira.

Depois de ser vendida, em 2010, a Cath Kidston passou a ser controlada por um grupo de *private equity* norte-americano, e Kidston ficou com aproximadamente 20% das ações. Conforme expandia, a empresa começou a mudar de processos específicos para uma abordagem mais planejada. Gerentes e consultores especializados foram trazidos para ajudar a estabelecer a capacidade para crescimento. Foram criados novos departamentos, incluindo o de design, de compras e de produtos, além da introdução da área de sistemas. Mais importante ainda, a média gerência adquiriu experiência do que era necessário para abrir e administrar uma nova loja. As lições aprendidas com os erros passados foram integradas às políticas e aos procedimentos. Com o aumento da experiência acumulada, a abertura de cada loja se tornou mais fácil que a da antecessora.

### Excesso e hábito

Os perigos dos processos e da hierarquia (se ela crescer demais) é que podem acabar amarrando a organização. Os protocolos e a burocracia cansam as pessoas, sufocando as inovações e impedindo o crescimento. Conforme os mercados e a tecnologia avançam cada vez mais rapidamente, os processos não podem cegar a visão dos gerentes em relação às oportunidades, e os sistemas não podem restringir a agilidade estratégica. Por exemplo, a Motorola continuou a investir em tecnologia de satélite por toda a década de 1990, mesmo depois de a concorrência ter mudado para as torres de telefonia, mais baratas e eficientes.

O hábito também é capaz de distorcer a lógica. O compromisso de comportamento ético, tão defendido por Dennis Kozlowski, CEO da empresa suíça Tyco International, era tão comum que acabou por distanciar o seu comportamento pessoal de sua retórica – em 2005 ele foi condenado por fraude corporativa. O hábito também pode levar à arrogância. Animado com seu sucesso com os produtos eletrônicos, em 1994 o CEO da Samsung, Lee Kun-Hee, achou que a mesma abordagem seria bem-sucedida no mercado de automóveis, mas a iniciativa emperrou, e a empresa teve que ser socorrida pela Renault no ano 2000. A experiência e os hábitos da gerência da Renault têm ajudado, desde então, a Renault Samsung Motors a conquistar espaço no mercado automotivo coreano.

Os líderes desconsideram o valor da média gerência e o valor dos processos, bem como os danos que a ausência deles pode causar. Sem a média gerência capaz de transformar a visão de um líder em realidade, muitos negócios emperrariam, como aqueles da era pré-ferrovias, o que os manteria pequenos, locais e administrados de forma familiar. A ciência da administração é o caminho para garantir a evolução e o crescimento dos negócios. ∎

**Capacitação** é a esfera da média gerência de acordo com a análise de Michael Hammer da ciência da administração. Quando implementada e mantida de forma eficiente, ela favorece o crescimento e transforma a visão dos altos executivos em realidade.

Processo
Design
Infraestrutura
Gestão de performance
Responsabilidade
Protocolo

Média gerência

Se você não conseguir descrever o que está fazendo como um processo, você não sabe o que está fazendo.
**W. Edwards Deming**

# UMA CORPORAÇÃO É UM ORGANISMO VIVO: TEM QUE CONTINUAMENTE TROCAR DE PELE

## REINVENTANDO E SE ADAPTANDO

## REINVENTANDO E SE ADAPTANDO

### EM CONTEXTO

FOCO
**Processo e produto**

DATAS IMPORTANTES
**1962** O professor norte-americano Everett Rogers escreve *Diffusion of Innovations*, mostrando como a inovação atua em sistemas sociais.

**1983** O consultor de negócios norte-americano Julien Phillips publica o primeiro modelo de gestão da mudança no periódico *Human Resource Management*.

**1985** Em seu livro *Inovação e espírito empreendedor*, Peter Drucker descreve a melhor abordagem para a gestão da mudança como aquela que "sempre visa à mudança, responde a ela e a explora".

**1993** O especialista em mudança norte-americano Daryl Conner usa a metáfora da "plataforma em chamas" para descrever o alto custo de um negócio que continua sempre o mesmo.

Assim como os seres humanos são organismos que crescem, mudam e se adaptam, o mesmo ocorre com os negócios de sucesso. Em 1970, o futurólogo norte-americano Alvin Toffler publicou o *Choque do futuro*, um livro que previa o novo fenômeno de "percepção de muita mudança num pequeno espaço de tempo". O ritmo da mudança, disse, também se espalharia para o mundo dos negócios, à medida que se vissem forçados a adaptar seus produtos e processos para garantir vantagens num mercado cada vez mais competitivo.

As ideias de Toffler sobre os efeitos da rápida mudança tecnológica foram consideradas, naquela época, um tanto forçadas, mas, com o advento do computador pessoal e da internet, a mudança se acelerou ainda mais rapidamente do que ele previu. Toffler previu que viveríamos num estado de "alta transitoriedade" no qual daríamos às ideias, às organizações e até mesmo aos relacionamentos um tempo cada vez menor. As redes sociais são testemunhas dessa ideia em ação ao prover uma plataforma para novas maneiras de nos relacionar. Elas também demonstram novas formas de começar, crescer e consolidar negócios. Em 1989, o cientista da

A reinvenção da vida diária quer dizer acabar com as fronteiras em nossos mapas.
**Bob Black, ativista norte-americano (1951-)**

computação norte-americano Alan Kay afirmava que eram necessários dez anos para uma inovação ir do laboratório até a nossa vida cotidiana, mas em 2006 o Twitter conseguiu cortar esse tempo para apenas quatro anos. Os produtos agora podem ser comprados on-line de qualquer lugar do mundo, e o *feedback* do cliente é instantâneo e global. Os desafios para as empresas se adaptarem e se reinventarem são enormes.

### Produtos e processos
O cenário pessoal e empresarial mudou tão radicalmente desde os anos 1960 que nenhum segmento ou empresa ficou imune a seus efeitos. Considere, por exemplo, o setor de

# COMECE PEQUENO, PENSE GRANDE

**Veja também:** Obtendo uma vantagem 32–39 ▪ Mantendo a evolução da prática empresarial 48–51 ▪ Criatividade e invenção 72–73 ▪ Pensando fora da caixa 88–89 ▪ Mudando o jogo 92–99 ▪ Evitando a complacência 194–201

música e cinema. Novas tecnologias mudaram, completa e rapidamente, a forma como os filmes e a música são comprados e consumidos. Para os grandes negócios do cinema e da música (e todos os seus produtores e fornecedores relacionados), a sobrevivência exigiu uma forte dose de reinvenção e adaptação.

A reinvenção se deu tanto na forma de novos produtos quanto de novos processos. A adaptação de produtos envolve atualização e mudança no design – ou seja, inovação e invenção. A indústria cinematográfica passou por muitas transformações desde o seu início, com os filmes em preto e branco. Ela se reinventou por meio da tecnologia (primeiro ao adicionar som, depois gerando imagens "impossíveis" por computador); pelo marketing, como nos cartões de fidelidade mensal; por meio de eventos, como as exibições ao ar livre; e pelo crescimento das redes de cinema de shopping (multiplex), capazes de multiplicar o público e reduzir o tempo médio de permanência. O mais recente produto tentando afastar a audiência de *downloads* ilegais e trazer de volta aos cinemas foi a projeção 3D – que, por sua vez, é uma reinvenção de uma ideia antiga.

Na virada para o século XXI, o setor da música também cambaleava devido à queda na venda de CDs, mudando o foco para música ao vivo e outras mercadorias. Contudo, tanto a indústria cinematográfica quanto a de música ganharam novo alento com a digitalização, presente nos iPod e iTunes da Apple. Essa combinação revolucionária de produtos e processos – o *hardware* e o *software* da Apple – fez com que o *download* legal de músicas e filmes ficasse mais atraente que as versões ilegais. Em 2013, a loja iTunes, da Apple, ofereceu mais de 60 mil filmes para 119 países, além de 35 milhões de músicas.

### Métodos inovadores

A adaptação de processos passa pela descoberta de novas formas de fazer as coisas e envolve a introdução ou a remoção de processos. A concorrência das vendas on-line e do *streaming* on-line continua a afetar empresas de distribuição de filmes, como o Netflix. A resposta desse serviço de *streaming* de vídeo extremamente popular foi disponibilizar todos os episódios de uma série de televisão (*House of Cards*) para *download* simultaneamente. A lógica por trás disso foi que o risco de pirataria seria menor se os consumidores pudessem comprar legalmente todos os episódios de uma única vez.

Para o Netflix, essa estratégia ousada não foi apenas um novo e radical processo. Ela também representava uma adaptação de todo o modelo de negócios da empresa. Ainda no estágio adolescente de crescimento, em 2012 o Netflix era, a princípio, um serviço de *streaming* on-line, mas com o *House of Cards* ele entrou no mundo da produção. Ao produzir e distribuir, o Netflix foi capaz de obter um lucro maior e assumir um controle maior sobre o seu conteúdo. O Netflix não sabia se a experiência com o *House of cards* funcionaria ou não. A empresa sabia, »

Empresas excelentes não acreditam em excelência – só em constante melhora e constante mudança.
**Tom Peters, especialista em administração norte-americano (1942-)**

**A adaptação do produto** no setor da música demonstra o uso constante de novas tecnologias – do gramofone ao vinil, ao cassete, ao CD, ao minidisco e aos arquivos MP3 de música digital – conforme as empresas tentam ampliar o mercado.

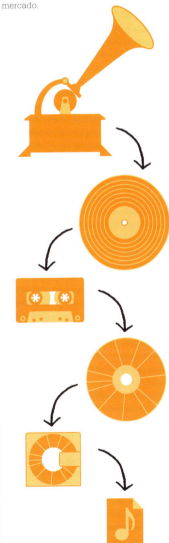

no entanto, que para manter o entusiasmo do seu crescimento inicial ela precisava se adaptar e reinventar – nesse caso, foi a reinvenção como produtores de TV, e não apenas distribuidores.

### Mudanças internas

Reinvenção e adaptação também podem ser focadas internamente em sistemas, tarefas rotineiras ou atividades operacionais. Quer seja uma melhora desse tipo seja baseada num arcabouço de melhoria formal nos processos (como a Gestão de Qualidade Total) ou simplesmente na intuição e na experiência de seus gerentes, a adaptação dos processos internos garante às empresas maximizar as receitas enquanto reduz custos.

Por exemplo, o McDonald's McSnack Wrap demora apenas 21 segundos para ser preparado – quanto mais rápida a preparação, maior a quantidade de clientes que podem ser atendidos por uma equipe menor. Na R. Griggs Group Ltd, fabricante dos calçados Dr. Martens, uma reinvenção dos sistemas internos permitiu à empresa explorar oportunidades globais de vendas. Em 1994, devido à crescente popularidade da marca, a demanda era muito maior que a capacidade de fabricação. Planejamento e coordenação ruins levaram a atrasos na produção e perda de vendas. A solução foi uma reinvenção de sistemas internos baseados num sistema de TI integrado. O produto em si – a clássica bota "1460", de amarrar e feita de couro – mudou bem pouco, apesar de novos designs terem sido adicionados à lista de modelos. A principal mudança foi a adaptação dos processos internos, o que garantiu que a oferta satisfizesse a demanda.

### Adaptando numa recessão

A adaptação de processos internos é ainda mais importante nos mercados onde a demanda é estática ou em queda. Eficiências operacionais, em vez de crescimento das vendas, são a chave para o lucro. Para as seguradoras, por exemplo, o escopo para a adaptação de novos produtos é limitado, de modo que a concorrência é baseada em preço – especialmente durante uma recessão, quando os clientes ficam mais sensíveis a esse quesito. A chave para manter a lucratividade e a competitividade nos preços é a melhora contínua dos processos – a reinvenção dos sistemas internos que entregue o mesmo produto aos clientes, mas a um preço menor e, portanto, com uma lucratividade maior. Os dias em que os seguros eram vendidos de porta em porta por um corretor foram, há tempos, substituídos por televendas ou vendas pela internet.

### Reinventando a empresa

Uma empresa importante que conseguiu, com sucesso, reinventar a si mesma foi a Samsung Electronics. Fundada em 1969, a Samsung Electronics é uma subsidiária do Grupo Samsung criada para explorar oportunidades no novo setor de tecnologia. A empresa começou com televisores em preto e branco e mudou para os eletrodomésticos durante os anos

Os que dão início a mudanças terão uma oportunidade melhor de gerenciar a mudança que é inevitável.
**William ("Bill") Pollard, empresário norte-americano (1938-)**

1970. Na década seguinte, a produção cresceu e incluiu PCs e semicondutores.

Em 1986, a Samsung lançou o seu primeiro telefone de carro, o SC-100. O produto foi um desastre – a qualidade era tão ruim que vários clientes reclamaram. A fama de baixa qualidade manchou a reputação da Samsung por boa parte do começo da sua vida, já que os clientes consideravam seus produtos piores que os produtos japoneses especiais.

No dia 7 de junho de 1993, o CEO Lee Kun-Hee juntou os principais executivos da Samsung e declarou que a empresa precisava se reinventar. Sua famosa instrução "Troque tudo, menos sua mulher e seus filhos" mostra a seriedade de sua percepção. Lee também reconheceu as dinâmicas de mudança de mercado, dizendo aos seus colegas que a empresa precisava "produzir celulares comparáveis aos da Motorola até 1994... ou a Samsung abandonaria o negócio de celulares". A iniciativa da "nova gerência" que se seguiu, apoiada por inovações de produtos e processos, enfatizou a qualidade e a inovação que fazem o sucesso da Samsung hoje e galvanizou seus alicerces para crescimento futuro. Mas a transformação da Samsung ainda não estava completa – a crise financeira asiática do final dos anos 1990 forçou a empresa a se reinventar novamente. Adaptar seus processos fez com

Os calçados **Dr. Martens** cresceram de um nicho de marca para um sucesso comercial internacional numa questão de anos. R. Griggs, o produtor da marca, teve que reinventar processos para satisfazer a demanda.

# COMECE PEQUENO, PENSE GRANDE 57

**Quando os processos evoluem,** criam empregos ou fazem com que os que já existem desapareçam. As mesas telefônicas manuais do sistema de telefonia antigo foram substituídas por outras tecnologias mais rápidas e automáticas.

que a Samsung se tornasse uma marca mais focada no mercado e nos clientes. Desde então, os esforços da empresa, especialmente no supercompetitivo mercado de celulares, têm se baseado em constante atrito, reinvenção e adaptação.

## Sobrevivência no longo prazo

Poucos negócios sobrevivem sem adaptação ou reinvenção. Produtos como os sucrilhos Kellogg's e os feijões Heinz – que não mudaram por décadas – são raros. Mesmo quando um produto não muda, muitos dos processos envolvidos na sua fabricação, distribuição e marketing mudam de forma dramática. As fábricas de 100 ou 50 anos atrás são muito diferentes das de hoje, nas quais muitas tarefas são automatizadas e desempenhadas por computadores e robôs. Promoções também foram adaptadas para satisfazer uma nova demografia dos clientes, mercados

globalizados e preferências de consumidor. Mesmo marcas reconhecidas não conseguem evitar a reinvenção.

A transformação verdadeiramente bem-sucedida de um negócio raramente se resume a descobrir e comercializar novas e ousadas ideias, tecnologia e produtos. O negócio de maior sucesso sabe que a reinvenção é um processo contínuo. Mídias sociais, por exemplo, criaram uma mudança de mercado que exigiu que negócios de todos os tipos se adaptassem. Mesmo as gravadoras musicais agora incorporam o valor promocional de sites como o YouTube.

O ecossistema no qual um negócio opera é raramente estático. Corporações existem nesses ecossistemas como organismos vivos que precisam se adaptar para viver. Grandes líderes sabem que o fracasso em se adaptar leva à extinção. ■

## Lee Kun-Hee

Nascido em 9 de janeiro de 1942, Lee Kun-Hee é o presidente do conselho do conglomerado sul-coreano Samsung. Graduado em economia pela Universidade Waseda de Tóquio, no Japão, e com MBA pela George Washington University, nos EUA, Lee entrou no grupo Samsung em 1968 e sucedeu seu pai como presidente do conselho no dia 1º de dezembro de 1987.

A Samsung é o exemplo de um *chaebol*, um conglomerado tipicamente coreano que une valores confucionistas com laços familiares e influência governamental. Sob a liderança de Lee, a empresa se transformou de uma marca coreana barata numa enorme potência internacional e, junto com a Sony, é um dos principais negócios asiáticos no mundo. A Samsung Electronics, a subsidiária mais famosa do conglomerado, é líder no desenvolvimento de semicondutores, monitores de TV e celulares – com seus *smartphones* vendendo até mais que o iPhone em muitos mercados.

A revista *Forbes* de 2013 lista Lee como o 69º bilionário mais rico do mundo e o mais rico da Coreia do Sul.

# SEM CRESCIMENTO E PROGRESSO CONTÍNUOS, O SUCESSO NÃO TEM SENTIDO
## A CURVA DE GREINER

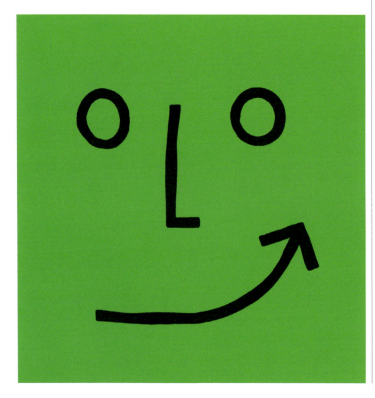

### EM CONTEXTO

FOCO
**Crescimento dos negócios**

DATAS IMPORTANTES
**1972** Larry Greiner descreve cinco estágios de crescimento dos negócios, bem como suas crises, no artigo "Evolution and Revolution as Organizations Grow".

**1988** O especialista em negócios da Macedônia Ichak Adizes escreve *Ciclo de vida das organizações*, no qual descreve o crescimento das corporações como uma série de cinco curvas "S".

**1994** O professor David Storey alega que todas as formas de modelos em "estágios" têm limitações. Ele sugere que se veja o crescimento, em vez disso, em tipos de empresa: as fracassadas, as que se arrastam e as que voam.

**1998** Numa reedição de seu artigo de 1972, Greiner atualiza sua teoria e adiciona um sexto estágio à curva.

Além da recompensa financeira que oferecem aos empreendedores, as *startups* podem ser um lugar interessante para trabalhar. Em meio a caos, mudança contínua, políticas e procedimentos que sempre mudam e abundância de trabalho exigida, esses empreendimentos são repletos de energia, iniciativa e ideias. Mas, conforme o negócio se expande, passa a haver uma pressão crescente sobre as pessoas e os sistemas, e o entusiasmo inicial pode se transformar em frustração.

Períodos de caos são comuns no começo da vida dessas empresas iniciantes. À medida que elas amadurecem, o novo negócio ultrapassa diversas barreiras conceituais. Em 1972, Larry Greiner identificou-as como "crises

# COMECE PEQUENO, PENSE GRANDE 59

**Veja também:** Vencendo os desafios na fase inicial 20–21 ■ Dê o segundo passo 43 ■ A qual ritmo crescer 44–45 ■ De empreendedor a líder 46–47 ■ Mantendo a evolução da prática empresarial 48–51 ■ A *startup* leve 62–63

---

As *startups* são **lugares muito legais** para trabalhar... → ... mas o crescimento traz **crises** inevitáveis. → Tais crises **são previsíveis e podem ser gerenciadas** pelo uso da Curva de Greiner.

---

de crescimento", as quais ele ilustrou num gráfico que ficou conhecido como a Curva de Greiner. Ele percebeu que empresas de todos os tipos passam por períodos de crescimento seguidos por crises inevitáveis, nas quais enormes mudanças organizacionais são necessárias para garantir o ímpeto inicial.

## Estágios de crescimento

Greiner originalmente identificou cinco estágios de crescimento, aos quais adicionou um sexto tempos depois. O primeiro desses estágios é o "crescimento por meio da criatividade". Durante esse estágio, a *startup* é pequena, e o crescimento é impulsionado pelo entusiasmo dos seus fundadores. Procedimentos gerenciais e comunicações – e até mesmo interação com clientes – são, normalmente, informais e específicos. Mas, conforme a equipe de funcionários vai crescendo e a produção é ampliada, é preciso mais capital (talvez de bancos ou de empresas de venture capital), aumentando a necessidade de sistemas formais e procedimentos. Os fundadores – que podem ter um foco maior nos aspectos técnicos ou no próprio empreendimento – deparam com a sua primeira crise, já que estão sobrecarregados com as responsabilidades gerenciais para as quais não estão muito bem preparados. A primeira crise é, portanto, a de liderança: quem conduzirá a empresa para longe da confusão e resolverá os novos problemas de gerenciamento?

A mudança de liderança exigida para a fase dois talvez seja apenas a de reorganização interna e uma mudança de estilo, abandonando a informalidade dos primeiros dias para uma formalidade maior e sistemas e procedimentos mais rígidos. Mas, em muitos casos, os fundadores originais talvez não tenham nem as habilidades nem a vontade de assumir uma liderança mais formal. Em 2002, o *chef* Jamie Oliver fundou o Fifteen, rede de restaurantes que também oferecia treinamento para jovens carentes. Conforme a rede crescia, ele transferiu a administração para um CEO, de modo que pudesse enfocar o que ele faz melhor: ser um *chef* celebridade de sucesso comercial.

Sob a direção de novos gerentes, o crescimento do negócio continua num ambiente com estruturas e orçamentos mais formais, com a segregação de funções como produção e marketing. Esse é o segundo estágio do crescimento, conhecido como "crescimento por meio da direção". Conforme a nova gerência assume responsabilidade pela direção, os supervisores ou gerentes de nível médio »

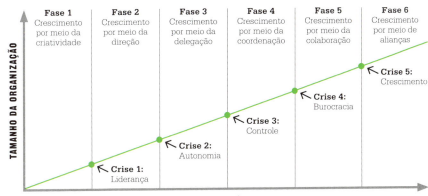

**A curva de Greiner** ilustra os seis estágios de crescimento pelos quais qualquer empresa tem que passar durante o seu desenvolvimento. Cada fase gera uma crise, cuja resolução leva ao novo estágio de crescimento.

# A CURVA DE GREINER

atuam mais como especialistas funcionais, porém, com o tempo, passam a exigir maior liberdade para tomar decisões, levando à segunda crise: autonomia. Essa crise pode ser resolvida ao liberar a média gerência da burocracia e permitindo que a empresa alcance o "crescimento por meio da delegação" – e esse é o terceiro estágio do crescimento de Greiner. Livre da obrigação de cuidar do dia a dia dos negócios, a alta gerência pode focar sua atenção na estratégia e no crescimento de longo prazo.

## Continuar pequeno ou crescer?

Nesse ponto, talvez a empresa iniciante tenham a sua maior crise de todas: uma crise de controle. Os fundadores ou a alta gerência podem ter dificuldade de abrir mão da responsabilidade pela tomada de decisões, até mesmo para um conselho. Quando isso acontece, cabe ao fundador decidir se quer continuar pequeno – ou seja, limitar o crescimento ao limite do seu próprio controle.

Tais decisões são louváveis. Nem todas as empresas conseguem ser globais e poderosas, e, na verdade, são pequenas e médias empresas que dominam o cenário empresarial. Alguns empreendedores começam

Cabe à pessoa escolher entre voltar para a segurança ou avançar para o crescimento.
**Abraham Maslow, psicólogo norte-americano (1908-1970)**

uma pequena empresa para escapar do estresse, da política e da expiação da vida no escritório, e, para eles, talvez tenha sentido limitar o crescimento nesse estágio.

Outros empreendedores – como o presidente da Virgin, Richard Branson – ficam entusiasmados nos primeiros estágios da vida dos novos negócios, mas se entediam à medida que aumentam as exigências burocráticas. Branson gosta de liderar um negócio na fase de *startup*, passando-o depois para gerentes profissionais de modo que possa voltar sua atenção para novos e mais interessantes projetos. Escolher ficar pequeno não quer dizer que o negócio não vai ter crises. Todos os

negócios, de todos os tamanhos e independentemente de suas aspirações de crescimento, enfrentarão incertezas e desafios. Mas isso quer dizer que o negócio evitará as exigências do novo estágio: o "crescimento por meio da coordenação".

Durante esse quarto estágio, é comum que haja aumento na centralização. Nesse momento, a empresa talvez já esteja relativamente grande, com suas operações controladas por um escritório central. Talvez escolha executivos com experiência em gerenciar negócios grandes e diversificados e introduza procedimentos operacionais padrões.

Mas o surgimento de políticas-padrão fatalmente leva a uma nova crise: uma crise da burocracia, na qual uma burocracia crescente amarra as operações, resultando num menor crescimento.

## Uma volta à informalidade

Por mais paradoxal que pareça, o quinto estágio, "crescimento por meio da colaboração", exige, em parte, uma volta à flexibilidade dos primeiros dias. Os sistemas permitem maior espontaneidade, surge o trabalho em equipe, e uma estrutura de matriz (rede) normalmente é usada para recapturar a natureza de colaboração de uma *startup* – em outras palavras, a organização tenta operar como uma empresa simples e criativa novamente.

Uma vez que isso foi atingido, a próxima crise tem a ver com os limites do crescimento interno. Sob pressão dos acionistas para aumentar a rentabilidade cada vez mais, o crescimento adicional só pode ser alcançado com o desenvolvimento de parcerias com organizações complementares. Nesse sexto estágio, uma empresa já está grande, talvez grande demais. O "crescimento por meio de alianças" sugere, portanto, que a expansão continuará por fusões, terceirização ou *joint ventures* – a empresa precisa olhar além de suas próprias capacidades internas, e a

### Larry Greiner

Larry Greiner é professor de gestão e organização na Universidade de Southern California, EUA. Formou-se na Universidade de Kansas e fez MBA e doutorado da Harvard Business School.

Greiner é o autor de várias publicações sobre crescimento e desenvolvimento de organizações, consultoria de gestão e mudança estratégica. Seu artigo de 1972, "Evolution and Revolution as Organizations Grow", é considerado um clássico de todos os tempos. Greiner atuou como consultor para várias empresas e agências governamentais nos EUA e no exterior, incluindo Coca-Cola, Merck, Andersen Consulting, Times Mirror Company e KinderCare.

### Principais obras

**1972** "Evolution and Revolution as Organizations Grow"
**1998** *Power and Organization Development*
**1999** *New CEOs and Strategic Change, Across Industries*

## COMECE PEQUENO, PENSE GRANDE

**O CEO da Spotify**, Daniel Ek, trabalhou com o cofundador Martin Lorentzon para criar uma empresa grande, mas ágil. Ela evita os problemas de crescimento de Greiner ao operar por intermédio de esquadrões coordenados por "tribos".

capacidade de seus principais mercados, e buscar crescimento externo.

A verdadeira taxa de crescimento – em termos de número de clientes, receita ou lucro – dentro de cada fase da Curva de Greiner vai variar, dependendo da empresa. Organizações como o Facebook já eram grandes o suficiente quando começaram a enfrentar crises de delegação e controle. Outras podem continuar pequenas por muitos anos, talvez nunca alcançando o estágio da crise de liderança.

### Usando a Curva de Greiner

O conhecimento da Curva de Greiner pode ajudar os fundadores de novos negócios a prever e gerenciar as inevitáveis crises de crescimento. Mesmo enquanto desfrutam dos agradáveis dias do começo do crescimento, os empreendedores precisam estar atentos aos passos necessários para fazer com que o negócio avance no futuro. Precisam garantir a estrutura do negócio o mais cedo possível. Quanto mais cedo forem incluídos os sistemas formais e a gerência profissional, menor será o seu ressentimento e resistência, e mais sólido ainda o alicerce para o crescimento contínuo. Quanto a isso, as várias crises identificadas pela Curva de Greiner podem ser vistas como transições naturais. Uma organização deve encontrar um caminho através de tais transições e dores de crescimento, ao mesmo tempo que define e redefine o escopo de suas operações, seus valores e seu propósito global. Como observou Benjamin Franklin, "sem o crescimento contínuo e o progresso, palavras como melhorias, metas e sucessos não têm nenhum significado".

### Grande, mas ágil

Uma empresa que parece ter aprendido as lições da Curva de Greiner é o serviço de *streaming* on-line de música Spotify. Os fundadores suecos dessa organização, Daniel Ek e Martin Lorentzon, sabiam que desde o começo da empresa, em 2008, a sua meta era o crescimento. Também sabiam que não estavam dispostos a abrir mão dos benefícios que acompanham o entusiasmo de um negócio de *startup*.

A Spotify se organiza em equipes baseadas em projetos, chamadas "esquadrões". A organização está dividida em pequenos grupos de esquadrões, e cada um deles funciona como uma *startup*. Espelhando os benefícios alcançados pelas empresas no primeiro estágio de Greiner, cada esquadrão é totalmente autônomo, tem contato direto com suas partes relacionadas e opera com um nível mínimo de dependência dos outros esquadrões.

Para lidar com as várias crises de crescimento (como a da autonomia e a da burocracia), esquadrões afins são agrupados em "tribos". A função da tribo é apoiar e garantir as atividades de cada esquadrão, na prática reproduzindo o papel de uma empresa de *venture capital* como incubadora de novas *startups*.

A operação é mantida pequena e ágil ao limitar o número de funcionários em cada tribo a 100.

A Spotify parece ter se preparado para manter um equilíbrio entre as vantagens do crescimento com os elementos agradáveis de uma *startup*. Os fundadores, no entanto, admitem que o sistema tem falhas, e, conforme a demanda por uma estratégia única da organização cresce, pode ser que nem mesmo a Spotify consiga escapar das crises de crescimento previstas pela Curva de Greiner. ■

Todo crescimento depende da atividade. Não existe desenvolvimento físico ou intelectual sem esforço, e esforço quer dizer trabalho.
**Calvin Coolidge, ex-presidente norte-americano (1872-1933)**

# SE VOCÊ ACREDITA EM ALGO, TRABALHE À NOITE E NOS FINS DE SEMANA – NÃO VAI PARECER TRABALHO
**A *STARTUP* LEVE**

## EM CONTEXTO

FOCO
**Startups**

DATAS IMPORTANTES
**1923** Walt Disney começa a fazer desenhos animados profissionais na garagem de seu tio Robert.

**1976** Os primeiros 50 computadores Apple são fabricados no quarto de visitas da casa dos pais de Steve Jobs. Alguns meses depois a Apple "cresceu" e ocupou a garagem da casa de seus pais.

**1978** A mestre cervejeira indiana Kiran Mazumdar-Shaw funda uma firma de biotecnologia, a Biocon, na garagem da sua casa alugada em Bangalore, na Índia.

**2004** Kevin Rose se demite de seu trabalho num canal de TV para fundar a Digg, site agregador de notícias que atrai 38 milhões de usuários por mês durante o pico. O "escritório" fica no seu quarto.

---

Muitas *startups* precisam de **habilidade, não de capital**.

↓

Numa *startup* leve, o risco é o **tempo, não o dinheiro**.

↓

O trabalho pode ser feito, no começo, aos **fins de semana e à noite, mas…**

↓

… se você acreditar no que está fazendo, não vai parecer trabalho.

---

Começar um negócio exige uma fonte ilimitada de energia, um compromisso inesgotável e a resiliência de lidar com o risco. Mas, aos poucos, o potencial comercial da internet tem permitido que várias empresas "leves" decolem. Essas iniciativas são baratas em termos de recursos financeiros, mas carregadas de habilidade individual e de investimento de tempo para levar uma ideia a cabo.

A paixão pessoal é um ingrediente essencial numa *startup* de sucesso. Conforme disse Kevin Rose, fundador das *startups* Digg, Revision3 e Milk, "se você acredita em algo, trabalhe à noite e nos fins de semana – não vai parecer trabalho". Até mesmo gigantes globais como a Nestlé e a Siemens cresceram a partir de sonhos e aspirações de um pequeno grupo de pessoas. Esses empreendedores enfrentaram o risco de um novo negócio porque acreditavam profundamente em algo e estavam focados em colocar seus sonhos em prática, a despeito das horas extras, do estresse e, com frequência, de uma lista de fracassos, longa ou curta. Tudo isso é rapidamente esquecido quando as pessoas fazem algo de que gostam.

Tradicionalmente, as principais barreiras ao empreendedorismo têm sido tempo e capital. Empreendedores que não nasceram em berço de ouro geralmente precisavam de um emprego de tempo integral para pagar suas contas e de sua família. Sem uma

## COMECE PEQUENO, PENSE GRANDE

**Veja também:** Vencendo os desafios na fase inicial 20–21 ▪ A sorte (e como virar sortudo) 42 ▪ A curva de Greiner 58–61 ▪ Mudando o jogo 92–99 ▪ O pequeno é bonito 172–177

**A Hewlett-Packard (HP)** foi fundada na garagem de Dave Packard. A empresa restaurou a garagem, que foi batizada como um marco histórico californiano, "o berço do Vale do Silício".

poupança suficiente, pouquíssimas pessoas eram capazes de se arriscar num novo negócio no século XX, mas, hoje, abrir uma empresa é mais fácil.

### Microempreendedorismo

Em meados dos anos 2000, começou a vir à tona a noção de microempreendedor. Tratava-se de um indivíduo que administrava um negócio muito pequeno, geralmente enquanto mantinha seu emprego. O conceito ficou mais popular com o crescimento do *e-commerce*, que tornou possível lançar um site comercial e gerenciá-lo à noite e nos fins de semana. Plataformas de vendas, como as oferecidas pela eBay e pelo mercado on-line chinês Taobao, facilitaram ainda mais as coisas ao dispensar a necessidade de um site ou de um sistema de pagamento. Esses microempreendedores, que vendem desde itens de vestuário caseiro até antiguidades e eletrônicos de segunda mão, arriscam muito pouco além do seu próprio tempo – os gastos de capital são do tamanho, ou tamanhinho, da sua disposição em assumir risco. A habilidade do microempreendedor está em identificar a oportunidade correta. Nesse sentido, o negócio pode ser tão pequeno ou grande quanto o tempo e a vontade permitirem.

Para aqueles que desejam mais do que administrar um negócio como um *hobby* de tempo parcial, o caminho de uma *startup* enxuta já está bem trilhado. Grandes empresas, como a Hewlett-Packard e a empresa de biotecnologia indiana Biocon, começaram na garagem de seus fundadores. Uma vez mais, a paixão foi crucial. Com muito pouco capital, o equipamento básico foi emprestado ou ganho; amigos e familiares foram usados como empregados (voluntários); e muito sono foi sacrificado. Os principais recursos foram tempo, habilidade e tenacidade.

Mas o caminho não é reto e exige um profundo comprometimento, enfrentando, com frequência, várias adversidades. Conforme advertiu Jeff Bezos, "a invenção exige uma disposição de longo prazo para ser mal compreendida". ▪

### Hewlett-Packard

Bill Hewlett, nascido em 1913, e Dave Packard, nascido em 1912, eram amigos próximos quando se formaram em engenharia elétrica na Universidade Stanford. Depois de seu casamento, Packard mudou-se para um apartamento em Palo Alto, na Califórnia, com sua esposa, enquanto Hewlett morava numa edícula ali por perto. Uma garagem, parte comum das moradias, tornou-se uma oficina de baixa tecnologia. De 1938 a 1939, a garagem serviu de casa, sala de discussões, laboratório, escritório e departamento de produção. Bill e David desenvolveram os osciladores de áudio 200A e 200B, os primeiros produtos da Hewlett-Packard.

Talvez a primeira empresa de tecnologia norte-americana a ser fundada numa garagem, a Hewlett-Packard foi criada por dois amigos que investiram apenas US$ 538. Hoje a organização é uma das maiores em tecnologia no mundo, com vendas acima de US$ 27 bilhões em 2012. A garagem foi tombada como um marco histórico e está listada no United States National Register of Historic Places.

Você tem que acreditar em si mesmo e saber que, no pior cenário possível, se a coisa não funcionar, você ainda conseguiu fazer algo legal.
**Kevin Rose**

# ACENDE A CHAM

## LIDERANÇA E RECURSOS HUMANOS

# NDO
# A

# INTRODUÇÃO

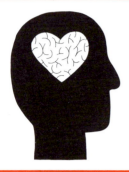  

O crescimento de uma *startup* até uma grande multinacional não pode ser alcançado sem líderes que estejam empenhados em seus negócios e sirvam de inspiração para suas equipes. Liderar um negócio tem a ver, em última instância, com a capacidade de aproveitar a força das pessoas envolvidas.

Um aforismo empresarial popular diz que "não há problemas de negócios, apenas problemas com pessoas". Gerenciar pessoas não é fácil. Toda organização é uma coletânea de indivíduos, cada um com suas próprias filosofias, vulnerabilidades, motivações, forças e fraquezas. A liderança efetiva considera essas diferenças e cria uma cultura na qual as pessoas podem usar o máximo de seus talentos.

A boa liderança consiste em mostrar às pessoas médias como fazer o trabalho de pessoas superiores.
**J. D. Rockefeller, industrial norte-americano (1839-1937)**

Em outras palavras, liderança tem a ver com criar capacidade nos outros. Tem a ver com imaginar o futuro, determinar uma direção estratégica e alinhar a organização e suas pessoas com uma visão específica.

### Líderes e gerentes
Os melhores líderes, como já disse Steve Jobs, "deixam uma marca no Universo". Esses líderes não são limitados por convenções, mas são capazes de pensar fora da caixa, assumindo ideias únicas que afetam o *statu quo* a seu favor. Nos mercados supercompetitivos de hoje, os líderes que admiramos não apenas pensam mais que os outros, são mais espertos que eles e vencem seus rivais, mas interferem em setores inteiros. Eles mudam o jogo.

Raramente, no entanto, os líderes atingem tal grandeza sozinhos. Se por um lado a liderança tem a ver com visão, a gestão tem a ver com processos, planejamento, orçamento, estrutura e equipe, tarefas que ajudam uma organização a continuar fazendo aquilo que ela já faz. Em seu livro *The Manager's Job*, de 1975, Henry Mintzberg identificou três amplos papéis gerenciais: informacional (gerenciando por informação); interpessoal (gerenciando pelas pessoas), e por decisão (gerenciando pela ação). De maneira importante, Mintzberg percebeu que nenhum desses papéis é exclusivo ou privilegiado. Liderar bem geralmente envolve mudar frequentemente entre liderança e gestão e saber quando, dentro de um contexto, cada papel é mais importante para ser desempenhado.

Criar a capacidade organizacional para o sucesso continuado também quer dizer formar equipes e gerenciar talentos. Uma equipe efetiva é algo poderoso. Os indivíduos trabalham melhor em equipe – são mais produtivos e mais inovadores. As equipes também podem ser autogeridas: as pessoas apoiam umas às outras e se esforçam para que a equipe não afunde. Equipes efetivas exigem menor supervisão e menos direção que indivíduos sozinhos, e a performance é guiada por normas de grupo, não pelas expectativas de um indivíduo.

Assim, não causa surpresa que as grandes empresas reconheçam o valor das equipes. O Google, por exemplo, organiza suas mesas de trabalho de modo que os empregados possam colaborar facilmente. "Áreas de descanso" são decoradas com móveis modernos e supridas com comida grátis para permitir às equipes trabalhar e socializar juntas. Os líderes no Google querem que os empregados interajam. Eles reconhecem que, ao encorajar o trabalho em equipe, os funcionários obtêm maior satisfação e criatividade no trabalho e, como resultado, as inovações aumentam. Para ajudar seus funcionários e seu lucro líquido,

# ACENDENDO A CHAMA

o Google sabe que o melhor lugar de trabalho se parece mais com um *playground* – um local onde as pessoas podem imaginar e inventar.

### Satisfação e desafio
Criar uma cultura organizacional que inclua o trabalho em equipe e estimule a criatividade ajuda as empresas a lidar com a velha questão: "será que o dinheiro é o motivador"? A maioria acha que a resposta é "não". Um salário maior pode encorajar uma pessoa a assumir um novo emprego, pode motivar uma pessoa a avançar um pouco mais rapidamente ou trabalhar um pouco mais, mas as pessoas logo se esquecem do dinheiro e começam a focar outras coisas – como satisfação profissional, desafios e respeito da gerência. A companhia aérea Virgin Atlantic, por exemplo, não é conhecida como uma das que mais pagam a seus funcionários, mas é reconhecida por ser um grande lugar para trabalhar.

Uma forte cultura organizacional é, portanto, essencial para o sucesso. Por meio de tradição, história e estrutura, as empresas criam um senso de identidade – uma personalidade única definida por rituais, crenças, histórias, significados, valores, normas e linguagens específicos, capazes de determinar o caminho pelos quais "as coisas funcionam por aqui".

Mais importante para os líderes, gerenciar pessoas também quer dizer gerenciar a si mesmo. A história da administração está cheia de exemplos de líderes que, cegados pelo sucesso, afundaram em iniciativas erradas ou tomaram decisões arriscadas que provaram ser desastrosas. Uma "febre de negócios" pode significar que os avisos de advertência são ignorados por líderes que acham que jamais fazem nada errado. Líderes de sucesso, por outro lado, sabem que devem lutar sempre contra a ilusão da invulnerabilidade. Também reconhecem os perigos de desejar ser queridos ou se conformar. Grandes líderes sabem que devem se proteger contra o consenso de grupo e da mentalidade do "sim, senhor" em si mesmos e nos outros, porque tais abordagens não desafiam decisões e deixam projetos mal analisados seguir adiante sem a análise adequada. Os melhores líderes aceitam o fato de eles não serem deuses da gestão e que, na verdade, ouvir um "não" de vez em quando pode ser mais importante que ouvir sempre um "sim".

### Inteligência emocional
Criar uma cultura na qual esse tipo de desafio seja a norma depende de valorizar a diversidade. Nas empresas com funcionários com origens diferentes, em que o gênero, a raça e a idade estão equilibrados, as diversas perspectivas indicam que as decisões muito provavelmente serão questionadas.

Talvez o mais importante, então, conforme pesquisas recentes indicam, seja que o principal perfil para líderes de sucesso é a inteligência emocional. Em seu best-seller *Inteligência emocional*, de 1995, Daniel Goleman descreve cinco domínios da Inteligência Emocional (IE): conhecer suas emoções; gerenciá-las; automotivar-se; reconhecer e entender as emoções dos outros; a gestão dos relacionamentos. Sem a IE, um líder pode ser tecnicamente brilhante e cheio de boas ideias, mas, tão logo aconteça a primeira contratação, a IE se torna chave. Acender a fogueira também quer dizer manter as brasas acesas para qualquer um. ∎

Todo mundo tem maus momentos; como você lida com eles é uma medida da sua determinação e dedicação.
**Lakshmi Mittal, empreendedor indiano (1950-)**

# GERENTES FAZEM O QUE É CERTO; LÍDERES FAZEM A COISA CERTA
## LIDERANDO BEM

**EM CONTEXTO**

FOCO
**Papéis organizacionais**

DATAS IMPORTANTES
**1977** O professor norte-americano Abraham Zaleznik escreve um artigo em que pergunta: "Gerentes e líderes: há diferença entre eles?".

**1985** Em seu livro *Líderes: estratégia para assumir a verdadeira liderança*, Warren Bennis e Burt Nanus sugerem quatro estratégias de liderança para ajudar os líderes a fazer a coisa certa.

**1990** O especialista norte-americano em liderança John Kotter publica *Afinal, o que fazem os líderes?*

**1997** Robert House e Ram Aditya alegam que a gerência consiste em implementar a visão e a direção desenvolvidas pelos líderes.

**2005** Warren Bennis publica *Reinventing Leadership: Strategies to Empower the Organization*.

Líderes **desenvolvem uma visão** para a organização.

Eles conseguem **conquistar** em qualquer contexto – mesmo nos piores momentos.

Líderes defendem **mudanças e novas abordagens**...

... as quais os **gerentes implementam** para criar um novo cenário, mais estável.

**Gerentes fazem o que é certo; líderes fazem a coisa certa.**

Os bons gerentes nem sempre são os melhores líderes, assim como bons líderes podem ser maus gerentes. Isso se dá porque essas duas funções não são as mesmas, apesar de compartilharem características – principalmente a necessidade de acionar a capacidade humana (e organizacional). Assim como disseram Warren Bennis e Burt Nanus em 1985, "gerentes fazem o que é certo, líderes fazem a coisa certa". Os líderes "conquistam" o espaço ao redor – o ambiente concorrencial – por meio de visão e estratégia, e é papel dos gerentes implementar, de maneira efetiva, tais estratégias.

Uma gerência eficiente é fundamental para o sucesso de uma organização. Ela cuida dos processos, planejamento, orçamento, estrutura e RH, tarefas que ajudam uma

# ACENDENDO A CHAMA

**Veja também:** O valor da equipe 70–71 ▪ Deuses da administração 76–77 ▪ Liderança eficaz 78–79 ▪ Organizando equipes e talentos 80–85 ▪ Desenvolvendo a inteligência emocional 110–111 ▪ Os papéis gestores de Mintzberg 112–113

---

organização a continuar fazendo o que ela faz. Sem a gerência, não importa se os líderes estiverem cumprindo seu papel, uma organização desmontar num caos desorganizado. Mas gerência não é liderança – ela não levará a empresa a novos caminhos.

### Liderança decisiva
Em 1990, John Kotter defendia que a liderança tem a ver com lidar com a mudança e desenvolver uma visão para a organização, geralmente em tempos difíceis. Os líderes, então, comunicam sua visão para o resto da empresa e motivam todos os funcionários – especialmente os gerentes – a agir para implementar a mudança necessária. Liderança tem a ver com desenvolver uma agenda para empoderar as pessoas de modo que produzam uma mudança útil.

"Liderar bem" nem sempre implica fazer as pessoas felizes; afeição e sucesso raramente caminham juntos. O estilo de liderança direto, duro e, às vezes, até rude de alguns dos mais reconhecidos líderes – como Jack Welch, da General Electric, Steve Jobs, da Apple, e Jill Abramson, do *The New York Times* – já é bem conhecido.

Líderes têm que ser corajosos diante da incerteza, mantendo-se firmes em sua visão para o negócio. Eles precisam cobrar de seus subordinados quando as coisas não seguem conforme planejado e tomar decisões difíceis sobre quem contratar ou demitir para desenvolver uma cultura organizacional capaz de levar a cabo sua visão estratégica.

### A próxima geração
Os verdadeiramente grandes líderes sabem que não continuarão para sempre, e uma das suas mais importantes tarefas é contratar, treinar e desenvolver seus sucessores. Eles lideram bem ao garantir que alguém esteja pronto e disponível para assumir seu lugar. Nove anos antes de se aposentar, o CEO da General Electric, Jack Welch, disse que "de agora em diante, escolher meu sucessor é a decisão mais importante que tenho que tomar. Ela ocupa um tempo considerável da minha mente todos os dias". É prática comum em várias empresas privilegiar a

**Jill Abramson** foi a primeira mulher a se tornar editora executiva do *The New York Times*. Ela descobriu que a falta de popularidade vinha "com o território", conforme lhe havia advertido Arthur Sulzberger, presidente do conselho do *Times*.

liderança em detrimento da gerência, mas isso não é inteligente. As grandes organizações valorizam os dois: líderes que vislumbram oportunidades e gerentes que permitem que tais oportunidades se tornem realidade. ▪

---

Liderança é elevar a visão de uma pessoa às alturas, elevar sua performance a um alto padrão, criando uma personalidade além de suas limitações normais.
**Peter Drucker, consultor de gestão norte-americano (1909-2005)**

---

### Mesclando liderança e gerência

Habilidades de liderança inspiradoras são a marca do técnico de futebol português José Mourinho. Seus times ganharam dois títulos europeus e sete campeonatos em oito anos, fazendo com que ele se sente entre os maiores técnicos de futebol.

Equipes esportivas de sucesso, assim como as organizações, são uma mescla de boa gerência com boa liderança, e Mourinho conseguiu o raro feito de ser excelente nos dois. Como líder, deixou sua marca imediatamente.

Quando assumiu o Chelsea Football Club, em Londres, pela primeira vez, convocou uma reunião do time e exigiu que todos os que discordassem falassem naquele instante ou se calassem dali em diante. Ele adquiriu suas habilidades gerenciais com Bobby Robson e Louis van Gaal, com os quais trabalhou como assistente técnico e tradutor no FC Barcelona. Sob a liderança deles, também aprendeu como estudar seus adversários, desenvolver estratégias e formar times fortes e vencedores.

# NENHUM DE NÓS É TÃO ESPERTO QUANTO TODOS NÓS
## O VALOR DA EQUIPE

**EM CONTEXTO**

FOCO
**Trabalho em equipe**

DATAS IMPORTANTES
**1924-1932** Os *Hawthorne Studies*, conduzidos por Elton Mayo, enfatizam a importância dos grupos na definição do comportamento dos indivíduos no trabalho.

**Anos 1930** O Movimento de Recursos Humanos se desenvolve com o trabalho de Mayo. Ele propõe que a satisfação e a produtividade dependem de uma gestão cuidadosa e da consideração dos grupos.

**Anos 1940** Como resultado das descobertas de Abraham Maslow e do trabalho pioneiro de Mayo, as empresas passaram a reconhecer o valor do trabalho em equipe.

**Século XXI** O design dos locais de trabalho se afasta das estações individuais para os *layouts* abertos que encorajam o trabalho colaborativo.

---

Os seres humanos gostam de **pertencer** a algo.

As equipes ajudam a **criar uma sensação de pertencimento** e se opõem à anomia.

**Nenhum de nós é tão esperto quanto todos nós.**

As organizações **podem ser entendidas** como um conjunto de equipes.

Equipes bem-sucedidas **oferecem um ambiente** para novas ideias.

---

Podemos reclamar da rotina e da familiaridade, mas pesquisas demonstram que os seres humanos têm uma necessidade inata de algum grau de estabilidade. Sem regras, normas, valores e expectativas, as pessoas passam a se sentir ansiosas, perdidas e confusas. Isso é chamado de "anomia" e é a razão de os humanos com frequência se organizarem em grupos. A rotina e a familiaridade de pertencer a um grupo ajudam as pessoas a evitar a anomia, assim encontrando segurança e propósito.

A existência de grupos serve a dois propósitos. As organizações e os grupos que as constituem podem ser vistos como uma expressão do desejo humano de fazer parte de algo. Assim como o psicólogo Abraham Maslow identificou em seu artigo de 1943, "A Theory of Human Motivation", os grupos nos dão um sentido de pertencermos a algo. Maslow

# ACENDENDO A CHAMA

**Veja também:** Criatividade e invenção 72–73 ▪ Organizando equipes e talentos 80–85 ▪ Usando o máximo do seu talento 86–87 ▪ Cultura organizacional 104–109 ▪ Evite o pensamento de grupo 114 ▪ O valor da diversidade 115

acreditava que existe uma hierarquia das necessidades humanas. Assim que satisfazemos as necessidades mais básicas – as fisiológicas, como comer e beber –, seguimos para a próxima: a segurança. Quando essa necessidade está satisfeita, passamos à terceira necessidade básica: pertencer a um grupo. Assim que essa também é satisfeita, passamos a uma autoestima maior por meio de nossas conquistas e, por fim, seguimos em direção à nossa autorrealização, ao usar nossos talentos inatos com criatividade.

Quando a teoria de Maslow é aplicada ao ambiente de trabalho, trabalhar em equipe e sentir que pertence ao grupo faz com que os empregados sejam mais eficientes. Quando a questão de fazer parte é resolvida, as pessoas são capazes de focar outras coisas, como o desejo de conquista e a prática de talentos inatos. Dessa forma, o movimento por meio dos estágios para satisfazer as necessidades pode ajudar uma empresa. Livres da anomia, grupos são locais onde os seres humanos – logo, as ideias – podem florescer. Equipes cuidadosamente escolhidas e supervisionadas aumentarão a segurança do indivíduo e encorajarão um trabalho criativo e

colaborativo – assim como disse o especialista em gestão norte-americano Ken Blanchard: "Nenhum de nós é tão esperto quanto todos nós". Em troca, o comprometimento com um projeto cria laços que fortalecem os vínculos entre as pessoas e, por fim, a proposta comum da empresa.

### Onde pertencer

Grandes organizações reconhecem o valor das equipes e a importância do ambiente de trabalho. A Cisco Systems, empresa de infraestrutura na internet, criou aquilo que ela chama de "Ambiente de Trabalho Conectado",

**A Cisco Systems** usa estações de trabalho que podem ser transformadas de espaços para pequenos grupos em amplas salas para conferências. A empresa tem como metas a conectividade flexível e um sentimento comunitário.

o qual oferece aos empregados grande flexibilidade na prática e no ambiente corporativo, ao mesmo tempo que garante que todos sempre se sintam parte da comunidade da Cisco.

O sucesso nos negócios raramente é atingido pelo gênio individual, e os maiores líderes são aqueles que reconhecem o valor de maximizar o talento por meio de equipes. ■

## Abraham Maslow

O psicólogo norte-americano Abraham Maslow nasceu em 1908. Cresceu em Brooklyn, Nova York, e fez graduação, mestrado e doutorado na Universidade de Wisconsin. Maslow começou sua carreira como professor, trabalhando na Brooklyn College de 1937 a 1951, passando em seguida a ser responsável pela cátedra do departamento de psicologia da Universidade Brandeis, nos EUA. Lá ele conheceu Kurt Goldstein, o criador da ideia de autorrealização, e Maslow ficou fascinado com o percurso do desenvolvimento humano em direção a "ser tudo o que ele pode ser". Diferentemente de vários de seus colegas, Maslow focou o lado positivo da saúde mental. A hierarquia das necessidades humanas, que Maslow esboçou em "Uma teoria da motivação humana", continua importante até hoje em campos tão díspares como serviço social e teoria da administração.

### Principais obras

**1943** "Uma teoria da motivação humana"
**1954** *Motivation and Personality*
**1962** *Introdução à psicologia do ser*

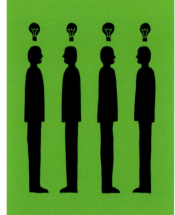

# A INOVAÇÃO DEVE SER INVASIVA E PERPÉTUA: QUALQUER UM, EM QUALQUER LUGAR, A QUALQUER HORA
## CRIATIVIDADE E INVENÇÃO

**EM CONTEXTO**

FOCO
**Criatividade**

DATAS IMPORTANTES
**Século XVII** O poeta polonês Maciej Kazimierz Sarbiewski aplica a palavra "criatividade" à atividade humana. Por mais de um século e meio, a ideia de criatividade humana encontra obstáculos – a "criação" é reservada para descrever a ação criativa de Deus.

**Anos 1970** Influenciadas pela obra dos psicólogos Abraham Maslow e Frederick Herzberg sobre a motivação, as empresas começam a desenvolver cargos que permitem aos funcionários uma liberdade criativa.

**2010** A IBM considera a criatividade o traço mais desejado nos líderes empresariais.

**2013** O livro de Bruce Nussbaum, *Creative Intelligence*, afirma que a criatividade é a maior fonte de valor econômico.

Nossas memórias de infância mais queridas são, com frequência, aquelas que envolvem a liberdade de brincar e o uso desenfreado da imaginação para criar e representar fantasias. Como seres humanos, jamais perdemos a alegria interior da criatividade, mas ela tende a ser suprimida pelas responsabilidades da vida adulta – trocamos o *playground* pelo escritório. Assim como os *playgrounds* de nossa infância, no entanto, as empresas que abraçam a criatividade e a inovação como "invasivas e perpétuas" – segundo as palavras do consultor Stephen Shapiro – são lugares bastante interessantes para trabalhar. Google, Facebook e Procter & Gamble, por exemplo, são famosos por contratar e manter pessoas criativas e por

## ACENDENDO A CHAMA 73

**Veja também:** Destacando-se no mercado 28–31 ▪ Obtendo uma vantagem 32–39 ▪ Pensando fora da caixa 88–89 ▪ Mudando o jogo 92–99

recompensar a imaginação e a invenção. Dessa forma, atraem milhares de candidatos. Além disso, a criatividade não é apenas uma fonte potencial de ideias que podem gerar valor econômico, mas é um ativo vital para pessoas e empresas que atuam em mercados globais cada vez mais dinâmicos.

### Definindo criatividade
Criatividade envolve a geração de ideias, alternativas ou possibilidades e a consideração de situações e problemas por ângulos novos. A invenção é a aplicação prática do pensamento criativo. Quando exercidas de maneira bem-sucedida, a criatividade e a invenção são altamente motivadoras. Elas nos ajudam a combinar nosso desejo inato por autonomia, propósito e controle. Elas também produzem um senso de realização, elemento-chave naquilo que Abraham Maslow descreveu em 1943 como as "Necessidades [de motivação] de Ordem mais Elevada" – os fatores que nos permitem sentir valor e autorrealização.

Nos negócios, estabelecer um clima de criatividade tem o benefício duplo de aumentar a satisfação dos funcionários e melhorar a competitividade da empresa. Entusiasmados pela busca por invenções, os empregados com frequência trabalharão mais, por mais tempo e de forma mais produtiva, produzindo soluções inovadoras a problemas, novos processos de corte de custos ou novos produtos lucrativos.

A vantagem competitiva a ser ganha é tão significativa que a IBM listou em 2010 a criatividade como o traço mais desejado em líderes. Quando foi anunciado que a diretora de Criação da Mulberry, Emma Hill – considerada a principal responsável pelo renascimento dessa marca de moda –, estaria deixando o cargo em 2013, as ações da empresa caíram mais de 9%. Assim como Steve Jobs provou na Apple, "pensar diferente" não é só legal ou excêntrico – isso vale para os funcionários, clientes e investidores.

### Promovendo a criatividade
O desafio para as empresas é equilibrar a criatividade com a prudência financeira. A criatividade desenfreada quase nunca leva ao sucesso comercial, já que os negócios têm que ter lucro para sobreviver.

Para a Mulberry, foi um conflito desses valores que resultou na saída de Hill. Tendo entrado na empresa em 2007, Hill era responsável por alguns dos principais produtos da marca – principalmente as bolsas Alexa e Bayswater – e foi presidente durante um período de inovação e crescimento. Em 2013, no entanto, com a queda nas vendas, a gerência da marca decidiu que precisava de uma nova direção criativa – até mesmo as marcas mais criativas sentem a necessidade de reinvenção.

Assim como as organizações criativas já sabem, para o proveito de seus funcionários e o seu lucro líquido, a criatividade e a invenção – por qualquer um, em qualquer lugar e a qualquer hora – são ingredientes vitais para o sucesso dos negócios. ∎

### Emma Hill

A estilista inglesa Emma Hill estudou na Wimbledon School of Arts em 1989 antes de se formar na Ravensbourne College of Design and Communication, em 1992. Começando sua carreira na luxuosa marca Burberry, Hill também trabalhou para os varejistas Marks & Spencer, o estilista norte-americano Marc Jacobs e a varejista americana Gap, antes de se transferir para a Mulberry – que possui lojas na Europa, nos EUA, na Ásia e na Austrália – como diretora de Criação em 2007.

Na Mulberry, o talento criativo de Hill para desenvolver bolsas usadas por mulheres como a modelo Kate Moss e a cantora e compositora Lana Del Rey resultaram em longas filas de compras. Graças à sua expansão da marca para artigos de couro menores (como porta-cartões coloridos), para atingir uma parte do público mais sensível aos preços, a marca experimentou um crescimento fantástico. Quando se transferiu para a Mulberry, as ações da empresa estavam em 111 *pence*. Quando saiu, em 2013, elas valiam dez vezes mais. Em 2010, graças ao trabalho de Emma Hill, a Mulberry ganhou o prêmio de "Melhor Design de Marca" da British Fashion Awards.

Sempre que inovar, esteja preparado para ouvir de todos que você é um louco.
**Larry Ellison, cofundador norte-americano da Oracle Corp. (1944-)**

# A DISCORDÂNCIA CONTRIBUI COM TEMPERO, ENTUSIASMO E QUALIDADE REVIGORANTE
## CUIDADO COM OS HOMENS-SIM

## EM CONTEXTO

**FOCO**
**Gestão comportamental**

DATAS IMPORTANTES
**1992** O economista indiano Abhijit V. Banerjee observa como os que tomam decisões se referem às escolhas feitas pelos executivos que os precederam em busca de orientação em seu livro *A Simple Model of Herd Behaviour*.

**1993** O economista norte-americano Canice Prendergast escreve "A Theory of Yes Men", identificando a tendência de os subordinados concordarem com seus superiores como uma "falha de mercado".

**1997** A especialista em psicolinguística norte-americana Suzette Elgin escreve *How to Disagree Without Being Disagreeable*.

**Anos 2000** A teoria da liderança encoraja os líderes a considerarem o conflito construtivo como uma parte saudável e necessária do ambiente de negócios.

Se os gerentes só receberem **boas notícias**...

... eles são obrigados a tomar decisões com base em informações **incompletas ou erradas.**

Os líderes devem se prevenir **contra os "homens-sim"** e aceitar conflitos construtivos em suas empresas.

Às vezes, um **"não" é mais útil** que um "sim".

Para muitos funcionários, trabalhar dentro de uma organização significa dizer sempre "sim". O medo de perder o emprego, a propensão a agradar e a ambição para ser promovido faz com que os subordinados estejam sempre felizes em dar boas notícias, mas relutantes em dar as más. Talvez isso faça bem para o ego de seus gerentes, mas pode ser danoso para o negócio – se as más notícias são escondidas, os gerentes perdem informações vitais e podem tomar, por consequência, más decisões.

Isso pode acontecer nos escalões mais elevados e produzir resultados catastróficos. Um Relatório de Serviços Financeiros em 2012 do Royal Bank of Scotland (RBS) sugeria que o problema do banco em 2008 foi, em parte, causado por "uma falha de questionamento efetivo pelo conselho e pelos altos executivos das propostas do CEO, resultando em desconsideração dos riscos e erros estratégicos".

### Uma cultura de negócios tolerante

Ser um líder eficaz envolve reconhecer que é impossível estar certo o tempo todo. Ouvir e aceitar com respeito opiniões importantes de seus colegas de confiança pode ajudar a manter uma perspectiva equilibrada. O desafio para os líderes

# ACENDENDO A CHAMA

**Veja também:** O valor da equipe 70–71 ▪ Liderança eficaz 78–79 ▪ Húbris e nêmesis 100–103 ▪ Ignorando a manada 146–149 ▪ Aprendendo com o fracasso 164–165 ▪ Evitando a complacência 194–201 ▪ Criando uma cultura ética 224–227

Numa organização onde há inovação quase sempre as pessoas ignoram ordens.
**Robert Sutton, professor norte-americano de gestão**

é criar um ambiente em que as más notícias sejam toleradas e até mesmo encorajadas. Se os líderes reagirem às notícias indesejadas sem ficar bravos ou recriminar, o pessoal estará mais propenso e confiante em anunciá-las. Bons líderes tendem a lidar com o problema, em vez de simplesmente jogar a culpa nos outros, o que ajuda a prevenir que tal cenário se repita.

Um caminho para evitar uma cultura dos "homens-sim" é criar uma cultura de responsabilidade coletiva. Frequentemente, os funcionários mais valiosos são aqueles que são corajosos e dedicados a ponto de dizer a verdade, não importando quão más as notícias possam ser.

Para os funcionários, anunciar más notícias é uma habilidade. É melhor quando as más notícias vêm com uma proposta de solução junto, reconhecendo as causas do problema em vez de ignorá-las. As notícias têm que ser anunciadas imediatamente. Quanto mais rápido um problema for identificado, mais rápido ele poderá ser resolvido, e é provável que a reação da gerência seja melhor.

### Testando suas ideias

Jean Paul Getty, fundador da Getty Oil Company, reconhecia o valor de empregados sinceros alegando que "a discordância contribui com tempero, entusiasmo e qualidade revigorada".

Ken Olsen, fundador da Digital Equipment Corporation, encorajava a discordância na cultura corporativa, usando o debate e a solução de conflitos como ferramentas básicas nas tomadas de decisão. Jack Welch, CEO da General Electric, estimulava debates sem censura dizendo que "se uma ideia não consegue sobreviver a um argumento inteligente, o mercado certamente acabaria com ela". Equipes

**Dizer "sim"** a todas as tarefas e dar apenas boas notícias para um líder pode resultar em popularidade, mas rapidamente sobrecarregará o funcionário e cegará os líderes em suas tomadas de decisão.

de executivos que são capazes de questionar as ideias uns dos outros desenvolvem um entendimento mais profundo das opções estratégicas e acabam, por fim, tomando decisões melhores. Os melhores líderes empresariais aproveitam a crítica e o debate. Se todos estiverem dizendo "sim", há algo muito errado. ■

## Jean Paul Getty

Jean Paul Getty nasceu em Minneapolis, EUA, em 1892. Seu pai foi um advogado que mudou para o ramo petrolífero em 1903. Getty estudou em universidades nos EUA e no Reino Unido antes de entrar no negócio do pai, a Minnehoma Oil Company. Planejou ganhar US$ 2 milhões nos primeiros dois anos, o que conseguiu comprando e vendendo concessões de petróleo.

Pelo fato de Getty ter se casado cinco vezes, seu pai, insatisfeito, deixou-lhe apenas US$ 500 mil de um patrimônio de US$ 10 milhões. Destemido, Getty juntou esse valor ao que já havia ganhado para comprar várias outras petrolíferas, constituindo um conglomerado de empresas, tendo a Getty Oil Company no topo. Em 1949, comprou uma concessão de 60 anos numa área entre a Arábia Saudita e o Kuwait, onde ninguém achava que tinha petróleo. Sua empresa explorou petróleo em enormes quantidades em 1953, fazendo de Getty um bilionário. Morreu em 1976 aos 83 anos.

### Principais obras

**1953** *My Life and Fortunes*
**1965** *How to be Rich*

# NENHUM GRANDE GERENTE OU LÍDER CAIU DO CÉU
## DEUSES DA ADMINISTRAÇÃO

## EM CONTEXTO

**FOCO**
**Dinâmica organizacional**

**DATAS IMPORTANTES**
**Século XX** Surgem tipologias capazes de ajudar os pensadores sobre gestão a organizar empresas em classificações bem definidas, e as pessoas, em tipos distintos. Pensa-se que o que motiva cada uma das pessoas é determinado por seu "tipo".

**1978** O livro *Deuses da administração*, de Charles Handy, propõe que o entendimento de onde encaixar cada organização é crucial para o entendimento do tipo de pessoas que ela tem e, por conseguinte, da forma de liderá-las.

**1989** Em *A Era do paradoxo*, Handy apresenta a teoria da Organização em Trevo.

**Século XXI** Os pensadores em administração cada vez mais reconhecem que tipologias estilizadas são apenas um entre vários métodos de entender e gerenciar empresas e pessoas.

Em seu importante livro de 1978 *Deuses da administração*, Charles Handy usa a alegoria dos deuses da Grécia antiga para descrever a natureza das organizações. Handy propôs que seria possível identificar quatro estilos de administração, uma combinação que provavelmente esteja presente em qualquer organização. Zeus representa a "cultura do clube", na qual o relacionamento com o líder é mais importante que os títulos e posições formais. A "cultura do papel", de Apolo, é definida por funções, divisões, regras e racionalidade. Na "cultura da tarefa", de Atena, o poder está concentrado dentro de equipes que têm a *expertise* de resolver problemas. Na "cultura da pessoa", de Dionísio, a organização existe para apoiar as necessidades individuais.

A tipologia de Handy ofereceu um método totalmente novo e original para a gerência analisar a dinâmica da empresa e para entender comportamentos, preconceitos e crenças que são embutidos culturalmente. No entanto, ficou claro rapidamente que, uma vez que as organizações são entidades grandes e diferentes, sendo raramente estáticas, o comportamento organizacional evolui com o tempo. Sob pressão externa e interna, a maioria das empresas opera num constante estado de fluxo – elas se adaptam de forma não antecipada, planejada ou imprevista.

Os *Deuses da administração*, de Handy, revela **diferentes tipos de dinâmica organizacional**...

... mas **organizações são complexas** tanto no nível institucional quanto no individual.

A liderança eficaz exige uma onisciência parecida com a de Deus, no entanto **um grande líder nunca caiu do céu**.

Assim, **tipologias podem ser úteis para entender** a complexidade organizacional e individual.

# ACENDENDO A CHAMA 77

**Veja também:** Liderando bem 68–69 ▪ Liderança eficaz 78–79 ▪ Cultura organizacional 104–109 ▪ Os papéis gestores de Mintzberg 112–113

## Os deuses da administração de Charles Handy

**Zeus – A cultura do clube**
Zeus, o soberano dos deuses gregos, estava no centro do poder e da influência. A cultura de clube está baseada em afinidade. A proximidade do centro do clube reflete a posição do indivíduo nele. Os bancos de investimento geralmente têm uma cultura de clube dominante.

**Apolo – A cultura do papel**
Apolo era o deus da ordem e das regras. Bem-sucedidas em tempos de estabilidade, as culturas do papel tendem a fraquejar quando é preciso que haja uma rápida mudança. As companhias de seguro estão entre as que mais comumente são guiadas por princípios apolíneos.

**Atena – A cultura da tarefa**
Atena, a deusa da sabedoria, era uma solucionadora de problemas. As culturas da tarefa se dão muito bem quando se trata de inovações, mas têm dificuldade com a rotina. Agências de propaganda e consultorias geralmente demonstram a cultura da tarefa.

**Dionísio – A cultura da pessoa**
Dionísio, o deus do vinho, representava a liberdade individual. Nas culturas pessoais, a opinião profissional é privilegiada, e a gerência é vista como um peso desnecessário. As empresas de serviços profissionais, como os escritórios de advocacia, refletem a cultura dionisíaca.

## Charles Handy

O professor Charles Handy, nascido em 1932, é o guru de administração mais conhecido da Grã-Bretanha. Depois de se formar na Universidade Oxford, transferiu-se para o Massachusetts Institute of Technology (MIT) em 1965, mudando-se para a London Business School (LBS) em 1967 para gerenciar o único programa da Sloan School of Management fora dos EUA. As ideias controversas de Handy, seu estilo articulado e o uso de um imagético provocador – como em seu texto *The Empty Raincoat*, uma crítica da "mecânica impessoal das organizações empresariais" – distinguiram-no de seus contemporâneos. Handy enxerga a si mesmo como um filósofo social, e não um guru de administração – seus escritos, acredita, são comentários, e não manuais para o sucesso. Suas opiniões influenciaram o pensamento empresarial por décadas.

### Principais obras

**1976** *Como compreender as organizações*
**1978** *Deuses da administração*
**1994** *The Empty Raincoat*

## Prestando contas da complexidade

A complexidade organizacional geralmente é medida pelo número de países onde a empresa opera, ou pelo número de marcas sob controle de um gerente. Tal complexidade institucional não é insignificante, mas é menor se comparada à complexidade das pessoas. Por exemplo, uma novidade que motivou alguém de uma equipe num ano pode não o motivar no outro. Quando uma empresa é formada por milhares de empregados, é claro que as pessoas – logo, as organizações – constituem uma complexidade maior que *Os deuses da administração* sugere.

Handy escreveu mais tarde sobre a Organização em Trevo – uma organização flexível feita de funcionários centrais, pessoal periférico terceirizado e uma força de trabalho externa e flexível. Cada categoria de trabalhador tem um compromisso diferente com a organização, um entendimento diferente sobre sua visão, além de suas próprias motivações para trabalhar. O trabalho da liderança é alinhar tais diferenças visando a uma meta comum, organizacional.

As dinâmicas organizacionais são importantes porque as pessoas são importantes. As tipologias só levam o líder até certo ponto, já que as organizações são complexas. Os líderes devem reconhecer que cada funcionário vê a empresa de forma diferente e tem motivações (e barreiras) únicas à sua eficiência. Assim como o empresário norte-americano Tom Northup disse, grandes líderes não "caem do céu", se bem que a onisciência divina seja uma meta útil – porém difícil – de alcançar. ∎

# UM LÍDER É ALGUÉM QUE SABE O CAMINHO, SEGUE O CAMINHO E MOSTRA O CAMINHO
## LIDERANÇA EFICAZ

## EM CONTEXTO

**FOCO**
**Liderança**

DATAS IMPORTANTES
**Anos 1520** *O príncipe,* do diplomata italiano Nicolau Maquiavel, discute os perigos da liderança na vida política.

**1916** A obra do executivo francês Henri Fayol *Administração industrial e geral* define o líder como alguém que "deve possuir e infundir naqueles ao seu redor a coragem para aceitar responsabilidade".

**Anos 1950 e 1960** A autoritária escola de gestão "Comando e Controle" torna-se popular. Líderes carismáticos dominam as organizações pela força da personalidade.

**Anos 1980 e 1990** Pensadores da liderança, como o professor norte-americano Warren Bennis, encorajam o estilo de liderança baseado na integridade, na confiança e na habilidade de desenvolver a capacidade de uma organização para a mudança.

A liderança eficaz **cria capacidade nos outros**.

Só o carisma de um líder não basta. **A liderança eficaz** exige…

… **integridade, confiança, empatia e empoderamento**.

A liderança eficaz **exige ação** do líder, não apenas poder intelectual.

Por séculos, pesquisadores tentaram determinar os traços definitivos quanto ao estilo, à característica e à personalidade dos grandes líderes. Ainda assim, a despeito de milhares de estudos, a liderança eficiente continua objeto de debate. Mas um tema comum é que a liderança eficaz exige ação, não apenas intelecto.

Os líderes não podem simplesmente se basear no carisma. Se por um lado a liderança carismática tem o seu lugar – por exemplo, Henry Ford ficou famoso por seu estilo de liderança carismático –, há um risco de a retórica tornar-se mais importante que a realidade. Em vez de empoderarem seus funcionários, líderes carismáticos geralmente microgerenciam tarefas e impedem seus subordinados de alcançar a realização em seu trabalho. Líderes carismáticos são, com frequência, considerados os responsáveis pelo sucesso da organização, mas tal charme pode ser tanto uma bênção quanto uma

# ACENDENDO A CHAMA

**Veja também:** Liderando bem 68–69 ▪ Deuses da administração 76–77 ▪ Mudando o jogo 92–99 ▪ Desenvolvendo a inteligência emocional 110–111 ▪ Os papéis gestores de Mintzberg 112–113

**Participar ativamente** da vida empresarial, desde a sala do conselho até o chão de fábrica, é vital para uma liderança eficaz. Carlos Ghosn visitou as linhas de produção de carros para inspirar integridade e confiança em seus funcionários.

maldição – o vazio deixado pela saída de um líder carismático pode ser difícil de ser preenchido. Talvez seja lisonjeiro para o ego ser considerado um herói, mas grandes líderes sabem que o sucesso implica o desenvolvimento de uma capacidade organizacional que sobreviva à sua própria presença.

## O caminho da eficácia

Para ser eficaz, um líder deve ser confiante e seguro ao mesmo tempo em que é aberto e compreensivo. A liderança eficaz envolve a habilidade de criar capacidade nos outros por meio do processo de interação, informação, ouvir, desenvolver e gerar confiança. A credibilidade do líder é alcançada através da colaboração, não da dominação. A questão central da liderança eficaz é o empoderamento – a arte de capacitar outras pessoas a fazer coisas.

Um dos líderes empresariais contemporâneos mais eficazes é Carlos Ghosn, CEO das montadoras Renault e Nissan. Um ano depois de sua promoção em 1999, Ghosn fez com que a Nissan voltasse a ter lucro e recebeu o mérito de tê-la salvado da bancarrota. Essa foi uma das viradas mais traumáticas na história empresarial moderna.

Um dos traços de liderança que contribuem para a eficácia de Ghosn é sua crença de que a liderança se aprende "fazendo". Assim que virou CEO da Nissan, ele passou a andar por cada uma das fábricas, conhecendo e apertando a mão de cada funcionário. Até hoje é comum vê-lo no chão de fábrica. Integridade e confiança, acredita Ghosn, surgem quando os líderes são vistos como dispostos a "sujar as mãos" e a manter contato com a produção em diversas empresas.

## Empoderando a equipe

Líderes devem comunicar uma forte visão, mas, acima de tudo, devem empoderar sua equipe para que ela mesma tome as decisões. Em empresas grandes e diversificadas, um líder não pode, e não deve, tomar todas as decisões – é fundamental para o papel do líder ajudar os outros a entender a necessidade de mudança, ao mesmo tempo que lhes dá as ferramentas necessárias para que o façam. O sucesso da Nissan também pode ser visto como fruto da habilidade de Ghosn de gerenciar equipes transculturais. Os líderes, sugere Ghosn, precisam ter a habilidade de ouvir e compreender não apenas os funcionários de seus próprios países, mas pessoas de diferentes países e culturas.

Os insights de Ghosn são exemplo de que a liderança eficaz exige colocar a visão em prática. Para alcançar isso é necessário mais do que retórica: líderes eficazes devem não só falar, como também fazer. ■

### Carlos Ghosn

Nascido em 1954, Carlos Ghosn é brasileiro de origem franco-libanesa. Começou sua carreira na Michelin e mudou para a Renault em 1996, sendo promovido a CEO da Nissan em 1999, assim que a Renault comprou uma parte significativa da empresa japonesa em apuros. Naquela época, a dívida da Nissan havia chegado a US$ 20 bilhões, e só três de seus 48 modelos de carros davam lucro. Prometendo se demitir se a empresa não voltasse ao lucro até o final do ano, ele desafiou a etiqueta empresarial japonesa ao cortar 21 mil vagas e fechar fábricas domésticas que davam prejuízo. Em três anos, a Nissan tornou-se uma das montadoras mais lucrativas, com margens operacionais acima de 9% – mais que o dobro da média do setor.

Tendo sido o principal executivo daquilo que foi descrito como uma das maiores viradas da história da administração, Ghosn foi chamado de "o homem mais trabalhador no negócio automobilístico do mundo" pela revista *Forbes*, em 2011.

O universo recompensa a ação, não o pensamento.
**Russel Bishop, coach executivo norte-americano**

# O TRABALHO EM EQUIPE É O COMBUSTÍVEL QUE PERMITE A PESSOAS COMUNS

## ALCANÇAR RESULTADOS INCOMUNS

### ORGANIZANDO EQUIPES E TALENTOS

## ORGANIZANDO EQUIPES E TALENTOS

### EM CONTEXTO

FOCO
**Trabalho em equipe**

DATAS IMPORTANTES
**1965** O professor norte-americano Bruce Tuckman propõe que as equipes passem por cinco estágios: formação, tumulto, normatização, performance e suspensão.

**1981** O teórico britânico da administração Meredith Belbin escreve *Management Teams: Why They Succeed or Fail*, descrevendo nove papéis distintos e essenciais para que a equipe tenha sucesso.

**1992** Peter Drucker descreve três tipos de equipe no artigo "There's more than one kind of team", publicado no *The Wall Street Journal*.

**1993** Jon Katzenbach e Douglas Smith escrevem *The Wisdom of Teams*, alegando que a formação de equipes leva a um sucesso maior que o esforço individual.

Equipes eficazes são fundamentais para as grandes organizações. Isso é mais verdadeiro nos negócios, em que o trabalho em equipe junta talentos individuais em algo maior que a soma das suas partes, capacitando "pessoas comuns a alcançarem resultados incomuns", nas palavras do industrial norte-americano Andrew Carnegie.

Manufaturas na Europa e nos Estados Unidos se interessaram pela ideia de trabalho em equipe nos anos 1960 e 1970, em resposta ao sucesso do método de trabalho japonês baseado em equipes tais como o *kaizen* (o conceito de que todos os funcionários são responsáveis pela melhora contínua da empresa) e "círculos de qualidade" (grupos de funcionários cuja tarefa é melhorar a qualidade). Nos anos 1980, à medida que as empresas passaram a adotar a "gestão da qualidade total" (qualidade em toda a empresa), o trabalho em equipe começou a se espalhar além do seu berço na manufatura. Hoje seria raro encontrar uma organização, de qualquer tipo ou tamanho, que não valorize o trabalho em equipe.

### Os benefícios do trabalho em equipe

O trabalho em equipe foi considerado o responsável por levar a uma

Membros de uma equipe buscam certos papéis e têm uma performance mais eficaz naqueles que lhes são mais naturais.
**Meredith Belbin**

substancial redução no absenteísmo, no baixo *turnover* de funcionários, nos aumentos significativos nos lucros e numa maior satisfação no trabalho. Na divisão aérea comercial da Honeywell em Minneapolis, por exemplo, credita-se ao trabalho em equipe a obtenção de 80% de participação de mercado nos sistemas de voo e navegação – e por gerar lucros 200% maiores que as projeções.

As equipes fazem sucesso porque garantem um ambiente onde as fraquezas podem ser equilibradas e as fortalezas individuais, multiplicadas. As equipes também servem de proteção contra as limitações individuais, como o baixo desempenho ou o interesse particular. É mais provável que projetos cumpram seus prazos quando os participantes apoiam uns aos outros e revisam tanto o trabalho uns dos outros quanto o de toda a equipe. As equipes também criam um ambiente que a maioria das pessoas aprecia. A segurança de um grupo faz com que cada pessoa se sinta menos exposta e, por outro lado, mais disposta a correr riscos, ser mais criativa e, portanto, mais capaz em sua performance.

### Tumulto e normatização

Demora para equipes eficazes se desenvolverem. É raro que um grupo de pessoas se junte e comece a ter uma boa performance imediatamente. Várias equipes passam por uma série de estágios antes de chegar à eficácia. Bruce Tuckman, professor de psicologia educacional, descreveu esses estágios

---

### Meredith Belbin

Meredith Belbin nasceu em Beckenham, Reino Unido, em 1926. Formou-se em estudos clássicos na Universidade de Cambridge, posteriormente fazendo doutorado em psicologia, durante o qual pesquisou a importância do trabalho em equipe. Ganhou, depois, uma bolsa de pesquisa em Cranfield, onde estudou as vantagens da ergonomia (o design de ferramentas e sistemas que mais se adaptam às necessidades das pessoas), melhorando a eficiência nas linhas de produção – antes de se tornar consultor de gestão. Belbin estudou o trabalho em equipe no Reino Unido, nos EUA e na Austrália e, em 1981, escreveu *Management Teams: Why They Succeed or Fail*, que se tornou um dos maiores *best-sellers* mundiais sobre administração. Belbin já foi consultor do governo dos EUA, da União Europeia e de várias empresas e agências públicas.

**Principais obras**

**1981** *Management Teams: Why They Succeed or Fail*
**1993** *Team Roles at Work*
**2000** *Beyond the Team*

# ACENDENDO A CHAMA

**Veja também:** Liderando bem 68–69 ▪ O valor da equipe 70–71 ▪ Liderança eficaz 78–79 ▪ Usando o máximo do seu talento 86–87 ▪ Cultura organizacional 104–109 ▪ Evite o pensamento de grupo 114 ▪ O valor da diversidade 115 ▪ *Kaizen* 302–309

como formação, tumulto, normatização, performance e suspensão (*forming, storming, norming, performing* e *adjourning*). Durante a formação, o grupo se junta e os membros conhecem uns aos outros. Então ele passa ao estágio de tumulto, no qual os membros se desafiam uns aos outros para ficar com as melhores posições, e os processos do grupo vêm à tona por tentativa e erro. O estágio intermediário – a normatização – marca um período de calma, em que se chega a um acordo sobre o papel de cada um, os processos e as normas do grupo. No quarto estágio, os membros se familiarizam uns com os outros, com seus papéis e com os processos envolvidos. Nesse estágio, a performance da equipe atinge o seu nível mais eficaz. Assim que o trabalho é concluído, o grupo é suspenso ou desmanchado.

As empresas gostam quando as equipes passam rapidamente pelos primeiros estágios, alcançando a performance o mais rápido possível. É por isso que as organizações investem tanto em atividades de formação de equipes, nas quais os grupos se defrontam e resolvem desafios imaginados, geralmente num ambiente diferente. Muitas empresas também usam a arquitetura de seus edifícios para encorajar a interação entre as pessoas. Por exemplo, na Pixar, o estúdio de animação localizado na Califórnia, o refeitório, as salas de reunião, as caixas postais dos empregados e os banheiros são localizados ao redor de um átrio central desenhado especificamente para o trabalho colaborativo. O design do edifício e o seu *layout* encorajam os membros das equipes a se encontrarem e interagirem entre si, mesmo quando estão alocados em diferentes departamentos da mesma empresa.

Pesquisas comprovam que as atividades de formação de equipes e os espaços de trabalho colaborativos ajudam a melhorar o trabalho e porque

as equipes mais eficazes são aquelas nas quais os membros confiam uns nos outros, compartilham um forte sentimento de identidade de grupo e têm confiança em sua eficácia como uma equipe.

## Formação de equipe eficaz

Em 2005, os pesquisadores norte-americanos Jon Katzenbach e Douglas Smith identificaram uma série de fatores que parecem ser essenciais para um trabalho em equipe eficaz. Primeiro, os membros da equipe devem ser escolhidos por suas habilidades, não por sua personalidade. A equipe, então, precisa começar com o pé direito. Estabelecer uma afinação correta é essencial. A afinação não pode ser muito casual – as equipes desempenham melhor quando são desafiadas; logo, precisam de um senso de urgência.

A equipe deve concordar a respeito de regras claras para o comportamento em grupo e suas normas, bem como se reunir com frequência, tanto formal quanto informalmente. Se possível, deve ser permitido à equipe desfrutar de algum tipo de sucesso logo no começo. Tal "bônus" tem provado ser uma alavanca para uma performance melhor no futuro. Da mesma forma, o »

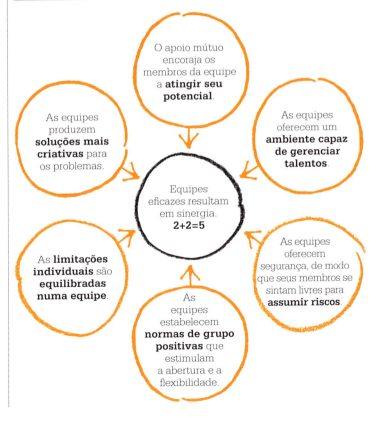

# 84 ORGANIZANDO EQUIPES E TALENTOS

## Inventário de Equipes de Belbin

| Papel na equipe | Talento | Fraqueza |
|---|---|---|
| **Semeador** | Pensador criativo, não ortodoxo, ótimo na solução de problemas | Ruim na gestão de (ou na comunicação com) pessoas menos criativas |
| **Investigador de recursos** | Comunicador extrovertido que desenvolve contatos e explora oportunidades | Perde interesse assim que passa o entusiasmo inicial |
| **Coordenador** | Maduro e confiante, capaz de esclarecer metas e promover a tomada de decisões | Pode ser manipulador e parecer distante |
| **Formatador** | Dinâmico, extrovertido e participativo, capaz de desafiar e evitar obstáculos | Dado a provocações e acessos de raiva |
| **Monitor/Avaliador** | Sóbrio, estratégico e com discernimento capaz de ver e julgar as opções com objetividade | Faltam-lhe motivação e habilidade de inspirar os outros |
| **Trabalhador em equipe** | Social, tranquilo, perceptivo e acomodado, capaz de evitar atritos | Indeciso em situações críticas |
| **Implementador** | Disciplinado, de confiança, conservador e eficiente, capaz de transformar ideias em ações | Um tanto inflexível, lento em responder a novas possibilidades |
| **Completador** | Detalhista e consciente, sempre capaz de cumprir prazos | Propenso a se preocupar sem motivo, relutante em delegar |
| **Especialista** | Determinado e dedicado, agrega conhecimento e habilidades técnicas raras | Só ajuda num aspecto específico |

grupo – e seus membros individuais – precisa ter seu sucesso reconhecido. A motivação contínua é estimulada por novos desafios, já que eles ajudam a manter o trabalho novo e o engajamento maior.

## Papéis de sucesso

As pessoas têm talentos e atributos distintos, e eles precisam ser levados em conta na formação das equipes. O teórico de gestão britânico Meredith Belbin diz que existem nove papéis distintos dentro de uma equipe que são essenciais para o seu sucesso, e o mais importante para uma equipe bem organizada é o equilíbrio. Por exemplo, Belbin descobriu que equipes sem Semeadores (pensadores heterodoxos, criativos) têm dificuldade na criação das ideias mas, se houver muitos Semeadores, a geração de ideias passará a ser mais importante que a ação. De forma parecida, se não houver um Formatador (uma pessoa dinâmica, motivada, capaz de empurrar o grupo a tomar decisões), as equipes perderão motivação e direção. Mas, numa equipe com muitos Formatadores, haverá muitas discussões, e o ânimo das pessoas diminuirá.

Atualmente uma ferramenta de negócios reconhecida, o Inventário de Equipes de Belbin é com frequência usado pelas empresas para maximizar a eficácia de equipes. Mas muitas acabam cometendo o erro de usá-la depois de as equipes terem sido formadas. Para funcionar bem, ela deve ser usada antes da criação de uma equipe.

## Gerenciando talentos

Sir Alex Ferguson, antigo técnico do Manchester United, um dos times de futebol mais conhecidos do mundo, é mestre em formar times vencedores, e seus métodos podem ser aplicados ao ambiente de negócios. A equipe de Ferguson era unida por um forte sentimento de missão compartilhada – um desejo de vencer. Era coesa em campo porque Ferguson exigia coesão fora das linhas. Uma excepcional cultura de equipe corria pelas veias de cada jogador e cada funcionário. Ferguson

# ACENDENDO A CHAMA 85

Equipes desenvolvem direção, entusiasmo e comprometimento ao trabalhar na formatação de um propósito significativo.
**Jon R. Katzenbach e Douglas K. Smith**

percebeu o valor de normas de grupo positivas. Ele foi, por exemplo, um dos primeiros técnicos de futebol a banir o consumo de álcool. Além disso, junto com uma leva de atividades de formação de equipes – questionários no ônibus do time, por exemplo –, Ferguson exigia uma lealdade feroz. Os jogadores poderiam esperar um inesgotável apoio público de Ferguson e do clube. De forma semelhante, esperava-se dos jogadores um estrito código de silêncio com a mídia em relação aos seus colegas de time. Qualquer um que quebrasse esse código era rapidamente afastado.

A gerência de times quase sempre envolve ter que lidar com egos inflados e pessoas de muito talento. Ferguson reconhecia que era tolice querer controlar talentos superiores – os jogadores Eric Cantona e Cristiano Ronaldo eram encorajados a expressar seus dons futebolísticos –, mas chegou a transferir jogadores que se consideravam mais importantes que o time.

A gestão de talentos é uma fonte de frustração para muitos executivos, porque pessoas com talento

**O voo dos gansos** demonstra o poder do trabalho em equipe. Ao voar juntos, cada um reduz a resistência do ar para os outros que vêm atrás. Fazem uma rotação na liderança e "conversam" ao grasnar.

frequentemente se recusam a ser gerenciadas, e pode ser difícil encontrar desafios que as conservem suficientemente motivadas e ao mesmo tempo as mantenham alinhadas com as metas organizacionais. Mas equipes garantem um ambiente onde o talento pode florescer. Ao dar a funcionários talentosos uma equipe para gerenciar ou – o que é mais arriscado – ao se agruparem pessoas talentosas em equipes, é possível impulsionar até mesmo o funcionário mais capaz. Equipes garantem um arcabouço e um sistema de valores aos quais todos os membros, independentemente de quão habilidosos ou talentosos sejam, devem se submeter.

### Produtos coletivos

Negócios, assim como times esportivos, se defrontam com desafios de performance para os quais as equipes são uma solução poderosa. Isso se dá porque as equipes não são simplesmente um grupo de pessoas que trabalham juntas. Elas são julgadas não por sua performance individual, mas por seus "produtos de ação coletiva". São as partes do trabalho – que podem ser produtos, pesquisas ou experiências – que resultam de contribuições conjuntas. Em *The Wisdom of Teams*, Jon Katzenbach e Douglas Smith definem uma equipe como "um pequeno grupo de pessoas com habilidades complementares e que estão comprometidas com um propósito comum, um conjunto de metas e abordagens pelas quais prestam contas uns aos outros". Nenhum indivíduo é responsável pelo sucesso ou pelo fracasso, porque ninguém atua sozinho. O trabalho em equipe estimula as pessoas a se escutarem, a responder coletivamente aos pontos de vista alheios, a garantir apoio e a reconhecer os interesses, habilidades e realizações dos outros membros da equipe.

As equipes de maior sucesso são formadas como resposta a uma ameaça ou oportunidade vislumbrada. Quando elas surgem, o papel dos líderes seniores é organizar equipes com um claro propósito, com membros equilibrados, procedimentos disciplinados e fortes vínculos, ao mesmo tempo que lhes dá uma flexibilidade suficiente para desenvolver seu próprio *timing* e abordagem. Fazendo assim, os líderes criam ambientes onde os indivíduos – e, por tabela, as organizações – possam ter sucesso e florescer. ∎

# OS LÍDERES PERMITEM QUE AS GRANDES PESSOAS FAÇAM O TRABALHO QUE ELAS NASCERAM PARA FAZER
## USANDO O MÁXIMO DO SEU TALENTO

### EM CONTEXTO

FOCO
**Eficácia da força de trabalho**

DATAS IMPORTANTES
**1959** O psicólogo americano Frederick Herzberg define os fatores de satisfação no trabalho em seu estudo *The Motivation to Work*.

**1960** Em seu livro *O lado humano da empresa*, o pesquisador Douglas McGregor propõe a Teoria Y, encorajando as empresas a adotar um estilo de gestão participativa que motive os trabalhadores a se esforçar em realizar seu potencial.

**1989** O livro da guru norte--americana de gestão Rosabeth Moss Kanter *Quando os gigantes aprendem a dançar* sugere que os empregados são mais produtivos quando empoderados para tomar suas próprias decisões.

Funcionários em várias organizações dizem se sentir subavaliados, superexplorados e forçados a trabalhar em áreas que estão além de suas competências. Por causa disso, sentem-se ineficazes – querem trabalhar melhor, mas sentem que a organização os limita. As melhores empresas permitem ao seu pessoal desenvolver sua carreira naquilo em que são melhores – nas palavras do especialista em liderança Warren Bennis, "para fazer o trabalho que eles nasceram para fazer".

Organizações contemporâneas, ao se defrontarem com mercados dinâmicos e em crescimento, preferem os empregados que são flexíveis e de múltiplas habilidades. Mas num estudo da Global Workforce de 2012 somente 35% dos empregados se declararam engajados em seu trabalho, revelando uma desvinculação entre o que os empregadores querem e o que os empregados estão dispostos a dar. Estudos demonstram que empregados engajados – aqueles devotados ao seu trabalho e comprometidos com os valores da empresa – são significativamente mais produtivos, atendem melhor os clientes e desempenham muito melhor que aqueles que não estão engajados.

Mas muitas empresas tratam seus funcionários quase como peças de um xadrez organizacional que podem ser movidas aleatoriamente.

---

Pessoas eficazes criam **organizações eficazes**.

Grandes líderes permitem às grandes pessoas se destacar naquilo que fazem bem.

Eles **valorizam o chão de fábrica** tanto quanto o acionista.

## ACENDENDO A CHAMA    87

**Veja também:** Liderando bem 68–69 ▪ Criatividade e invenção 72–73 ▪ Liderança eficaz 78–79 ▪ Organizando equipes e talentos 80–85 ▪ Será que o dinheiro é a motivação? 90–91

**A cultura inovadora e dinâmica do Google**, na qual os funcionários são encorajados a trabalhar em suas fortalezas e explorar os projetos de que mais gostam, é uma das razões do sucesso da empresa.

Na sua teoria dos dois fatores, o psicólogo e pesquisador em gestão norte-americano Frederick Herzberg identifica o sentimento de realização com algo intimamente ligado à motivação no trabalho. A eficácia é intrinsecamente recompensadora. Nem os maiores salários conseguem, no longo prazo, substituir a satisfação de um trabalho bem feito. Tampouco o salário generoso substitui a insatisfação da não realização. Consequentemente, equipar os empregados com as ferramentas para desenvolver hábitos eficazes pode levar a uma performance mais eficiente e feliz, a uma força de trabalho mais produtiva e, por sua vez, a resultados melhores para a empresa.

### Trabalhando melhor, não mais

O Google, tomando emprestada uma prática introduzida pelo conglomerado norte-americano 3M em 1948, encoraja seus funcionários a gastar 20% do seu tempo em projetos que eles próprios escolhem. Em vez de distraí-los dos projetos que lhes são incumbidos, o Google descobriu que eles trabalham melhor em todas as tarefas – quando as pessoas fazem algo com paixão, o que fazem não se parece com trabalho. Tal esforço discricionário, a disposição dos empregados de "ir além", pode ser a diferença entre o bom e o melhor. Os melhores negócios têm com foco conseguir o melhor das pessoas, não o máximo delas. O Gmail, um dos produtos mais populares do Google, é resultado dos 20% do tempo da empresa.

Capacitar os funcionários a trabalhar melhor, não mais, exige uma abordagem esclarecida da liderança, capaz de voltar seus olhos para o chão de fábrica, bem como para os acionistas. As empresas que valorizam a eficácia sobre o volume e a performance sobre a assiduidade (quando os funcionários trabalham independentemente de estarem doentes, em vez de se recuperarem de licença médica) geralmente se encontram no topo da lista das melhores empresas para trabalhar. Seus líderes percebem que o valor ao acionista é guiado pela performance dos funcionários – permitir aos funcionários desenvolver sua carreira naquilo em que são bons é excelente para os empregados assim como para o lucro. ∎

O homem que não trabalha pelo amor ao trabalho, mas pelo amor ao dinheiro, provavelmente não ganhará muito dinheiro nem se divertirá muito na vida.
**Charles M. Schwab, industrial norte-americano (1862-1939)**

### Warren Bennis

Nascido em 8 de março de 1925, Warren Bennis é um pesquisador norte-americano, consultor organizacional e autor de livros de gestão. Recrutado para o Exército dos EUA em 1943, Bennis foi um dos oficiais de infantaria mais jovens a servir na II Guerra Mundial e foi condecorado com as medalhas Purple Heart e Bronze Star pelos serviços prestados em campo. Depois de ter baixa, Bennis estudou na Antioch College, Ohio, sendo mais tarde professor na Sloan School of Management do Massachusetts Institute of Technology (MIT). Amplamente reconhecido como o pioneiro do campo contemporâneo de estudos da liderança, Bennis foi considerado um dos dez mais influentes pensadores da Administração pela revista *Business Week* em 2007. O *Financial Times* lista seu livro clássico de 1985, *Líderes*, como um dos melhores livros de administração de todos os tempos.

### Principais obras

**1985** *Líderes: estratégia para assumir a verdadeira liderança*
**1997** *Why Leaders Can't Lead: The Unconscious Conspiracy Continues*
**2009** *A formação do líder*

# O CAMINHO ADIANTE TALVEZ NÃO SEJA SEGUIR ADIANTE
**PENSANDO FORA DA CAIXA**

## EM CONTEXTO

FOCO
**Inovação**

DATAS IMPORTANTES
**1914** O quebra-cabeça de nove pontos é publicado no *Cyclopedia of Puzzles* de Sam Loyd.

**1967** Edward de Bono cunha o termo "pensamento lateral" para descrever o processo de "imaginação horizontal", que tem uma aplicação ampla sem se preocupar com detalhes.

**Anos 1970** Há um *boom* de consultores de gestão encorajando a criatividade. Diz-se que o pensamento estratégico engloba fortalezas e recuos.

**2012** Jeff Bezos, da Amazon, alega que, "se você for inventivo e pioneiro, tem que estar disposto a ser mal compreendido por um longo tempo".

As pressões concorrenciais que os negócios enfrentam estão num fluxo constante: surgem novas ideias e tecnologias disruptivas, o poder econômico dos países muda, e as dinâmicas de mercado se alteram. Ainda assim, a história da administração está cheia de empresas que ignoraram a mudança e seguiram adiante com estratégias falhas, baseadas no velho cenário. Para evitar isso, a ideia de "pensar fora da caixa" é usada para desafiar preceitos e suposições – para considerar que, às vezes, o caminho adiante não é necessariamente seguir adiante.

A ideia de pensar fora da caixa surgiu nos anos 1960 e está baseada num quebra-cabeça de nove pontos, um jogo usado por consultores de gestão para encorajar o pensamento

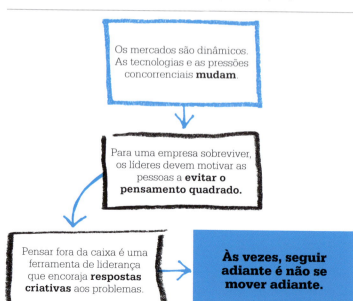

Os mercados são dinâmicos. As tecnologias e as pressões concorrenciais **mudam**.

Para uma empresa sobreviver, os líderes devem motivar as pessoas a **evitar o pensamento quadrado**.

Pensar fora da caixa é uma ferramenta de liderança que encoraja **respostas criativas** aos problemas.

**Às vezes, seguir adiante é não se mover adiante.**

## ACENDENDO A CHAMA    89

**Veja também:** Obtendo uma vantagem 32–39 ▪ Mantendo a evolução da prática empresarial 48–51 ▪ Criatividade e invenção 72–73 ▪ Mudando o jogo 92–99 ▪ Previsões 278–279 ▪ *Feedback* e inovação 312–313

**O console do Nintendo Wii** é um produto de pensamento lateral. Em vez de bater de cabeça com seus rivais, os designers do Wii redefiniram os games como atividades familiares e sociais.

**O quebra-cabeça de nove pontos** desafia o jogador a uni-los com quatro ou menos linhas retas, sem levantar a caneta do papel ou passar a mesma linha duas vezes sobre o mesmo lugar. A solução envolve desenhar linhas "fora da caixa".

lateral. Muitas de suas soluções envolviam desenhar linhas que estavam literalmente fora da caixa. A frase foi adotada para representar qualquer tipo de pensamento criativo que fosse além do óbvio. Hoje, pensar fora da caixa representa inovação, a necessidade da percepção das mudanças do mercado e a necessidade de evitar formas fixas de pensar as coisas.

### O recuo ousado
O pensamento linear – em vez do pensamento fora da caixa – tem sido responsável pela quebra de várias empresas. O MySpace, site que dominou as redes sociais no começo dos anos 2000, é o exemplo de um negócio que foi vítima da estratégia de construir uma fortaleza – se apegando a uma estratégia falida em vez de se adaptar à nova concorrência ou a um mercado em mudança. Comprado pela News Corp em 2005 por US$ 580 milhões, o negócio acabou sendo vendido em 2011 por US$ 35 milhões, tendo fracassado em fazer frente à visão criativa do enorme sucesso do Facebook de Mark

Zuckerberg. A sobrevivência futura do MySpace dependia de uma nova forma de pensar – o negócio teve uma reviravolta ao focar com sucesso o mercado profissional de música criativa, deixando o mercado de mídia social, de massa, para o Facebook.

Outras empresas empregaram líderes com uma abordagem mais radical para guiá-las em tempos de mudanças rápidas. A resposta da Nintendo à superioridade tecnológica do X-Box e do Playstation, por exemplo, foi pensar diferente. Em vez de concorrer no conhecido terreno do preço e dos jogos cada vez mais sofisticados, o Nintendo Wii criou um

A BT deveria ter inventado o Skype. Mas não o fez porque o conceito de uma plataforma gratuita destruiria por completo o seu modelo de negócios.
**Alan Moore, especialista em sistemas norte-americano**

mercado totalmente diferente. Sua interface de jogos única – com controles sem fio – e o foco nos jogos em grupo transformaram-no em algo para toda a família. De uma hora para outra, os games passaram a ser uma atividade social para jogadores de todas as idades e níveis de experiência. O console rapidamente vendeu mais que a concorrência em quase todas as áreas.

Líderes que assumem esse "recuo ousado" cedem, de propósito, à vantagem tecnológica ou à posição de mercado para a empresa dominante, indo atrás, em vez disso, de posições de mercado mais vulneráveis (e geralmente mais lucrativas).

### Repensando a caixa
Alguns líderes empresariais acreditam que mesmo pessoas criativas talvez assumam como certas algumas coisas – como a estrutura organizacional. Eles estão, assim, encorajando seus funcionários a pensar literalmente "além do prédio da matriz", em busca de novas ideias. O CEO da Procter & Gamble, A. G. Lafley, mandou seus funcionários morar temporariamente na casa dos consumidores para entender melhor suas necessidades e identificar oportunidades de produtos. Ao que parece, a própria caixa virou uma distração. ∎

# QUANTO MAIS UMA PESSOA PUDER FAZER, MAIS VOCÊ CONSEGUIRÁ MOTIVÁ-LA
## SERÁ QUE O DINHEIRO É A MOTIVAÇÃO?

**EM CONTEXTO**

FOCO
**Motivação**

DATAS IMPORTANTES
**1914** Henry Ford duplica os salários na sua Ford Motor Company, visando reduzir o *turnover* de funcionários. Milhares de pessoas se candidatam ao processo seletivo da empresa.

**1959** Frederick Herzberg propõe sua teoria em que "motivadores" e "fatores de higiene" levam ou não à satisfação no trabalho. Ele enfatiza que o salário desmotiva, mas não motiva.

**Anos 2000** A lista dos "Melhores Empregadores" revela que as empresas que estão no topo não são necessariamente as que pagam melhor.

**2012** A revista *Fortune* cita o Google como a melhor empresa onde trabalhar nos EUA. O Google também está no topo da lista nos países em desenvolvimento, incluindo a Índia – salários maiores e vários benefícios contribuem para a satisfação dos funcionários.

Quando estão presentes, os fatores **motivadores** – como reconhecimento, crescimento profissional e responsabilidade – podem contribuir para a satisfação com o trabalho.

Quando mal gerenciados, os **fatores higiênicos** – como salários, condições, supervisão e segurança – podem aumentar a insatisfação no trabalho.

O dinheiro é importante, mas a **motivação no ambiente de trabalho** é muito mais complexa que somente a recompensa financeira.

Se você ganhasse mais, trabalharia mais? A resposta seria, em parte, talvez sim e talvez não. Um salário maior talvez o encoraje a se mudar para um novo emprego ou para trabalhar um pouco mais, mas esse foco rapidamente é substituído por outros fatores como satisfação no emprego, ser respeitado pela gerência e o desafio apresentado pelo próprio trabalho.

O ganho financeiro pode nos estimular a fazer coisas, mas a motivação é mais complicada que só o dinheiro. O psicólogo norte-americano Frederick Herzberg começou a estudar a motivação no local de trabalho nos anos 1950 enquanto lecionava na Case Western Reserve University, nos EUA. Em 1959 ele propôs a "teoria dos dois fatores" – segundo a qual vários "motivadores" encorajariam a satisfação no trabalho, enquanto aspectos do trabalho chamados "fatores higiênicos" contribuiriam para a insatisfação no local de trabalho se não fossem bem gerenciados.

**Acabando com a insatisfação**
Fatores higiênicos incluem condições de trabalho, segurança, relacionamento com outros trabalhadores e salários. Fatores motivadores incluem reconhecimento, responsabilidade, chances de desenvolvimento,

## ACENDENDO A CHAMA

**Veja também:** Liderando bem 68–69 ◼ O valor da equipe 70–71 ◼ Criatividade e invenção 72–73 ◼ Liderança eficaz 78–79 ◼ Usando o máximo do seu talento 86–87

**A teoria dos dois fatores de Herzberg** ilustra a dicotomia da motivação no local de trabalho – ou seja, que como um todo a satisfação com o trabalho é resultado do cumprimento de diversos fatores ("motivadores"), e não dos que causam insatisfação ("fatores higiênicos").

### Frederick Herzberg

O psicólogo norte-americano Frederick Herzberg nasceu em 18 de abril de 1923. Estudou na City College de Nova York, sendo, mais tarde, professor na Universidade de Utah, EUA. O serviço de Herzberg no Exército dos EUA, em especial sua observação das condições no campo de concentração de Dachau, na Alemanha, durante a II Guerra Mundial, parece ter inspirado seu interesse na teoria motivacional.

Desafiando a noção de que os trabalhadores são motivados apenas pelo dinheiro e por outros benefícios, Herzberg sugeriu que a realização e o reconhecimento são fortes fatores motivacionais. Ele acreditava que os gerentes deveriam criar locais de trabalho seguros e felizes e fazer com que as tarefas fossem interessantes, desafiando e recompensando. Sua obra influenciou uma geração de gerentes.

### Principais obras

**1959** *The Motivation to Work*
**1968** *One More Time: How do you Motivate Employees?*
**1976** *The Managerial Choice: To Be Efficient and to Be Human*

---

sentimento de realização e potencial de crescimento – conforme colocado por Herzberg, "quanto mais uma pessoa puder fazer", mais fácil é motivá-la.

Herzberg acreditava que a insatisfação no trabalho é tão importante quanto a satisfação. Para ele, se os fatores higiênicos não fossem bem gerenciados, não importando a qualidade das motivações, os funcionários não estariam propensos a trabalhar melhor. Eles estariam, dizia, tão insatisfeitos que ficariam desmotivados. Também acreditava que os fatores higiênicos não motivam por si sós. Mas, quando solucionados, eles reduziriam a insatisfação, e haveria uma base para motivação. Por outro lado, os fatores motivadores têm um enorme potencial para aumentar a satisfação no trabalho, mas, na sua ausência, haveria apenas níveis menores de insatisfação dos empregados.

### Os motivadores na prática

As descobertas de Herzberg são importantes para líderes empresariais. A teoria dos dois fatores propõe que o modelo do trabalho é crucial – ele deve criar condições nas quais os empregados consigam ter um senso de realização, desfrutar de responsabilidade e receber reconhecimento em seu trabalho. Níveis salariais talvez sejam importantes para recrutamento e retenção, mas são menos importantes no encorajamento para que os funcionários trabalhem com mais eficácia.

Todos os dias, milhares de pessoas em todo o mundo se candidatam a uma vaga para trabalhar na rede de *fast-food* McDonald's. Quase sempre no topo da lista dos "melhores empregadores", a rede é popular por causa de um ambiente de trabalho amigável e políticas de trabalho flexíveis. Iniciativas como "contrato de amigos e parentes" – em que empregados da mesma família ou do mesmo grupo de amigos podem cobrir o turno uns dos outros – dão aos funcionários um senso de responsabilidade compartilhada e aumentam a lealdade à empresa.

As empresas que pagam melhor raramente estão na lista dos melhores empregadores. O dinheiro é importante, mas o desenvolvimento da carreira, a satisfação no trabalho, a atitude da gerência e as relações pessoais são os fatores no local de trabalho que mais motivam as pessoas a trabalhar melhor. ◼

# SEJA UMA ENZIMA – UM CATALISADOR PARA A MUDANÇA

## MUDANDO O JOGO

# MUDANDO O JOGO

## EM CONTEXTO

**FOCO**
**Inovação**

**DATAS IMPORTANTES**

**1997** O professor norte-americano Clayton M. Christensen introduz o conceito de "tecnologias disruptivas" – avanços tecnológicos grandes e imprevistos que fazem a empresa redefinir sua forma de operação.

**Anos 2000** A tecnologia de navegação Global Positioning System (GPS) surge como uma tecnologia disruptiva em vários setores, como o de viagens, o de exercícios físicos, o de recreação e o de aplicações para *smartphones*.

**2014** O professor norte-americano de administração de empresas David McAdams escreve *Game-Changer: Game Theory and the Art of Transforming Strategic Situations*. McAdams sugere que os que mudam o jogo são aqueles que estão "determinados o suficiente para mudar o jogo a seu próprio favor".

Os executivos dos quais nos lembramos são aqueles que fazem as coisas de forma diferente – pessoas como a COO do Facebook, Sheryl Sandberg, o investidor norte-americano Warren Buffett, o magnata empresarial de Hong Kong Stanley Ho, o empreendedor britânico Richard Branson e a gigante da mídia norte-americana Oprah Winfrey. Do mesmo modo, as empresas das quais lembramos são aquelas cujos produtos e serviços mais se destacam. Empresas que se arrastam com a multidão, fazendo a mesma coisa do mesmo e velho jeito, são rapidamente esquecidas. As que são capazes de disrupção e mudam o jogo são reconhecidas e às vezes até idolatradas.

No mercado global atual, a concorrência é ferrenha, e qualquer participação percentual no mercado é fruto de muita luta, e celebrada. Operar nesses mercados é, com frequência, um jogo de soma zero: a concorrência derruba os preços e aumenta os custos. Para ganhar uma vantagem competitiva significativa, é preciso mais do que melhoras graduais. É necessário que haja mudanças radicais e disruptivas – se não puder ganhar o jogo, mude as traves. Redefinir as regras e os limites de um setor é a essência da

Quero deixar uma marca no Universo.
**Steve Jobs**

estratégia empresarial de mudar o jogo. Pensar um passo além dos clientes e concorrentes pode causar uma disrupção do *statu quo* a favor da empresa.

### Inovação disruptiva

O acadêmico da Harvard Business School Clayton Christensen identificou dois tipos de tecnologia capazes de influenciar empresas: as "tecnologias sustentáveis", ou avanços na tecnologia que ajudam as empresas a fazer melhoras graduais na performance dos produtos; e as "tecnologias disruptivas", avanços radicais na tecnologia que fazem uma disrupção no setor e forçam as empresas a repensar todo o seu modo de atuar. Christensen mais tarde mudou a

## Steve Jobs

Empreendedor e inventor, Steven Paul Jobs nasceu em 24 de fevereiro de 1955 em São Francisco, Califórnia, EUA. Em 1976, aos 21 anos, ele e Steve Wozniak iniciaram a Apple Computers (na garagem da casa de Jobs). A companhia abriu o capital em 1980, tendo valor de mercado de US$ 1,2 bilhão.

Em 1985, por desavenças com o conselho, Jobs foi despedido pelo então CEO John Sculley. Jobs abriu, mais tarde, a NeXT Computer e investiu na Pixar Animation Studios, que se tornaria um sucesso. Numa reviravolta do destino, a Apple comprou a NeXT em 1996, e Jobs voltou para a Apple no final daquele ano, tornando-se CEO em 1997. Em 1998, Jobs lançou o iMac e passou a presidir um dos mais famosos renascimentos corporativos da história. A Apple liderou o setor com uma inovação no design e na tecnologia de produto, tornando-se um dos negócios de tecnologia mais valiosos do mundo.

Em 2010, Jobs ficou em 61º lugar na lista da *Time* das "100 Pessoas que Mudaram o Mundo". Ele morreu em 5 de outubro de 2011.

# ACENDENDO A CHAMA 95

**Veja também:** Destacando-se no mercado 28–31 ▪ Obtendo uma vantagem 32–39 ▪ Criatividade e invenção 72–73 ▪ Pensando fora da caixa 88–89 ▪ Liderando o mercado 166–169 ▪ A cadeia de valor 216–217 ▪ Criando uma marca 258–263

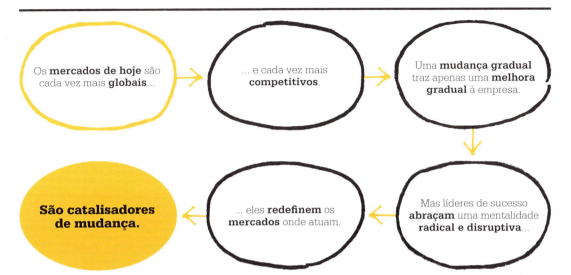

Os **mercados de hoje** são cada vez mais **globais**... → ... e cada vez mais **competitivos**. → Uma **mudança gradual** traz apenas uma **melhora gradual** à empresa. → Mas líderes de sucesso **abraçam** uma mentalidade **radical e disruptiva**... → ... eles **redefinem** os **mercados** onde atuam. → **São catalisadores de mudança.**

expressão "tecnologia disruptiva", para "inovação disruptiva", para refletir o fato de que não é tanto a tecnologia que é disruptiva, mas a forma como ela é aplicada.

Um desses produtos que mudou o jogo ao adaptar a tecnologia para novos propósitos é o GlowCap. Uma tampa de atarraxar para ser colocada em frascos de remédios, o GlowCap contém um painel de LED com alerta sonoro capaz de emitir um sinal sempre que chegar a hora de tomar um remédio. Ele também se conecta via *wi-fi* com o *smartphone* do usuário, mandando uma mensagem de texto ou um alerta por e-mail avisando caso uma dose tenha sido esquecida. Como vários outros dispositivos que mudam o jogo, ele usa o pensamento lateral para apresentar uma solução a um problema existente, de fato

satisfazendo as necessidades do consumidor. A inovação disruptiva cria a necessidade para um produto até mesmo antes de os clientes perceberem que tal necessidade existe, abrindo novos e inexplorados

mercados com vantagens pioneiras significativas – dentre as quais a associação da marca com o novo segmento de mercado. A empresa alemã Siemens, por exemplo, fabricou o primeiro elevador elétrico do »

**O Crystal** é um dos edifícios mais sustentáveis do mundo. Construído no Reino Unido pela Siemens, ele simboliza o espírito de inovação que tem sido o carro-chefe da empresa desde os anos 1880.

**A inovação disruptiva** se refere à inovação que transforma o mercado. Quando um produto existente traz mais características ou serviços do que o cliente precisa, ele pode acabar ficando muito complexo ou difícil de usar. Conforme a brecha entre a performance dos produtos existentes e a necessidade dos clientes cresce, ela cria uma lacuna no mercado que pode ser explorada por um produto novo, "disruptivo". Com o passar do tempo, o novo produto pode redefinir o mercado.

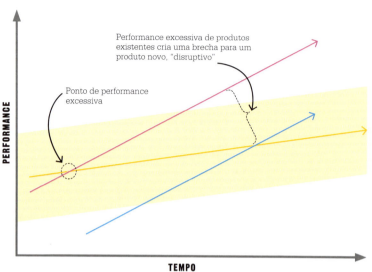

- Demanda de performance da maioria dos consumidores
- Demanda de performance mediana
- Produtos e empresas existentes
- Novos produtos/empresas "disruptivos"

mundo em 1880 e, em 1881, forneceu eletricidade para a primeira linha de iluminação pública do mundo (em Godalming, Inglaterra). Outros produtos que mudaram o jogo recentemente em iluminação, energia, transporte e assistência médica garantiram que o nome Siemens continue associado a qualidade e inovação.

Líderes, como o fundador da empresa, Werner von Siemens – aqueles com a visão e a coragem de ir atrás de estratégias que mudam o jogo –, são, no entanto, difíceis de achar. É preciso muita coragem para romper com a tradição, e carisma e convicção para liderar pessoas, organizações e setores inteiros, afastando-os do *statu quo*. Chega-se ao sucesso com recompensa e comemoração e ao fracasso com um senso de ridículo e desprezo. Para os que querem mudar o jogo, a linha que separa a fama da infâmia é geralmente tênue.

### Reescrevendo as regras
Outra empresa que mudou o jogo a seu favor, em várias ocasiões, foi a Apple. Sob a liderança de seu cofundador e CEO Steve Jobs, a organização foi responsável pela disrupção do setor de computadores pessoais, da música, dos celulares e dos tablets.

O iMac da Apple, com seu foco em design e *software* amigável, teve um impacto significativo na indústria de computadores pessoais. Mas o primeiro grande produto que mudou o jogo foi o iPod, lançado em 2001. O produto foi recebido com ceticismo – mas isso, segundo Christensen, é uma reação clássica a qualquer um que queira mudar o jogo. Um produto que seja aceito à primeira vista como um "vencedor" provavelmente não mexeu muito no mercado – os que realmente mudam o jogo costumam provocar espanto e um monte de perguntas.

### Tecnologias de interface
O iPod foi um divisor entre a primeira leva de MP3 players com baixa armazenagem e os *players* com HD maiores que ofereciam vários *gigabytes* de memória. Entre um mar de produtos sem diferencial, o iPod se destacou graças ao seu design estiloso e diferente. Ele era pequeno, fácil de usar e vinha com a promessa de "mil músicas no seu bolso".

A verdadeira disrupção, no entanto, veio com o poder combinado do iPod e o seu *software* de interface, o iTunes. Os clientes agora podiam acessar uma enorme quantidade de música a partir de um único lugar, comprá-las e fazer o *download* delas, além de sincronizar as músicas que tinham em seu computador com os seus outros aparelhos com facilidade. O iPod também podia ser recarregado durante essa sincronização. O fato de agora assumirmos como dadas tais facilidades demonstra o alcance das transformações da Apple no mercado de equipamentos de música individuais. O iTunes Music Store

>
> Você não pode liderar no meio da massa.
> **Margaret Thatcher, ex-primeira-ministra britânica (1925-2013)**

## ACENDENDO A CHAMA    97

(agora iTunes Store) redefiniu o setor de música em 2003. Naquela época, a pirataria de música digital estava em plena ascensão, e as gravadoras lutavam contra a distribuição digital temendo perder o controle, além de perdas maiores com as vendas em queda. Jobs explorou o nervosismo dos executivos das gravadoras a seu favor, oferecendo às pessoas uma forma de comprar música legalmente, fácil e instantaneamente.

O *software* da Apple mudou o modelo de negócios do setor de música para sempre. Além de mudar a forma como acessamos e ouvimos música, o iTunes proporcionou às pessoas a possibilidade de comprar individualmente faixas de músicas dos álbuns. Os artistas não precisavam mais ficar escravizados por meses esperando o lançamento dos álbuns, mas podiam lançar faixas individuais na sequência que quisessem. Os consumidores não mais se sentiam amarrados às compras de álbuns inteiros e não

**O logo da Apple** se tornou um emblema global da era moderna – um indicador da extensão na qual a organização revolucionou a tecnologia e o desenvolvimento de produtos.

precisavam mais fazer *downloads* de músicas piratas em vez das versões legais. O iTunes Store e o sistema iPod, de forma muito simples, funcionaram para os consumidores que estavam perdidos em meio à quantidade de MP3 players e métodos on-line de buscar músicas. A Apple simplificou o processo, ao mesmo tempo que criou uma solução esteticamente agradável. Em 2013, sua estratégia alcançou vendas de 400 milhões de iPods e mais de 25 bilhões de *downloads* do iTunes Store.

### Mudando o jogo continuamente

Tais disrupções radicais, se ocorressem uma única vez, poderiam ser atribuídas à sorte, mas os que realmente mudam o jogo são aqueles que, com persistência, tentam se separar da concorrência. Steve Jobs não estava contente só por ter mudado o setor de música: em 2007 ele voltou sua atenção ao mercado de celulares, que estavam se tornando cada vez mais sofisticados, mas o iPhone foi um enorme passo adiante. Oferecer aos usuários acesso a uma lista de aplicativos similares aos dos computadores e, em especial, dar acesso ininterrupto à internet foi um sucesso instantâneo. A verdadeira

É um tanto divertido fazer o impossível.
**Walt Disney, empreendedor norte-americano (1901-1966)**

inovação foi a tela com tecnologia *touchscreen* do iPhone. Jobs chamou o iPhone de um "produto revolucionário", alegando que ele estava "cinco anos adiante de qualquer outro celular". Suas palavras foram proféticas: por alguns anos o iPhone se manteve como padrão em relação a todos os outros celulares.

Pouco antes de sua morte, em 2011, Jobs repetiu o feito – dessa vez com o iPad. Lançado em abril de 2010, com alguma confusão e ceticismo, o iPad veio para (re)definir o setor. Ele estendeu o acesso à tecnologia além das já conhecidas raízes empresariais, educacionais e atreladas aos *desktops* num formato que poucos, a princípio, »

Aquilo que hoje parece estranho, desnecessário, não convencional – até mesmo extravagante – pode acabar se tornando algo crucial na solução dos problemas de amanhã.
**Pierre Omidyar**

esperavam se tornar popular. O iPad trouxe uma nova era à computação e continua, mesmo num mercado lotado com *tablets*, o padrão do setor.

### Cultura corporativa
A Apple mudou o jogo tão significativamente que a marca entrou para o espírito cultural da época: seus produtos são vistos em todos os lugares – desde cafés a salas de aula e programas de TV. A tecnologia da Apple fez seus produtos quase onipresentes e seus clientes, leais à marca de forma fanática. Com tal vantagem competitiva, não é de surpreender que os preços da empresa consigam se manter sempre acima da média do seu setor.

Mas o desafio para qualquer organização é garantir que tal mentalidade de mudança de jogo molde a empresa como um todo. Assim como o empresário francês Pierre Omidyar, fundador do site de leilões on-line eBay, sugere, um líder deve ser "um catalisador da mudança". Mas, para ser verdadeiramente bem-sucedido, e para que se perpetue além da influência de um líder altamente

**Pierre Omidyar**, presidente e fundador do famoso site de leilões eBay, embutiu o desejo de inovação e mudança radical na cultura corporativa da empresa.

motivado, o desejo para a disrupção tem que ser dominante. A energia, a inovação e a coragem exigidas para sempre ter tal disrupção devem estar profundamente arraigadas na cultura corporativa, a qual também deve permitir flexibilidade para mudança.

No caso do eBay, Omidyar percebeu que o futuro era imprevisível e não linear, e decidiu estruturar seu novo negócio segundo a abordagem de um engenheiro de *software* (sua antiga função), "que aprendeu a buscar flexibilidade no design". Se por um lado um programa de *software* parece oferecer, a princípio, mais do que os clientes precisam, por outro é exatamente isso que lhe dá flexibilidade para mudar e se "preparar para o inesperado". O sistema autossustentável do eBay exigia pouca intervenção e era capaz de se adaptar e crescer de acordo com as necessidades do cliente. Seu design embutiu, de forma eficiente, a disrupção no cerne da sua estrutura. A ideia de permitir que os usuários se avaliassem uns aos outros foi, ao mesmo tempo, nova e arriscada – assim como um modelo de negócios que exigia que o usuário fizesse a maior parte do trabalho. Essas características, no entanto, permitiram ao eBay evoluir não

Os problemas não podem ser solucionados no mesmo nível de consciência que os criou.
**Albert Einstein, físico alemão (1879-1955)**

apenas em relação às ideias e à energia de Omidyar, como também em relação às exigências de toda a comunidade do eBay.

### Assumindo o fracasso
No entanto, tal mentalidade tão profundamente arraigada na mudança do jogo é rara. Líderes heroicos – aqueles que mudam o jogo e assumem riscos – são difíceis de encontrar e ainda mais difíceis de substituir. Com menos de uma ideia nova de produto em cada dez que chegam ao mercado, as pessoas raramente são corajosas o suficiente,

# ACENDENDO A CHAMA

ou confiantes e comprometidas o suficiente com suas ideias para colocar sua carreira e sua reputação em jogo com arriscadas inovações capazes de mudar o jogo. A força do líder heroico está não apenas em sua visão, mas também em sua disposição de dar a cara quando acontece algum problema.

A história corporativa está lotada de exemplos de produtos que fracassaram. Até mesmo a Apple já cometeu erros – e, uma vez mais, seus exemplos são elucidativos. Jobs talvez seja mais lembrado por transformar os setores da música, dos computadores e dos celulares, mas ele também será lembrado como alguém que assumia o fracasso, para depois se recuperar dele. Ele teve uma longa lista de fracassos. O console de jogos Pippen, por exemplo, não conseguiu concorrer com o Playstation da Sony e foi descontinuado rapidamente. O computador Apple III teve enormes falhas de design, e o Lisa – um computador que iria servir de base para o iMac – teve vendas baixas. O Apple Newton, precursor dos atuais *smartphones*, foi um fiasco.

Tais fracassos fizeram com que Jobs fosse demitido em 1985. Num discurso de formatura na Universidade Stanford em 2005, Jobs disse que essa demissão despertou nele uma mudança no seu próprio jogo: "O peso do sucesso foi substituído pela leveza de ser um novato mais uma vez, com menos certeza das coisas. Fiquei livre para entrar em um dos períodos mais criativos da minha vida".

A história está cheia de exemplos de pioneiros que tropeçaram até alcançar o sucesso. O frango KFC, inventado por Harland David Sanders, foi rejeitado por mais de mil restaurantes; a R. C. Macy abriu e fechou várias lojas antes de abrir a maior loja de departamentos do mundo; o estúdio Laugh-O-Gram, de Walt Disney, faliu em 1923; e Henry Ford viu três negócios seus

### Desafiando o *status quo*

O empresário afro-americano John H. Johnson teve a astúcia de perceber o potencial intocado para publicações voltadas ao mercado afro-americano. Um dos melhores alunos no ensino médio, apesar de sua infância pobre, Johnson ganhou uma bolsa de estudo da Universidade de Chicago e se sustentou com um trabalho numa empresa de seguros. Foi durante o trabalho que ele teve pela primeira vez a ideia da *Negro Digest* (mais tarde rebatizada *Black World*), uma revista que cobria literatura, arte e cultura afro-americana. Foi um sucesso imediato, alcançando a circulação de 50 mil exemplares em apenas seis meses. Uma segunda revista, *Ebony*, foi fundada em 1945, e no seu maior sucesso alcançou uma circulação de mais de 2 milhões de exemplares. Graças à sua disposição de desafiar o *statu quo*, Johnson criou um império editorial que incluía rádio, televisão e livros. Apareceu na lista *Forbes* 400 dos norte-americanos mais ricos em 1982.

falir antes do sucesso. Pessoas que mudam o jogo, como Albert Einstein (tachado como "lerdo" pelos seus professores) e a bilionária Oprah Winfrey (que ouviu que ela "não servia para a televisão"), desafiaram o futuro que estava diante deles.

### Mentalidade de longo prazo

É a habilidade de se recuperar de um fracasso e manter a coragem e a convicção de continuar mudando o jogo que distingue os grandes líderes dos demais. De um ponto de vista estratégico, o foco da inovação para a mudança de jogo encoraja a mentalidade de longo prazo. Adotar tal estratégia

Você tem que estar disposto a ser mal compreendido.
**Jeff Bezos, empreendedor norte-americano (1964-)**

significa que os acionistas devem ser tolerantes ao risco e à incerteza e pacientes quanto ao retorno financeiro. O tempo de *payback* pode ser longo, e o retorno, difícil de medir. Mas, quando o negócio cresce, tal abordagem de longo prazo permite à empresa construir uma marca forte, investir em pesquisa e desenvolvimento, criar processos operacionais melhores e evitar tomar medidas (potencialmente danosas) que alavanquem os lucros de curto prazo.

Conforme o livro *Innovator's Dilemma* de Christensen sugere, líderes que mudam o jogo não estão presos a mudanças incrementais e à mentalidade "eu também": eles reescrevem os termos da concorrência ao incluir ideias únicas e reconhecer que, no mundo corporativo caracterizado pelo mantra "mude ou morra", mudar o *statu quo* a seu próprio favor consegue colocar qualquer empresa não apenas um, mas vários passos adiante da concorrência. Nos atuais mercados supercompetitivos, os líderes que mudam o jogo não apenas pensam além, são mais espertos e vencem seus rivais – eles mudam as traves e redefinem as regras do jogo. ∎

# A PIOR DOENÇA QUE UM EXECUTIVO PODE PEGAR É O EGOÍSMO

**HÚBRIS E NÊMESIS**

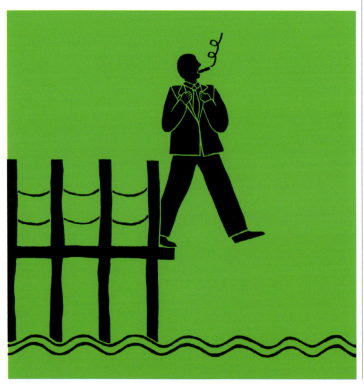

### EM CONTEXTO

FOCO
**Sucesso e fracasso**

DATAS IMPORTANTES
**c. 500 a.C.** Os gregos antigos cunham o termo "húbris" para descrever uma forma de orgulho que perde contato com a realidade e leva à "nêmesis" – uma punição fatal ou queda.

**2001** Kenneth Lay, CEO da Enron, manda uma mensagem por e-mail aos seus funcionários dizendo que "nossa performance nunca foi tão boa". Quatro meses depois, a Enron entra em falência.

**2002** O ativista norte-americano Herbert London diz que a húbris é um perigo tão grande no século XXI quanto era na Grécia antiga.

**2009** Jim Collins identifica cinco estágios da decadência corporativa em *Como as gigantes caem*.

Mesmo empresas que já foram ícones podem cambalear, fracassar e virar irrelevantes. A história mostra que gigantes corporativos bem-sucedidos – como Swissair, Enron e Lehman Brothers – podem despencar das alturas. A lista de possíveis causas é longa e inclui descuido gerencial, marketing ruim, produtos de qualidade inferior, cegueira estratégica, cenário econômico fraco ou simplesmente má sorte. Mas em muitos casos, de forma paradoxal, o sucesso é o catalisador do fracasso.

Isso se dá porque o sucesso pode levar a uma superconfiança que cega os donos ou gestores de um negócio à verdadeira realidade dos fatos. Ao mesmo tempo, eles acreditam no seu próprio potencial. Sinais internos

# ACENDENDO A CHAMA 101

**Veja também:** Reinventando e se adaptando 52–57 ■ Cuidado com os homens-sim 74–75 ■ Estratégias boas e más 184–185 ■ Evitando a complacência 194–201

### Jim Collins

Consultor empresarial, autor e autodenominado "estudante de grandes empresas", Jim Collins nasceu nos EUA em 1958.

Formou-se em administração de empresas e matemática na Universidade Stanford, além de ter recebido vários títulos de doutor *honoris causa*. Trabalhou com altos executivos e CEOs em empresas de todos os tipos – desde assistência médica, educação e artes até organizações religiosas e o governo. Seu interesse está na diferença entre bom e ótimo: como as empresas conseguem alcançar uma performance superior?

Em 1995 ele fundou um laboratório de gestão em Boulder, Colorado, para avançar na pesquisa da excelência corporativa. Seus livros venderam mais de 10 milhões de cópias pelo mundo afora, sendo traduzidos para mais de 35 idiomas.

### Principais obras

**1994** *Built to Last*
**2001** *Empresas feitas para vencer: por que apenas algumas empresas brilham*
**2009** *Como as gigantes caem e por que algumas empresas jamais desistem*

---

podem surgir muito antes de a gerência – animada por um sucesso que parece não ter fim – perceber ou decidir fazer algo a respeito. Húbris, um tipo de orgulho cego, pode impedir as pessoas de ver que uma empresa já está no caminho da catástrofe corporativa.

### Cinco estágios da decadência

Jim Collins identificou cinco estágios da decadência corporativa. No estágio 1, o negócio está indo bem, talvez até muito bem. A cobertura da mídia é positiva, as finanças estão bem, e o moral está elevado. Mas, como resultado de tal sucesso, durante o estágio 1 aparece o primeiro sinal – os diretores da empresa e seus funcionários começam a ficar confiantes demais. Em empresas extremamente bem-sucedidas, há um risco de os funcionários ficarem arrogantes, passando a considerar seu sucesso como um direito ou algo merecido. Os gerentes perdem de vista os fatores que criaram o sucesso no começo, superestimando suas próprias forças e as do negócio.

Se no estágio 1 há um sentimento de que "somos grandes, podemos fazer o que quisermos!", o estágio 2 é caracterizado pelo sentimento de que "devemos fazer mais!". Collins chama esse estágio de "busca indisciplinada por mais": mais vendas, mais lojas, mais crescimento, mais tudo.

A arrogância gerencial contínua leva à indisciplina, já que suas » decisões são feitas com base na ganância e os sinais negativos são ignorados. Empresas no estágio 2 dão passos indisciplinados em áreas onde elas têm pouca vantagem competitiva, se diversificam em áreas nas quais não têm nenhuma *expertise* ou acabam se envolvendo com fusões e aquisições mal concebidas. A complacência no estágio 1 se transforma em querer demais no estágio 2.

No estágio 3, os problemas começam a se acumular, os funcionários começam a questionar decisões da alta gerência, e informações preocupantes sugerem que as coisas não são aquilo que parecem. Mas, conforme Collins aponta, é possível estar no estágio 3 da decadência e ainda não saber o que está acontecendo. Anomalias de performance nesse estágio tendem a ser mal explicadas, e a culpa por qualquer problema é posta nas "difíceis condições comerciais". Os executivos defendem a visão de que o negócio é sólido e nada está, em essência, errado. Eles acreditam que, com a recuperação do mercado, o brilho de seus negócios fará com que a empresa recupere a liderança no mercado.

O "***trader*** **trapaceiro**" Jérôme Kerviel alegou que sua empresa, o banco Société Générale, sabia de suas enormes e perigosas transações, mas que fez vista grossa porque estava focada nos lucros.

### Agora ou nunca

O estágio 3 representa o ponto de inflexão. Muitas empresas chegam a esse estágio, mas conseguem evitar o colapso. Se os executivos escutassem seus funcionários (especialmente os que estão na linha de frente, como os vendedores), prestassem atenção às preocupações dos acionistas e mudassem a estratégia conforme a realidade muda ao seu redor, a empresa talvez se recuperasse. Andy Grove ficou famoso ao conseguir levar a Intel de volta ao lucro ao implantar essa estratégia. Mas o mesmo não pode ser dito do Lehman Brothers. Em 2007, com o preço de suas ações no máximo histórico, o banco de investimento norte-americano ignorou os primeiros sinais negativos de colapso. Mesmo quando as fissuras no mercado imobiliário norte-americano ficaram aparentes, e a inadimplência das hipotecas *sub-prime* chegou a seu nível mais alto em sete anos, o Lehman continuou se expondo aos produtos financeiros lastreados em hipotecas. Seus executivos, em especial o seu CEO Richard Fuld, estavam cegados pela húbris, não aceitando a situação. Seguiram adiante com estratégias mal concebidas e chegaram rapidamente ao estágio 4.

### Lidando com o desastre

No estágio 4, as dificuldades da empresa se tornam inegáveis – até mesmo o diretor mais cabeça-dura e arrogante reconhece que existem problemas. A questão agora é como responder a eles. Infelizmente, como mostra o caso do Lehman, o reconhecimento nem sempre resulta na ação adequada.

Com o surgimento da crise de crédito em agosto de 2007, as ações do Lehman despencaram. Tendo feito o Lehman se tornar o quarto maior banco de Wall Street, Fuld não podia aceitar o fato de que estava na hora de adotar uma nova estratégia. Quando a incerteza cercou o banco e os jornalistas passaram a questionar o seu futuro, Fuld relutou em permitir qualquer injeção de capital. Vender partes do banco não era uma opção

Os melhores líderes jamais assumem que chegaram ao conhecimento definitivo de todos os fatores que lhes trouxeram sucesso.
**Jim Collins**

que ele achasse considerável. Apesar de Fuld ter voltado atrás nisso, já era tarde demais: o banco quebrou em 15 de setembro de 2008.

A forma com a qual a gerência responde à crise que veio do sucesso e à húbris que o acompanhava é algo crítico. Fatalmente, soluções "band-aid", que não vão direto à raiz do problema, quase nunca são bem-sucedidas. Remendos baseados na superconfiança que causou a crise – como uma estratégia ousada mas arriscada, um esperado produto que venda muito, ou uma aquisição que "mudasse o mercado" – geralmente resultam na empresa chegando ao estágio 5: ela se rende à irrelevância ou morre.

### Rendendo-se à irrelevância

No estágio 5, a realidade bate à porta. Estratégias caras e ruins corroem a força financeira, e os problemas acumulados acabam com as iniciativas individuais que tentam consertar os estragos. Os principais executivos, em geral, deixam a empresa nesse estágio, e os clientes que ainda sobraram trocam de marca. A empresa que havia sido uma fortaleza agora está rendida. Uma compra, fusão ou aquisição talvez salve o negócio e proteja alguns empregos, mas é pouco provável que a empresa recupere sua glória anterior. A maioria delas, tendo chegado até aqui, sobrevive (se é que sobrevive) como marcas de nicho vivendo de sua experiência histórica.

**Os proprietários de imóveis** americanos foram presas de companhias como a Lehman, que obteve lucros enormes com títulos lastreados em hipotecas nos anos 2000. Os executivos da empresa ignoraram os sinais de hipotecas inadimplentes.

## Volta à glória

É claro que a decadência não é inevitável para todas as empresas de sucesso. As que chegaram até os estágios finais da decadência corporativa o fizeram porque seus executivos falharam em dar ouvidos aos primeiros sinais de mudança ou tinham uma certeza irracional acerca de sua capacidade de "enfrentar o problema". Mas é possível chegar ao estágio 4 e sobreviver. De acordo com Collins, isso envolve uma abordagem calma, de cabeça fria, não em busca de estratégias salvadoras mas de valores e disciplinas básicos que no começo fizeram a empresa se destacar.

Steve Jobs fez exatamente isso na Apple. No final dos anos 1980 e começo dos 1990, a alta gerência da empresa via a Apple como muito superior, ignorou a crescente concorrência dos fabricantes de PCs e esperava que os clientes desconsiderassem questões de qualidade e compatibilidade como "pequenas falhas". Depois do lançamento do sistema operacional Windows 95 pela Microsoft, em 1995, a Apple entrou em decadência. As vendas, os lucros e a imagem da Apple despencaram. A *BusinessWeek* considerou o ocorrido como "a queda de um ícone norte-americano". O CEO Gil Amelio cortou custos, reorganizou a companhia e adicionou mais um Internet Services Group. Em 1997, a Apple estava a alguns meses da falência conforme entrava numa espiral fora de controle. Formou-se um novo conselho, que convocou a volta de um dos cofundadores da empresa – Steve Jobs – como CEO. Muitos esperavam que ele respondesse com uma enxurrada

de novos produtos, mas ele fez exatamente o contrário. Encolheu a Apple de volta a um tamanho que refletisse sua posição de nicho e cortou os modelos de *desktop* de 15 para um. Acabou com a produção de impressoras, cortou o desenvolvimento de *software* e transferiu a produção para o exterior. Ele redesenhou a empresa ao redor de uma linha de produtos simplificada a ser vendida numa pequena rede de lojas. Estabilizou a Apple e permitiu a volta a seus valores básicos – foco na inovação e qualidade –, capaz de mais tarde

O sucesso contém em si mesmo a semente de seu próprio declínio.
**Pierre de Coubertin, educador francês (1863-1937)**

oferecer seus produtos ícones como o iMac, iPod, iPhone e iPad.

## A busca por menos

A húbris não é a única causa de fracasso nos negócios. Até mesmo a gerência mais habilidosa pode acabar fracassando quando confrontada com mercados turbulentos, o colapso de um fornecedor importante ou outros fatores fora do seu controle (o encolhimento do crédito de 2008, por exemplo, foi o empurrão final na já cambaleante Woolworths). A húbris pode se constituir, de vez em quando, em um fator de decadência corporativa, mas o fracasso também pode ser resultado de uma prática empresarial ruim ou pura má sorte.

Mas, se uma confiança exagerada levar a uma "busca indisciplinada por mais", o remédio parecerá ser o da busca disciplinada por menos – a volta à estratégia original da empresa. O ego, no entanto, é algo poderoso, e a humildade quase nunca é a ferramenta que a alta gerência usa na luta pela sobrevivência. ■

# A CULTURA É A FORMA PELA QUAL UM GRUPO DE PESSOAS RESOLVE PROBLEMAS

**CULTURA ORGANIZACIONAL**

# 106 CULTURA ORGANIZACIONAL

## EM CONTEXTO

**FOCO**
**Estrutura organizacional**

DATAS IMPORTANTES
**1980** Geert Hofstede chama a atenção para a importância da cultura organizacional em seu livro *Culture's consequences*.

**1982** Os consultores empresariais norte-americanos Terrence Deal e Allan Kennedy dizem que a cultura é o único fator importante na determinação do sucesso.

**1992** O professor de Harvard John Kotter alega que num período de onze anos as organizações com cultura sofisticada veem o lucro crescer 756%, comparado com o 1% daquelas com uma cultura não tão definida.

**2002** Watson Wyatt desenvolve o Índice de Capital Humano, demonstrando o valor econômico das culturas empresariais que mantêm uma boa prática em recursos humanos.

As organizações criam um senso de identidade por meio da tradição, da história e da estrutura. Tal identidade é mantida viva pela cultura organizacional: rituais, crenças, lendas, valores, significados, normas e linguagem. A cultura corporativa determina como "se fazem as coisas por aqui".

A cultura provê uma visão compartilhada do que é uma organização (os intangíveis) e o que ela tem (os tangíveis). É a "história" da organização: uma narrativa reforçada por uma linguagem idiossincrática e símbolos específicos ao negócio. Nos anos 1940, especialistas em relações humanas começaram a considerar as organizações a partir de um ponto de vista cultural, inspirando-se em antigas obras sociológicas e antropológicas associadas a grupos e sociedades. Mas a expressão "cultura organizacional" somente entrou para o vocabulário empresarial no começo dos anos 1980, após a publicação do livro *Culture's Consequences* pelo psicólogo cultural holandês e especialista em gestão Geert Hofstede.

Olhando atentamente para a estrutura organizacional pela primeira vez, Hofstede observou que ela é moldada e sobreposta pela cultura da sociedade como um todo. Identificou cinco dimensões da cultura que influenciam o comportamento empresarial: a distância do poder, individualismo vs. coletivismo, masculino vs. feminino, a aversão à incerteza e orientação de longo vs. curto prazo.

**Cinco dimensões culturais**
A primeira das dimensões de Hofstede – a distância do poder – se refere à distância em autoridade entre o gerente e seus subordinados. Culturas empresariais que têm uma grande distância de poder tendem a ser motivadas por regras e

**Veja também:** Criatividade e invenção 72–73 ▪ Deuses da administração 76–77 ▪ Húbris e nêmesis 100–103 ▪ Evite o pensamento de grupo 114 ▪ O equilíbrio entre o longo e o curto prazo 190–191 ▪ A organização aprendiz 202–207 ▪ Criando uma cultura ética 224–225

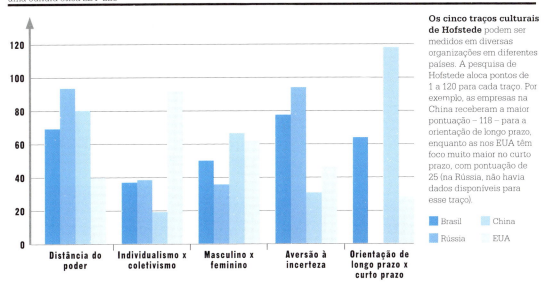

**Os cinco traços culturais de Hofstede** podem ser medidos em diversas organizações em diferentes países. A pesquisa de Hofstede aloca pontos de 1 a 120 para cada traço. Por exemplo, as empresas na China receberam a maior pontuação – 118 – para a orientação de longo prazo, enquanto as nos EUA têm foco muito maior no curto prazo, com pontuação de 25 (na Rússia, não havia dados disponíveis para esse traço).

hierarquias (todos "sabem o seu lugar"). Na Rússia, por exemplo, a maioria dos empregados tem pouco acesso aos executivos no local onde trabalham (a distância do poder é alta). Por outro lado, em culturas de baixa distância do poder, como muitas empresas na Austrália, a tomada de decisão é mais igualitariamente distribuída pela organização.

Antropólogos têm teorizado há tempos que as culturas coletivistas controlam seus membros por meio de pressões sociais externas (vergonha), ao passo que as culturas individualistas controlam seus membros por meio de pressões internas (culpa). Na segunda dimensão, Hofstede propôs que essa propensão ao coletivismo ou ao individualismo pode ser vista mais claramente na diferença entre empresas asiáticas e norte--americanas. Quando tentam resolver problemas, empresas americanas tendem a olhar para os indivíduos em busca de solução, ao passo que as asiáticas preferem oferecer o problema para o grupo.

O masculino vs. o feminino, a terceira dimensão cultural de Hofstede, é visto de forma diferente de uma organização para outra. Alguns dão uma forte ênfase aos traços masculinos (como *status*, assertividade e avanço), enquanto outras consideram os traços femininos (como humanismo, cooperação, decisões colegiadas e o cuidar) como valores superiores. As organizações italianas, por exemplo, tendem a ter culturas mais assertivas, competitivas.

A quarta dimensão de Hofstede é conhecida como aversão à incerteza. Ela tem a ver com o quanto os trabalhadores se sentem ameaçados por situações ambíguas. Quanto mais desconfortáveis as pessoas estiverem com o "não saber" como reagir a certo cenário, mais regras e políticas a empresa terá que implementar para reduzir a incerteza. Empresas com baixo grau de aversão à incerteza tendem a ter maior dificuldade em situações incertas e ambíguas. As organizações britânicas, por exemplo, são consideradas à vontade com situações desestruturadas e imprevisíveis.

A quinta dimensão de Hofstede, a orientação no longo vs. curto prazo, é a extensão do privilégio das organizações pelo curto prazo (lucro) em relação ao longo prazo (geração de valor). As empresas japonesas, por »

O que aprendi na IBM é que cultura é tudo.
**Louis V. Gerstner Jr., empresário norte--americano (1942-)**

exemplo, pensam muito no longo prazo: a Toyota Motors Corporation tem um plano de negócios de cem anos.

## Por que a cultura é importante

Toda cultura organizacional tem vários graus dessas diferentes dimensões. Os melhores líderes sabem quais culturas operam em diversas partes da sua organização (e em diversas partes do mundo) e ajustam, assim, seu estilo de liderança – valorizando abordagens coletivas, por exemplo, quando lidam com as subsidiárias asiáticas.

Hoje, a cultura organizacional é mais importante que nunca. Condições de mercado cada vez mais concorrenciais, globalização, fusões, aquisições e alianças e novos modos de trabalhar (como o *home office*) exigem coordenação entre uma grande quantidade de funcionários e distâncias geográficas. As observações de Hofstede enfatizam as dificuldades que os líderes enfrentam em manter culturas empresariais unificadas quando operam em várias culturas nacionais e internacionais. O desafio é equilibrar a promoção de "uma cultura" dentro da organização contra as influências das culturas locais no mundo exterior.

Organizações com culturas fortes, como a marca de roupas Nike e a Tata Motors, da Índia, têm uma consciência clara de sua história e sua imagem. Na Nike, não é raro que os empregados tenham o logo da empresa tatuado no corpo. Nesses negócios, a cultura inclui um senso internalizado de "quem somos" e "o que defendemos" a tal ponto que vários funcionários conseguem recitar jargões corporativos de cabeça. De forma parecida, a empresa de *smoothies* britânica Innocent tem se esforçado muito para criar uma cultura corporativa baseada na comunicação. Dan Germain, o chefe de criação da marca, explica: "Se as pessoas não estiverem envolvidas em todas as decisões, grandes ou pequenas, elas passam a se sentir não amadas e excluídas do negócio e do seu sucesso".

## Benefícios culturais

Culturas fortes dão aos funcionários um senso de pertencimento, o qual traz, por sua vez, benefícios como satisfação no emprego e retenção de funcionários. Na Nike, os funcionários são considerados novatos se estiverem na empresa há menos de uma década. Além disso, a cultura define "as regras do jogo" simplificando prioridades. As tomadas de decisão são mais rápidas e fáceis se todos entendem os valores, crenças e visão da empresa. Culturas muito arraigadas também melhoram a experiência do cliente: se os funcionários acreditarem no produto, eles transferirão tal crença aos clientes.

A cultura também protege a organização dos caprichos de uma liderança carismática e a instabilidade da moda. Um líder talvez influencie a cultura corporativa, mas uma cultura de sucesso deve durar, mesmo com mudanças na alta gerência.

## Questões de cultura

Culturas organizacionais fortes podem sofrer problemas como pensamento de grupo (quando todos pensam de forma muito parecida), alienação (visão muito estreita) e arrogância (uma crença de que tudo o que a empresa faz está certo). A cultura pode se tornar uma fonte de poder e resistência: uma mudança necessária pode sofrer resistência simplesmente porque "não é assim que fazemos as coisas por aqui".

A publicação do livro de Terrence Deal e Allan Kennedy *Corporate Culture* esboçou uma série de fenômenos culturais. Os autores sugeriam que a cultura é composta de um arcabouço de seis elementos interligados: a história da empresa, seus valores e crenças, seus rituais e cerimônias, seus fatos, suas figuras heroicas cujas palavras e ações representam os valores corporativos e a sua rede cultural.

Deal e Kennedy também definiram quatro tipos de cultura organizacional, que surgem de uma inter-relação entre a atitude da empresa em relação ao risco e a velocidade de *feedback* e recompensa. Na cultura dos durões,

**Os aspectos visíveis da cultura**, como os rituais, histórias e símbolos de uma organização, são apenas a ponta do *iceberg*. Crenças, valores, atitudes e premissas básicas estão escondidos, mas são importantes.

# ACENDENDO A CHAMA 109

**A rede cultural**, desenvolvida por Deal e Kennedy, se refere aos canais informais dentro de uma empresa – contadores de histórias, fofoqueiros e os que cochicham – pelos quais a cultura é formada e passada adiante.

"machões", *feedback* e recompensas rápidos estão combinados com uma alta tolerância aos riscos, como na área de propaganda. Na cultura "muito trabalho, muita diversão" – comum em empresas de vendas – o risco é menor, mas *feedback* e recompensa rápidos produzem um ambiente de muita pressão. Nas culturas que gostam de assumir muito risco, esse está muito preso às decisões, mas o retorno quanto ao sucesso ou fracasso é lento. A indústria petrolífera é típica de uma cultura de muito risco. Em uma cultura de processo, como nas seguradoras ou em agências governamentais, o retorno é lento, e os riscos são baixos.

A liderança e a cultura estão interligadas e são interdependentes. Se um líder não proteger ou redefinir os principais valores que fizeram a empresa ter sucesso, a cultura poderá se dissolver. Em 2012, um funcionário da Goldman Sachs reclamou da "cultura tóxica" do banco de investimentos numa carta aberta ao *The New York Times*, alegando que "a cultura era o ingrediente secreto que engrandeceu essa empresa e nos permitiu conquistar a confiança de nossos clientes por 143 anos... Olho hoje ao redor e não vejo nenhum traço dessa cultura". A carta virou manchete, e as ações da empresa caíram 3,4%.

## Cultura na prática

O desejo por parte dos líderes de algum tipo de cultura padronizada – uma que seja fixa, visível e estável - é compreensível, mas é mais provável que ela funcione só na cabeça dos líderes do que no dia a dia da experiência dos empregados. As empresas quase nunca têm uma cultura. Na maior das vezes existe uma combinação de culturas que se sobrepõem nos diversos departamentos, países e unidades de negócios. A tarefa para os líderes é garantir que essas culturas não se afastem muito dos valores centrais da organização.

A cultura organizacional não é estática. Todos os tipos de cultura são dinâmicos e mudam, aos poucos ou o tempo todo, em resposta às pressões internas e externas. Gerir a cultura, especialmente em tempos de mudanças deliberadas, é uma das tarefas mais difíceis que um líder pode enfrentar.

O conselho para líderes que queiram mudar uma cultura é que comecem com humildade. A cultura é escorregadia, e tentar mudar tudo de uma vez quase sempre acaba em fracasso. Declarações de uma nova e ousada missão, mudanças significativas no local de trabalho ou exortações do tipo "trabalhar aqui é legal" quase nunca têm o impacto que os gerentes querem. A mudança cultural exige investimento de longo prazo em funcionários, não em edifícios ou marcas. Isso se dá porque a cultura pode ser liderada do topo, mas ela cresce de baixo. Ela exige cuidado, com paciência, e por certo tempo. Os líderes precisam entender a dinâmica da cultura de uma organização de modo que possam construir algo útil sobre as suas forças em vez de ser derrotados pelas suas limitações. ■

### Geert Hofstede

Nascido em 1928 em Haarlem, na Holanda, Geert Hofstede estudou em colégio técnico, tendo depois se formado em engenharia mecânica na Delft Technical Univesity. Passou dois anos no serviço militar junto ao Exército holandês antes de partir para a gestão industrial e começar seu doutorado. Em 1965, enquanto ainda estudava em meio período, entrou na IBM e fundou um departamento de pesquisa de pessoal. Seus anos na IBM ajudaram: os dados e os *insights* que teve lá formaram a base da sua pesquisa e da sua visão "base-topo" das organizações. Hofstede tornou--se professor de gestão em 1973 e foi considerado um dos pensadores mais influentes do mundo pelo *Wall Street Journal* em 2008. As ideias em seu livro de 1980, *Culture's Consequences*, continuam a alimentar o debate global sobre cultura organizacional.

### Principais obras

**1980** *Culture's Consequences*
**2010** *Cultures and Organizations: Software of the Mind*

A cultura come a estratégia no café da manhã.
**Peter Drucker, consultor de gestão norte-americano (1909-2005)**

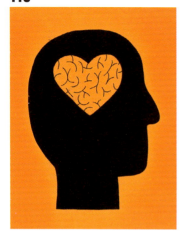

# A INTELIGÊNCIA EMOCIONAL É A INTERSECÇÃO DO CORAÇÃO E DA MENTE
## DESENVOLVENDO A INTELIGÊNCIA EMOCIONAL

## EM CONTEXTO

**FOCO**
Inteligência emocional

DATAS IMPORTANTES
**c. 400 a.C.** O filósofo Platão diz que todo aprendizado tem uma base emocional.

**Anos 1930** O psicólogo norte-americano Edward Thorndike descreve o conceito de "inteligência social" – a habilidade de se dar bem com as outras pessoas.

**1983** O psicólogo norte-americano Howard Gardner sugere que as pessoas têm diversos tipos de inteligência, incluindo a interpessoal, a musical, a espacial-visual e a linguística.

**1990** Os psicólogos norte-americanos Peter Salovey e John Mayer publicam a primeira teoria formal sobre inteligência emocional.

**1995** Daniel Goleman publica *Inteligência emocional*, que se torna um *best-seller* mundial.

A inteligência emocional (com frequência abreviada por "QE", para quociente emocional) é a habilidade de perceber, controlar e avaliar emoções, tanto na própria pessoa quanto em outros. O conceito surgiu com a pesquisa em inteligência social nos anos 1930, e de trabalhos dos anos 1970 sobre diversas formas de inteligência. Nos anos 1990, o psicólogo norte-americano Daniel Goleman publicou o influente livro *Inteligência emocional: a teoria revolucionária que redefine o que é ser inteligente*, no qual identificou cinco "domínios" da inteligência emocional: conhecendo suas emoções, gerenciando suas emoções, motivando a si mesmo, reconhecendo e entendendo as emoções de outras pessoas e gerenciando relacionamentos.

Goleman chama a atenção para o fato de QEs altos serem um traço comum entre líderes empresariais eficazes. Sem inteligência emocional, argumenta, um líder talvez não tenha limites em termos de energia e ideias, bem como qualificações impecáveis, mas ainda assim pode ser ineficaz e incapaz de inspirar outros.

Goleman cita Bob Mulholland, chefe de relações com clientes na Merrill Lynch durante os ataques do "Onze de Setembro", como um líder com alto QE. Depois de seus funcionários verem um avião bater na torre ao lado da sua, eles entraram em pânico – alguns pularam de janela em janela, enquanto outros ficaram paralisados de medo. Sua primeira resposta foi "destravar" o pânico deles ao cuidar de cada um individualmente. Então disse calmamente que todos deixariam o prédio, pela escada, e que todos teriam tempo para sair dali. Ele ficou calmo e firme, mas não menosprezou as respostas emocionais das pessoas. Todos os seus funcionários escaparam sem se ferir. Esse foi um contexto raro e único, mas a abordagem de Mulholland mostrou o valor do QE na gestão de pessoas em qualquer situação volátil. Goleman sugere que

*Os líderes mais eficazes se parecem em um aspecto crucial: todos têm um alto grau de inteligência emocional.*
**Daniel Goleman**

# ACENDENDO A CHAMA 111

**Veja também:** De empreendedor a líder 46–47 ▪ Liderança eficaz 78–79 ▪ Organizando equipes e talentos 80–85 ▪ Evitando a complacência 194–201 ▪ A organização aprendiz 202–207 ▪ *Kaizen* 302–309

A inteligência emocional tem **cinco componentes**:

- **Autoconsciência** (a habilidade de reconhecer e entender emoções).
- **Autorregulação** (a habilidade de controlar impulsos e emoções).
- **Motivação** (desejo de buscar metas com entusiasmo).
- **Empatia** (a habilidade de entender as emoções dos outros).
- **Habilidades sociais** (habilidades de encontrar uma base comum e desenvolver relacionamentos profissionais).

um alto QE facilita outros traços essenciais de liderança. Por exemplo, a habilidade de reconhecer com precisão o que o outro está sentindo (empatia) capacita uma pessoa a gerenciar aquele sentimento e quaisquer comportamentos que surjam dele.

### O que faz um bom líder?

Um debate constante dentro do mundo empresarial é se os líderes são natos ou podem ser treinados. Goleman sugere que a resposta é dupla: traços inatos de personalidade são importantes na liderança, mas o QE – que cresce com a idade, experiência e autorreflexão – é igualmente importante.

Hoje, o desenvolvimento do QE está no cerne do *coaching* de liderança. Líderes novos ou potenciais têm mentores experientes. Juntos, discutem cenários passados e futuros, várias respostas possíveis e qual devem ser as referências emocionais. Tal procedimento visa aumentar a maturidade emocional. Um estudo de 1999 mostrou que sócios numa empresa de consultoria multinacional que tinham um QE mais elevado davam US$ 1,2 milhão a mais de lucro que os outros sócios. Outros estudos mostraram correlações similares entre QE e eficácia. O equilíbrio emocional, parece, é um fator-chave no sucesso comercial. ■

## Daniel Goleman

O psicólogo Daniel Goleman nasceu em 1946 na Califórnia, EUA. Seus pais eram ambos acadêmicos, e Goleman foi líder estudantil antes de receber uma bolsa de estudo para a Amherst College, na Nova Inglaterra. Durante o curso, ele se transferiu para a Universidade da Califórnia, em Berkeley, por um ano, onde estudou os rituais de interação social com o sociólogo Erving Goffman.

Em seguida, Goleman fez seu doutorado em Harvard, onde estudou com David McClelland, mais conhecido por suas teorias sobre a motivação para a realização. Depois de terminar seu doutorado, viajou por vários lugares, como Índia e Sri Lanka, estudando meditação e mentalização. Lecionou brevemente na Universidade Harvard até se tornar jornalista e escritor. Seu *best-seller Inteligência emocional* vendeu mais de 5 milhões de cópias em 40 línguas.

### Principais obras

**1995** *Inteligência emocional*
**1998** *What Makes a Leader?*
**2011** *Leadership: The Power of Emotional Intelligence*

# A GESTÃO É UMA PRÁTICA NA QUAL ARTE, CIÊNCIA E OFÍCIO SE ENCONTRAM
## OS PAPÉIS GESTORES DE MINTZBERG

Os gerentes desempenham uma **infinidade de papéis**, cada um deles dividido em três categorias...

... **Informacional**:
Monitor
Disseminador
Porta-Voz

... **Interpessoal**:
Supervisor
Líder
Conector

... **Decisório**:
Empreendedor
Solucionador de conflitos
Alocador de recursos
Negociador

**A gerência é uma mistura desses papéis, quase sempre em conflito, na qual se unem a arte, a ciência e o ofício.**

## EM CONTEXTO

FOCO
**Papéis de gestão**

DATAS IMPORTANTES
**1949** O engenheiro e teórico da administração francês Henri Fayol desenvolve a que vem a ser conhecida como "teoria clássica da administração". Ela diz que os gestores têm cinco funções-chave: planejamento, organização, coordenação, comando e controle.

**Anos 1930** O psicólogo australiano Elton Mayo publica seus *Hawthorne Studies*, que trazem à tona uma nova era de gestão, com foco nas pessoas, em vez de gestão apenas voltada aos objetivos do negócio.

**1973** No livro *The Nature of Managerial Work*, Henry Mintzberg refuta os argumentos de Fayol a respeito do processo de gestão como "folclore".

A pergunta "O que fazem os gerentes?" tem incomodado os especialistas bem como os profissionais da linha de frente desde o começo das organizações. Em seu artigo de 1975 "The Manager's Job", o guru de administração Henry Mintzberg argumenta que os gerentes não são planejadores reflexivos e sistemáticos, como muitos supõem. Em vez disso, "suas atividades são caracterizadas pela brevidade, pela variedade e pela descontinuidade". Ele os vê fortemente orientados à ação, não à reflexão.

Mintzberg sugere que existem dez papéis gerenciais básicos que se encaixam em três categorias: informacional (gerenciamento pelo uso de informação); interpessoal (o gerenciamento de pessoas) e decisório (gerenciamento por meio de decisões e ações). O papel

# ACENDENDO A CHAMA

**Veja também:** De empreendedor a líder 46–47 ▪ Liderando bem 68–69 ▪ Deuses da administração 76–77 ▪ Aprendendo com o fracasso 164–165 ▪ Gestão de crises 188–89 ▪ Simplifique os processos 296–299 ▪ *Kaizen* 302–309

informacional é possível porque, apesar de os gerentes não saberem tudo, eles tendem a saber mais que seus subordinados. Supervisionar o ambiente e processar informação constituem uma parte central do trabalho dos gerentes. Nesse sentido, alega Mintzberg, eles são "o centro nervoso da unidade organizacional". Eles monitoram o que está acontecendo, disseminam o que descobrem para os outros na empresa e agem como porta-vozes da empresa para o mundo ao redor.

A informação é de fácil acesso ao gerente porque o papel o conecta a muitas pessoas. Nesse sentido, o gerente desempenha um papel interpessoal que também envolve agir como um líder para a empresa, ao exercer a liderança e atuar como ponto de ligação entre um grande grupo de pessoas. O grupo pode incluir subordinados, clientes, outros funcionários, fornecedores e colegas (gerentes de organizações parecidas com a deles).

O terceiro papel do gerente, de acordo com Mintzberg, é o de tomar decisões. Ele tem que supervisionar os recursos financeiros, materiais e pessoais, além de tomar decisões (sendo um "alocador de recursos"), encorajar a inovação (agir como um empreendedor) e buscar conciliação e pacificação quando a empresa sofre uma perturbação ou transformação inesperada (ser um "negociador" e "solucionador de conflitos").

Nenhum desses papéis é exclusivo ou privilegiado. Mintzberg alega que os gerentes eficazes assumem o tempo todo essas diferentes funções e sabem quando cada papel é mais apropriado a um dado contexto.

### Fato e ficção

A visão tradicional diz que a gestão é uma ciência na qual os gerentes coordenam as várias partes que constituem uma organização – as pessoas e as máquinas –, ambas funcionando de forma previsível ou cientificamente controlável. Mintzberg, no entanto, diz que a gestão é uma prática na qual arte, ciência e ofício se encontram. Envolve a classificação e o processamento de informação, a organização de sistemas e, mais importante ainda, a gestão altamente subjetiva e não científica das pessoas. Mintzberg acha que a

A eficácia organizacional não se baseia num conceito estreito chamado racionalidade. Ela se baseia na mistura entre a lógica clara e a intuição poderosa.
**Henry Mintzberg**

resposta à pergunta "o que fazem os gerentes?" não é fácil. Ele conclui que a gestão é complexa e contraditória em suas demandas, sendo tanto baseada em intuição, julgamento e agilidade intelectual quanto em habilidade técnica, planejamento e lógica científica. Todos esses elementos se unem, diz, quando os gerentes planejam, monitoram e desenvolvem o jeito como as coisas são feitas. ∎

### Henry Mintzberg

Nascido em 2 de setembro de 1939 em Montreal, Canadá, Henry Mintzberg primeiro estudou engenharia mecânica. Depois de se formar em 1968 no Massachusetts Institute of Technology (MIT), EUA, mudou-se para a McGill Universisty, em Montreal, no departamento de administração. Mais tarde assumiu o cargo conjunto de professor de estratégia e gestão tanto na McGill em Montreal quanto no INSEAD em Cingapura e Fontainebleu, na França.

Mintzberg é autor ou coautor de 15 livros e mais de 150 artigos, sendo mais conhecido por seu trabalho com gestão e gestores. Seu artigo na *Harvard Business Review* "The Manager's Job: Folklore and Fact" ganhou um prêmio McKinsey em 1975. Em 1997, tornou-se Officer da Order of Canada e da l'Ordre National du Quebec. Em 2000, ganhou o prêmio Distinguished Scholar of the Year pela Academy of Management. Em 2013, ganhou o primeiro título *honoris causa* dado pelo Institut Mines-Télécom, na França. Apesar de lecionar desde 1968, o interesse de Mintzberg em organizações e gestão começou ainda durante a sua primeira graduação, quando trabalhou na Ferrovia Nacional Canadense. Suas memórias descrevem o resultado catastrófico de dois vagões de trem colidindo como uma excelente metáfora das fusões corporativas.

### Principais obras

**1973** *The Nature of Managerial Work*
**1975** "The Manager's Job"
**2004** *MBA? Não, obrigado*

# UM CAMELO É UM CAVALO COM O DESIGN FEITO POR UM COMITÊ
## EVITE O PENSAMENTO DE GRUPO

**EM CONTEXTO**

FOCO
**Dinâmica de grupo**

DATAS IMPORTANTES
**1948** O guru de propaganda norte-americano Alex Osborn promove a prática de "brainstorming" – a geração de ideias em grupo, sem críticas.

**1972** O psicólogo e pesquisador norte-americano Irving Janis publica *Victims of Groupthink*.

**2003** Uma investigação sobre a explosão do ônibus espacial Columbia cita uma cultura na qual era "difícil para as opiniões diferentes chegar até quem tem poder de decisão".

**2005** Robert Baron publica seu artigo acadêmico "So Rigth it's Wrong", alegando que a tendência para o pensamento em grupo pode estar confinada aos primeiros estágios da formação de um grupo.

**2006** Steve Wozniack, inventor do primeiro computador Apple, aconselha os pensadores criativos: "Trabalhe sozinho. Não num comitê. Não numa equipe".

O desejo de pertencer a um grupo é uma emoção humana poderosa. Queremos ser aceitos e ser parte de um grupo, o que explica por que as pessoas talvez deixem suas ideias de lado, fiquem quietas em reuniões e concordem com a cabeça mesmo quando estão discordando. Essa deterioração de "eficácia mental, teste de realidade e julgamento moral" foi delineada pelo psicólogo norte-americano Irving Janis em 1972, passando a ser conhecida como "pensamento de grupo".

O pensamento de grupo é a ideia de que concordar com os outros é a prioridade. Ele pode se tornar forte a ponto de evitar avaliações e análises realistas. Isolados das perspectivas diferentes, os grupos que apresentam pensamento coletivo autojustificam suas próprias opiniões. Decisões irracionais podem ser tomadas baseadas em informação errada ou incompleta.

Irving percebeu que os grupos apresentam uma série de características quando o pensamento em grupo prevalece. O grupo passa a se sentir invulnerável, o que acaba encorajando a tomada de medidas arriscadas. Ele racionaliza, de forma coletiva, as decisões, falha ao checar o realismo das premissas e ignora sinais em contrário. Começa por assumir uma posição de superioridade moral e falha em considerar as consequências morais de suas ações.

O desafio para os gerentes é reconhecer o pensamento de grupo e agir de modo a preveni-lo. Estimular a discordância, formando grupos com demografias diversas, e ouvir as opiniões de outros antes de demonstrar as suas próprias são uma dica para fazê-lo. ■

**A Swissair** foi liquidada em 2001. Antes conhecida como "o banco voador" pela lucratividade, a estrutura da companhia mostrava traços de pensamento de grupo, como a invulnerabilidade.

**Veja também:** O valor da equipe 70–71 ▪ Cuidado com os homens-sim 74–75 ▪ Húbris e nêmesis 100–103 ▪ Cultura organizacional 104–109

# A ARTE DE PENSAR INDEPENDENTEMENTE, MAS JUNTO
## O VALOR DA DIVERSIDADE

### EM CONTEXTO

FOCO
**Diversidade da força de trabalho**

DATAS IMPORTANTES
**2005** A montadora de automóveis Daimler estabelece a meta de ter 20% dos cargos de gerência controlados por mulheres até 2020. A empresa estabelece metas parecidas para outras medidas de diversidade, como um mix de idades, elementos sóciodemográficos e nacionalidade.

**2009** Uma pesquisa analisando o valor da representação feminina em conselhos de empresas faz um *ranking* daquelas com conselhos onde há mais mulheres que homens em organizações rivais.

**2012** Um artigo na *Harvard Business Review* dos consultores de negócios Jack Zenger e Joseph Folkman descobre que as mulheres têm uma avaliação melhor em 12 das 16 competências que definem uma liderança excelente.

**2013** O governo italiano aprova uma lei que exige que, até 2015, um terço dos membros dos conselhos seja mulher.

Assim como com a maioria dos clichês, também é verdade que os gerentes tendem a recrutar pessoas com as quais mais se pareçam – homens, por exemplo, têm tendência a contratar homens. Quando não questionados, tais comportamentos podem levar as empresas a ter funcionários que são clones homogêneos – pessoas com o mesmo *background* e com a mesma visão de como os negócios devem ser geridos.

Por outro lado, as organizações que buscam ativamente a diversidade – ao empregar pessoas de diferentes culturas e origens socioeconômicas, bem como de gêneros e idades diferentes – são mais dinâmicas e estimulantes como local de trabalho.

### O caso da diversidade

Maior diversidade significa maior escopo para criatividade – quanto mais variadas forem as fontes dos pontos de vista de uma organização, maior a probabilidade de pensar fora da caixa, visando à solução de problemas. Estudos mostram que a diversidade também combate o pensamento de grupo, uma doença nas dinâmicas de grupo que sufocam inovação e crescimento. Em equipes

A gestão com diversidade não é apenas algo legal de ter; é uma necessidade empresarial.
**Declaração corporativa da Daimler (2005)**

com diversidade, é menos provável que as opiniões não sejam contestadas.

A diversidade não tem a ver somente com a questão demográfica dos funcionários. Ela pode envolver a criação de equipes interfuncionais que incorporam o ponto de vista de pessoas de toda a empresa – a equipe de marketing, por exemplo, pode se beneficiar de *insights* do pessoal de operações ou finanças. Mas, qualquer que seja o contexto, o recrutamento repetitivo pode levar à estagnação, o que a diversidade tenta combater. ∎

**Veja também:** O valor da equipe 70–71 ▪ Cuidado com os homens-sim 74–75 ▪ Pensando fora da caixa 88–89 ▪ Cultura organizacional 104–109

# FAZENDO DINHEIRO TRABALH

## GESTÃO FINANCEIRA

# INTRODUÇÃO

As finanças sempre foram vistas como tendo duas funções distintas: registrar o que aconteceu (contabilidade financeira) e ajudar as empresas a tomar medidas a respeito do futuro (contabilidade gerencial). Hoje elas têm uma terceira função: a estratégia financeira, que incorpora julgamentos acerca dos riscos, o que algumas empresas (em especial os bancos) perceberam desempenhar um papel importante nas tomadas de decisões financeiras.

### Entendendo os riscos

Fundamentais ao entendimento da estratégia financeira são os conceitos de alavancagem e risco excessivo. "Alavancagem" é uma medida de quanto uma empresa depende de empréstimos. Quanto mais alta a alavancagem, maior o nível de risco. Em tempos normais, os diretores se veem sob enorme pressão para produzir um impressionante crescimento nos lucros, e um jeito fácil de fazer isso é tomar dinheiro emprestado e investir nas partes mais lucrativas da empresa. Mas, se a economia piorar, o alto endividamento poderá se transformar num peso insuportável. A alavancagem se torna tóxica.

O nível de risco gerado pela alavancagem piora quando a empresa usa registros financeiros não refletidos em seu balanço, ou, em outras palavras, quando ela não registra investimentos que causam prejuízos no seu balanço patrimonial de modo a aumentar os lucros. Isso leva a uma importante pergunta em relação às empresas contemporâneas: quem assume o risco? Tradicionalmente, pressupunha-se que quem assumia o risco era o acionista, porque são os acionistas os donos coletivos do negócio. Mas, na Europa e nos EUA, em especial, o desejo de encorajar o empreendedorismo levou a regras favoráveis, visando reduzir a extensão dos prejuízos assumidos pelos donos do negócio. Desde 2008, muitas empresas que quebraram acabaram custando caro para clientes, funcionários e fornecedores, mas nem tanto para os donos dos negócios, especialmente se a instituição com problemas fosse um banco. Alguns

A mania dos bônus que causou a recessão jamais teria acontecido sem regras contábeis corrompidas.
**Nicholas Jones, cineasta britânico, ex-contador**

comentaristas financeiros se perguntam se o equilíbrio não se afastou demais da tradição.

### Envolvimento dos diretores

Quando há dificuldades, os membros do conselho têm que tomar decisões difíceis a respeito dos investimentos e dos dividendos. Com frequência, eles já têm uma política pré-aprovada em vigor – por exemplo, metade do lucro após os impostos será paga como dividendos aos acionistas, enquanto a outra metade será retida para ser investida em crescimento futuro. Mas durante recessões é sábio manter mais caixa nas empresas, de modo que os conselheiros talvez decidam cortar os dividendos. Se a empresa também cortar seus planos de investimento, acabará mantendo mais caixa em mãos, garantindo liquidez para que sobreviva em condições comerciais adversas.

Assim, quem é responsável quando as coisas não vão bem? Isso depende dos sistemas de prestação de contas e da governança de cada empresa. No mundo ideal, os conselheiros da empresa deveriam estar suficientemente envolvidos para saber quando as coisas começam a dar errado e dar início às discussões sobre uma mudança de estratégia. Se os conselheiros não tiverem muito envolvimento, talvez não se considerem capazes de jogar toda a responsabilidade no próprio CEO quando as coisas dão errado.

# FAZENDO O DINHEIRO TRABALHAR 119

Conselheiros alertas, e com a mão na massa, também deveriam perceber quando os benefícios para funcionários são tão altos que ameaçam os lucros dos acionistas e a futura saúde financeira das empresas. "Lucro primeiro, depois os benefícios" deveria ser a mentalidade dominante.

Também importante na boa governança é a disposição de ignorar o movimento de rebanho. Por exemplo, se todos os bancos norte-americanos começassem a se expandir na América do Sul, um banco coreano mais esperto talvez se recusasse a fazê-lo. Mas na prática isso é meio difícil de acontecer. Membros do conselho frequentam os mesmos clubes e conferências e gostam de agir em grupo. Apesar disso, o guru do investimento norte-americano Warren Buffett se tornou um dos homens mais ricos do mundo ao ignorar o instinto de manada comum aos investidores.

## O mercado de massa

Alguns conselhos de administração modernos aceitam que, se existe alguma sabedoria nas massas, deve haver uma sabedoria ainda maior entre os funcionários. Henry Ford foi um dos primeiros a perceber que os trabalhadores de uma empresa são os seus clientes, mas demorou um século para que outros percebessem o potencial dessa frase. Não apenas há valor em coletar ideias dos próprios funcionários que se importam com os produtos que eles tanto produzem quanto usam; também há um valor estratégico em entender o enorme potencial do mercado de massa. Ao olhar para a China hoje, as oportunidades mais promissoras são para produtos cujo apelo chega a centenas de milhões de consumidores potenciais que são trabalhadores, não gerentes.

## Usando o dinheiro de maneira sábia

Na contabilidade gerencial, dois fatores são especialmente importantes: caixa e custos. Os responsáveis pela contabilidade gerencial trabalham duro para garantir dados precisos sobre os custos de produção de modo que os gerentes possam tomar decisões embasadas em relação aos preços, à terceirização e quanto a quais produtos apoiar com gastos de marketing. O custeio baseado em atividades, capaz de fornecer os dados mais completos sobre os custos unitários, é a melhor forma de fazê-lo. Quando as vendas caem, no entanto, os responsáveis pela contabilidade gerencial focam principalmente não nos custos, mas no fluxo de caixa, seguindo a máxima que "o caixa é rei". Isso se dá porque, quanto piores forem as vendas, mais as empresas se esforçarão para manter o caixa que têm. O fluxo de dinheiro seca, de modo que um foco inicial no fluxo de caixa faz sentido: uma empresa deve tentar acumular caixa antes que outros tentem fazê-lo.

Quanto aos responsáveis pela contabilidade financeira, a atitude tradicional tem sempre sido "jogar conforme as regras". A integridade e a adesão aos princípios contábeis como a prudência e a consistência eram vistos como os mais importantes. Mais recentemente, oportunidades de carreira surgiram para contadores dispostos a ser mais criativos. Tal mentalidade surge da ideia de "fazer dinheiro com dinheiro" ao emprestar as reservas de caixa da empresa para outras empresas a altas taxas de juros ou especular com tendências futuras nos mercados de câmbio ou de commodities. Num mundo onde se ganha mais dinheiro, e de forma mais fácil, a partir do dinheiro em vez da fabricação, jogar conforme as regras pode parecer uma má escolha. ∎

Estou muito nervosa com a possibilidade de implodirmos numa onda de escândalos contábeis.
**Sherron Watkins, executiva norte-americana, ex-vice-presidente da Enron (1959-)**

# NÃO SE DEIXE ENVOLVER NUM NEGÓCIO FRAUDULENTO
## JOGUE CONFORME AS REGRAS

### EM CONTEXTO

FOCO
**Governança e ética**

DATAS IMPORTANTES
**1978** Os pesquisadores americanos Ross Watts e Jerold Zimmerman escrevem o artigo "Towards a Positive Theory of The Determination of Accounting Standards".

**1995** O professor francês Bernard Colasse diz que "não há um resultado verdadeiro, mas um resultado obtido usando técnicas de contabilidade criativas".

**2001-2002** A gigante de telecomunicações WorldCom superavalia seus ganhos em mais de US$ 3,8 bilhões.

**2009** O professor britânico David Myddelton publica *Margins of Error in Accounting*.

**2012** Diretores do site norte-americano Groupon identificam uma "fraqueza" nas demonstrações financeiras cinco meses depois de a empresa abrir o capital.

Os contadores têm dois papéis: registrar lucros e fluxos de caixa e fornecer dados muito bem estimados sobre custos para ajudar na tomada de decisões estratégicas. Dentro desse processo, o instinto do contador é de ser cuidadoso e prudente – custos e saídas de caixa geralmente são superestimados, ao passo que receitas e entradas de caixa são subestimados. Quaisquer surpresas tendem a ser positivas. Por exemplo, em janeiro de 2009, a Honda Motor Company anunciou que uma queda dramática nas vendas mundiais – devido à recessão mundial e ao iene forte – forçaria a montadora a ter um prejuízo de US$ 3,7 bilhões no quarto trimestre de seu ano fiscal. Mas o prejuízo acabou sendo de US$ 3,3

# FAZENDO O DINHEIRO TRABALHAR 121

**Veja também:** Húbris e nêmesis 100–103 ▪ Lucro primeiro, depois os benefícios 124–125 ▪ Ganhando dinheiro a partir do dinheiro 128–129 ▪ Prestação de contas e governança 130–131 ▪ A moralidade nos negócios 222 ▪ Criando uma cultura ética 224–227 ▪ O apelo da ética 270

bilhões, demonstrando que a empresa errou ao ter sido muito cautelosa.

## Contabilizando lucros

Um contador que segue práticas contábeis saudáveis dorme bem, mas pode ter dificuldade em galgar os escalões empresariais. Quando o mercado de ações está cheio de otimismo (um "mercado altista"), existem fortes pressões dentro da empresa para elevar o nível de lucro ao seu maior patamar possível. Isso pode soar como um comentário estranho, já que o lucro pode parecer um fato dado. Mas o cálculo do lucro (que na verdade é uma estimativa) é sustentado por uma série de premissas, e o lucro declarado de uma empresa é, na verdade, um valor móvel. Equipes diferentes de contadores talvez cheguem a números diferentes, mesmo que os dados subjacentes se repitam.

**Os contadores** têm que decidir quão cuidadosos serão ao reportar o *status* financeiro de uma empresa, já que podem estar sob pressão para aumentar os níveis declarados de lucro.

Em 1992, o analista bancário Terry Smith publicou um livro chamado *Accounting for Growth*. Ele abria um amplo leque de oportunidades para as empresas S/A (sociedades anônimas) artificialmente aumentarem seus níveis de lucro declarados. O livro teve um enorme impacto e influenciou o recém-criado Comitê de Políticas Contábeis do Reino Unido, que acabou desenvolvendo novas regras contábeis tentando minimizar o escopo da "contabilidade criativa".

Hoje, a maioria dos países ao redor do mundo segue as regras estabelecidas pelo International Financial Reporting Standards (IFRS). Assim, as demonstrações de resultado e o balanço patrimonial das empresas na maioria dos países seguem o mesmo formato. Apesar de o cronograma para a sua implementação ainda não estar muito claro, existe um amplo plano para juntar o IFRS com o Generally Accepted Accounting Principles (GAAP) norte-americano, »

# 122 JOGUE CONFORME AS REGRAS

**A contabilidade conforme** a marcação a mercado é um método arriscado de avaliação, uma vez que avalia os ativos da empresa de acordo com o valor corrente de mercado. A avaliação conforme o custo histórico é uma medida de valor mais confiável e cuidadosa.

Durante uma **alta no mercado de ações**, avaliar os ativos e investimentos de uma empresa de acordo com seu **valor corrente de mercado** pode levar a um **balanço patrimonial superinflado**.

Se o **mercado acionário cai**, o valor do **balanço patrimonial vai encolher**, deixando a empresa numa **posição vulnerável**.

de modo a garantir regras contábeis reconhecidas por todo o mundo.

Apesar de as regras estarem se tornando mais claras, ainda sobra espaço para debate. Isso pode ter origem dentro de uma empresa, nas discussões entre contadores e diretores, ou o debate pode ser entre auditores independentes e a organização. Quando o banco britânico Halifax Bank of Scotland (HBOS) quebrou, em 2008, o governo britânico o socorreu com £ 20 bilhões antes de ele ser comprado pelo Lloyds Bank. Em 2008, a diferença entre os empréstimos do banco e seus depósitos era de £ 213 bilhões. O auditor do banco, a KPMG, foi muito criticado pela quebra do HBOS, apesar de a KPMG ter consistentemente levantado questionamentos sobre os riscos envolvidos. Quando a agência reguladora do Reino Unido, a Financial Services Authority, publicou um relatório sobre o HBOS em 2012, ela notou que a KPMG havia "sugerido de forma consistente que uma abordagem mais prudente deveria ser adotada para que se aumentasse o nível das provisões" para os seus créditos ruins. Por fim, os diretores do HBOS haviam

decidido ter uma visão mais otimista dos empréstimos do banco. Eles optaram por jogar fora das regras.

## Contabilidade cuidadosa

O professor David Myddelton, pesquisador britânico da administração, ataca fortemente a expansão das regras na contabilidade. Ele acredita em princípios contábeis tradicionais porque eles garantem a flexibilidade necessária para a contabilidade de vários tipos de

empresa. Diz que a ideia de que existe uma "única resposta certa" ao preparar a contabilidade de uma empresa é uma balela. No entanto, essa ideia está por trás dos clamores por uma regulação maior. "As pessoas querem que pareça que estamos fazendo algo a respeito dos escândalos", diz. Elas acham que uma regulação maior fará a diferença, "mas ela nunca faz". Myddelton também acredita que os conselheiros deveriam ter "uma visão certa e justa" de suas contas em vez de ser forçados a se basear numa figura produzida pela ideia de outras pessoas a respeito das regras contábeis.

Algumas práticas de "contabilidade criativa" aumentam a flexibilidade dentro das regras a ponto de produzir números potencialmente enganadores. A contabilidade de "marcação a mercado", por exemplo, avalia ativos pelo seu preço de mercado atual. Isso quer dizer que, quando o mercado acionário estiver em alta, qualquer investimento (como em ações de outras empresas) também será maior. Isso eleva o valor do balanço patrimonial da empresa, podendo encorajá-la a crescer além dos seus meios. Basta uma queda no mercado de ações para que a propriedade desses ativos

## Dever moral

Julian Dunkerton é fundador e principal acionista do negócio de moda SuperGroup plc, cujo carro-chefe é a marca popular de roupa informal Superdry. Baseado na Grã-Bretanha, mas com filiais e lojas por todo o mundo, o SuperGroup poderia facilmente seguir o exemplo deixado por outras organizações e manipular as contas de modo a minimizar suas obrigações tributárias.

Em vez disso, o negócio opera segundo as regras fiscais, pagando quase 30% do seu lucro para as

autoridades tributárias. Não é que Dunkerton queira se considerar moralmente superior – em seu relatório anual, o SuperGroup plc explica que "reconhece o valor comercial, bem como o dever moral, de operar consistentemente com integridade, honestidade e compromisso com práticas de negócios éticas e responsáveis". Dunkerton tem a sabedoria de reconhecer que agir de forma responsável pode trazer ganhos financeiros, especialmente no longo prazo.

**Uma má conduta contábil** relevante foi descoberta pela empresa norte-americana Caterpillar Inc numa empresa chinesa comprada por ela em 2012. As irregularidades incluem lucros inflados e estoques falseados.

valorizados seja consideravelmente menor. Myddelton sugere que é melhor usar a contabilidade segundo o "custo histórico" em vez da "marcação a mercado", já que assim os números serão mais estáveis. Ela avalia os ativos ao custo que foi pago por eles menos qualquer depreciação que tenha ocorrido, em vez do seu valor de mercado atual.

A discussão sobre regras rígidas vs. princípios mais flexíveis será ouvida ainda várias vezes, quando as conversações de fusão entre as regras do GAAP norte-americano e do IFRS ficarem mais sérias. Mesmo sendo o IFRS muito mais baseado em regras que seus antecessores, ele continua tendo uma maior confiança nos princípios que o sistema GAAP norte-americano.

## Conduta ética

Quer seja baseado em regras ou em princípios, nenhum método contábil pode prevenir uma tentativa deliberada de fraude pelos diretores. Em junho de 2012, por exemplo, a gigante norte-americana de equipamentos de construção Caterpillar Inc fechou a compra por US$ 650 milhões da empresa chinesa ERA Mining Machinery Ltd e sua subsidiária integrante, a Zhengzhou Siwei Mechanical and Electrical Equipment Manufacturing Co. Isso fazia parte da estratégia de longo prazo da Caterpillar para seu crescimento na China. Infelizmente, apareceu uma série de buracos negros nas contas da Siwei, incluindo a descoberta, em novembro de 2012, de que ela não tinha a quantidade de estoques que alegava. Em janeiro de 2013, a Caterpillar disse estar lançando a perda US$ 580 milhões do valor da ERA, virtualmente admitindo que a compra fora um completo desperdício de dinheiro. A Caterpillar, então, acusou os antigos gestores da Siwei de deliberadamente criar uma contabilidade enganadora, mas abandonou o caso em maio de 2013, quando se chegou a um acordo financeiro.

Em outras circunstâncias, é possível para os diretores encontrar consolo nas regras. Operando na África do Sul, Canadá e Europa, o emprestador de curto prazo Wonga. com estabelece sua taxa de juros anual (APR) sobre "empréstimos em folha" no altíssimo nível de 5.800%. Isso é perfeitamente legal, porque nos países onde ele opera não há um limite sobre o teto de juros a ser cobrados, de modo que os conselheiros estão jogando conforme as regras.

A contabilização com marcação a mercado é como crack. Não use.
**Andrew Fastow, ex-executivo norte-americano da Enron (1961-)**

Mas um relatório do Citizen's Advice Bureau do Reino Unido em 2013 constatou que três em cada quatro clientes desses "empréstimos em folha" têm dificuldades em liquidar seus empréstimos. Diferentemente do Reino Unido, países como a França e os EUA têm regras que estabelecem níveis de taxa de juros máximos para empréstimos pessoais.

Por fim, nenhum grupo de regras serve de substituto para o comportamento ético nem salvaguarda o sistema de uma tentativa premeditada de manipular os números contábeis de maneira enganosa. Nas mãos de contadores honestos, a flexibilidade dentro das regras é útil. Mas, se alguém quiser alcançar uma enorme vantagem financeira sem se importar com o resto, tal flexibilidade lhe será útil, mesmo que com isso ele tenha que agir de forma imoral.

As regras ajudam a garantir que as empresas operem num padrão mínimo aceitável. A discussão gira em torno de onde está esse padrão, equilibrado entre padrões úteis e uma super-regulação cara. As regras também encorajam os que têm princípios éticos a agir além do mínimo esperado deles. ∎

# ALTOS EXECUTIVOS NÃO DEVEM TER COBIÇA

## LUCRO PRIMEIRO, DEPOIS OS BENEFÍCIOS

**EM CONTEXTO**

FOCO
**Ações e performance**

DATAS IMPORTANTES
**1776** Adam Smith diz que os gerentes não cuidarão de um negócio com a mesma vigilância que os sócios numa empresa privada.

**1932** O professor norte-americano Adolf Berle e o economista norte-americano Gardiner Means cunham a frase "a separação da propriedade e do controle".

**1967** O economista canadense-americano J. K. Galbraith diz que os acionistas não controlam mais as organizações das quais são legalmente donos.

**2012** Larry Ellison, da empresa de computação norte-americana Oracle Inc, se torna o CEO mais bem pago do mundo ao receber US$ 96,5 milhões em salário, ações e benefícios.

Numa sociedade anônima, **os acionistas são os donos** do negócio.

Um monte de acionistas não consegue administrar um negócio, logo eles **precisam contratar executivos** para fazer isso por eles.

Não é possível **supervisionar**, em detalhes, tudo o que esses executivos fazem…

… de modo que é essencial que haja confiança nos executivos para que **atuem segundo os interesses da empresa**, não deles próprios.

**Os altos executivos não devem ter cobiça.**

Numa empresa ideal, os diretores seguem os objetivos desta sem qualquer interesse por ganho pessoal. Ao serem eleitos para a diretoria, eles negociam seu salário e benefícios padrões, e, a partir de então, seu foco deve ser no sucesso do negócio. Ainda assim, há um risco de os chefes ficarem deslumbrados com a riqueza gerada ao seu redor e passarem a trabalhar de modo a alavancar seus ganhos pessoais em vez do lucro devido aos acionistas.

Essa situação, conhecida como "a separação entre a propriedade e o controle", apareceu primeiro no final

# FAZENDO O DINHEIRO TRABALHAR  125

**Veja também:** Cuidado com os homens-sim 74–75 ▪ Será que o dinheiro é a motivação? 90–91 ▪ Cultura organizacional 104–109 ▪ Evite o pensamento de grupo 114 ▪ Jogue conforme as regras 120–123 ▪ Prestação de contas e governança 130–131

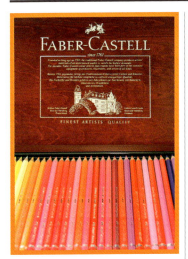

**Empresas alemãs** do tipo *Mittelstand* – como a Faber-Castell, líder mundial na fabricação de lápis – normalmente são familiares. Em geral, os diretores têm seu foco no longo prazo.

do século XIX, com a criação de grandes empresas de sociedade anônima que permitem à alta gerência maior liberdade para operar além do escrutínio eficaz dos acionistas. Enquanto os lucros da empresa forem satisfatórios, os diretores terão a liberdade de cumprir suas funções empresariais da forma que quiserem. Mas, se uma empresa começar a refletir os desejos de seus executivos, será que o negócio continuará focado na maximização do lucro (para os seus donos, os acionistas) ou para aumentar o *status*, a remuneração financeira ou o poder de seus executivos?

### Interesses pessoais

Alguns diretores agem de forma oportunista – parecem estar mais interessados em ganho pessoal que na saúde financeira da empresa. A crise bancária de 2008 levou os acionistas de muitas empresas a questionar os mecanismos de governança e os salários dos executivos. Os acionistas do Barclays Bank, por exemplo, decidiram agir pouco antes da assembleia geral dos acionistas de 2012. Eles tinham descoberto que no ano anterior os lucros haviam caído 3%, as ações caíram 26%, mas o CEO Bob Diamond receberia um bônus de £ 2,7 milhões que, somados ao seu salário, resultaria em mais de £ 6,3 milhões.

### Propriedade limitada

Nas empresas sem ações em bolsa, a coisa é mais simples. Já que a propriedade das ações ou cotas é limitada (geralmente a uma só família), diretores e acionistas são, em geral, as mesmas pessoas. De qualquer forma, não é comum para as pessoas se aproveitarem financeiramente de seus familiares ou amigos próximos. Por exemplo, o problema dos benefícios antes dos lucros quase nunca é um problema na Alemanha, onde as *Mittelstand* (empresas de médio porte) – familiares, na sua maioria – são o modelo de negócios dominante. Um estudo recente sobre o desempenho de empresas de capital aberto e familiares detectou que as familiares apresentam melhor desempenho, em termos financeiros, que as empresas não familiares do mesmo tamanho e do mesmo setor. Países como o Reino Unido e os Estados Unidos, no entanto, têm uma proporção maior de S/As que a maioria dos outros países. Depois de décadas de não interferência, os acionistas estão novamente interessados em governança corporativa e seus ganhos. ▪

Liderança é um privilégio para melhorar a vida dos outros. Não é uma oportunidade de satisfazer uma cobiça pessoal.
**Mwai Kibaki, ex-presidente do Quênia (1931-)**

---

### Menos benefícios, mais lucros

Várias empresas deram passos concretos para eliminar benefícios como parte de uma estratégia de cortar custos. Na alemã T-systems International, subsidiária de TI da Deutsche Telekom AG, todos os trabalhadores agora viajam de classe econômica, não importando a posição dentro da empresa ou a distância ou duração de sua jornada. A mudança de classe executiva para econômica provavelmente economizou para a T-systems US$ 1,5 milhão. Foi dito aos executivos que a escolha era entre a redução das despesas de viagem ou um corte em seus bônus anuais.

Desde a crise financeira de 2008, tem havido um aumento na tendência das organizações de apertarem o cinto. Até mesmo a poderosa Walt Disney está abandonando benefícios como carros da empresa. O corte de custos e a eliminação de benefícios colocam grande pressão sobre os executivos para que aumentem a lucratividade das organizações.

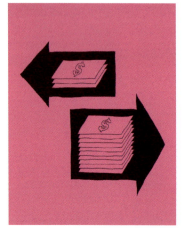

# SE A RIQUEZA FOR POSTA ONDE RECEBE JUROS, ELA VOLTARÁ EM DOBRO
## INVESTIMENTOS E DIVIDENDOS

### EM CONTEXTO

FOCO
**Estratégia financeira**

DATAS IMPORTANTES
**1288** O primeiro certificado de ação de que se tem notícia foi emitido para o bispo de Vasteras, na Suécia, pela Stora Enso, uma empresa de papel e celulose.

**Século XVII** A Companhia Holandesa das Índias Ocidentais emite ações, sendo a precursora de um mercado de ações organizado.

**1940** Peter Drucker escreve a respeito da necessidade de os negócios equilibrarem dividendos de curto prazo com reinvestimentos de longo prazo.

**1961** Modigliani e Miller dizem que pagar ou reter dividendos não afeta o desempenho de longo prazo da empresa. Seu trabalho pioneiro foi questionado mais tarde, com vários estudos demonstrando que o aumento nos dividendos eleva o preço das ações de uma empresa.

Depois de calcular o lucro do ano, os diretores de uma empresa podem escolher entre pagar dividendos aos acionistas ou reinvestir o valor dentro da empresa. O dividendo é o pagamento aos acionistas que a maioria das empresas faz todo ano. Ele pode chegar a um retorno de 3% sobre o valor investido, o que o faria comparável aos juros que um poupador ganharia numa aplicação em um banco. Em 2012, por exemplo,

# FAZENDO O DINHEIRO TRABALHAR

**Veja também:** Prestação de contas e governança 130–131 ▪ Quem assume o risco? 138–145 ▪ Ignorando a manada 146–149 ▪ Lucro vs. fluxo de caixa 152–153

**A Companhia Holandesa das Índias Ocidentais** foi a primeira a oferecer ações. Os investidores injetavam dinheiro para as viagens em troca da participação nos lucros obtidos nas viagens bem-sucedidas.

a Honda Motor Company, do Japão, pagou pouco menos da metade dos US$ 2,7 bilhões do seu lucro em dividendos, deixando pouco mais de metade para ser reinvestido na montadora.

O primeiro pagamento de dividendos foi feito no século XVII, pela Companhia Holandesa das Índias Ocidentais, a primeira empresa do mundo a emitir ações em troca de capital. Para encorajar os investidores a comprar ações, foi feita uma promessa de pagamento anual (chamada dividendo). Entre 1600 e 1800 a Companhia Holandesa das Índias Ocidentais pagou dividendos anuais da ordem de 18% sobre o valor das ações.

## Investir ou distribuir?

A distribuição de dividendos pelas empresas é uma benevolência dos diretores. A decisão deles é simples: qual proporção dos lucros depois dos impostos deve ser paga como dividendos e qual deve ser retida na empresa para reinvestimento? Quanto maiores as perspectivas de crescimento da empresa, maior o incentivo para que o dinheiro seja mantido no negócio. Empresas com crescimento lento deveriam, portanto, pagar uma alta proporção do seu lucro em dividendos, ao passo que organizações em pleno crescimento provavelmente manteriam o dinheiro dentro do negócio. Não há uma fonte de capital mais segura que os lucros retidos. Ela não precisa ser devolvida, nem se espera que pague juros.

Outro fator a ser considerado é a saúde financeira da empresa. Se ela for fraca, os lucros devem ser retidos. Só quando o balanço patrimonial for forte é que se devem pagar bons dividendos aos acionistas.

A distribuição de dividendos deve ser considerada cuidadosamente. Em 2006, o Royal Bank of Scotland (RBS) declarou um aumento de 25% nos dividendos aos acionistas. Comentaristas de mercado louvaram a iniciativa, e um grupo de analistas emitiu uma nota: "Obrigado, Fred [Goodwin, CEO do RBS], nós te amamos". O aumento nos dividendos colocou dinheiro diretamente nas mãos dos acionistas.

## John Kay

O professor John Kay é um economista britânico nascido em 1948. Mais conhecido por seu apoio cético ao comportamento de empresas num livre mercado, é professor visitante na London School of Economics e contribui com frequência para o *Financial Times*. Em 2012, apresentou um relatório detalhado ao governo britânico sobre o mercado acionário, no qual ele enfatizava que o propósito normal desse mercado não era a especulação, mas garantir às empresas acesso ao capital e aos poupadores, uma oportunidade de participar do crescimento econômico. Ele também demonstrou preocupação com o excesso de distribuição de dividendos.

### Principais obras

**1996** *The Business of Economics*
**2003** *The Truth About Markets*
**2006** *The Hare and The Tortoise*

Não mais que dois anos depois, o RBS foi forçado a pedir de seus acionistas que comprassem ações a 200 pence de modo a levantar £ 12 bilhões. Seis meses mais tarde, as mesmas ações valiam só 65 p. Três meses depois, 11 p. A generosidade da empresa em 2006 custou caro aos seus acionistas.

Por outro lado, a Apple não pagou dividendos desde sua fundação, em 1977, até 2013. Os diretores, liderados por Steve Jobs, disseram aos acionistas que eles lucrariam no longo prazo se deixassem a Apple reinvestir todo o lucro. Só em 2013, com seu crescimento diminuindo, foi que a empresa anunciou a distribuição de dividendos, a qual ela projetava ser de US$ 30 bilhões, em média, por ano, até 2015. ∎

# TOME EMPRESTADO NO CURTO, EMPRESTE NO LONGO
## GANHANDO DINHEIRO A PARTIR DO DINHEIRO

**EM CONTEXTO**

FOCO
**Produtos financeiros**

DATAS IMPORTANTES
**c. 1650** Um mercado de arroz em Osaka, no Japão, emite o primeiro contrato futuro padronizado, acordando preços de bens ainda não entregues.

**Anos 1970 e 1980** A desregulação dá aos bancos e negócios novas formas de usar dinheiro para fazer dinheiro.

**1973** Os economistas norte-americanos Fischer Black e Myron Scholes desenvolvem uma fórmula matemática que parece eliminar o risco dos contratos futuros.

**Anos 1980** Grandes empresas começam a usar derivativos para ganhar dinheiro a partir do dinheiro.

**2007-2008** Os mercados financeiros entram em colapso por todo o mundo, ameaçando a existência continuada dos bancos e dos negócios similares a bancos.

---

As empresas com um bom fluxo de caixa e **liquidez** podem ganhar dinheiro a partir do dinheiro ao...

... **investir em produtos financeiros** como derivativos e contratos futuros.

... **tomar emprestado no curto prazo** e emprestar para seus clientes no longo prazo, como se fossem um banco.

Mas talvez isso dê **prejuízo** se houver uma crise nos mercados ou na economia.

Ganhar dinheiro a partir de dinheiro é uma **estratégia arriscada, de curto prazo**.

---

Alguns negócios preferem "ganhar dinheiro a partir do dinheiro". Isso quer dizer que usam seus ativos líquidos não apenas para um maior desenvolvimento de seus produtos mas também para ganhar dinheiro no mercado financeiro. Algumas empresas acham que ao fazer *hedge* (proteção/aposta) contra as flutuações do mercado monetário, por exemplo, elas podem ter acesso a novas fontes de lucro. As duas expressões que exemplificam a ideia de ganhar dinheiro a partir do dinheiro são "função de tesouraria" e "bancos sombra".

**Aposta de *hedge***
"Função de tesouraria" é um termo que apareceu no final dos anos 1970 com o surgimento de desafios econômicos

# FAZENDO O DINHEIRO TRABALHAR

**Veja também:** Gerenciando riscos 40–41 ▪ Húbris e nêmesis 100–103 ▪ Investimentos e dividendos 126–127 ▪ Quem assume o risco? 138–145 ▪ Alavancagem e risco em excesso 150–151

**Muitas manufaturas**, como a empresa de papel brasileira Aracruz (conhecida como Fibria a partir de 2009), usaram a função de tesouraria para ganhar dinheiro, não apenas para gerenciá-lo, a partir dos anos 1980.

como o aumento de quatro vezes nos preços do petróleo e a "estagflação" (quando inflação e desemprego estão altos ao mesmo tempo). A ideia prevê que a meta da função de tesouraria (o departamento responsável pela administração das suas finanças) deveria alcançar o equilíbrio ótimo entre a liquidez e a receita do fluxo de caixa de uma empresa.

Durante as décadas que levaram à crise financeira de 2007-2008, grandes empresas adicionaram, de forma crescente, uma maior responsabilidade para a função de tesouraria. Quase sempre isso começava como uma tentativa de minimizar os riscos, mas as oportunidades de lucro com compra e venda de papéis tornaram-se cada vez mais tentadoras – a ponto de algumas empresas comprarem contratos para *hedge* financeiro que valiam muito mais que as suas exportações. Por exemplo, em 2008, a empresa brasileira de papel e celulose Aracruz usou seu caixa para apostar em contratos futuros de câmbio (o valor das moedas em datas futuras). Mais especificamente, ela apostou que a moeda brasileira continuaria a se valorizar, mas o que aconteceu foi que ela sofreu uma forte desvalorização que fez a empresa perder US$ 2,5 bilhões. Isso fez com que algumas organizações deixassem clara sua oposição a ganhar dinheiro a partir de dinheiro. A multinacional de mineração Rio Bravo, por exemplo, declarou em seu relatório anual de 2013 que sua tesouraria "opera como um serviço aos negócios do grupo Rio Tinto, não como uma fonte de lucro".

## Bancos sombra

Outras empresas, no entanto, ampliaram sua função de tesouraria para que se tornasse uma grande, se não a maior, fonte de lucro do negócio. Companhias como a General Electric desenvolveram essa função a ponto de se tornarem efetivamente "bancos-sombra". Em 2007, a função de tesouraria da GE Capital tinha mais de US$ 550 bilhões em ativos, fazendo-a maior que alguns dos dez maiores bancos dos EUA. Ela contribuiu com 55% dos lucros da GE, principalmente ao tomar dinheiro no curto prazo e emprestar no longo. A GE conseguiu se tornar um membro do sistema bancário sombra sem ter que se sujeitar às exigências regulatórias dos bancos. Em 2008, no entanto, foi forçada a entrar no programa norte-americano de socorro ao setor bancário.

Ganhar dinheiro com dinheiro traz consigo sérios riscos, quer as apostas deem errado ou não. Isso se dá porque, quanto mais lucro a tesouraria de uma empresa gera, menos disposto estará seu conselho em investir em pesquisa e desenvolvimento para seu crescimento futuro. Essa forma de ganhar dinheiro a partir do dinheiro tem uma forte correlação com as práticas que valorizam o curto prazo nos negócios. ▪

## A tesouraria em foco

Na década que precedeu a crise financeira de 2007-2008, muitas empresas começaram a usar financiamento de curto prazo para bancar despesas de capital de longo prazo. Mas a crise financeira de 2007-2008 mudou radicalmente o cenário, com a quebra, ou quase quebra, dos bancos. CEOs começaram a querer saber onde estava o dinheiro de suas empresas, bem como sua posição real. Nem todas as tesourarias foram capazes de responder rapidamente, já que alguns de seus investimentos estavam em sistemas locais, manuais e pouco transparentes.

Como resultado, a função de tesouraria assumiu a dianteira em muitos negócios, com uma necessidade crescente por transparência e prestação de contas o tempo todo. Os conselhos queriam que os tesoureiros estivessem preparados para o inesperado – como aumentar as reservas em caixa para reduzir o risco de liquidez. Mas isso levantou um novo problema para a função de tesouraria: se sobrasse mais caixa em reserva, como tal excesso de liquidez poderia ser usado mais efetivamente para financiar o crescimento da empresa?

A linha que separa o investimento da especulação nunca é clara e certa.
**Warren Buffett, investidor norte-americano (1930-)**

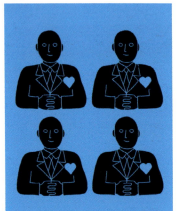

# OS INTERESSES DOS ACIONISTAS SÃO OS NOSSOS
## PRESTAÇÃO DE CONTAS E GOVERNANÇA

**EM CONTEXTO**

FOCO
**Controle executivo**

DATAS IMPORTANTES
**1981** O consultor de gestão norte-americano nascido na Austrália Peter Drucker sugere que os principais executivos de uma empresa "ainda não se deram conta de que eles representam o poder – e o poder tem que prestar contas".

**1991** O Comitê Cadbury é criado no Reino Unido para investigar escândalos, problemas e prestação de contas na governança corporativa. Seu influente relatório, o *Financial Aspects of Corporate Governance*, é publicado um ano depois.

**2002** A lei Sarbanes-Oxley, do governo norte-americano, estabelece diretrizes muito mais rígidas para governar as práticas contábeis e a publicação de dados confidenciais antigos (como riscos operacionais da empresa).

A boa governança se baseia...

... em diretores proativos, **éticos e bem informados**.

... em **linhas de responsabilidade** claras e fáceis de seguir.

... **em membros do conselho alertas**.

Prestar contas é a obrigação de um indivíduo ou organização de aceitar responsabilidade (ser responsável) por suas próprias ações. Nos negócios, ela é geralmente usada para seguir cadeias de responsabilidade: os funcionários podem ser responsabilizados pelas suas ações por aqueles que estão acima deles na hierarquia organizacional. Ou pode ser que mais níveis gerenciais tenham que prestar contas por aqueles sob sua responsabilidade. A forma da governança de uma empresa é responsabilidade de seus diretores. Sua governança deve, então, ser proativa e ética. Após uma série de desastres empresariais (desde a Enron, passando pelo Lehman Brothers e por outros bancos), a governança corporativa se tornou uma importante questão em todo o mundo. Para chegar a uma prestação de contas eficaz, os diretores têm que deixar claros os papéis e as cadeias de comando. Isso torna possível rastrear a causa de um erro até a sua fonte – e atribuir responsabilidade às pessoas (ou grupos) certas. Para que a governança funcione bem, os membros do conselho devem estar bem informados, ser plenamente independentes e trabalhar juntos pelo interesse de longo prazo da

# FAZENDO O DINHEIRO TRABALHAR 131

**Veja também:** Lucro primeiro, depois os benefícios 124–125 ▪ Quem assume o risco? 138–145 ▪ Lucro vs. fluxo de caixa 152–153 ▪ O equilíbrio entre o longo e o curto prazo 190–191

**Empresas que escondem** sua cabeça na terra – como avestruzes – talvez relutem em aceitar prestar contas por suas ações e decisões, trazendo consequências danosas à ética empresarial.

empresa e dos seus donos – os acionistas. Diretores não executivos têm um importante papel a desempenhar na governança corporativa: como não são empregados da empresa, devem ser capazes de questionar os executivos sem sofrer represálias.

### Escrutínio no nível do conselho

Em 2011, a consultoria McKinsey & Company publicou uma pesquisa com 1.597 diretores dando dicas fascinantes sobre as reuniões dos conselhos de administração. A pesquisa mostrou que, na Ásia, não se gastava mais de um terço do tempo da reunião do conselho fazendo o escrutínio das ações e decisões dos executivos. Gastava-se muito mais tempo com planejamento estratégico. Apesar de parecer sensato, isso sugeria que a prestação de contas e a governança recebiam muito menos atenção. Em contraste, na América do Norte quase dois terços do tempo do conselho era gasto nesse tipo de escrutínio.

Ainda mais surpreendente, a mesma pesquisa mostrou falta de satisfação dos conselheiros uns com os outros. Eles achavam que mais de 30% dos seus colegas não entendiam ou entendiam pouco dos riscos enfrentados pela empresa. Isso sugeria uma falha na habilidade do conselho em fazer com que os executivos prestassem contas.

Em geral, na maior parte das empresas, os executivos tomam decisões adequadas que exigem pouco escrutínio. Mas a boa governança prevê que o conselho esteja sempre alerta – de modo a estar plenamente ciente quando ocorre um erro. Tal erro pode estar relacionado à estratégia (uma oferta de compra muito cara feita a outra empresa, por exemplo) ou à ética de uma situação em particular. Diretores não executivos e com ideias independentes deveriam estar em posição de destaque para questionar, por exemplo, se a empresa está certa em usar fornecedores muito baratos ou se um contrato foi fechado usando meios questionáveis.

### Quando algo dá errado

A importância da boa governança ficou clara no caso da Olympus, a poderosa empresa japonesa de câmeras, em 2011. O recém-eleito CEO Michael Woodford encontrou uma operação visando esconder uma perda de US$ 1,7 bilhão ocorrida na compra de outra empresa. Os diretores da Olympus haviam escondido o prejuízo nos balanços publicados, logo os haviam escondido do público. A resposta do conselho foi despedir Woodford. Somente depois de uma campanha promovida, com sucesso, por Woodford é que as autoridades japonesas acusaram alguns executivos importantes da Olympus de fraude. No fim, todos os diretores da empresa se demitiram. O caso mostrou a falta de eficácia dos diretores não executivos da Olympus de cobrar satisfações do conselho e quão importantes são a boa governança e a prestação de contas para o bem-estar de todas as empresas. ▪

### Jamsetji Tata

Nascido em 3 de março de 1839 no Gujarat do Sul, Índia, Jamsetji Tata não parecia ser o candidato a fundador de um negócio que se tornaria um dos maiores conglomerados do mundo. Tata seguiu o seu pai – que havia quebrado a tradição familiar de ser um sacerdote brâmane – nos negócios aos 14 anos e rapidamente mostrou ter potencial, formando-se na Elphinstone College, em Mumbai, em 1858. Depois de trabalhar para o pai, Tata assumiu o seu primeiro negócio – de tecelagem – em 1868. Um dos seus sonhos era abrir uma metalúrgica, e, apesar de essa meta empresarial não ter sido atingida ainda em vida, a Tata Iron and Steel Company foi fundada em 1907 por seu filho Dorabji. A indústria siderúrgica tornou-se o alicerce do sucesso global do Tata Group.

Um dos princípios de Jamsetji Tata era a justiça, a qual permeou toda a sua abordagem empresarial. Em termos de prestação de contas, sua visão era simples: "Começamos baseados em princípios sólidos e simples, considerando os interesses dos acionistas como se fossem nossos".

A prestação de contas leva à responsabilidade.
**Stephen R Covey, consultor de gestão norte-americano (1932-2012)**

# FAÇA PRODUTOS COM A MELHOR QUALIDADE AO MENOR CUSTO PAGANDO OS MAIORES SALÁRIOS POSSÍVEIS

SEUS TRABALHADORES SÃO SEUS CLIENTES

# 134 SEUS TRABALHADORES SÃO SEUS CLIENTES

## EM CONTEXTO

**FOCO**
**Expansão de mercado**

**DATAS IMPORTANTES**
**1914** Henry Ford dobra o salário de seus empregados para US$ 5 por dia.

**1947** O psicólogo norte-americano Alfred J. Marrow descobre que a produtividade aumenta quando os empregados estão envolvidos na tomada de decisão e apresenta o conceito de gestão participativa.

**1957** Douglas McGregor publica *O lado humano da empresa*, confirmando que as empresas prosperam mais ao permitir que os funcionários usem sua criatividade e engenhosidade no negócio em que trabalham.

**1993** Ricardo Semler, da empresa brasileira Semco, escreve *Virando a própria mesa*.

**2011** O Google é considerado como o lugar com melhor satisfação no emprego no setor de alta tecnologia dos EUA. Os jovens "Googlers" são tanto empregados quanto clientes da empresa.

A maioria dos modelos econômicos diz que, nos primeiros estágios do desenvolvimento econômico, trabalhadores de baixo salário fabricam produtos que são comprados pelos consumidores das classes média e alta. Os trabalhadores tendem a comer coisas mais simples, como batata, arroz ou milho e andar a pé ou – se tiverem sorte – usar uma bicicleta como meio de transporte. Enquanto isso, seus empregadores comem itens caros, como carne, e andam em meios de transporte de luxo – desde as carruagens do século XVII até os automóveis de hoje, com design arrojado, as "máquinas dos sonhos".

Mas o crescimento econômico dá um enorme passo além quando os trabalhadores são capazes de comprar os produtos que fabricam, quando eles também podem comer carne e comprar eletrodomésticos e bens de lazer. Isso já está começando a acontecer na China, onde a venda de bens de primeira necessidade – como papel higiênico e refrigeradores – cresce rapidamente.

### Criando um mercado

Os trabalhadores foram reconhecidos como potenciais clientes pelo pioneiro da indústria automobilística Henry Ford. O Modelo T custava US$ 825 em 1908, numa época em que os

**A Ford Motor Company** rapidamente percebeu que sua linha de produção era eficiente, mas seus trabalhadores eram insatisfeitos. No momento em que lhes deu um significativo aumento de salário, Ford criou um mercado para clientes-funcionários.

trabalhadores de Ford ganhavam menos de US$ 2 por dia. Em 1913, Ford introduziu um sistema de produção em massa, reduzindo o tempo necessário de produção de um Modelo T de 750 para 93 minutos. Com tal melhoria na eficiência, a companhia conseguiu diminuir o preço de um dos seus veículos para US$ 550.

Mas um problema continuou. O trabalho repetitivo exigido para a linha de produção do Modelo T deixava os

---

- As empresas deveriam se dedicar a oferecer a seus consumidores **bons produtos e serviços a preços baixos**. →
- Elas também deveriam recompensar seus funcionários com os **maiores salários** possíveis. →
- Isso capacitaria os **funcionários a comprar seus produtos** ou serviços. →
- Dessa forma, os empregados poderiam dar à gerência **ideias relevantes**, além de **alavancar as vendas**. →
- Se os seus trabalhadores se tornarem seus clientes, seu **negócio vai decolar**.

## FAZENDO O DINHEIRO TRABALHAR  135

**Veja também:** Mudando o jogo 92–99 ▪ Cultura organizacional 104–109 ▪ Entendendo o mercado 234–241 ▪ Foco no mercado futuro 244–249 ▪ Faça com que seus clientes o amem 264–267 ▪ Maximize os benefícios para o cliente 288–289

trabalhadores insatisfeitos, o que aumentou o *turnover* para mais de 370% – o trabalhador médio ficava só três meses na fábrica até pedir demissão. Para enfrentar esse problema, Ford anunciou que os salários nas suas fábricas mais do que dobrariam, para US$ 5 por dia. Sua decisão virou manchete em todo o mundo, e, na fábrica, o *turnover* dos trabalhadores caiu para 16% ao ano, ajudando a produção por trabalhador (uma medida da produtividade geral) a subir quase 40%.

Em 1914, eram necessários apenas três meses para um trabalhador da Ford poupar dinheiro suficiente para comprar um Modelo T. Em 1924, o preço do Modelo T havia baixado para US$ 260, tornando possível comprar um carro novo com o salário de um mês. Em 1924, a Ford Motor Company vendeu mais da metade de todos os carros do mundo.

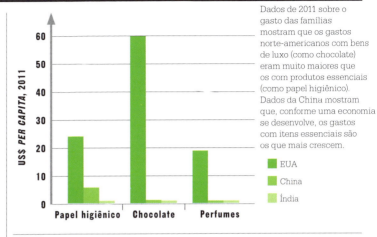

Dados de 2011 sobre o gasto das famílias mostram que os gastos norte-americanos com bens de luxo (como chocolate) eram muito maiores que os com produtos essenciais (como papel higiênico). Dados da China mostram que, conforme uma economia se desenvolve, os gastos com itens essenciais são os que mais crescem.

### Aprendendo com os trabalhadores

Apesar de Henry Ford ter conseguido uma enorme publicidade ao fazer com que sua política de pagar altos salários parecesse altruísmo, sua necessidade prática de baixar o *turnover* ajudou-o a se defrontar com um fato importante: quando os seus trabalhadores ganham o suficiente para ser seus clientes, pode haver um enorme benefício para os negócios. Junto com o crescimento no orgulho dos funcionários e no seu comprometimento, ficou mais fácil para os gerentes receber sugestões importantes quanto aos produtos e aos processos da empresa.

Na Toyota City, Japão, mais da metade da força de trabalho tem um veículo Toyota. Esse é um fator significativo quando ajuda a gerar mais de 400 mil sugestões da força de trabalho por ano sobre como a empresa poderia melhorar a eficiência produtiva e a qualidade.

### Mercados emergentes

Em 1924, o governo norte-americano publicou um relatório chamado *Custo de vida nos EUA*. Ele mostrou que uma família média gastava 38% das suas despesas anuais (de US$ 1.430) com comida. Isso é interessante porque, nos últimos cinco anos, o padrão de gasto de uma família indiana caiu para um nível menor que esse, 36%, indicando que a riqueza média das famílias indianas está crescendo. Quando a proporção dos gastos da China com comida caiu para quase 30%, as famílias puderam aumentar seus gastos com itens não alimentícios, como bens de consumo. Nos Estados Unidos, hoje, só 7% da renda familiar é gasta com comida, deixando uma família média com um enorme saldo »

**Os salários rurais** na Índia cresceram 17,5% ao ano de 2007 a 2012. Uma vez que os trabalhadores rurais estão na base da pirâmide econômica da Índia, isso representa um rápido e generalizado crescimento nos salários.

## 136 SEUS TRABALHADORES SÃO SEUS CLIENTES

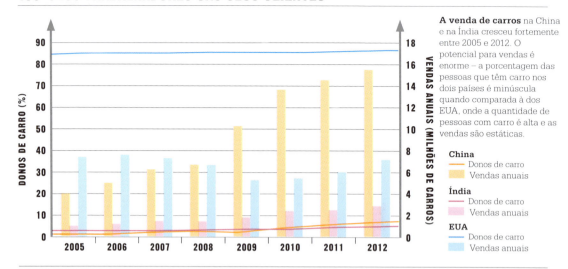

**A venda de carros** na China e na Índia cresceu fortemente entre 2005 e 2012. O potencial para vendas é enorme – a porcentagem das pessoas que têm carro nos dois países é minúscula quando comparada à dos EUA, onde a quantidade de pessoas com carro é alta e as vendas são estáticas.

China
— Donos de carro
■ Vendas anuais

Índia
— Donos de carro
■ Vendas anuais

EUA
— Donos de carro
■ Vendas anuais

para adquirir itens e serviços não essenciais que se tornam, rapidamente, "necessidades", como cosméticos e academias de ginástica. A Índia talvez esteja a ponto de embarcar nesse estágio de desenvolvimento econômico. Se for assim, haverá um impacto na venda de uma série enorme de produtos do dia a dia.

A importância dessa tendência está no número de pessoas envolvidas. Se a Índia, nos próximos cinco anos, aumentar seus gastos com papel higiênico e atingir o consumo *per capita* desse item na China, o crescimento desse mercado na Índia será de US$ 8,4 bilhões (US$ 6,72 × 1,25 bilhão de pessoas). Para que a China alcance os EUA, o impacto no crescimento do mercado seria de US$ 24,3 bilhões (US$ 17,98 × 1,35 bilhão de pessoas). E isso é apenas o crescimento no tamanho do mercado – não no mercado total.

Exatamente a mesma lógica se aplica a todo o mercado de bens familiares comuns por todo o mundo em desenvolvimento. A China já é o maior mercado mundial para produtos de luxo, como relógios suíços, joias e carros. Nas próximas décadas, passará a dominar, também, as vendas de itens comuns (como pasta de dente) e serviços (como seguros). O potencial dos volumes de venda envolvidos é enorme. Hoje, a China é o maior mercado de carros, mesmo quando menos de 10% das famílias têm carro.

### Contato com a realidade

O programa de TV *Undercover Boss* manda a alta gerência trabalhar nos postos mais baixos de suas próprias empresas, disfarçadas, para descobrir como a empresa é vista a partir dessa perspectiva. O programa mostra claramente como aqueles que dirigem uma empresa geralmente não sabem das opiniões, das sugestões e dos sentimentos de seus clientes e funcionários. A despeito de muitos elogios e críticas on-line, algumas empresas conseguem se manter numa bolha de autoengano.

Mas isso seria pouco provável numa organização onde os trabalhadores também são seus clientes. Esses empregados se importam com os produtos e serviços, porque eles próprios os experimentam e percebem que a segurança de seu emprego está baseada na contínua satisfação dos clientes e no sucesso comercial da empresa. Se a sala de espera dos clientes estiver desorganizada e suja, por exemplo, os funcionários-clientes rapidamente chamarão a atenção para isso.

Na Europa, o varejista de moda Primark tem experimentado um grande sucesso no mercado. A empresa transforma rapidamente a moda das passarelas em roupas baratas para um nicho de mercado entre 15 e 35 anos. Mas seu crescimento foi impulsionado por uma gerência surpreendentemente mais velha. Quando a Primark

> Fabricarei um carro para as massas... ele será tão barato que qualquer um que tiver um bom salário poderá comprá-lo.
> **Henry Ford, industrial norte-americano (1863-1947)**

# FAZENDO O DINHEIRO TRABALHAR 137

**A varejista de roupas** Primark conquistou a reputação de moda barata no mercado *prêt-à-porter* europeu. O sucesso dela se deve, em boa parte, à opinião de seus trabalhadores.

atingiu sua fase de maior sucesso nos anos 2000, seus executivos tinham entre 60 e 70 anos. Era crucial, portanto, que os diretores ouvissem sua força de trabalho mais nova, a única capaz de oferecer sugestões vitais segundo o ponto de vista dos clientes.

### Gestão democrática
Ricardo Semler, líder do Grupo Semco no Brasil, talvez seja o empregador mais radical do mundo. Ele acredita que os patrões devem ir além do empoderamento dos seus trabalhadores, devendo buscar a sua satisfação, ou até mesmo seu prazer. Nascido em 1959, Semler assumiu os negócios do pai aos 21 anos. Entre 1982 e 2003, ele levou o faturamento da Semco de US$ 4 para US$ 200 milhões. No seu primeiro dia de trabalho, demitiu quase um terço da alta gerência, que ele acreditava estar muito arraigado ao estilo gerencial ditador de seu pai. No final dos anos 1980, apoiou a proposta de três de seus engenheiros de começar uma nova divisão de negócios. Ela se tornou o núcleo de uma nova Semco, desenvolvendo ideias inovadoras que rapidamente geraram 66% dos negócios da empresa.

A abordagem de liderança de Semler é encorajar sua força de trabalho a gerenciar a si mesma em termos de gestão de tempo, horários e desenvolvimento de carreira. Assim, ele acredita que os trabalhadores vão realmente se importar com o que fazem e, dessa forma, vão tomar conta não só dos negócios, como também dos clientes.

Semler descreve seus métodos em seu livro *Virando a própria mesa* (1993), no qual relata como muitas empresas podem se beneficiar do resultado do engajamento dos funcionários. Essa abordagem tornou-se conhecida como gestão participativa. Ela prevê que as pessoas são naturalmente capazes de se autodirigir se estiverem comprometidas com as metas da empresa. E, quando os seus trabalhadores são os seus clientes, as duas metas ficam perfeitamente alinhadas. ∎

O trabalho deveria ser um prazer, não uma obrigação... Acreditamos que pessoas que trabalham com prazer podem ser muito mais produtivas.
**Clóvis da Silva Bojikian, ex-diretor de RH da Semco (1934-)**

### Arthur Ryan

Nascido na Irlanda em 1935, Arthur Ryan é o fundador da Primark. Depois de se formar, trabalhou numa loja de departamento e num atacadista de moda em Londres antes de voltar a Dublin, onde atuou na varejista Dunnes Stores. Em 1969, Garfield Weston, CEO da Associated British Foods (ABF), contratou Ryan para abrir uma rede de lojas de roupa barata com um capital inicial de £ 50 mil. A primeira loja, Penneys, abriu no fim daquele ano em Dublin, mas Ryan mudou o nome para Primark, pensando no modelo de negócios que usaria no Reino Unido, na Holanda e na Espanha. De 1973 até sua aposentadoria, em 2009, Ryan desenvolveu o negócio para que ele deixasse de ser uma simples loja de "barganhas" e se tornasse uma varejista barata e de moda. Em 2013, a Primark empregava mais de 43 mil pessoas em lojas no Reino Unido, na Irlanda, na Espanha, na Holanda, na Áustria, em Portugal, na Alemanha e na Bélgica. A ABF ainda é a matriz. No ano recessivo de 2009, as vendas da Primark cresceram mais de 7%.

# USE O DDO - DINHEIRO DOS OUTROS

## QUEM ASSUME O RISCO?

# 140 QUEM ASSUME O RISCO?

## EM CONTEXTO

**FOCO**
**Risco financeiro**

**DATAS IMPORTANTES**
**Anos 1950** O economista norte-americano Harry Markowitz defende a criação de um portfólio de investimentos para proteção contra perdas devidas ao risco financeiro.

**Anos 1990** Pesquisas sobre os tipos de risco financeiro identificam formas de medir e gerenciar diferentes tipos de riscos, incluindo o risco de mercado (mudanças no valor das ações, taxa de juros, moedas e *commodities*) e o risco de crédito (inadimplência).

**1999** O conglomerado General Electric Company muda de nome para Marconi plc, e seus negócios tradicionais são vendidos. A aposta dos diretores nessa mudança de estratégia fracassa – o negócio quebra em 2001, e as ações são suspensas. Quase 25% dos funcionários são demitidos.

O nível de risco financeiro assumido por uma empresa tem profundas implicações, no longo prazo, na viabilidade e no sucesso do negócio, bem como em seus empregados e seus acionistas. Uma empresa estruturada de forma tradicional deixaria a maior parte do risco com os acionistas, já que eles podem perder seu investimento financeiro se o negócio quebrar. Mas a proliferação de mecanismos financeiros cada vez mais complexos e de difícil prestação de contas conseguiu, até certo ponto, isolar os donos de uma empresa dos piores impactos do fracasso. O magnata armador grego Aristóteles Onassis criou um império empresarial que se espalhava por todo o mundo, incorporava dezenas de setores e era sustentado por complexos acordos financeiros. Onassis recomendava usar "o dinheiro dos outros" e, apesar de tal abordagem ser capaz de gerar sucesso financeiro, também é possível que isso faça com que os outros assumam os custos de um fracasso.

### Risco tradicional

Na teoria, os que assumem o risco numa economia de mercado são os acionistas, aqueles que efetivamente são os "donos" do negócio. O capital dos acionistas financia o início de novas empresas e segue sob risco até que seja totalmente recuperado. Se o negócio for liquidado, quem tiver as ações "ordinárias" (em contraste com as ações "preferenciais", que valem mais e pagam dividendos antes das ordinárias) será o último na fila para receber. O acionista ordinário é, portanto, o último a recuperar o seu investimento. Por causa dos riscos que assumem, os empreendedores são muito bem-vistos, bem como os investidores de *venture capital* que investem em *startups* em troca de participação acionária. Associar o

# FAZENDO O DINHEIRO TRABALHAR

**Veja também:** Gerenciando riscos 40–41 ▪ Jogue conforme as regras 120–123 ▪ Prestação de contas e governança 130–131 ▪ Alavancagem e risco em excesso 150–151 ▪ Risco fora do balanço 154 ▪ O equilíbrio entre o longo e o curto prazo 190–191 ▪ A moralidade nos negócios 222

**O peso do risco associado ao negócio** se espalha conforme suas decisões financeiras se tornam mais complexas. Os executivos e os funcionários podem perder financeiramente, ou até mesmo judicialmente, se a empresa quebrar. Credores e acionistas podem ter perdas financeiras, e num pior cenário os contribuintes talvez fiquem com a maior conta – na forma de uma tributação maior e baixo crescimento econômico – se seus governos decidirem socorrer tais empresas.

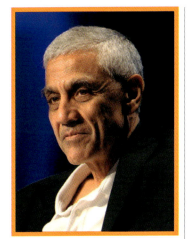

**Pessoas que exercem** a função de *venture capitalists*, como o indiano Vinod Khosla, da Sun Microsystems, investem numa empresa quando ela está começando e se arriscam a assumir o impacto de elas quebrarem. Mas o retorno pode ser alto se a empresa tiver sucesso.

risco aos acionistas é benéfica em vários aspectos. Um acionista que assumisse o risco num grande banco multinacional estaria mais propenso a desencorajar sua alta gerência a assumir riscos cada vez maiores com o capital e a reputação do banco. Podem-se levar em consideração riscos calculados, mas não os riscos capazes de ameaçar a existência da empresa. O acionista que assume o risco pode desempenhar um papel importante no processo empresarial, atuando como um verificador natural da propensão da empresa em assumir riscos. Tal visão de negócio tem prevalecido desde a criação do capitalismo moderno, no século XVIII.

## Fornecedores e credores

A visão tradicional pode estar sob ameaça devido aos efeitos de novas regras e práticas. Numa tentativa de encorajar o empreendedorismo, a lei de falências norte-americana dá às empresas em dificuldade uma importante proteção contra aqueles aos quais elas devem dinheiro (seus credores, como fornecedores de matérias-primas ou serviços subsidiários). Tal proteção visa permitir à empresa repensar seu plano de negócios e talvez achar um modelo mais lucrativo.

No Reino Unido, uma empresa em dificuldades pode optar por um procedimento no qual seus ativos são vendidos depois dessa opção. Os ativos e modelos operacionais são vendidos a novos donos, desconsiderando a empresa original. Fornecedores e outros credores talvez recebam apenas uma parte daquilo a que tinham direito, algo próximo de 10% do valor original que a empresa lhes devia. Os novos acionistas passam a ter uma empresa sem dívidas, mas com todos os ativos da empresa antiga, sem nenhum dos seus passivos. Tal método pode ser »

## 142 QUEM ASSUME O RISCO?

**Os fornecedores** estão entre os últimos a receber o que merecem por seus bens e serviços se uma empresa quebrar. Dependendo do modelo de recuperação judicial, eles talvez nem recebam nada.

muito controverso, já que permite que os donos da empresa antiga ainda estejam envolvidos no negócio.

Em agosto de 2008, o restaurante do renomado *chef* Tom Aikens, em Londres, entrou nesse tipo de recuperação. Ele foi comprado pela TA Holdco Ltd, da qual Aikens foi designado parceiro e acionista. Ao redor de 160 fornecedores ficaram sujeitos a perdas que jamais seriam recuperadas. Mas no começo de 2010 o negócio original de Tom Aikens recuperou-se financeiramente e estava prestes a abrir três novos pontos em Londres.

Quando se usa tal procedimento do Reino Unido, os fornecedores ficam numa situação muito mais vulnerável do que era de esperar. As perdas financeiras incorridas pelos restaurantes de Aikens acabaram sendo absorvidas, efetivamente, pelos seus fornecedores, não seus acionistas. Num mundo onde as leis de proteção como as do Reino Unido e dos Estados Unidos, os credores podem se ver numa situação muito mais arriscada que os acionistas.

### O risco dos empregados

Os funcionários de uma empresa também correm risco quando ela quebra. Quando a Enron quebrou, em 2001, um dos efeitos extraordinários da história se deu com os empregados, que enfrentaram problemas. Diferentemente de alguns altos executivos, os funcionários comuns foram parte inspirados e parte intimidados a "mostrar fé na Enron", ao investir seus planos de pensão em ações da empresa. Quando o negócio fechou, eles perderam não apenas seu emprego, mas sua aposentadoria. Quando o colapso da Enron estava cada vez mais claro, ela congelou seu plano de pensão, evitando que seus empregados trocassem sua carteira de ações da Enron por outras opções.

Os empregados também podem estar vulneráveis por causa de ações hostis pelo mercado de investimento. Se a empresa na qual trabalham foi comprada por um fundo de *private equity*, os funcionários talvez estejam numa situação pior do que se a empresa tivesse quebrado. Uma compra via *private equity* se dá quando uma empresa de capital aberto (uma plc, na Inglaterra) é comprada por um "grupo de *private equity*", quase sempre por uma compra alavancada, na qual os ativos da empresa comprada são usados como garantia dos empréstimos usados para efetivar a compra. Dessa forma, o peso do risco é colocado no negócio (e em seus empregados), e não em seus donos.

A *franchise* britânica da empresa canadense de *lingerie* La Senza quebrou em 2012, e os seus 1.100 funcionários perderam o emprego. Em casos como esse, os funcionários não tinham muito a ganhar se tudo estivesse indo bem, mas muito a perder se estivesse indo mal. Os fornecedores, é claro, se encontram na mesma situação. Só os acionistas da empresa de *private equity* estão

"Cara, eu ganho" – quando tudo está bem, o dono da empresa ganha, e a posição dos funcionários não muda muito.

"Coroa, você perde" – em tempos difíceis, o dono é protegido das perdas, mas o negócio e seus empregados são penalizados.

### Os casos de *private equity*

são geralmente estruturados de maneira assimétrica. Se as coisas forem bem, o dono da empresa de *private equity* ganha; e se as coisas forem mal, as empresas subsidiárias perdem.

# FAZENDO O DINHEIRO TRABALHAR 143

protegidos – por uma responsabilidade limitada.

Quando o time de futebol Manchester United plc foi comprado pelo empresário norte-americano Malcolm Glazer e sua família, em 2005, a transação foi, na verdade, uma operação de *private equity*. Os Glazers seguiram o procedimento-padrão, comprando uma empresa de capital aberto por £ 800 milhões, em seguida contabilizando as dívidas no balanço patrimonial da nova empresa Manchester United Ltd. Os donos de empresas de *private equity* sugerem que haver dívidas é um modo efetivo de forçar os funcionários a trabalhar de forma eficiente para gerar lucro e pagar o valor devido. Na prática, no entanto, é uma forma de transferir riscos dos donos da empresa de *private equity* para uma subsidiária de responsabilidade limitada. Se o Manchester United tivesse problemas financeiros, o passivo dos Glazers seria mínimo, dada a proteção da "responsabilidade limitada" que cerceia a responsabilidade de seus donos ao valor dos seus investimentos, não ao total das dívidas da empresa.

Um pesquisa publicada em 2013 comparou a performance de 105 empresas compradas via *private equity* e 105 outras no mesmo setor. As empresas foram acompanhadas por dez anos – os seis anos até a sua compra e quatro anos depois disso. Os pesquisadores descobriram que, no ano seguinte à compra, 59% das empresas que eram de grupos de *private equity* haviam cortado seu quadro de empregados, contra 32% do outro grupo. Nos anos seguintes, as que eram de *private equity* viram o salário médio de seus funcionários cair. No curto prazo, parece que os funcionários saíram perdendo – e, no médio e no longo prazo, as chances de eles perderem seu emprego são maiores devido ao maior nível de endividamento das empresas para as quais trabalham.

## A iniquidade das empresas de *private equity*

Nem todos saem perdendo sob a gestão de firmas de *private equity*. Em 2003, a varejista britânica Debenhams foi comprada por três firmas de *private equity*, que se pagaram dividendos de £ 1,2 bilhão antes de abrirem o capital da Debenhams plc na bolsa, em 2006 – agora cheia de dívidas. Anos mais tarde, em seu relatório anual de 2012, a dificuldade financeira ainda era visível. O grau de endividamento (a dívida total como porcentagem do capital empregado no negócio) na Debenhams estava alto, em 51,5%, e sua liquidez (medida pelo índice de liquidez seca, que define se uma empresa tem ativos correntes de curto prazo suficientes para honrar seus passivos imediatos) estava muito baixa, em 0,175. Ainda assim, para os donos das empresas de *private equity* o negócio foi muito lucrativo – ganharam £ 1,2 bilhão muito rapidamente e ainda tinham ações na Debenhams (uma participação que foi vendida nos anos seguintes). Seu lucro total foi superior a 200%.

Para os chefões das empresas de *private equity*, a recompensa também pode ser considerável. Bernard Schwarzman, da empresa de investimentos americana de *private equity* Blackstone Group, ganha US$ 130 milhões por ano. Ele é seguido de perto pelos cabeças do Carlyle Group, da Apollo Global e da KKR – cada um deles ganhando mais de US$ 100 milhões por ano. Vale notar que todos esses chefões desfrutam de vantagens tributárias tanto nos Estados Unidos quanto no Reino Unido. Isso se tornou uma questão importante durante a eleição presidencial norte-americana de 2012, quando o candidato republicano Mitt Romney (ex-chefe de uma empresa de *private equity*) teve que admitir que sua alíquota de imposto de renda, de 14%, era menor que a da média dos trabalhadores norte-americanos.

### Executivos no banco dos réus

No mundo das empresas de capital aberto, os CEOs talvez estejam na posição mais arriscada de todas. Eles talvez sejam os que mais ganham com o sucesso da empresa, mas são também os que mais perdem com o seu fracasso. Tais riscos podem ser, em parte, financeiros, mas talvez ainda mais importantes sejam os riscos de reputação. Richard Fuld, CEO do Lehman Brothers quando quebrou, em 2008, passou de um CEO de enorme sucesso a candidato de "pior em um monte de coisas". De diretor do Federal Reserve Bank de Nova »

> Há CEOs que aumentam seus salários em 20% ou mais em anos em que demitem milhares. Isso é obsceno.
> **Charles Handy, especialista em gestão britânico (1932-)**

> Há como evitar que os executivos de nossas instituições assumam riscos em excesso. É só transformar isso em crime.
> **Paul Collier, Economista britânico (1949-)**

## 144 QUEM ASSUME O RISCO?

**A manipulação contábil** da gigante alimentícia italiana Parmalat devido a uma fraude: os efeitos foram terríveis para os acionistas e para os funcionários, que perderam seu emprego.

York, tornou-se um pária. No Reino Unido, Fred Goodwin (CEO do Royal Bank of Scotland, que quebrou em 2008) e James Crosby (CEO do Halifax Bank of Scotland até 2006) tiveram sorte semelhante. Ambos foram julgados culpados pela fenomenal quebra de seus bancos em 2008, bem como pelo que isso causou nos eventos da crise econômica que se seguiu.

É justo que o chefe de uma empresa receba toda a culpa pelo fracasso de forma tão pessoal? Afinal de contas, é inconcebível que o CEO seja o único culpado pelo fracasso de um negócio. Objetivamente, a resposta é clara porque o fracasso de um negócio é, com certeza, responsabilidade de outros além do CEO. Mas executivos com grande exposição quase sempre se esforçam em se associar diretamente à empresa – fazendo com que pareça que eles próprios são o negócio. Eles defendem tal atitude de maneira muito clara por meio de pacotes de remuneração altíssimos, de modo que não causa surpresa quando o público e a mídia os culpam nesses casos.

### O resgate dos contribuintes

Nas economias maduras, desenvolvidas, espera-se que as empresas assumam riscos em troca de lucro. O fracasso deveria, nesse caso, levar à morte da empresa. O economista austríaco-americano Joseph Schumpeter, em seu livro clássico de 1942, *Capitalismo, socialismo e democracia*, fez a famosa declaração: "O processo da Destruição Criativa é o fato essencial do capitalismo". Schumpeter, como muitos outros, via as recessões como um processo de limpeza nas quais os fracos quebram e surgem empresas novas e fortes.

Mas governos modernos parecem ver as coisas de forma diferente, especialmente no caso das grandes empresas. A expressão "grande demais para quebrar" ilustra o fato de o risco empresarial ter sido transferido para os contribuintes. Quando defrontado com a falência dos gigantes automotivos General Motors e Chrysler, em 2009, o governo norte-americano – em outras palavras, os contribuintes americanos – assumiu bilhões de dólares em dívidas, de modo a garantir um novo começo a essas empresas. No Reino Unido e na Europa, o socorro a bancos em 2008 e 2009 salvou o setor privado de enormes prejuízos. Por toda a Europa, o que foi apresentado como um problema de governo na Zona do Euro era, na verdade, um problema do setor privado, com os bancos enfrentando a inadimplência de empréstimos a empresas na Grécia, em Portugal e na Itália. As operações de socorro foram preparadas e financiadas pelos governos, o que quer dizer que os contribuintes acabaram sendo os que assumiram o risco, mesmo quando ninguém perguntou sua opinião a respeito. O economista turco-americano Nouriel Roubini resumiu tal processo ao dizer: "Trata-se novamente do caso de privatizar os ganhos e socializar os prejuízos, socorro e socialismo para os ricos, os bem-relacionados e Wall Street".

Esse problema pode ser visto muito além dos Estados Unidos e da Europa, influenciando a situação econômica tanto do Japão quanto da China nas últimas décadas. Desde o começo de sua depressão de vinte anos a partir de 1990, o preço dos imóveis no Japão já caiu mais de 80% e hoje se encontra bem abaixo dos níveis alcançados em 1988, antes do começo da recessão. Na verdade, quase todos os bancos do Japão ficaram insolventes em decorrência de sua carteira de títulos incobráveis – empréstimos que foram feitos a empresas que não conseguiam repagá-los e, nem sequer os juros. Somente o apoio do Banco Central japonês foi capaz de garantir que tais bancos continuassem

O risco vem de não saber o que você está fazendo.
**Warren Buffett, investidor norte-americano (1930-)**

vivos. O contribuinte assumiu o risco que supostamente deveria ter sido do setor privado. Muitos analistas sugerem que o mesmo esteja acontecendo na China de hoje, apesar da dificuldade de comprová-lo, pela falta de transparência do sistema bancário chinês.

### Quem assume o risco?

A frase de Roubini que diz que os prejuízos são "socializados" (assumidos pelo público) enquanto os lucros continuam no setor privado parece ser verdadeira. A desigualdade de renda aumentou consideravelmente pelo mundo afora nas últimas décadas, inclusive em países como Estados Unidos, Reino Unido, China e Índia. Por exemplo, entre 1997 e 2007 nos EUA, a renda dos que estão entre o 1% mais rico cresceu 266%, enquanto a dos que estavam entre os 20% mais pobres cresceu apenas 37%. O socorro dos governos às grandes empresas de fato

**Cidadãos gregos** protestam em Atenas contra as medidas de austeridade em 2011: o resgate por meio de empréstimos da União Europeia aos bancos gregos implica que o país terá anos de dificuldade econômica.

quer dizer que os contribuintes são os que sustentam os que mais se beneficiam com o sistema econômico atual. No longo prazo, as empresas talvez tenham grandes lucros e aceitem da recompensa pelos riscos que assumiram. Mas, se os riscos (e perdas) são assumidos pelos contribuintes, é justo questionar o porquê de só os acionistas ficarem com o lucro nos tempos de crescimento.

Com frequência, funcionários e fornecedores assumem riscos maiores do que parece justo – os acionistas, que desfrutam da recompensa do sucesso, deveriam assumir o risco primário do fracasso. Até mesmo a proteção sindical para os trabalhadores se deteriorou nas últimas décadas – nos Estados Unidos e em vários países ao redor do mundo, os sindicatos agora respondem por não mais de 10% dos funcionários do setor privado, o que deixa os trabalhadores desprotegidos quando as coisas dão errado. A pesar de a flexibilidade trabalhista ter seus méritos, o desequilíbrio entre o "meu risco" e a "sua recompensa" talvez tenha ido longe demais. ■

### Richard Fuld

Richard "Dick" Fuld nasceu em 1946 em Nova York, EUA. Formou-se na Universidade do Colorado em 1969 e terminou seu MBA na Stern School of Business em 1973. Foi o CEO do banco de investimentos Lehman Brothers desde 1994 até o dia em que ele quebrou, em 2008, e durante esse tempo ganhou mais de US$ 500 milhões. Conhecido como o "Gorila de Wall Street", Fuld foi o principal executivo responsável em afundar a firma no negócio das hipotecas *sub-prime*. Para muitos críticos, a decisão que ilustrou sua húbris foi sua recusa em receber socorro financeiro do investidor Warren Buffett e do Korea Development Bank, mesmo quando o Lehman Brothers estava a ponto de quebrar pelo enxugamento de crédito de 2008. Sua lógica era que as ofertas em dinheiro não cobriam aquilo que ele achava que o Lehman Brothers valia. Logo após a quebra do banco, em setembro de 2008, a revista *Time* listou Fuld como uma das "25 pessoas culpadas pela crise financeira", e a revista *Condé Nast Portfolio* colocou-o no primeiro lugar de sua lista dos "Piores CEOs Norte-Americanos de Todos os Tempos".

# NADE CONTRA A CORRENTE. SIGA O CAMINHO OPOSTO. IGNORE A SABEDORIA CONVENCIONAL
**IGNORANDO A MANADA**

**EM CONTEXTO**

FOCO
**Comportamento empresarial**

DATAS IMPORTANTES
**1841** O jornalista escocês Charles MacKay documenta o comportamento de manada em seu livro *Extraordinary Popular Delusions and the Madness of Crowds*.

**1992** O economista indiano Abhijit V. Banerjee publica *A Simple Model of Herd Behaviour*.

**1995** Em seu texto "Herd Behaviour, Bubbles and Crashes", o professor alemão Thomas Lux alega que os preços e o sentimento afetam um ao outro, de modo que sentimentos de manada afetam os preços (por exemplo, a fé no mercado imobiliário eleva os preços).

**2001-2006** A bolha imobiliária nos EUA e em partes da Europa cresce antes de estourar na crise financeira de 2007-2008.

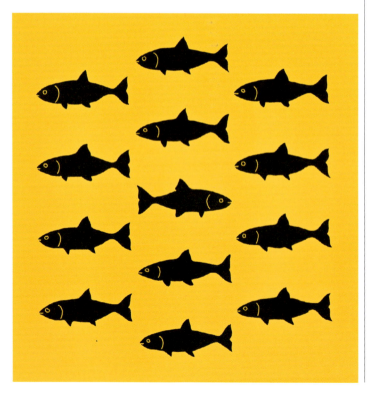

O instinto de manada é claro na natureza, bem como nos negócios. A maioria das pessoas se sente mais confortável seguindo o que os outros fazem do que se comportando como um "solitário". Ignorar a manada exige uma grande força psicológica. Quando o mercado de ações dispara, novos – talvez iniciantes – investidores são sugados pelos ganhos aparentemente fáceis. Tais atrasadinhos num mercado altista fazem o preço das ações subir um pouquinho mais antes de despencar aos seus preços de antes. Ao seguir a manada dessa forma, a maioria dos novatos investe quando o preço das ações está próximo do teto e geralmente as vende quando acham

## FAZENDO O DINHEIRO TRABALHAR 147

**Veja também:** Destacando-se no mercado 28–31 ▪ Obtendo uma vantagem 32–39 ▪ Cuidado com os homens-sim 74–75 ▪ Pensando fora da caixa 88–89 ▪ Evite o pensamento de grupo 114 ▪ Proteja o *core business* 170–171 ▪ Previsões 278–279

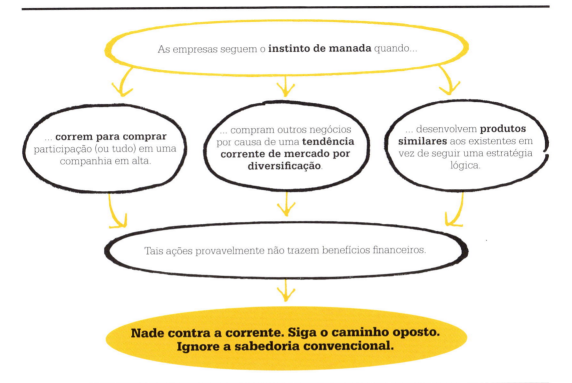

que seus ativos perderam valor. Com frequência, sofre grandes prejuízos. Um investidor contrário – ou uma empresa segura que mantém um portfólio de investimentos – faz o oposto. Quando o preço das ações sobe e os novos investidores são atraídos para esse mercado, ele vende e, quando o mercado despenca, ele compra. Mas poucos investidores mostram a antevisão necessária para saber quando uma alta vai virar uma baixa. Warren Buffett, um legendário investidor, diz: "Nós simplesmente assumimos ter medo quando os outros são gananciosos e ser gananciosos apenas quando os outros estão com medo". Entre 1965 e 2013, a empresa de investimentos de Buffett deu a seus investidores um ganho de capital de mais de 900.000%. Um exemplo do risco de seguir a manada veio com a bolha das empresas "pontocom", entre 1997 e 2000. Dentre vários exemplos de ganhos no preço das ações seguidos de perdas igualmente grandes há o da empresa eToys.com, fundada em 1997. Em maio de 1999, ela foi lançada na Bolsa de Nova York valendo US$ 20 por ação, levantando US$ 166 milhões. No outono de 1999, seu preço era de US$ 84, dando à empresa um valor de mercado maior que o da gigante varejista Toys R Us. Quando o mercado caiu, os especialistas começaram a vender, deixando a manada com as ações. Em fevereiro de 2011, o preço da ação caiu para 9 centavos. Pouco depois, a empresa faliu.

Faz sentido ao público que compra ações não seguir as tendências da massa. Mas isso também vale para líderes empresariais? Em 2008, a »

O instinto de manada entre os que gostam de previsões faz uma ovelha parecer com um pensador independente.
**Edgar R. Fielder, economista norte-americano (1930-2003)**

# 148 IGNORANDO A MANADA

A **participação de mercado global** de *smartphones* entre 2009 e 2013 mudou muito: a Apple permaneceu estável; a Nokia e a RIM tiveram perdas enormes decorrentes de respostas de manada ao sucesso do iPhone; a participação da Samsung disparou, refletindo o desenvolvimento de produtos para os novos tempos.

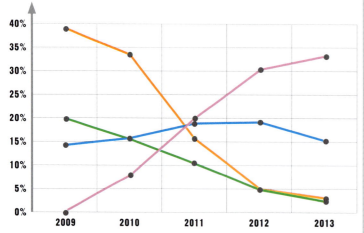

empresa de mídia AOL, percebendo o crescimento nos sites de redes sociais, comprou o site Bebo por US$ 850 milhões. Ela se juntou à manada e perdeu um monte de dinheiro. Em 2013, vendeu o mesmo negócio de volta para seus fundadores por US$ 1 milhão.

### Seguindo tendências

Os líderes empresariais devem, então, ser tão cuidadosos como qualquer um quanto a seguir o mesmo caminho que a maioria. Existem três tipos principais de manada a ser ignorados. O primeiro, já mencionado, é o atropelo ocasional de fazer oferta de compra de outras empresas. Nesse caso, os líderes empresariais têm medo de que, se não comprarem um rival, outro o fará, talvez criando um concorrente maior e mais forte. Em tempos assim, fala-se muito de sinergias (o total sendo maior que a soma das partes), mas pouco sobre pesquisa de longo prazo, o que sugere que de 60% a 66% de todos os processos de aquisição destroem o valor do acionista da empresa vencedora. Em outras palavras, a maioria das ofertas de compra acaba virando um desapontamento.

O segundo comportamento de manada a ignorar é o embate estratégico entre foco e diversificação e a forma como o mercado tende a se concentrar em um desses dois numa hora ou outra. Quando o "foco" é o mantra do mercado, o preço das ações sobe em empresas que vendem ativos periféricos ou divisões de negócios. Foi isso que aconteceu com a British Aerospace (BAe) quando ela vendeu sua participação de 20% na empresa Airbus em 2006. Naquela época, o mercado de ações gostou dessa venda de £ 1,87 bilhão, uma vez que a BAe passou a se concentrar nos setores militar e de defesa. Em 2013, tal visão parecia absurda, já que a Airbus disparou, enquanto os governos – especialmente o dos EUA – cortaram os gastos militares. A BAe, agora preocupada, se aproximou do dono da Airbus e sugeriu uma fusão entre as duas empresas, alegando que um mix de negócio civil e militar seria um foco melhor. Será que as coisas mudaram tanto entre 2006 e 2013 ou a BAe estava simplesmente respondendo à tendência de diversificação? Líderes empresariais fortes olham o longo prazo e ignoram as modinhas entre os analistas do mercado de ações e consultores de gestão.

### Seguindo o líder

O terceiro tipo de comportamento de manada a ser evitado é o "maria vai com as outras". Isso acontece quando as empresas desenvolvem produtos que imitam os inovadores de mercado. É claro que, se uma empresa já tem uma oferta genuinamente diferenciada, é sábio seguir uma nova tendência. Com frequência, no entanto, empresas que copiam produtos às pressas querem mostrar que continuam competitivas num setor. Quando o iPhone foi lançado, em 2007, a Nokia podia se gabar de ter mais de 40% do mercado mundial de *smartphones*. A despeito de uma série de lançamentos de novos produtos pela empresa, sua participação no mercado de *smartphones* despencou para quase 3% no primeiro trimestre de 2013. Por todo esse período, a

Os que caíram na armadilha do instinto de manada se afogaram no dilúvio da história. Mas sempre existem aqueles poucos que observam, raciocinam e tomam cuidado, evitando a inundação.
**Anthony C. Sutton, economista britânico (1925-2002)**

# FAZENDO O DINHEIRO TRABALHAR

Descobrimos que grupos inteiros de uma hora para outra fixam seus olhos em um objeto e o perseguem até o limite da loucura.
**Charles MacKay**

Nokia tentou desesperadamente acompanhar o iPhone da Apple – porém sem fazer nada além de lançar novos produtos, em vez de parar e dar uma respirada estratégica e decidir qual inovação a ajudaria a ter uma participação significativa de mercado.

O contraste entre o comportamento da Nokia e o da Apple não poderia ser maior. Em 2008 e 2009, a maior tendência em computação móvel era a de se afastar dos *laptops* em direção aos *netbooks*. Em 2009, a venda global de *netbooks* cresceu 72%. O instinto de manada de empresas como a Dell foi o de produzir o seu próprio *netbook*. Na Apple, por outro lado, o chefe Steve Jobs anunciou que "o problema com os *netbooks* é que eles não são melhores que nada". Ele trabalhou para desenvolver uma alternativa superior aos *netbooks* – o iPad. Em meados de 2013, o iPad já havia vendido mais de 145 milhões de unidades, e o fabricante original dos *netbooks* (a Asus de Taiwan) interrompeu totalmente sua produção.

Os que ignoram a manada podem aplicar uma lógica fria à sua situação e pensar adiante em direção a possíveis cenários futuros. A manada tende a pensar que amanhã vai ter ainda mais do que hoje. Aqueles que ignoram a manada são capazes de identificar fundamentos que persistem com o passar do tempo enquanto olham adiante para o que pode ser diferente amanhã. Como aconselhou o empreendedor norte-americano Sam Walton, às vezes faz sentido "nadar contra a corrente". ∎

**O sucesso do iPad** reflete o compromisso da Apple com o desenvolvimento de uma alternativa superior aos *netbooks*. Empresas como a Apple e a Samsung precisam estar à frente da manada, não atrás dela.

### Warren Buffett

Quase sempre considerado o investidor de maior sucesso do século XX, Warren Edward Buffett nasceu em 30 de agosto de 1930 em Omaha, EUA. Demonstrava habilidade precoce com a matemática e conseguia somar enormes colunas de números de cabeça. Seu pai foi corretor de ações e congressista.

Buffett começou a investir aos 11 anos. Abriu várias pequenas empresas enquanto ainda era adolescente, antes de ir para as universidades da Pensilvânia, de Nebraska e de Colúmbia para estudar administração. Em 1956, fundou a Buffett Parnership Ltd, onde seu sucesso nos investimentos fez com que recebesse o apelido de "o Oráculo de Omaha". Em 2006, anunciou que doaria toda a sua fortuna à caridade. Em 2012, seu patrimônio estava avaliado em US$ 44 bilhões.

**Principais obras**

**2001** *The Essays of Warren Buffett: Lessons for Corporate America* (com Lawrence A. Cunningham)
**2013** *The Essays of Warren Buffett: Lessons for Corporate America, Third Edition* (com Lawrence A. Cunningham)

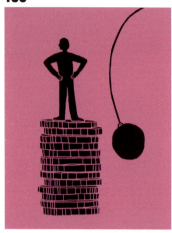

# A DÍVIDA É A PIOR POBREZA
## ALAVANCAGEM E RISCO EM EXCESSO

**EM CONTEXTO**

FOCO
**Gestão de risco**

DATAS IMPORTANTES
**1970-2008** Os bancos em países desenvolvidos dobram a proporção entre os empréstimos que fazem comparados ao valor do dinheiro que detêm.

**2002** O relatório do Global Executive Forum sobre o colapso da Enron diz que o "gênio da Enron era a alavancagem infinita".

**2007-2008** Cada vez mais pessoas têm acesso a crédito para financiar suas hipotecas, mas acabam ficando inadimplentes. Os mercados financeiros globais entram em colapso.

**2013** O governo do Reino Unido força os bancos a publicar seus índices de alavancagem. Entre os mais altos está o do Barclays, que tem empréstimos que valem 35 vezes a sua base de capital (patrimônio).

Em 2012, o físico teórico norte-americano Mark Buchanan escreveu *Forecast*, um livro detalhando suas investigações quanto ao funcionamento da economia. Ao avaliar as variáveis que afetam o crescimento ou o declínio econômico, ele percebeu a importância que os bancos centrais (e os governos) dão à inflação, à taxa de juros, às taxas de câmbio e à confiança do consumidor. Buchanan não entendia a falta de uma variável que se mostrou um fator central em casos extremos no passado, quando

---

**Aumentar a alavancagem** permite às empresas...

⬇

... enfocar no **crescimento** e converter dívidas de curto em longo prazo...

⬇

... e pagar **dividendos maiores** aos acionistas.

⬇

Mas isso pode deixar as empresas **vulneráveis a problemas de fluxo de caixa**.

**Diminuir a alavancagem** permite às empresas...

⬇

... enfocar em **lucros maiores** com o corte de custos e a **renegociação** de empréstimos de longo prazo...

⬇

... e a emissão de **mais ações**.

⬇

Mas a empresa pode ficar **para trás de seus rivais**, que conseguem crescer por meio de uma alavancagem maior.

# FAZENDO O DINHEIRO TRABALHAR 151

**Veja também:** Quem assume o risco? 138–145 ▪ Lucro vs. fluxo de caixa 152–153 ▪ Maximizando o retorno sobre o patrimônio 155 ▪ O modelo das *private equity* 156–157

## A aquisição alavancada

Numa aquisição alavancada, um negócio é comprado por uma empresa ou um grupo de indivíduos usando grande quantidade de dinheiro emprestado, na maioria das vezes empréstimos bancários ou bônus (títulos que pagam juros). É possível que a aquisição seja paga com uma proporção de 90% de dívida e 10% de capital próprio, e os ativos para a garantia dos empréstimos geralmente pertencem à empresa comprada – a dívida será paga depois, com o dinheiro levantado com a empresa adquirida. Companhias de investimentos de aquisições alavancadas são conhecidas como empresas de *private equity*.

Nos anos 1980, alguns compradores chegaram a uma proporção de 100% de empréstimo na aquisição, e os níveis dos juros a ser pagos eram tão altos que o fluxo de caixa não se mantinha e as empresas quebravam. Recentemente, uma aquisição alavancada de US$ 2,85 bilhões, seguida de reestruturação, foi usada para salvar a gigante Metro-Goldwyn-Mayer (MGM).

**Usar o rotativo** dos cartões de crédito pode levar à ruína financeira. Em 2007-2008, muitos donos de imóveis pegaram dinheiro emprestado para pagar suas hipotecas, mas não tinham renda suficiente para fazer frente aos pagamentos.

havia enorme crescimento ou contração – a alavancagem. Trata-se de uma medida de endividamento, ou de quanto pessoas ou empresas financiam seu futuro com dinheiro emprestado. A sociedade e as empresas ignoraram a advertência do historiador britânico Thomas Fuller: "A dívida é a pior pobreza".

Quando existe uma alta alavancagem em toda a economia – como ocorre quando várias pessoas emprestam grandes quantias de dinheiro –, o grau de dívida pode criar uma expansão de curto prazo. Mas isso quase sempre traz o custo de um estouro posterior.

### Assumindo riscos
A crise financeira de 2007-2008 foi principalmente causada por uma alta alavancagem. As pessoas emprestaram enormes quantias usando cartão de crédito e fizeram hipotecas de 100% do valor do imóvel, nos dois casos tendo um nível inadequado de renda. Quando não conseguiram mais pagar as dívidas e o preço dos imóveis caiu, muitas delas ficaram inadimplentes. Os bancos que também estavam altamente alavancados sucumbiram. Seus problemas ficaram ainda piores com o uso em alta escala de produtos financeiros complexos (também baseados em alavancagem), e o sistema financeiro entrou em colapso.

A alavancagem traz riscos parecidos para as empresas. Durante a época das vacas gordas, quando a demanda cresce e as margens de lucro são altas, emprestar capital para financiar um crescimento pode parecer um meio atraente de impulsionar os lucros. Mas os líderes com frequência ignoram a ampliação do risco que acompanha um crescimento nos empréstimos. Pagar as dívidas não é opcional (diferentemente de pagar dividendos). Negócios altamente alavancados podem chegar à conclusão de que não é mais possível cobrir o alto nível de endividamento com as vendas. Os empréstimos podem criar severos problemas de fluxo de caixa.

De forma geral, é sensato restringir os empréstimos a algo próximo de 25% a 30% do capital total de longo prazo usado no negócio. Qualquer percentual acima de 50% é considerado um nível de risco muito alto. Se por um lado os diretores precisam focar a maximização dos lucros, eles também são responsáveis pela saúde financeira de longo prazo do negócio e pela segurança de funcionários, clientes e fornecedores. ■

Quando se combinam ignorância e alavancagem, o resultado é muito interessante.
**Warren Buffett, investidor norte-americano (1930-)**

# O CAIXA É REI
## LUCRO VS. FLUXO DE CAIXA

**EM CONTEXTO**

FOCO
**Gestão financeira**

DATAS IMPORTANTES
**1957** John Meyer e Ed Kuh publicam "The Investment Decision", o primeiro estudo a olhar para o fluxo de caixa e o investimento nos negócios.

**1987** O FASB norte-americano (Financial Accounting Standard Board) introduz uma nova exigência: as empresas agora precisam publicar a "declaração anual de fluxo de caixa" junto com o seu balanço patrimonial, a demonstração de resultados e a declaração de lucros retidos.

**2013** O Co-operative Bank britânico desiste de comprar 632 agências de rua do Lloyds Bank por não ter caixa suficiente para, além de fazer a aquisição, administrar as agências.

Para novos negócios, empresas com alto crescimento e em épocas de recessão, o caixa é rei. Em outras palavras, o lucro pula para o banco de trás enquanto o fluxo de caixa passa a ser um fator crítico. Na contabilidade, o lucro é um conceito abstrato baseado nos custos incorridos em relação à receita gerada durante um dado período. Isso soa bem, mas na prática pode levar a uma enorme falta de caixa. Por exemplo, se uma empresa de construção contabiliza seus custos na hora em que as casas estão prontas para ser vendidas, ela terá ignorado a enorme saída de caixa que acontece durante o processo de construção e talvez fique sem dinheiro antes da venda das casas.

# FAZENDO O DINHEIRO TRABALHAR 153

**Veja também:** A qual ritmo crescer 44–45 ▪ Investimentos e dividendos 126–127 ▪ Ganhando dinheiro a partir do dinheiro 128–129 ▪ Alavancagem e risco em excesso 150–151 ▪ Maximizando o retorno sobre o patrimônio 155 ▪ O equilíbrio entre o longo e o curto prazo 190–191

No tempo das vacas gordas, uma empresa pode precisar usar uma linha de crédito de curto prazo para fazer frente a uma falta de caixa. Mas, nas vacas magras, depender de um banco pode ser muito arriscado. Uma empresa tem que gerenciar bem suas finanças para evitar períodos de fluxo de caixa negativo.

## Como boas empresas quebram

O caixa é uma pressão constante para todos os novos negócios. Mesmo se a empresa se mantiver fiel ao seu orçamento de abertura, demora para uma operação alcançar um nível alto o suficiente para gerar fluxos de caixa positivos. Por exemplo, uma loja de materiais esportivos talvez leve três anos para criar uma clientela regular que a capacite a começar a ter lucro. Até então, o negócio terá um fluxo de caixa negativo. Assim, é crucial para os novos negócios priorizar o fluxo de caixa desde o começo. Talvez isso implique fazer um *leasing* dos equipamentos, ou comprá-los de segunda mão em vez de novos, além de escolher fornecedores que ofereçam o mesmo prazo de crédito que a loja dá a seus clientes, mesmo se esses fornecedores custarem um pouco mais. Problemas de fluxo de caixa também podem fazer com que uma empresa já estabelecida enfrente problemas ou até quebre. Em 1998, o grupo sul-coreano Daewoo se meteu numa enrascada crescente devido a "uma maior dificuldade em arrumar capital de giro e dinheiro para investimento". O grupo crescia de forma agressiva e admitiu que sua estabilidade financeira geral estava seriamente minada por uma nova dependência de empréstimos, mas insistiu que se tratava de um breve momento de crise. A despeito de ser um dos maiores conglomerados do mundo, quebrou no ano seguinte em decorrência da enorme falta de caixa. ■

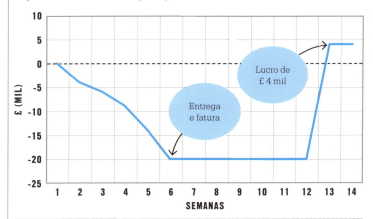

**Certo negócio** recebe um pedido de £ 24 mil e tem que injetar caixa para produzir os bens. Até a sexta semana, £ 20 mil serão gastos pela empresa. O cliente é faturado, mas não precisará pagar o pedido até a 13ª semana. A empresa terá fluxo de caixa negativo por 12 ou 13 semanas.

## Esquemas financeiros

O financista e conselheiro de investimentos norte-americano Bernard Madoff foi sentenciado a 150 anos de prisão em 2009 por causa de um esquema financeiro que, acredita-se, tenha levado a quase US$ 18 bilhões de perdas para investidores. Apesar de alardeado como um financista conceituado e especialista, Madoff era, de fato, responsável por manter um "esquema Ponzi", no qual o caixa que entrava com os novos investidores era usado para pagar uma rentabilidade generosa para os investidores mais antigos. A satisfação desses investidores mais antigos levou-os a recomendar o esquema aos novos interessados.

Esse tipo de pirâmide financeira é capaz de se manter saudável desde que um número suficiente de novos poupadores continue a colocar dinheiro. Se o fluxo de fundos secar, o esquema entra em colapso. A pirâmide de Madoff entrou em colapso pela falta de confiança dos investidores após a crise financeira de 2008.

**Fazendeiros, ao comprar gado** têm que pagar adiantado – como a maioria dos produtores. Os custos com ração e armazenamento só crescerão até que vejam o retorno de seu investimento.

# SÓ QUANDO A MARÉ ESTÁ BAIXA É QUE DÁ PARA VER QUEM ESTÁ NADANDO PELADO

## RISCO FORA DO BALANÇO

## EM CONTEXTO

FOCO
**Risco financeiro**

DATAS IMPORTANTES
**1992** Terry Smith publica *Accounting for Growth*, revelação de alguém dentro de uma grande empresa sobre suas práticas contábeis.

**2001** O estrondoso colapso da Enron mostra que práticas como a contabilidade fora do balanço não são apenas debates sobre temas obscuros.

**2010** É revelado que o Lehman Brothers usou "Repo 105" e "Repo 108" (transações de recompra de títulos) para remover, temporariamente, alguns empréstimos e investimentos de seu balanço patrimonial por sete ou dez dias, criando uma imagem enganadora de suas atividades e seu valor.

**2011** A empresa britânica Southern Cross, de cuidado para idosos, quebra sob o peso de dívidas fora do balanço no valor de £ 5 bilhões.

O balanço patrimonial é uma foto dos ativos e passivos de uma empresa e deve mostrar todo o risco financeiro que ela enfrenta. Mas, na verdade, nem todos os passivos aparecem no balanço. Isso quer dizer que, ao calcular as dívidas de uma empresa, talvez não seja possível saber tudo. Foi esse o caso quando a Enron quebrou, em 2001, e também foi verdade no caso de varejistas e bancos ocidentais que se viram em problemas a partir de 2007-2008.

Fazer operações fora do balanço estava no centro do escândalo de 2011 envolvendo a Olympus, fabricante japonesa de câmeras. Para ocultar decisões gerenciais ruins, como o superfaturamento na compra de outras empresas, o conselho fez subsidiárias não consolidadas ficar com as transações que geravam prejuízos. Já que eram prejuízos não consolidados, os números não precisavam aparecer nas contas anuais da empresa. Analistas e auditores deveriam ter notado que algo estava errado quando os lucros pareciam "saudáveis", embora o caixa tivesse sumido do negócio. Porém nada foi visto até que o CEO, Michael Woodford, deu com a língua nos dentes. Finanças fora do balanço

**A norte-americana Enron** se utilizou da contabilidade fora do balanço para sobrevalorizar ativos em suas subsidiárias. Mesmo indo em direção ao desastre, os registros atestavam que a empresa estava bem.

têm sido usadas cada vez mais por governos nas últimas décadas. Na China, o Escritório Nacional de Auditoria foi avisado de que o governo local talvez tenha débitos fora do balanço até três vezes maiores que a dívida oficial de U$ 600 bilhões. Isso será considerado fortemente nas cobranças futuras de juros – e pode haver um risco significativo se a China experimentar uma contração de crédito similar à ocorrida na Europa e nos EUA a partir de 2007-2008. ■

**Veja também:** Jogue conforme as regras 120–123 ▪ Prestação de contas e governança 130–131 ▪ Quem assume o risco? 138–145 ▪ Alavancagem e risco em excesso 150–151

FAZENDO O DINHEIRO TRABALHAR 155

# O RETORNO SOBRE O PATRIMÔNIO É UMA META FINANCEIRA QUE PODE SE TORNAR UM GOL CONTRA
## MAXIMIZANDO O RETORNO SOBRE O PATRIMÔNIO

### EM CONTEXTO

FOCO
**Metas e riscos empresariais**

DATAS IMPORTANTES
**1978** O lendário investidor Warren Buffett alega que o retorno sobre o patrimônio (ROE) não deve se desviar do nível de 12% por muito tempo.

**1995** O livro *The Warren Buffett Way*, de Robert Hagstrom, apresenta ao público a abordagem de Buffett sobre o investimento, incluindo a importância que ele dá ao ROE.

**1997** O índice industrial norte-americano da Standard and Poor's revela um ROE médio de 22%.

**2012** Entre os varejistas internacionais de roupas, o ROE varia de 40% na GAP e 39% na H&M a -139% na American Apparel. Baseado apenas no ROE, a American Apparel não deveria mais existir na sua forma atual.

Muitos analistas do mercado de ações consideram o retorno sobre o patrimônio (ROE) uma medida vital do sucesso de um negócio. O ROE mede o lucro como uma porcentagem do patrimônio líquido que aparece no balanço patrimonial. Esse "patrimônio" é composto do capital social (capital levantado com a venda de ações) e de reservas (os lucros retidos, ou acumulados, da empresa).

O ROE é afetado pelas condições de negócio. Ainda se recuperando de um *tsunami* e de alagamentos, a Toyota conseguiu um ROE de 3,9% em 2012. A rival General Motors (GM), não afetada por desastres naturais, alcançou 16,7%. Baseado em seu ROE, a GM parecia ser quatro vezes melhor na geração de lucro para o investimento dos acionistas.

### Uma medida enganadora
O ROE pode ser problemático como um indicador do potencial de investimento. A porcentagem resultante é uma função de duas coisas: o tamanho do lucro e do patrimônio líquido. A Toyota e a GM tiveram lucro antes dos impostos parecidos em 2012, mas o tamanho do patrimônio líquido das duas montadoras cria uma imagem distorcida. A Toyota tem um enorme balanço patrimonial com um grande patrimônio líquido, reforçado por décadas de lucros altos. A falência da GM em 2009 zerou suas reservas, deixando uma base de patrimônio pequena. O alto ROE da GM se deveu principalmente à sua quebra e ao socorro do governo dos EUA.

Nos anos 2000, muitos bancos diminuíram seu balanço patrimonial por meio da "recompra de ações". O caixa foi usado para recomprar as ações que estavam em poder dos acionistas, reduzindo, no fim das contas, o patrimônio. Isso aumentou o ROE, mas levou a uma estrutura de capital arriscada. Ao maximizar o ROE, os bancos deixaram muito pouco caixa para lidar com a crise financeira de 2007-2008. ■

**O ROE de uma empresa** é calculado ao dividir o lucro pelo patrimônio líquido médio. Quanto maior o número, mais eficiente é a companhia em gerar retorno aos acionistas.

$$\text{ROE (\%)} = \frac{\text{Lucro}}{\text{Patrimônio líquido médio}} \times 100$$

---

**Veja também:** Investimentos e dividendos 126–127 ■ Prestação de contas e governança 130–131 ■ Quem assume o risco? 138–145 ■ Ignorando a manada 146–149

# CONFORME O PAPEL DAS EMPRESAS DE *PRIVATE EQUITY* AUMENTOU, AUMENTARAM TAMBÉM OS RISCOS ENVOLVIDOS
## O MODELO DE *PRIVATE EQUITY*

**EM CONTEXTO**

FOCO
**Lucro e risco**

DATAS IMPORTANTES
**1959** É criada a primeira *startup* financiada por um fundo de *venture capital*, a Fairchild Semiconductors.

**1978** O grupo de investimento norte-americano KKR paga US$ 380 milhões para fechar o capital da fabricante Houdaille Industries Inc. Essa foi, provavelmente, a primeira operação de *private equity*.

**1988** A KKR adquire o conglomerado RJR Nabisco por US$ 25 bilhões, na maior compra de *private equity* que o mundo já viu.

**2006-2007** Um ano de pico para as empresas de *private equity* – só nos EUA, elas compraram 654 empresas por um valor total de quase US$ 375 bilhões.

No começo, as empresas de *private equity* eram **grandes investidores** querendo ganhar lucros de longo prazo.

Nos anos 1980, investidores menores começaram a usar a **alavancagem** para comprar empresas.

Esse tipo de *private equity* exige lucros **maiores no curto prazo** (para pagar as dívidas).

Provavelmente as **oportunidades de longo prazo** serão deixadas de lado por um lucro maior no curto.

Conforme o papel das empresas de *private equity* aumentou, aumentaram também os riscos envolvidos.

Alguns economistas consideram que a expressão *private equity* (patrimônio próprio) é um nome enganador, já que se trata de um modelo baseado no endividamento, não no patrimônio (o valor dos ativos que pertencem a um indivíduo ou empresa). As transações de *private equity* envolvem alavancar um balanço patrimonial ao encher uma empresa com dívida. Isso é parecido com a controversa prática das aquisições alavancadas (LBO), nas quais uma empresa é adquirida usando uma grande quantidade de dinheiro emprestado, aumentando seu nível de endividamento.

Tais níveis de endividamento apresentam um risco inerente, como já disse o político norte-americano Jack Reed. A pressão sobre os executivos aumenta – bons lucros são necessários para diminuir os juros cobrados sobre a dívida de uma empresa. A teoria é que isso força os executivos a ter uma performance melhor, mas os críticos alegam que uma firma se sujeitar a um modelo de *private equity* provavelmente maximizará o lucro no curto prazo à custa do crescimento de longo prazo da empresa.

**Menor pressão, maior foco**
Para seus defensores, a principal vantagem do modelo de *private equity* está naquilo que ele remove. Primeiro, ele remove a pressão por lucros normais pelos acionistas que tem que ser

## FAZENDO O DINHEIRO TRABALHAR 157

**Veja também:** Vencendo os desafios na fase inicial 20–21 ▪ Quem assume o risco? 138–145 ▪ Alavancagem e risco em excesso 150–151 ▪ O equilíbrio entre o longo e o curto prazo 190–191

enfrentada pelos executivos de uma empresa de capital aberto. Por exemplo, em 2012, a rede de lojas de departamento norte-americana J. C. Penney mudou de cara e assumiu uma estratégia nova, mais sofisticada. A abrupta queda nas vendas forçou uma rápida reavaliação, incluindo a demissão do recém-contratado CEO. A má performance de curto prazo é inaceitável para uma empresa de capital aberto, podendo até atrair a atenção de investidores de *private equity* em busca de novas aquisições.

Diz-se que a segunda força do modelo de *private equity* é o foco que ele provê. Com frequência, o conselho de S/As supervisiona um amplo leque de negócios. Por exemplo, em 2012 a Sumitomo Corporation do Japão vendeu 50% da sua participação na subsidiária Jupiter Shopping Channel para um grupo de *private equity* norte-americano, o Bain Capital. Isso, na prática, separou a Jupiter da Sumitomo, garantindo que os diretores da Jupiter pudessem focar uma única área de negócios. Isso lhes permitiu desempenhar um papel mais ativo nas decisões e estratégia. No longo prazo, existem duas questões a respeito das *private equity*: elas produzem uma melhor performance em termos de lucros? E elas são melhores para o sucesso de longo prazo de um negócio, levando em consideração a inovação, o comprometimento dos funcionários e a satisfação do cliente?

Em 2013, um estudo conjunto de três universidades do Reino Unido descobriu que a performance de uma empresa cai depois de ter sido comprada por uma *private equity*, levando-se em conta os lucros e os níveis de emprego. A pesquisa mostrou que quatro anos depois da compra por uma *private equity*, a receita por empregado subiu de £ 120 mil para £ 160 mil, ao passo que num grupo similar de empresas ele foi de £ 120 mil para £ 250 mil. Mas outros estudos sugeriram o contrário – que as empresas de *private equity* aumentam os lucros. Logo, a pesquisa foi inconclusiva.

Pode parecer que quando o termo *private equity* é usado para descrever um crescimento movido a dívida, alguns anos de sucesso podem ser seguidos por terríveis prejuízos. Mas a maioria das empresas que fazem compras via *private equity* consiste investidores institucionais que querem investir enormes somas de dinheiro por longos períodos de tempo. ∎

**A Jupiter Shopping Channel** é o negócio de compras via televisão mais popular no Japão. Com 50% do seu capital na mão de empresas de *private equity*, ele se beneficia do foco na eficiência de *call center*.

### Alec Gores

O empresário de *private equity* mais rico do mundo, Alec Gores, pode ter tido sua fortuna estimada em US$ 1,9 bilhão em 2013. Gores nasceu em Israel, filho de pai grego e mãe libanesa. Emigrou para os EUA em 1968, onde cursou o ensino médio em Michigan.

Depois de se formar em computação na Western Michigan University, Gores fundou um negócio varejista de computadores (a Executive Business Systems), vendendo computadores em sua garagem em 1978. Depois de sete anos, a empresa empregava mais de duzentas pessoas. Gores vendeu-a por US$ 2 milhões aos 33 anos e usou o capital para abrir o Gores Group em 1987.

O fundo de *private equity* do Gores Group se especializou em adquirir e operar negócios subavaliados e de baixa performance de grandes empresas, transformando-os em operações lucrativas. Isso incluía a compra de divisões deficitárias de grandes empresas como Mattel e Hewlett-Packard. Desde sua fundação, o grupo já adquiriu mais de oitenta empresas.

# ALOCANDO CUSTOS DE ACORDO COM OS RECURSOS CONSUMIDOS
## CUSTEIO BASEADO EM ATIVIDADES

**EM CONTEXTO**

FOCO
**Custo e eficiência**

DATAS IMPORTANTES
**1911** F. W. Taylor – um dos primeiros "gurus" de gestão – escreve *Princípios da administração científica*, no qual sugere métodos para a criação de um modelo preciso de custeio.

**1971** O professor norte-americano George Staubus escreve o livro *Activity Costing and Input-Output Accounting*. Seu livro encoraja o interesse no custeio baseado em atividades entre as fábricas norte-americanas.

**1987** Os especialistas em administração norte-americanos Robert Kaplan e Robin Cooper definem o custeio baseado em atividades em seu livro *Accounting and Management*.

A contabilidade de custos visa determinar os custos de produção de uma empresa medindo seus custos diretos (como matéria-prima), aos quais são somados gastos indiretos ou custos fixos (tais como utilidades). De acordo com o professor David Myddelton, da Cranfield School of Management, no Reino Unido, a imprecisão inerente a esse método com frequência implica que as empresas saibam bem menos do que

---

A contabilidade baseada em atividades calcula **os custos indiretos reais** dos produtos e serviços.

↓

Por serem exatos, a empresa consegue calcular os **custos unitários precisos**.

↓

Tal exatidão permite à empresa tomar **boas decisões** quanto aos melhores recursos a ser usados.

↓

**Alocando custos de acordo com os recursos consumidos**.

# FAZENDO O DINHEIRO TRABALHAR 159

**Veja também:** Jogue conforme as regras 120–123 ▪ Lucro vs. fluxo de caixa 152–153 ▪ Estratégias boas e más 184–185 ▪ A cadeia de valor 216–217 ▪ Portfólio de produtos 250–255 ▪ Tirando proveito do *big data* 316–317

---

deveriam a respeito de seus custos. Elas talvez estejam relativamente esclarecidas a respeito dos custos diretos, mas nem tanto em relação aos custos indiretos que devem ser alocados a produtos específicos. A consequência comercial disso é que talvez uma empresa aloque despesas de marketing para um produto que não é muito lucrativo. No longo prazo, decisões erradas como essa trarão dificuldade com seus rivais.

## Contabilidade baseada em atividade

No mundo ideal, um sistema contábil mede cada aspecto de todas as transações e decisões relacionadas a um produto ou serviço específico. A forma mais eficaz de conseguir isso se dá por meio do custeio baseado em atividades. Se por um lado um sistema contábil tradicional estima os gastos indiretos (talvez supondo que cada unidade produzida numa fábrica deva ter a mesma participação nos custos totais), o custeio baseado em atividade é muito mais preciso: ele abre os gastos indiretos para saber quais atividades criam os custos. Isso permite à empresa perceber que o custo de fabricação de um produto (chocolate, por exemplo) não é "mais ou menos 65 centavos", mas exatamente "59 centavos".

Esse grau de precisão costuma ser mais importante quando se consideram produtos não padronizados, como a entrega de um pedido especial de mercadorias para a Olimpíada de 2016 no Brasil. O custeio baseado em atividades talvez mostre que os custos associados a essa ordem específica são maiores que aqueles dos produtos tradicionais. Isso ajudaria o negócio a estabelecer os preços certos para os itens relacionados à Olimpíada.

Para implementar um custeio baseado em atividades uma empresa precisa: (1) identificar todas as atividades e os recursos diretos e indiretos; (2) determinar os custos por atividade indireta; e (3) identificar os "fatores de custo" para cada atividade. Um fator de custo é aquele que influencia ou cria custos. Por exemplo, o caixa de um banco tem muitas atividades – quando mede os fatores de custo de uma atividade como o manuseio dos cheques que chegam, o banco deveria descobrir quanto tempo o caixa gasta para fazer apenas essa atividade. A partir desses três

> Saber os custos com um grau razoável de precisão pode ser uma questão de enorme importância para uma companhia.
> **F. W. Taylor**

cálculos, uma empresa pode calcular os custos totais, diretos e indiretos, para um produto ou serviço. Ao dividir esses custos pela quantidade produzida, chega-se a um custo unitário preciso. A empresa pode, então, estabelecer pontos de equilíbrio de confiança, identificar os produtos com margens de lucro que os façam merecedores de apoio (como suporte de propaganda, por exemplo) e permitir claras comparações de modo a tomar sólidas decisões de investimento. ▪

---

## Frederick Winslow Taylor

Nascido em 1856 na Filadélfia, EUA, F. W. Taylor estudou engenharia mecânica. Ficou famoso mais tarde com seu estudo sobre "gestão científica", baseado na ideia de que a gestão eficaz é uma ciência com leis claramente definidas. Taylor também ficou conhecido como o pai da contabilidade de custos.

No final do século XIX, ele estabeleceu um novo sistema contábil que envolvia a "determinação mensal do custo unitário". Enfatizou o valor dos dados relativos aos custos como informação que os gestores poderiam usar para estabelecer preços e decidir o que produzir. Sua crença era de que, para a informação contábil ter valor, ela deve ser útil, rápida e registrada em demonstrações comparáveis de modo que um progresso (ou declínio) pudesse ser identificado rapidamente. F. W. Taylor morreu de pneumonia em 1915, aos 59 anos.

### Principais obras

**1911** *Princípios da Administração Científica*
**1919** *Two Papers on Scientific Management: a Piece-Rate System and Notes on Belting*

# TRABAL
# COM VIS
## ESTRATÉGIA E
## OPERAÇÃO

ÑANDO
ÃO

# INTRODUÇÃO

No livro *Alice no país das maravilhas,* de Lewis Carroll, o Gato de Cheshire diz a Alice que, se você não sabe aonde está indo, "não importa o caminho que você pegar". Essa é uma armadilha que as empresas devem evitar – o ponto de partida de qualquer novo negócio é ter uma meta, e tem que haver uma estratégia clara de como chegar lá. Também é essencial ter uma visão do tipo de sucesso do qual se está falando uma vez que a meta tenha sido alcançada. Tal visão deve ser compartilhada e entendida por todos, de modo que a empresa tenha um objetivo comum.

### Seguindo uma visão
Tomar decisões sobre uma boa estratégia de negócios começa com uma análise crítica, tal como uma análise SWOT, mas ela precisa ainda envolver a identificação de ações que não se devem tomar. A estratégia também é vital para empresas que querem liderar o mercado – muitas agem assim ao oferecer produtos ou serviços que são ou os mais baratos ou os melhores. Existem muitos modelos e teorias para negócios que podem ser seguidos para desenvolver uma estratégia de sucesso. O principal estrategista norte-americano, Michael Porter, por exemplo, ofereceu às organizações ideias que as ajudaram a analisar seu mercado, entender as forças competitivas em jogo e a se posicionar em busca de vantagem competitiva.

Assim que o conselho de uma empresa houver concordado quanto a uma decisão estratégica, ele deve estar preparado para mudar de direção sempre que surgir a necessidade – mas sempre mantendo a visão original em mente. Além disso, líderes empresariais devem estar em constante alerta a mudanças no cenário externo, para não ser pegos de surpresa. Há que se evitar a complacência conforme o ritmo dos negócios e das mudanças aumenta constantemente. A concorrência é feroz, e as empresas devem inovar se quiserem se manter no topo e evitar ser compradas ou se tornar obsoletas. Há muitos exemplos de organizações que fracassaram ao fazer isso, como a Research in Motion (agora conhecida como Blackberry Ltd), companhia canadense cujo negócio sofreu quando a venda dos seus *smartphones* Blackberry despencou – seus chefões falharam em se antecipar ao iPhone mais avançado da Apple.

### Mantendo o equilíbrio
As empresas devem sempre equilibrar os objetivos de curto e longo prazo. O conselho deve ter sempre à vista o longo prazo, mas ele precisa tomar decisões que permitam à empresa ter lucro suficiente no curto prazo para continuar na ativa – um ato difícil, principalmente num mundo incerto. É impossível prever o que o futuro nos aguarda, de modo que os executivos com frequência usam o planejamento de cenários ao se perguntarem "e se acontecer isso?". Avaliar a probabilidade de eventos indesejados não acaba com a incerteza, mas ajuda a evitar surpresas totalmente inesperadas.

O caminho da diversificação para negócios não esperados caiu recentemente, e as empresas agora focam o seu *core business*. Os especialistas em gestão C. K. Prahalad e Gary Hamel argumentavam que a habilidade da empresa de consolidar sua força em suas principais competências era capaz de prover uma vantagem competitiva sobre seus rivais.

---

Determine as coisas que podem e devem ser feitas, e descobriremos a forma de fazê-las.
**Abraham Lincoln, ex-presidente norte--americano (1809-1865)**

## Flexibilidade

Globalização, tecnologia e um mundo cuja ordem está sempre mudando fizeram com que os negócios ficassem cada vez mais complexos. Estruturas hierárquicas tendem a ser inflexíveis, de modo que a ênfase hoje está nas estruturas não hierárquicas, empoderando as pessoas e as equipes. Negócios flexíveis garantem que todos estejam envolvidos e possam se adaptar rapidamente às mudanças. Tais organizações colaboram com parceiros externos, em vez de simplesmente transacionarem com eles para encorajar o aprendizado compartilhado. O pesquisador norte-americano Peter Senge apresentou o conceito de "organização aprendiz", segundo o qual uma empresa facilita o aprendizado de seus funcionários e é capaz de se transformar sempre. O controle pela gestão é substituído pela liderança e pela direção.

As organizações com cultura de aprendizagem e visão compartilhada possibilitam às pessoas com diferentes funções trabalhar juntas e desenvolver ideias, tomar decisões e criar novos produtos e serviços de maneira mais ágil. As pessoas agem como um grupo de empreendedores, e não como empregados assalariados. Ser capaz de aprender com os erros exige uma cultura na qual as pessoas não são criticadas ou penalizadas por erros, o que inibiria a iniciativa e novas ideias.

As empresas têm que aprender não apenas a lidar com o caos, mas a prosperar. No ambiente com cada vez mais mudanças da economia digital do século XXI, elas têm que gerenciar o caos e usá-lo como uma oportunidade de crescer e renovar os negócios.

## As empresas hoje

As empresas podem ser complexas no mundo moderno, mas nunca o jogo foi tão interessante. O tamanho físico não mais se iguala ao sucesso. A internet mudou tudo – agora o pequeno pode ser bom. Negócios que surgem oferecendo aos clientes produtos em nichos de mercado geralmente conseguem competir com maior eficiência na economia global. Alguns dos negócios de maior sucesso hoje em dia começaram com apenas uma pessoa, quase sempre numa garagem ou numa mesa de jantar. O importante é que as empresas não ofereçam apenas o que as pessoas querem, mas que também tornem mais fácil acessá-las on-line.

Acima de tudo, existe a importância suprema da ética. "O lucro a qualquer preço" não é mais uma máxima aceitável. Cada vez há mais regulação sobre as demonstrações financeiras e em questões como corrupção. Os consumidores estão mais exigentes e perspicazes: eles querem saber de onde vem a matéria-prima, como os produtos são feitos e qual o impacto da empresa sobre o meio ambiente. Algumas empresas têm políticas e procedimentos para ajudar a criar uma cultura ética. Dessa forma, os empregados conhecem os padrões que se esperam deles. Mesmo assim, ainda são inúmeros os casos de sonegação fiscal, definição de preço por conluio e riscos excessivos. Esses problemas persistem porque as pessoas quase sempre são movidas por interesses próprios. Um dos casos mais conhecidos é o do colapso, em 2008, da organização de serviços financeiros Lehman Brothers, no começo da crise econômica global.

No entanto, muitos dos exemplos neste capítulo sugerem que as empresas com uma visão clara e que fazem a coisa certa são as que provavelmente serão as bem-sucedidas. ■

Você tem que ter visão. E ela tem que ser uma visão que você consiga articular clara e firmemente a todo momento. Não se pode soprar uma corneta incerta.
**Theodore Hesburgh, padre e pesquisador norte-americano (1917-2015)**

# TRANSFORME TODO DESASTRE NUMA OPORTUNIDADE
## APRENDENDO COM O FRACASSO

**EM CONTEXTO**

FOCO
**Mentalidade gerencial**

DATAS IMPORTANTES
**c. 560 a.C.** O filósofo chinês Lao Tzu afirma que o fracasso é a base do sucesso e o meio pelo qual ele é atingido.

**Anos 1960** Soichiro Honda, fundador da Honda Motor Company, diz que "o sucesso só é alcançado por meio de fracassos repetitivos e introspecção".

**1983** A Apple Computer Inc lança seu computador Lisa. É um fracasso comercial, mas desempenha um papel crucial no desenvolvimento do Mac.

**1992** O professor de gestão americano Sim Sitkim apresenta a ideia de "fracasso inteligente" em seu livro *Learning Through Failure: the Strategy of Small Losses*.

---

Quando uma empresa exerce uma atividade, ela **ganha experiência**.

A experiência ganha oferece um **feedback útil**, quer a atividade tenha sido um sucesso ou não.

A empresa tem que analisar o *feedback* para descobrir o que poderia ter sido **diferente e melhor**.

A empresa **implementa métodos e abordagens** melhores em novos projetos.

**Todo desastre é uma oportunidade para o aprendizado.**

---

Existem muitas histórias de sucesso embutidas num fracasso: o inventor norte-americano Thomas Edison fracassou em patentear sua máquina de *ticker tape* (cotação de ações), de modo que teve que continuar inventando até chegar a aperfeiçoar a lâmpada incandescente. O inventor britânico James Dyson produziu mais de 5 mil protótipos antes de chegar a um aspirador de pó sem saco. O sucesso para os empreendedores sempre envolvem tentativa e erro, bem como a persistência. O industrial norte-americano J. D. Rockefeller, o primeiro bilionário do mundo, queria "transformar todo desastre numa

# TRABALHANDO COM VISÃO  165

**Veja também:** Gerenciando riscos 40–41 ▪ A sorte (e como virar sortudo) 42 ▪ Reinventando e adaptando 52–57 ▪ Criatividade e invenção 72–73 ▪ Cuidado com os homens-sim 74–75 ▪ Pensando fora da caixa 88–89 ▪ A organização aprendiz 202–207

oportunidade". Quando o mundo mudou para a lâmpada elétrica e abandonou a iluminação por querosene, seu negócio foi ameaçado. Mas ele rapidamente viu o potencial do carro a motor de Ford e percebeu que o petróleo poderia ser convertido em gasolina, além de querosene. Sua fortuna aumentou.

## Aprendizado constante

A experiência pessoal é reconhecida como o jeito como os indivíduos aprendem, e o mesmo vale para as organizações: elas ganham conhecimento e capacidade a partir da experiência corporativa. O ritmo de mudança nos mercados globais implica que a melhora constante se transformou na norma. O maior desafio, no entanto, é fazer com que as empresas reconheçam o fracasso e aprendam com ele. Para isso, a organização precisa criar uma cultura na qual as pessoas não são criticadas nem penalizadas pelos erros, mas ativamente encorajadas a ter novas ideias a partir deles.

Algumas empresas reconhecem que é somente por meio do fracasso que se chega ao sucesso e incorporam tal princípio à sua cultura. A empresa norte-americana 3M, por exemplo, permite ao seu pessoal técnico gastar 15% do seu tempo experimentando novas ideias, sabendo que haverá alguns vencedores (como no caso do Post-it) junto a vários fracassos.

Reconhecer o erro, diminuir perdas, identificando novas oportunidades e tomar um novo rumo são um teste de liderança que também manda um sinal positivo àqueles que trabalham na organização. Isso exige uma mentalidade racional, livre de emoções, capaz de focar os custos e benefícios de mudar de rumo.

Em meados de 1980, a Coca-Cola Company decidiu substituir sua fórmula original por um produto com adoçante: a New Coke. Nos EUA, isso acabou em protestos pelos consumidores. A empresa aprendeu que os consumidores norte-americanos tinham um sentimento de posse quanto à Coca-Cola e não gostaram nem um pouco da mudança da fórmula. O CEO rapidamente reintroduziu a fórmula original com o nome de Coke Classic. Ao responder rapidamente, ele agarrou a oportunidade de uma boa publicidade, e as vendas decolaram.

Eu não fracassei. Só descobri 10 mil maneiras que não funcionam.
**Thomas A. Edison inventor norte-americano (1847-1931)**

O terceiro maior varejista do mundo, a Tesco, abriu suas lojas Fresh & Easy nos EUA em 2007. Depois de seis anos e um custo de US$ 2,27 bilhões, ela admitiu o fracasso e voltou atrás. As lojas não tiveram sucesso porque a Tesco não entendeu os hábitos de compra de sua clientela-alvo. O presidente Richard Broadbent disse que eles haviam aprendido o valor de manter a mente aberta para projetos. Flexibilidade, *feedback* e resposta rápida são chaves para encontrar um novo caminho por meio do fracasso. ▪

## J. D. Rockefeller

John Davidson Rockefeller nasceu em 1839 em Richford, Nova York, EUA. Aos 16 anos, foi empregado como contador assistente num negócio comercial. Quatro anos depois, com um sócio, estabeleceu seu próprio negócio, parecido com o outro: vendeu US$ 450 mil no primeiro ano. Em seguida abriu sua primeira refinaria de petróleo, em 1863, fundando a Standard Oil.

Os interesses comerciais de Rockefeller fizeram dele o homem mais rico do mundo naquela época, mas suas práticas eram impopulares. Percebendo o valor de uma boa distribuição, fechou acordo exclusivo com uma companhia ferroviária para transportar seu petróleo, quebrando todos os seus concorrentes. A Standard Oil se tornou um monopólio, primeiro em Cleveland, depois nos EUA. Em 1902, seu monopólio em refino, transporte e comercialização de petróleo virou manchete de jornal, e a companhia foi dividida pela Suprema Corte norte-americana em 1911.

Rockefeller tornou-se, então, o maior filantropo do mundo, doando aproximadamente US$ 350 milhões e abrindo várias instituições de caridade. Morreu em 1937, aos 97 anos.

# SE EU TIVESSE PERGUNTADO ÀS PESSOAS O QUE ELAS QUERIAM, PROVAVELMENTE TERIAM DITO "CAVALOS MAIS RÁPIDOS"

**LIDERANDO O MERCADO**

## EM CONTEXTO

FOCO
**Líderes de mercado**

DATAS IMPORTANTES
**Anos 1780** O inventor inglês Richard Arkwright desenvolve um sistema mecanizado completo para a produção de fios em escala industrial.

**Anos 1860** O general norte-americano Nathan Bedford Forrest alega que a chave para o sucesso militar é "chegar primeiro e com mais homens".

**1989** O empresário holandês Arie de Geus sugere que a única vantagem competitiva de uma empresa é sua habilidade de aprender mais rápido que seus concorrentes.

**1994** Al Ries e Jack Trout publicam *As 22 consagradas leis do marketing*, livro no qual descrevem as vantagens de ser o primeiro no mercado.

A lógica do mercado geralmente dita: "Espere e deixe que outro vá na frente, faça os gastos e erre". Mas há muitos casos de vantagens significativas para as empresas que chegam primeiro ao mercado.

A companhia líder num novo mercado ganha uma vantagem competitiva que talvez a capacite a dominá-lo no longo prazo. Richard Arkwright, inventor do moderno sistema de manufatura, é um exemplo. Ele desenvolveu o primeiro sistema mecanizado completo para tecelagem no século XVIII, na Grã-Bretanha. Suas patentes caíram cinco anos após seu registro, mas a iniciativa garantiu que ele continuasse dominando o mercado.

# TRABALHANDO COM VISÃO 167

**Veja também:** Destacando-se no mercado 28–31 ▪ Obtendo uma vantagem 32–39 ▪ O equilíbrio entre o longo e o curto prazo 190–191 ▪ A cadeia de valor 216–217

- Os consumidores não inovam – eles **ficam felizes com uma versão melhor** de um produto já existente.
- Quando uma empresa apresenta um **conceito totalmente novo**, ela cria um mercado e é a "primeira" na cabeça dos consumidores.
- A empresa ganha a **vantagem competitiva** de ser a primeira no mercado.
- Mesmo que venham os concorrentes, os consumidores **continuam associando** a primeira empresa ao conceito.
- Uma empresa que sai na frente pode **dominar o mercado**.

### Henry Ford

Henry Ford nasceu em Michigan, EUA, em 1863. Sempre foi fascinado por máquinas, e ainda criança construiu motores rudimentares a vapor. Abandonou a escola aos 15 anos para trabalhar na fazenda de seu pai, mas em 1879 mudou-se para Detroit, para trabalhar como aprendiz na Michigan Car Company, que fazia vagões ferroviários. Mudou-se com frequência, tendo feito vários trabalhos de engenharia, antes de voltar a Detroit e trabalhar como engenheiro para a Edison Illuminating Company.

Ao mesmo tempo, Ford começou a fabricar um carro movido a gasolina, o Thin Lizzie, no fundo de seu quintal. Ele convenceu um grupo de empresários a apoiá-lo, mas a falta de experiência levou ao fracasso do negócio – por duas vezes. Seu terceiro negócio – a Ford Motor Company – foi formado em 1903. Seu primeiro carro, o Modelo A, foi seguido por diversos outros modelos até que a empresa acertou na mosca com o Modelo T: "um carro para as massas". Em 1925, Ford produzia 10 mil por dia, o que representava 60% da produção total de automóveis nos EUA. Sua última grande inovação – aos 69 anos – foi o motor V8. Ele morreu em 1947.

O conhecimento que ganhou o capacitou a melhorar sua tecelagem movida a água.

### Seguindo à frente

Henry Ford não inventou o carro a motor, mas desenvolveu o primeiro carro acessível aos norte-americanos da classe média, no começo do século XX. Muitas pessoas nem sequer sonhavam em ter um carro, porque eles eram vistos como um item de luxo para os ricos, e, conforme Ford disse na época, a maioria das pessoas estaria mais feliz se tivesse um "cavalo mais rápido".

Ford, assim como Arkwright, teve sucesso por causa de uma vantagem técnica. Sua ideia era de produção em massa, usando uma linha de montagem móvel para reduzir os custos de produção. Em 1918, a Ford Motor Company era claramente a líder no mercado automobilístico dos EUA – o Modelo T respondia por metade de todos os carros no país. Ford continuou a liderar o mercado até meados dos anos 1930.

Seguir à frente dos outros num mercado envolve riscos. Ao tomar a iniciativa – com um produto inovador, nova tecnologia, preços mais baixos, melhor distribuição, ofertas promocionais ou agressivas campanhas de propaganda –, uma empresa cria a oportunidade de chegar à liderança. As organizações talvez queiram tal vantagem porque sua »

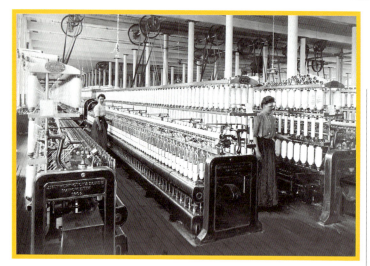

**A fiação** foi a primeira atividade a se tornar totalmente mecanizada. O governo britânico restringiu as exportações dessa tecnologia, mantendo a vantagem de pioneiro o máximo possível.

Em 1979, a Sony apresentou o Walkman, primeiro aparelho de música pessoal. Assim como Ford mudou o jeito de as pessoas viajarem, a Sony mudou os hábitos de ouvir música – bem como estilos de vida. Seu lançamento coincidiu com a mania da ginástica aeróbica, e milhões usaram o Walkman na hora de se exercitar. Entre 1987 e 1997, no auge da popularidade do Walkman, o número de pessoas fazendo ginástica cresceu 30% de acordo com a revista *Time*. A Sony vendeu 200 milhões do seu toca-discos portátil, e em 1986 a palavra "walkman" entrou no Dicionário Oxford da língua inglesa.

O walkman evoluiu do cassete para a tecnologia do CD, e os consumidores estavam felizes com seus *players* de música até 2001, quando Steve Jobs anunciou: "A coisa mais legal a respeito do iPod é que todas as suas músicas cabem no seu bolso". Começou, assim, uma nova indústria, baseada em música digital portátil, agora dominada pela líder de mercado Apple.

estratégia e sua abordagem são sempre as da liderança num novo mercado, como a Gillette, com sua antiga política de ser "a primeira a fazer certo". Algumas empresas optam por não fazer isso. A Samsung, por exemplo, tem como meta ser um seguidor rápido, aprendendo com seus concorrentes.

### A vantagem do pioneiro

Ser a primeira no mercado dá à empresa uma "vantagem pioneira", a qual pode durar muito ou ter vida curta. A vantagem de longo prazo traz vantagens duradouras, seja criando um mercado totalmente novo ou melhorando a participação de mercado da empresa no longo prazo. As empresas que têm sucesso em conseguir uma vantagem de longo prazo quase sempre dominam suas categorias de produtos por muitos anos. Biro, Blu-Tack e Hoover, por exemplo, tiveram tanto sucesso em seus respectivos mercados que suas marcas acabaram se tornando termos genéricos.

Vantagens de curto prazo geralmente ocorrem por ser baseadas em novas tecnologias. Hoje a inovação é excepcionalmente rápida em muitos setores, o que cada vez mais diminui os intervalos entre os novos produtos e os que são superiores. A Sony é exemplo de uma empresa de tecnologia que liderou o mercado por quase vinte anos, até a chegada da concorrência com nova tecnologia.

A filosofia corporativa da Sony é baseada em "fazer coisas que ninguém mais está disposto a fazer". O negócio foi criado sobre as ruínas de Tóquio depois da II Guerra Mundial, e seu fundador, Ibuka Masaru, estava determinado a desenvolver produtos de vanguarda e colocá-los no mercado mais rapidamente que a concorrência. Essa ideia virou uma obsessão pessoal para Ibuka e seu sucessor, Morita Akio.

Não é papel dos consumidores saberem o que eles querem.
**Steve Jobs,
ex-CEO da Apple
(1955-2011)**

### Ser o primeiro é tudo

A liderança quase sempre depende de o produto ser encampado pelos que o "quiseram primeiro" – consumidores que estão dispostos a pagar um preço extra para ser os primeiros a ter alguma coisa. Isso aconteceu com o lançamento do iPhone, no verão de 2007. Mesmo depois de o preço ter caído alguns meses depois do lançamento, os que o compraram primeiro não se arrependeram, por causa do prestígio de estar na vanguarda das últimas tendências da moda.

Enquanto os produtos continuarem sendo os únicos do seu tipo disponível, a empresa que é a primeira no mercado terá uma posição de monopólio. Isso quer dizer que ela estabelece o preço, a fidelidade e cria uma reputação antes de os concorrentes a alcançarem. Se a concorrência não chega, os pioneiros mantêm a vantagem por terem se estabelecido primeiro. Isso ocorreu mesmo quando os produtos que vêm depois são melhores que o primeiro.

## Está tudo na cabeça

Al Ries e Jack Trout, autores de *As 22 consagradas leis do marketing*, desenvolveram uma teoria do motivo de a primeira empresa no mercado ser capaz de continuar dominando. Eles sugeriram que a percepção do cliente sobre onde o produto se encontra no mercado é de máxima importância, alegando que é "melhor ser o primeiro que ser melhor". É mais fácil chegar à mente dos consumidores primeiro do que ter que desalojar um produto ou serviço que já esteja lá e convencê-los de que a sua empresa tem um produto melhor. Ries e Trout acham que a maior parte do marketing deriva da premissa de que as empresas estão numa batalha por um produto que está enraizado na realidade. Mas os consumidores não estão interessados na realidade. Eles compram com base em percepções. "Ser o primeiro a vir à mente é tudo no marketing. Ser o primeiro no mercado é importante apenas até o ponto em que isso permite chegar à mente deles primeiro", afirmam Ries e Trout.

## O carro da frente

A montadora japonesa Toyota quer ser a primeira no mercado e enfatiza essa mensagem na mente dos consumidores com o *slogan* "O carro da frente é um Toyota". A Toyota foi a primeira a oferecer um carro híbrido – cujo motor é movido tanto por gasolina quanto por eletricidade – ao mercado. Seu Prius começou a ser vendido no Japão em 1997. Vários fabricantes pensavam no conceito de carro híbrido nos anos 1980, mas combinar um motor de combustão interna com um motor elétrico exige um investimento significativo. A despeito disso, a Toyota sabia que, se eles pudessem sair na frente, haveria uma série de vantagens para a empresa. Em primeiro lugar, a Toyota conquistaria os consumidores predispostos a ter um carro que fosse uma opção ambientalmente correta. Em segundo lugar, criar um carro

> A chave do sucesso da Sony, e para todos os outros negócios... é nunca seguir os outros.
> **Ibuka Masaru, cofundador da Sony (1908-1999)**

híbrido aumentaria o acesso a novos e antigos mercados, como os EUA, onde as leis sobre as emissões favoreceriam um híbrido. Em terceiro lugar, isso melhoraria a imagem da Toyota por causa de sua clara mensagem de uma empresa comprometida com a proteção ambiental, ao mesmo tempo que gera entusiasmo a respeito dos novos produtos da Toyota e sua capacidade de inovação.

O Prius começou a ser vendido no mundo todo em 2001, e mais de dez anos depois a Toyota continua líder no mercado de híbridos. O Prius foi o carro mais vendido na Califórnia em 2012 dando à Toyota 21,1% do mercado, diante dos 12,5% do seu rival mais próximo, a Honda. Apesar de outras empresas como a Ford e a Vauxhall terem desenvolvido seus modelos híbridos, o primeiro passo da Toyota no mercado continua a gerar vantagens num mercado cada vez maior. ∎

**O Prius**, carro híbrido elétrico-gasolina, ganhou uma considerável participação no mercado de baixas emissões para a Toyota. A empresa estava disposta a investir pesadamente em troca de uma posição de liderança no mercado.

# A COISA MAIS IMPORTANTE PARA LEMBRAR É QUE A COISA MAIS IMPORTANTE É A COISA MAIS IMPORTANTE
**PROTEJA O *CORE BUSINESS***

## EM CONTEXTO

FOCO
**Estratégia de negócios**

DATAS IMPORTANTES

**Anos 1900-1950** Crescimento de grandes empresas, integradas verticalmente e que controlam seus próprios ativos, exigindo estruturas de gestão complexas e com múltiplas camadas.

**Anos 1950-1990** As empresas começam a se expandir ao comprar negócios não relacionados.

**1990** Os especialistas em negócios C. K. Prahalad e Gary Hamel apresentam a ideia de "competências essenciais" em seu artigo na Harvard Business Review "The Core Competence of the Corporation".

**1995** As empresas norte-americanas começam a terceirizar funções para companhias de outros países, como os negócios localizados na Índia.

**Anos 2000** As empresas começam a liquidar negócios não relacionados para dirigir o foco novamente à sua essência.

- As empresas costumam ser muito **boas em uma única coisa**, como fazer *chips* de computador.
- Tal habilidade lhes dá uma **vantagem competitiva**.
- Se a empresa **diversificar** para outros negócios não essenciais ou se **terceirizar** algumas funções para empresas não confiáveis...
- ... seu *core business* talvez **não se sustente**.

**A coisa mais importante para lembrar é que a coisa mais importante é a coisa mais importante.**

A expressão "faz-tudo" se refere a alguém que é capaz de fazer qualquer coisa, mas que não é bom em nenhuma delas em especial. A não ser que uma empresa seja capaz de maximizar sua vantagem competitiva em relação aos seus concorrentes, o mesmo também é verdade no mundo dos negócios. O sucesso geralmente se baseia no uso dessa vantagem em vez de querer se diversificar com algo novo. O *core business*, portanto, é a "coisa principal" no coração da operação de uma empresa, e as organizações têm que se lembrar de que "a coisa mais importante é a coisa mais importante", de acordo com o brigadeiro general Gary Huffman, do Exército norte-americano. Quando uma empresa tem dificuldade em vender seu produto

# TRABALHANDO COM VISÃO

**Veja também:** Estudando a concorrência 24–27 ▪ Destacando-se no mercado 28–31 ▪ Obtendo uma vantagem 32–39 ▪ As estratégias de Porter 178–183 ▪ O desapontamento das aquisições 186–187 ▪ A matriz MABA 192–193

principal, talvez ela queira se diversificar, mas isso quase sempre acaba se tornando uma distração.

Durante a segunda metade do século XX, houve uma tendência nas empresas de comprar negócios não relacionados. A Gillette, líder em lâminas de barbear, comprou as canetas PaperMate; a Dalgety, fabricante da farinha Homepride Flour, adquiriu um frigorífico suíno; e a Cadbury, mais conhecida como uma confeitaria, assumiu o controle das bebidas Schweppes. A tendência começou a se reverter em 2003, quando o McDonald's começou a vender várias redes de alimentos que havia comprado, incluindo uma marca de pizza que adquirira durante os anos 1990. Isso se deu porque ele queria focar seu *core business*: McDonald's. Outras empresas em seguida passaram a deixar de investir em negócios não relacionados para proteger sua essência (*core*).

### Entendendo a essência

A teoria por trás de vender os interesses secundários se resume a que a empresa deve focar sua energia e seus recursos naquilo em que ela for boa. Tal ideia foi levada adiante nos anos 1990, quando algumas companhias decidiram "terceirizar" – transferir uma atividade de negócio para outra empresa – atividades secundárias que antes elas mesmas faziam. A tendência de terceirização ganhou força conforme as empresas perceberam que podiam voltar seu negócio à essência, tendo em seguida operações mais simples, eficientes e efetivas em custos.

Por exemplo, uma fabricante de refrigeradores talvez decida que o seu *core business* seja simplesmente desenvolver, fabricar e comercializar esses refrigeradores. Talvez ele terceirize a entrega (que vê como não agregando valor) e as necessidades de seu setor de tecnologia da informação (TI – o qual vê como uma função especializada). No curto prazo, transferir essas atividades para terceiros pode fazer sentido. Mas no longo prazo talvez seja um erro. A entrega talvez seja uma parte importante das percepções do produto pelo cliente, e o negócio poderá sofrer se a entrega terceirizada não for de confiança. De forma análoga, o TI é cada vez mais uma função crucial para o sucesso de um negócio, tanto para operações internas quanto para a interação com o cliente. Terceirizar é

**O McDonald's** comprou várias redes de alimentos, como a Donatos Pizzeria, durante os anos 1990, para entrar em novos setores de mercado. Em 2003, vendeu todas para voltar ao seu *core business* – hambúrgueres.

útil por razões mais simples, mas só no caso em que funcione bem – senão ela pode afetar negativamente o *core business*.

Sempre que uma empresa usa a terceirização ou adquire um negócio separado para assumir uma função secundária, é vital que seus executivos atuem para proteger a "coisa mais importante". Quaisquer unidades secundárias ou terceiros têm que estar perfeitamente alinhados com os valores e a visão da organização. ▪

Se você não puder ser o melhor do mundo em seu *core business*, então o seu *core business* de modo algum é capaz de formar a base de uma grande companhia.
**Jim Collins, especialista em negócios norte-americano (1958-)**

## Competências essenciais

Uma organização tem um conjunto específico de habilidades produtivas únicas e tecnologias individuais. São essas as suas competências essenciais, de acordo com C. K. Prahalad e Gary Hamel. Diferentemente dos ativos físicos, que inevitavelmente deterioram com o tempo, as competências só ficam melhores, já que são aplicadas e compartilhadas. Elas são fortalecidas por envolvimento, comunicação e compromisso compartilhado com o trabalho por meio das diversas áreas de uma organização. Prahalad e Hamel descrevem a empresa como uma árvore. Suas raízes são suas competências únicas, e a partir dessas raízes brotam os produtos essenciais, os quais, por sua vez, alimentam várias unidades de negócios distintas. Dessas unidades de negócios surgem os produtos finais. Essa ideia pode ser usada para identificar tudo aquilo que dentro de uma organização possa se constituir em uma "distração", consumindo preciosos recursos.

# VOCÊ NÃO PRECISA DE UMA EMPRESA ENORME,

## SÓ DE UM COMPUTADOR E UMA PESSOA TRABALHANDO MEIO PERÍODO

### O PEQUENO É BONITO

# 174 O PEQUENO É BONITO

## EM CONTEXTO

**FOCO**
**Negócios na internet**

DATAS IMPORTANTES

**1974** Os cientistas da computação norte-americanos Vent Cerf e Bob Kahn desenvolvem o primeiro *Transmission Control Program*, permitindo aos computadores conversar entre si.

**1977** O primeiro correio eletrônico (e-mail) é enviado por meio do ARPANET, do Departamento de Defesa dos EUA.

**1991** A World Wide Web (WWW), o primeiro sistema amplamente acessível para compartilhar arquivos via internet, é disponibilizado por Tim Berners-Lee.

**1993** O Netscape lança o Mosaic, o primeiro *browser* comercial da internet.

**2013** Mais de 2 milhões de vendedores terceirizados usam a Amazon para alcançar seus clientes.

Quando o cientista da computação britânico Tim Berners-Lee utilizou a internet para desenvolver a World Wide Web, ele simplesmente estava criando uma forma de compartilhar informação. Ela não era considerada uma forma de ganhar dinheiro. Mas o poder disruptivo da internet logo ficou claro: ela mudaria os negócios e o nosso modo de vida, permitindo o comércio por uma grande quantidade de pessoas e organizações.

As primeiras ferramentas de busca foram inventadas à medida que uma quantidade crescente de informação ficava disponível na rede. Larry Page e Sergey Brin, dois estudantes de ciência da computação norte-americanos, desenvolveram uma ferramenta de busca que poderia vasculhar rapidamente todos os documentos disponíveis e gerar resultados muito relevantes. Em setembro de 1998, eles criaram um pequeno escritório na garagem de um amigo e abriram uma conta bancária em nome do Google Inc. Aquilo que viria a ser um negócio gigante começou, como disse Page, com não mais que "um computador e uma pessoa trabalhando meio período".

Em um ano, o Google já tinha 40 empregados e, em junho de 2000, anunciou seu primeiro bilhão de indexadores URL, tornando-o oficialmente a maior ferramenta de busca do mundo. Em 2013 o Google empregava 30 mil pessoas em todo o mundo, dos quais quase 53% trabalhando em pesquisa e desenvolvimento, o que talvez explique o crescimento fenomenal da empresa.

**Fazendo negócios na rede**
Conforme a comunicação ponto a ponto pela internet virou uma realidade nos anos 1990, as organizações começaram a ver o potencial oferecido pela nova plataforma de *e-commerce*. Os primeiros livros foram vendidos on-line em 1992, e em 1994 a Pizza Hut de Santa Cruz, Califórnia, ofereceu às pessoas a possibilidade de pedir uma entrega de pizza via internet.

A ideia de venda on-line decolou em 1995, quando Jeff Bezos enviou o primeiro livro vendido pela Amazon.com, ainda localizada em sua garagem em Seattle. Quase na mesma época, o programador de *software* Pierre Omidyar estava começando um simples website chamado AuctionWeb, em sua sala de estar em San José. O primeiro produto que ele pôs a venda foi um feixe de *laser* para apresentação quebrado. Foi vendido por US$ 14,83. Omidyar reconheceu o poder da internet de chegar a clientes individuais em qualquer lugar do mundo quando verificou se o comprador tinha entendido que o feixe de *laser* estava quebrado. O comprador garantiu-lhe que era um colecionador

### Larry Page

Nascido em 1973, em Michigan, EUA, Lawrence (Larry) Page teve contato com a tecnologia de computadores ainda na infância: seu pai era um pioneiro em ciência da computação, e sua mãe ensinava programação. Page estudou engenharia na Universidade de Michigan, tendo em seguida terminado seu mestrado em engenharia da computação na Universidade Stanford.

Em sua primeira visita ao *campus*, Page foi ciceroneado por seu colega de pós-graduação Sergey Brin, que seria mais tarde o cofundador do Google. Durante um projeto de pesquisa em 1997, Page e Brin criaram uma ferramenta de busca chamada BackRub, que operava nos servidores de Stanford até que eles não dessem mais conta. Os dois trabalharam juntos numa versão maior e melhor, à qual deram o nome de Google em homenagem ao termo matemático "Googol" – o número 1 seguido de 100 zeros. Page e Brin ganharam juntos o Prêmio Marconi, em 2004, e Page foi eleito para a Academia Nacional de Engenharia dos EUA em 2004. Hoje o Google é a ferramenta de busca mais popular do mundo, fazendo mais de 5 bilhões de buscas todos os dias.

# TRABALHANDO COM VISÃO 175

**Veja também:** Vencendo os desafios na fase inicial 20–21 ▪ A qual ritmo crescer 44–45 ▪ A *startup* leve 62–63 ▪ Criatividade e invenção 72–73 ▪ A Cauda Longa 208 ▪ O *M-commerce* 276–277 ▪ *Feedback* e inovação 312–313

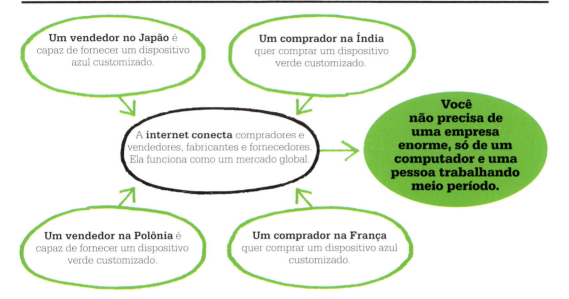

de feixes de *laser* quebrados. Um ano mais tarde, com dois empregados em tempo integral, aquilo que viria em breve a se chamar eBay vendeu produtos no valor de US$ 7,2 milhões. Uma vez que a empresa funciona como um serviço de leilão, o eBay vê a si mesmo como um negócio de conexão entre pessoas, não um vendedor de coisas para elas.

### Começando pequeno
Tanto o eBay quanto a Amazon começaram pequenos, e suas plataformas abrangeram uma infinidade de outros pequenos negócios ao redor do mundo. Seu uso pioneiro da internet mudou a maneira como as empresas e os consumidores interagem, colocando compradores e vendedores em contato uns com os outros de uma forma que nunca havia sido possível. A Amazon e o eBay demonstraram o poder da ideia de que "o pequeno é bonito" (*small is beautiful*).

Qualquer um pode comercializar seus produtos por meio de suas plataformas, desde indivíduos vendendo um item de cada vez até enormes vendedores que estabelecem lojas virtuais, quer dentro da plataforma, quer ligadas a ela. No mercado on-line existe a mesma oportunidade para todos os negócios, grandes ou pequenos. Antes da internet, se alguém quisesse vender um produto era preciso uma presença física – uma loja, um quiosque ou uma van. Em geral, quanto maior a presença, maior sucesso tinha o negócio. O sucesso no varejo, por exemplo, se baseava tradicionalmente numa loja »

Um negócio é bem-sucedido não porque existe há tempos ou porque é grande, mas porque nele existem homens e mulheres vivendo-o, dormindo e sonhando com ele.
**J. W. Marriott, empresário norte--americano (1932-)**

**Na era pré-internet**, várias pessoas trabalhavam na administração. A força combinada da computação e da internet mudou as estruturas organizacionais para sempre.

Na economia digital em rede, as pessoas podem trabalhar em qualquer lugar, a qualquer hora. Essa mudança nos hábitos de trabalho transformou a face do ambiente de negócios e a distribuição dos funcionários.

imponente na rua principal de uma cidade onde o varejista poderia atrair um vasto número de clientes. As empresas quase sempre dependiam de uma grande força de vendas que visitava os clientes para formar relacionamentos. Os negócios mantinham quantidades enormes de estoques em seus armazéns e tinham um monte de gente no escritório central para receber ligações telefônicas e manusear os documentos de papel. Tudo isso mudou.

Os consumidores agora conseguem encontrar grandes ou pequenos varejistas pela internet por meio de um *laptop*, *smartphone* ou *tablet*. A escala física de um negócio não tem mais a ver com o seu sucesso. Muitas empresas não precisam mais de grandes escritórios. A papelada diminuiu, ao passo que a comunicação on-line – e-mail, mensagens e mídia social – permite que vendedores individuais e empregados trabalhem remotamente, de casa, em qualquer lugar do mundo.

As grandes empresas costumavam ser mais competitivas que as pequenas, porque tinham melhores economias de escala (as vantagens de custo advindos de seu tamanho). Quando os computadores foram desenvolvidos, isso ainda era verdade porque servidores grandes e caros se faziam necessários para armazenar arquivos.

Hoje, no entanto, a internet é grátis, e os preços de itens de tecnologia são relativamente baratos. A computação em nuvem – em que organizações compartilham infraestrutura, *softwares* e armazenagem – capacitou os pequenos negócios a ter acesso ao poder das redes integradas e à computação a um custo muito baixo, sem qualquer uso de espaço físico.

Assim como a escala não é mais uma barreira ao sucesso, tampouco o é a geografia. Uma pequena empresa consegue, agora, chegar aos clientes em todo o mundo de forma tão eficiente quanto as grandes. É possível viver em pontos longínquos do globo e vender produtos a partir de diversos continentes. A criação do PayPal em 2000 permitiu pagamentos simples e transferências de dinheiro em várias moedas via internet, alavancando oportunidades para pequenas empresas operarem como negócios globais no *e-commerce*.

### Concorrendo com as gigantes

Com uma crescente opção de bens e serviços on-line para os clientes, as pequenas empresas têm que oferecer algo mais que as gigantes para concorrer com elas. O preço é importantíssimo, já que os clientes conseguem facilmente comparar preços on-line. Mas ele não é o único fator que afeta uma compra on-line: o custo e a velocidade da entrega também são críticos. Entrega e devoluções gratuitas são incentivos atraentes para a compra. O tempo de entrega também é importante: os varejistas que conseguem marcar a hora da entrega e fazê-la além do horário comercial tradicional ganham uma vantagem competitiva. O atendimento ao cliente é mais importante do que nunca.

### O *feedback* é importante

Não importando os bens a ser vendidos, eles precisam ter a qualidade anunciada porque o *feedback* na internet pode ter um efeito poderoso no mercado. Para hotéis e restaurantes, o *feedback* e a nota pelos clientes agora viraram a norma, e muitos clientes baseiam suas decisões de compra nos comentários dos outros. Um hotel familiar, pequeno e bem administrado, que tem seu foco em um serviço excelente e na satisfação de seus clientes, consegue criar uma reputação de o melhor lugar para se hospedar numa determinada cidade – bem mais que uma grande rede de hotéis – por causa de websites com

A internet tem a ver com a informação altamente especializada, com alvos altamente especializados.
**Eric Schmidt, ex-CEO norte-americano do Google (1955-)**

# TRABALHANDO COM VISÃO 177

> A internet não apenas conecta máquinas; ela conecta pessoas.
> **Sir Tim Berners-Lee, britânico, inventor da World Wide Web (1955-)**

**As pequenas empresas** conseguem captar informações de mercado tão rapidamente quanto as grandes graças à internet, mas, devido ao tamanho, estão quase sempre numa posição melhor para responder prontamente e se adaptar às mudanças na demanda, fornecer produtos de nicho e oferecer uma abordagem personalizada.

**Grandes empresas** **Pequenas empresas**

**Informação de mercado on-line**

comentários, como o Trip Advisor. As organizações reconhecem o poder do *feedback* e quase sempre encorajam os clientes a postar comentários on-line. Varejistas de moda, fabricantes de móveis e lojas – até mesmo dentistas e médicos – convidam seus clientes a comentar e compartilhar suas experiências. Pequenas empresas se beneficiam dessa tendência à medida que seu serviço pessoal costuma gerar comentários mais positivos.

## Um serviço mais pessoal

A internet removeu o "atravessador" de várias áreas empresariais. O setor de turismo é um exemplo, já que os passageiros agora conseguem fazer suas reservas diretamente com as companhias aéreas. Outro exemplo é o setor editorial, no qual os autores conseguem publicar seus próprios livros via internet, levando suas obras diretamente aos leitores sem precisar de agentes literários ou grandes editoras. O bem-sucedido *Cinquenta tons de cinza*, de E. L. James, começou sua vida como um *e-book* grátis na internet.

Antes disso, a produção em massa e espaços limitados nas lojas nos principais pontos comerciais ditavam o escopo dos bens que um negócio poderia estocar. Agora, pequenos negócios vendendo produtos ou serviços de nicho podem crescer porque a internet os conecta com clientes que buscam exatamente essas ofertas. As pessoas que queiram comprar uma peça sobressalente de um carro antigo ou a edição rara de um livro podem buscar e comprar de qualquer lugar do mundo.

Os pequenos negócios também podem crescer por meio da customização. Métodos digitais de produção e o varejo on-line permitem a lucratividade de bens e serviços para um pequeno público-alvo. A produção customizada de um único item é possível – desde livros, canecas e roupas customizadas até carros, móveis e casas individualizados, que podem ser desenvolvidos e feitos on-line.

Os clientes conseguem comprar exatamente o item que querem, a ser entregue na hora certa e a um preço que eles estão dispostos a pagar. Websites que oferecem impressões personalizadas são pequenos negócios com um *software* que permite ao cliente aprovar o design final e mandá-lo diretamente à impressão, de modo que empregados são úteis apenas para embalar e despachar. Apesar de pequenos negócios poderem decolar na internet a partir de seus próprios websites, muitos agora usam portais como uma "vitrine" para atingir uma clientela mais ampla. A empresa britânica Not on the High Street é um desses portais. Criada por duas mães que trabalhavam como um mercado para itens criativos personalizados, foi lançado em 2006 com 100 pequenos negócios (muitos deles de mães que trabalhavam em casa). Em 2013, o negócio cresceu, incluiu 1,6 mil parceiros e teve vendas de mais de £ 15 milhões.

A empresa Not on the High Street teve sucesso porque combina a ideia de produtos personalizados com o conhecimento dos produtores, dando aos compradores a chance de selecionar um fornecedor local. Apesar de promover o comércio global, a internet é capaz de capacitar uma forma muito pessoal de comunicação entre o comprador e o vendedor, independentemente de tamanho ou escala. ■

# NÃO SEJA PEGO NO MEIO

## AS ESTRATÉGIAS DE PORTER

# 180 AS ESTRATÉGIAS DE PORTER

**EM CONTEXTO**

FOCO
**Estratégia de negócios**

DATAS IMPORTANTES
**1776** O economista britânico Adam Smith apresenta o conceito de vantagem comparativa, segundo o qual uma parte tem a habilidade de produzir um bem ou serviço específico a um custo marginal menor que outra.

**1960** O economista norte-americano Theodore Levitt diz que, em vez de encontrar um cliente para os produtos que já oferecem, as empresas deveriam descobrir o que os clientes querem e produzir para eles.

**1985** Michael Porter publica *Vantagem competitiva*.

**2005** Os professores W. Chan Kim e Renée Mauborgne recomendam a estratégia do "oceano azul" para gerar crescimento e lucros, pela qual a nova demanda é criada num mercado ainda sem disputa.

Os consumidores têm escolha. E consumidores diferentes escolhem de forma diferente – alguns gostam de pagar caro por sua opção luxuosa, enquanto outros sempre escolhem o mais barato. As empresas reconhecem isso e oferecem seus serviços a um grupo particular de consumidores. Isso acontece porque nunca é sábio para uma empresa ser pega entre grupos de clientes.

O professor da Harvard Business School Michael Porter propôs "estratégias genéricas" para ganhar vantagens competitivas, explicando sua ideia no livro *Vantagem competitiva: criando e sustentando um desempenho superior*, de 1985. Porter usou uma matriz de quatro células para representar as quatro diferentes estratégias genéricas em sua teoria.

As empresas geralmente escolhem entre duas estratégias genéricas: ou a "liderança em custo", em que a meta é ser o mais barato do mercado; ou a "diferenciação", em que se criam produtos ou serviços únicos. Mas existe outro elemento que pode ser adicionado a essas duas estratégias genéricas: uma empresa pode escolher buscar um "enfoque estratégico", oferecendo um serviço especializado em um nicho de mercado. Essa posição pode ser aplicada tanto às estratégias genéricas, resultando numa estratégia de enfoque em custo (em que a empresa quer ser a mais barata dentro de um nicho de mercado), quanto a uma estratégia de enfoque em diferenciação (em que a empresa oferece produtos ou serviços únicos dentro de um nicho de mercado).

### Estratégia de liderança em custo

As empresas que buscam uma estratégia de liderança em custo têm duas opções. Elas podem optar por vender produtos seguindo os preços médios do setor, ganhando uma

**Veja também:** Obtendo uma vantagem 32–39 ▪ Liderando o mercado 166–69 ▪ Estratégias boas e más 184–185 ▪ A matriz MABA 192–193 ▪ As cinco forças de Porter 212–215 ▪ A cadeia de valor 216–217

Uma vez pega no meio, geralmente leva tempo e esforço constante para tirar a empresa dessa posição não invejável.
**Michael Porter**

margem maior que os seus concorrentes; ou vender abaixo dos preços do setor, para ganhar maior participação de mercado. Alguns supermercados, como o varejista alemão Aldi e a empresa britânica Tesco, usam a abordagem do preço baixo para liderar em custo. Eles conseguem isso ao comprar grandes volumes de fornecedores com quem têm bom relacionamento e, assim, oferecem "grandes descontos" aos clientes. Seus *slogans* – o da Tesco, "Qualquer diferença ajuda", e o da Aldi, "Mesmas marcas, só que mais barato" – mostram iniciativa de transferir seus custos menores aos clientes.

Porter sugere que, para buscar uma estratégia de liderança em custo, uma empresa tem que ser a líder em termos de custos em seu setor ou mercado, em vez de estar num grupo de produtores mais baratos, o que a tornaria vulnerável. Quando a concorrência é feroz, sempre existe a chance de outros produtores mais baratos reduzirem seus preços, assim conquistando

**A Bose Systems** é uma especialista em áudio que busca uma estratégia de diferenciação. Ela se distingue da concorrência por meio de pesquisa e desenvolvimento, que resultam em tecnologia inovadora.

participação de mercado. As empresas que escolhem a liderança em custo têm que estar confiantes tanto em conseguir alcançar o primeiro lugar quanto em se manter lá. É preciso satisfazer muitas exigências para conseguir isso, como: uma base de custo baixa (tanto em salários quanto em materiais e instalações); tecnologia eficiente; compras eficientes; distribuição bem organizada e eficaz em custo; e acesso a capital para qualquer investimento de modo a manter os custos baixos.

Mas esses princípios de baixo custo não são exclusivos de uma ou outra empresa, e o risco é que sejam facilmente copiados. A empresa que busca uma estratégia de liderança em custo tem que trabalhar na melhora contínua de todos os seus processos para garantir que conseguirá manter seus custos abaixo daqueles dos seus concorrentes.

**Estratégia de diferenciação**
Uma empresa que busca a estratégia de diferenciação tem que oferecer produtos ou serviços claramente diferentes dos seus concorrentes, para que atraiam seus consumidores. Essa estratégia é mais apropriada quando os produtos não são sensíveis ao preço e as necessidades dos clientes normalmente não são satisfeitas. Isso também implica ser capaz de satisfazer essas necessidades de uma forma difícil de ser copiada.

A Bose Systems é um exemplo de companhia que busca uma estratégia de diferenciação. A empresa de capital fechado de produtos eletrônicos de áudio repetidamente reinveste seus lucros para financiar inovação. Uma pesquisa focada no cliente levou à posição dominante da Bose. Seus fones de ouvido com baixíssimo ruído e seus falantes estilosos se tornaram sonhos de consumo.

A abordagem da diferenciação varia de acordo com os produtos e serviços e com a natureza específica do setor, mas quase sempre envolve qualidades e funcionalidades adicionais, maior durabilidade e um melhor serviço de atendimento ao cliente. As empresas que escolhem buscar essa estratégia precisam de »

# AS ESTRATÉGIAS DE PORTER

alguns fundamentos, como boa pesquisa e desenvolvimento, cultura inovadora e habilidade de consistentemente oferecer produtos ou serviços de alta qualidade. Isso precisa ser apoiado por um marketing eficaz, para a diferenciação ser posicionada e comunicada aos clientes. A imagem da marca é crucial, e geralmente é fortalecida pela natureza da diferenciação.

### Estratégia focada

Empresas que buscam uma estratégia focada escolhem um nicho de mercado específico. Elas têm que entender a dinâmica daquele mercado e as necessidades únicas de seus clientes, para então desenvolver produtos e serviços ou de baixo custo ou muito específicos. Elas também buscam atender bem seus clientes, para criar uma forte fidelidade à marca. Isso torna seu segmento de mercado específico menos atraente para potenciais novos entrantes.

A Ferrari é exemplo de empresa num nicho de mercado em que escolheu se diferenciar. A companhia tem como alvo o segmento restrito dos carros esportivos de alta performance, e seus modelos são diferenciados por meio de design sofisticado, alta performance e a associação da empresa com as corridas de automóvel.

Independentemente do foco que uma empresa escolha, isso tem que ser feito baseado no fato de ela poder concorrer, com sucesso, com a força de uma habilidade específica que a ajudará na sua escolha de um nicho de mercado. Se a empresa buscar liderança em custo num mercado de nicho, por exemplo, isso terá que se basear em relações particulares desenvolvidas com fornecedores especializados. Se a empresa buscar diferenciação num nicho de mercado, por outro lado, isso terá que focar na força de uma profunda compreensão das necessidades do cliente. Mas uma empresa que escolhe focar um pequeno segmento de mercado porque ela é pequena demais para servir um mercado maior se arrisca a ser passada para trás por organizações maiores, com habilidades particulares que as capacitam a melhor posicionar o que oferecem.

### Estratégias de companhias aéreas

O setor de aviação ilustra a ideia de Porter. Os consumidores podem escolher na hora de reservar uma passagem aérea. Eles podem escolher entre uma empresa que não ofereça supérfluos ou uma companhia que ofereça um serviço melhor, com qualidade e conforto. Também existe uma terceira opção: uma companhia pequena que ofereça poucas rotas. Por exemplo, as companhias aéreas tendem a focar um grupo específico de viajantes como forma de conseguir uma vantagem competitiva num mercado saturado ao oferecer passagens com desconto ou uma experiência de viagem mais luxuosa.

A companhia aérea de baixo custo irlandesa Ryanair abraçou a ideia de liderança em custo e se descreve como "a única companhia de custo ultrabaixo da Europa". O conceito de companhia aérea de baixo custo começou com a empresa texana Southwest Airlines, e a Ryanair seguiu os meus princípios: usar um único modelo de avião, revisão frequente dos custos não operacionais, preparação de aeronaves o mais rápido possível e o não oferecimento de programas de fidelidade.

Ryanair comprou cem Boeings 737-800 com um grande desconto em 2002. Começando com aviões mais novos e mais eficientes em consumo de combustível que a maioria de seus rivais, a Ryanair conseguiu encher seus aviões com passageiros comprando passagens baratas. Mas obtinha lucro porque esses mesmos passageiros também gastavam dinheiro em outros serviços, como comida de bordo e reserva de hotéis.

A empresa consegue aumentar seus lucros ano a ano, já que busca o tempo todo encontrar formas de manter os custos baixos e cobrar dos clientes o que for extra. Por exemplo, ela foi a

> Toda empresa que concorre num setor tem uma estratégia competitiva, quer seja explícita ou implícita.
> **Michael Porter**

**As estratégias genéricas** empresariais de Porter se encaixam em duas categorias básicas: o custo mais baixo ou uma clara diferenciação. As empresas podem escolher entre essas abordagens, não importando se são grandes ou pequenas, ou se operam em grandes mercados alvo ou em nichos.

## TRABALHANDO COM VISÃO 183

**A ética do serviço de bordo** da Singapore Airlines é personificada pela "Garota Cingapura", que representa a hospitalidade asiática. Essa imagem se tornou um ícone de marca de sucesso.

primeira a implementar a cobrança de bagagem; se esforça para eliminar a necessidade de balcões de *check-in* (ao oferecer aos clientes opões on-line de *check-in*); e cobrar por opções como reserva de assento e embarque prioritário. Essa busca consistente de novas formas de transformar os custos é a essência da estratégia de liderança em custo. Nos 12 meses até março de 2013, a companhia transportou quase 80 milhões de passageiros e anunciou um lucro recorde de € 569 milhões, independentemente do aumento nos custos com combustíveis.

A Singapore Airline (SIA), por outro lado, busca uma estratégia de diferenciação. Os principais diferenciais dessa marca são tecnologia de ponta, inovação, qualidade e excelente atendimento ao cliente. A SIA mantém a mais jovem frota de aviões entre as grandes companhias aéreas e segue a estrita política de substituir aeronaves mais velhas por modelos mais novos e melhores. Ela sempre esteve em primeiro lugar na fila de entrega de novos tipos de aviões. A Singapore Airlines reconhece que a inovação tem vida curta na indústria da aviação. Novos elementos e ideias podem ser facilmente copiados por outras companhias, de modo que ela continua a investir pesadamente em inovação e tecnologia para alcançar sua estratégia de diferenciação. A companhia aérea tem um programa de treinamento completo e rigoroso para a tripulação, a fim de garantir que a experiência de seus clientes seja sempre excelente. O sucesso da estratégia da marca SIA e toda a sua atitude em relação a excelência no serviço significa que os clientes estão mais do que felizes em pagar um preço maior.

As estratégias empresariais genéricas de Porter podem ser usadas por qualquer negócio para alcançar uma vantagem competitiva. Mas o ambiente competitivo consiste em mais do que se diferenciar de rivais. Mudanças no setor e no ambiente contribuem para uma constante transformação no contexto de negócio. Por essa razão a escolha de estratégia deve ser, com frequência, revista e verificada. ∎

**A Ben & Jerry´s** é hoje parte da Unilever, mas mantém a estratégia de diferenciação que utilizou desde que foi criada para se tornar líder.

### Sorvete com algo mais

Nomes bizarros de sabores (em inglês) – como Imagine Whirled Peace, Chubby Hubby e Brownie Chew Gooder – diferenciaram os sorvetes da Ben & Jerry's. Ben Cohen e Jerry Greenfield abriram a empresa em 1978 e queriam que ela fosse alternativa. Segundo Jerry, "se não for para zoar, por que fazer?". Ben alega que não tem paladar, então se baseia na textura (aquilo que ele chama de "sensação na boca") – pedações de ingredientes como frutas, chocolate ou *cookies* se tornaram um diferencial.

Os consumidores estão dispostos a pagar mais caro por causa dos ingredientes naturais e de alta qualidade dos sorvetes, bem como por seus sabores inovadores. A estratégia de se diferenciar da concorrência vai além: a organização é ativa em campanhas sociais como casamento gay, só compra de fornecedores que praticam o "comércio justo" e leva em consideração questões ambientais na produção e na distribuição.

# A ESSÊNCIA DA ESTRATÉGIA É ESCOLHER O QUE NÃO FAZER
## ESTRATÉGIAS BOAS E MÁS

**EM CONTEXTO**

FOCO
**Mentalidade estratégica**

DATAS IMPORTANTES
**Anos 1960** O planejamento estratégico cresce em popularidade e é adotado com entusiasmo no novo campo da consultoria de gestão.

**1962** O livro *Strategy and Structure,* de Alfred Chandler, estabelece o modelo no qual a estrutura de uma empresa acompanha a sua estratégia, não o contrário.

**1985** A *Vantagem competitiva*, de Michael Porter, redefine o pensamento empresarial sobre concorrência, voltando a popularizar o moribundo campo do pensamento estratégico.

**Anos 1990 e 2000** A estratégia é cada vez mais praticada como um processo contínuo por todos num negócio, não só por aqueles no nível do conselho de administração. Para a Nokia, a estratégia deve ser "presença diária na atividade do gerente".

A estratégia é um conceito alicerçado na história militar, quando os generais planejavam suas campanhas de guerra. Hoje, é uma palavra meio esgotada e quase sempre mal entendida na teoria da administração. Posto de maneira simples, a estratégia é a forma com que uma empresa vai de onde está para onde quer estar. Ela envolve identificar as escolhas que têm que ser feitas para vencer os obstáculos que estão no caminho. Com frequência, escolher o que não fazer é tão importante quanto escolher o que fazer. O guru de estratégia Michael Porter primeiro chamou a atenção para isso em 1985, para depois explorar o conceito mais profundamente em seu artigo de 1996 "What is Strategy?".

Para as empresas, é quase tão possível seguir uma má estratégia quanto uma boa. O livro *Estratégia boa, estratégia ruim,* de 2012 explica que a boa estratégia deve partir de uma análise da própria empresa, bem como de suas metas. A análise SWOT (forças, fraquezas, oportunidades e ameaças) é um dos sistemas mais populares para tais checagens, e para ser mais eficaz deve ser conduzida entre a média gerência e todas as pessoas da organização, não apenas as do topo. Uma boa estratégia exige análise da

**A Kodak falhou** em reconhecer que a fotografia com filme era um "caminho a não seguir". Afastar-se dessa área poderia ter feito da Kodak um líder de mercado na tecnologia digital.

concorrência e de quaisquer ameaças à organização e pode envolver decisões dolorosas. Ela deve resultar numa estratégia baseada em metas claras que capitalizam as forças da empresa e pode ser flexível se os fatores externos mudarem.

Uma má estratégia com frequência segue lado a lado com o estabelecimento de uma meta ou visão simplista. Os líderes nas organizações talvez usem uma forte retórica a respeito da "vitória" para motivar os funcionários, mas é fácil estabelecer metas vazias – formular a estratégia necessária para alcançá-las é muito mais difícil.

**TRABALHANDO COM VISÃO** 185

**Veja também:** Proteja o *core business* 170–171 ▪ Evitando a complacência 194–201 ▪ As cinco forças de Porter 212–215 ▪ A cadeia de valor 216–217

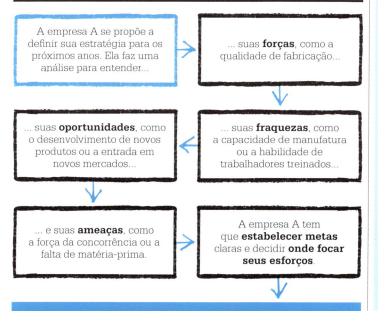

A empresa A se propõe a definir sua estratégia para os próximos anos. Ela faz uma análise para entender…

… suas **forças**, como a qualidade de fabricação…

… suas **fraquezas**, como a capacidade de manufatura ou a habilidade de trabalhadores treinados…

… suas **oportunidades**, como o desenvolvimento de novos produtos ou a entrada em novos mercados…

… e suas **ameaças**, como a força da concorrência ou a falta de matéria-prima.

A empresa A tem que **estabelecer metas** claras e decidir **onde focar seus esforços**.

**A essência da estratégia é escolher o que não fazer.**

## Richard Rumelt

O professor Richard Rumelt (1942-) estudou engenharia elétrica na Universidade da Califórnia, em Berkeley, antes de fazer seu doutorado em administração de empresas na Harvard Business School, em 1972. Trabalhou como engenheiro de sistemas nos Laboratórios de Propulsão a Jato da Nasa enquanto dava aulas na Harvard Business School. Em 1976, foi para a Anderson School of Management, da Universidade da Califórnia, onde ainda permaneceu, tornando-se professor de Administração e Sociedade. De 1993 a 1996 lecionou na INSEAD, a principal escola de administração francesa, em Fontainebleau, perto de Paris. Rumelt também trabalha como consultor para várias empresas e governos.

**Principais obras**

**1982** *Diversity and Profitability*
**1991** *How Much Does Industry Matter?*
**2012** *Estratégia boa, estratégia ruim*

Os executivos propensos a ir atrás de uma má estratégia tendem a ignorar os problemas e farão vista grossa às opões disponíveis. Em vez de tomar decisões difíceis, tentarão acomodar uma infinidade de demandas e interesses conflitantes para não mudar seus planos. Os gerentes, nessas circunstâncias, se arriscam a seguir ideias e caminhos velhos que não funcionam mais, em vez de liderar com novidades.

### O filme morreu

A falência da Kodak é exemplo marcante de uma empresa que seguiu uma má estratégia. Fundada em 1890, nos anos 1970 a Kodak era líder no setor fotográfico nos EUA, com quase 90% do mercado de filmes e câmeras. Era considerada uma das maiores marcas do mundo.

Em 1975, os engenheiros da Kodak inventaram a câmera digital, mas sua alta direção ignorou a oportunidade apresentada por essa nova tecnologia. Ela acreditava que a empresa estava no negócio de filmes para revelação e não estava preparada para matar "a galinha dos ovos de ouro". Seus executivos falharam em ver que a fotografia digital faria o filme ficar redundante, logo desafiando seu negócio, que era quase um monopólio. A empresa japonesa Fujifilm, no entanto, reconheceu a ameaça e se diversificou com sucesso. A Kodak começou a guinada para as câmeras digitais muito tarde, quando *smartphones* e *tablets* começavam a substituir as câmeras. A inabilidade dos altos executivos em tomar a dura decisão de mudar de curso levou a empresa a declarar falência em 2012. ▪

Uma boa estratégia reconhece honestamente os desafios enfrentados e oferece uma abordagem para vencê-los.
**Richard Rumelt**

# SINERGIA E OUTRAS MENTIRAS
## O DESAPONTAMENTO DAS AQUISIÇÕES

**EM CONTEXTO**

FOCO
**Fusões e aquisições**

DATAS IMPORTANTES
**Anos 1890-1905** A primeira "onda de aquisições" ocorre nos EUA e na Europa, deflagrada por uma depressão econômica e por nova legislação.

**Anos 1960** Abraham Maslow aplica a ideia de "sinergia" à forma como os empregados e as organizações trabalham juntos.

**2001** As empresas norte-americanas AOL e Time Warner se fundem, num negócio de US$ 182 bilhões. A fusão não funciona, e em 2009 as empresas se separam.

**2007** Só nos EUA, acontecem 144 aquisições, num valor acima de US$ 1 trilhão.

**2009** Só acontecem 35 aquisições nos EUA com valor acima de US$ 1 bilhão.

As empresas têm que crescer para sobreviver. Uma maneira de fazer uma empresa ficar maior é adquirir outras, fazendo delas uma parte da empresa original. De forma análoga, duas empresas podem concordar em se fundir, formando outra organização com uma identidade totalmente nova. O propósito de uma aquisição ou uma fusão é, quase sempre, aumentar o valor do acionista para além da soma das duas empresas. Esses benefícios são conhecidos como "sinergia", conceito que diz que um mais um é igual a três.

As razões para que dois negócios se juntem podem ser tentadoras. A nova empresa, combinada, aumenta as vendas, a participação de mercado e o lucro. Também pode se tornar uma operação mais eficiente. Empresas maiores desfrutam ainda de economias de escala: gastos não operacionais são compartilhados e é possível economizar dinheiro com um poder de compra maior.

Os custos fixos também podem ser reduzidos porque o negócio combinado precisa de menos funcionários em funções-chave, como em finanças, recursos humanos e marketing.

Além disso, as empresas também compram outros negócios para buscar novas tecnologias e novos mercados ou aumentar a distribuição.

**Divórcio corporativo**
Na prática, aquisições e fusões raramente são casamentos feitos no paraíso, como enfatizado por Harold Geneen nos livros de que foi coautor em 1997 e 1999, sob a pretensão de sinergia. As fusões podem fracassar em entregar o valor prometido quando um mais um quase sempre dá menos

**Sinergia** é o valor adicional criado quando se juntam duas unidades de negócios. Apesar de muito valorizada nos círculos empresariais, os acadêmicos Campbell e Goold concluíram que as "iniciativas de sinergia quase sempre ficam aquém das expectativas da direção".

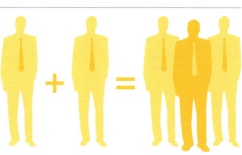

# TRABALHANDO COM VISÃO     187

**Veja também:** A curva de Greiner 58–61 ▪ Organizando equipes e talentos 80–85 ▪ Cultura organizacional 104–109 ▪ Proteja o *core business* 170–171

### Harold Geneen

Harold Geneen nasceu em Dorset, Reino Unido, em 1910, mas seus pais emigraram logo após seu nascimento, e ele foi criado nos EUA. Estudou contabilidade na NYU (New York University) e se tornou um executivo de muito sucesso. É mais conhecido como o pai do conceito do conglomerado, no qual uma grande empresa é criada a partir de negócios aparentemente sem relação. Em 1959, tornou-se presidente e CEO da International Telephone and Telegraph Corporation (ITT), permitindo que a empresa crescesse de um negócio de tamanho médio para um conglomerado multinacional. Sob sua liderança de 18 anos foram realizadas 350 fusões e aquisições em mais de 80 países, incluindo os hotéis Sheraton nos EUA e empresas de telecomunicações na Europa e no Brasil. A despeito de seu sucesso e fortuna, ficou conhecido por seus valores sérios e conversa franca. Morreu em 1997.

### Principais obras

**1997** *The Synergy Myth* (com Brent Bowers)
**1999** *Synergy and Other Lies* (com Brent Bowers)

que dois. Existem muitas razões para o fracasso. Problemas ocultos podem ser descobertos depois que o negócio foi fechado por causa das limitações de compartilhar comercialmente informações sensíveis antes da junção das empresas. O foco na hora do negócio é quase sempre a fusão em si, não o planejamento do que virá depois. A integração efetiva exige tomadas de decisão rápidas e corajosas, de modo a não se perder tempo nem o ímpeto. Mas a razão mais comum para o fracasso é que as duas organizações têm diferentes abordagens e falta sinergia.

Em 1998, a montadora alemã Daimler-Benz comprou a montadora norte-americana Chrysler por US$ 38 bilhões. A lógica parecia óbvia: criar uma potência transatlântica que dominaria o mercado de automóveis. A nova empresa, Daimler-Chrysler, ficou conhecida como uma "fusão de iguais". Mas, na verdade, ela foi uma clássica colisão de culturas. A Daimler era uma organização formal, hierárquica, enquanto a Chrysler preferia uma abordagem mais orientada às equipes e aberta. A Chrysler operava num mercado em que o preço baixo e o design arrojado eram importantes. Já a sofisticada Daimler estava focada em qualidade e luxo.

Os executivos da Chrysler se sentiram menosprezados na nova aliança, porque a Daimler tentou ditar os termos de como o novo negócio deveria funcionar, além de colocar seu pessoal em posições-chave. O resultado foi um divórcio corporativo caro, em que a Daimler-Benz vendeu a Chrysler para uma empresa de *private equity* por meros US$ 7 bilhões, em 2007. ▪

# A PALAVRA CHINESA "CRISE" É FORMADA POR DOIS CARACTERES: "PERIGO" E "OPORTUNIDADE"
## GESTÃO DE CRISES

### EM CONTEXTO

FOCO
**Crises empresariais**

DATAS IMPORTANTES
**1987** Ian Mitroff, Paul Shrivastava e Firdaus Udwadia publicam o artigo "Effective Crisis Management".

**1988** Shrivastava, Mitroff, Danny Miller e Anil Miglani afirmam que a crise organizacional exige uma abordagem interdisciplinar, usando perspectivas psicológicas, tecnológico-estruturais e sóciopolíticas.

**1995** A. Gonzalez-Herrero e C. Pratt sugerem um modelo para gestão de crises: diagnóstico do problema iminente; decisões e ações; implementação de mudanças; e monitoramento.

**Anos 2000** O planejamento de continuidade de negócios é apresentado para lidar com o terrorismo e grandes falhas tecnológicas.

**Anos 2010** As redes sociais fazem com que a crise se torne pública rapidamente, quase sempre em detrimento da empresa.

A humanidade já enfrentou crises por toda a sua história, desde desastres naturais a calamidades causadas pelo próprio homem. As empresas enfrentam crises similares – eventos internos ou externos podem causar grandes ameaças a uma organização. Imprevisíveis por natureza, elas exigem ação e uma rápida tomada de decisão de seus líderes.

A globalização aumentou a complexidade do mundo dos negócios, já que eventos em um país podem afetar uma empresa em todo o mundo. Ao mesmo tempo, as comunicações digitais 24 horas por dia, todos os dias, fazem com que as notícias cheguem mais longe e corram mais rápido. O resultado é que as crises parecem ser mais comuns do que eram na era pré-digital.

**Respondendo à crise**
A natureza aleatória das crises implica que elas podem acontecer em qualquer lugar. As crises típicas incluem falhas tecnológicas; questões trabalhistas,

**Veja também:** Gerenciando riscos 40–41 ▪ Húbris e nêmesis 100–103 ▪ Aprendendo com o fracasso 164–165 ▪ Planos de contingência 210 ▪ Lidando com o caos 220–221

**O Tylenol era o analgésico líder** nos EUA quando foi afetado por uma crise: algumas cápsulas foram envenenadas de forma letal. Houve o recolhimento de mais de 30 milhões de cartelas, mas conseguiu-se manter a fé do consumidor.

como greves e fraudes; perda inesperada de fornecimento ou aumento de preços nas matérias-primas; e desastres naturais. Toda crise tem o potencial de estragar os lucros de uma empresa e sua reputação. A extensão em que ela é capaz de enfrentar uma crise e limitar seu estrago é determinada pela habilidade em responder de forma rápida e adequada.

### Planejamento e decisões
A gestão efetiva de crises envolve um planejamento cuidadoso, de modo que, se elas acontecerem, a resposta poderá ser calma e profissional. Isso envolve saber rapidamente o "quem, o quê, quando, onde e como" de uma crise dentro das primeiras horas mais críticas. Qualquer crise – não importando quão pequena ela seja – pode vir a público, logo a resposta da empresa deve ser rápida. A opinião pública afeta a confiança do consumidor.

A liderança durante uma crise é particularmente importante, já que uma tomada de decisão ligeira e efetiva é crítica. Qualquer empresa reconhece que, se uma crise for bem administrada, o estrago poderá ser minimizado e sua reputação até mesmo fortalecida. Conforme disse o presidente norte-americano John F. Kennedy, "em chinês a palavra 'crise' é composta de dois caracteres – um representa o perigo, e o outro, a oportunidade".

### Lidando com uma crise
Em 1982, a Johnson & Johnson reagiu de forma efetiva a uma crise quando comprimidos de Tylenol vendidos em Chicago, EUA, foram contaminados com cianureto. A empresa fez um *recall* do produto, parou de fazer propaganda dele e passou a oferecer o Tylenol numa nova embalagem com selo triplo, impossível de adulterar. O público ficou seguro com a mudança e voltou a confiar no produto.

Quase na mesma época, outra empresa norte-americana tentou conter uma crise similar usando uma abordagem bem diferente. Uma mulher devolveu um pote de papinha de bebê da Gerber ao supermercado onde o havia comprado dizendo que ele tinha um caco de vidro dentro. A Gerber fez testes de laboratório e não encontrou nada. O supermercado perdera o caco de vidro, e a empresa concluiu que não havia problemas com sua linha de produção. Mas clientes em 30 estados diferentes também disseram que haviam encontrado vidro nas papinhas. A empresa não encontrou nenhuma evidência que sustentasse tais reclamações e anunciou que elas "estavam sendo feitas" por pessoas que queriam abrir processos judiciais falsos. Não houve nenhum *recall* dos produtos. A confiança do público na empresa despencou, e alguns estados exigiram que outros produtos da Gerber fossem retirados das lojas. Apesar de a posição da empresa ter sido baseada em evidências, ela a fez parecer insensível ao bem-estar dos bebês. Perdeu-se de vista a regra essencial em qualquer crise: sempre mostre comprometimento com a segurança e o bem-estar dos seus consumidores. ∎

## O papel do fornecedor numa crise

Em seu artigo "The Toyota Group and the Aisin Fire", os autores Toshihiro Nishiguchi e Alexandre Beaudet demonstraram a importância do relacionamento com os fornecedores durante uma crise. Em 1997, um incêndio na fábrica de um dos mais reconhecidos fornecedores da Toyota, a Aisin Seiki, ameaçou interromper as operações do grupo Toyota por semanas. A Aisin Seiki era o único fornecedor de uma pequena, mas importantíssima, peça usada em todos os veículos Toyota. Só havia dois ou três dias de estoque disponível. As fábricas da Toyota foram fechadas, mas reabertas em apenas dois dias. A recuperação foi possível por meio de um esforço imediato e auto-organizado de empresas dentro e fora do grupo Toyota que passaram a produzir em locais diferentes. Seu esforço colaborador, envolvendo mais de 200 empresas, foi orquestrado com pouco controle direto da Toyota e sem nenhuma discussão sobre direitos técnicos ou compensação financeira.

Uma gestão eficaz de crises é um processo sem fim, não um evento com começo e fim.
**Ian Mitroff, Paul Shrivastava e Firdaus Udwadia**

# VOCÊ NÃO PODE PLANTAR NO LONGO PRAZO SE NÃO PUDER COMER NO CURTO PRAZO
## O EQUILÍBRIO ENTRE O LONGO E O CURTO PRAZO

## EM CONTEXTO

**FOCO**
**Objetivos gerenciais**

DATAS IMPORTANTES
**1938** O autor norte-americano F. Scott Fitzgerald escreve que "a inteligência é a habilidade de ter duas ideias opostas na mente ao mesmo tempo e ainda assim conseguir agir".

**1994** Os especialistas em negócios James Collins e Jerry Porras publicam *Feitas para durar: práticas bem-sucedidas de empresas visionárias*.

**2009** Em *Integração de ideias*, o professor de administração canadense Roger Martin diz que os grandes líderes empresariais são capazes de usar o "pensamento integrativo" para resolver de maneira criativa a tensão de ideias e modelos opostos.

---

Se uma empresa pensar apenas no **curto prazo**...

↓

... a respeito de **questões imediatas** com clientes, salários, fornecedores e funcionários...

↓

... ela perderá o bonde e não criará **novas oportunidades para crescimento**.

---

Se uma empresa pensar apenas no **longo prazo**...

↓

... sobre novos produtos, novos mercados, **inovação e crescimento**...

↓

... ela **ficará sem capital** para financiar investimentos.

---

**Empresas de sucesso têm que equilibrar as mentalidades de curto e longo prazo.**

---

Um negócio de sucesso tem que equilibrar dois horizontes diferentes de tempo: o curto e o longo prazo. No curto prazo, uma empresa precisa de caixa para pagar seus salários e contas. Mas, se ela focar muito o presente imediato, haverá o risco de perder oportunidades. Por outro lado, se o único foco de uma empresa for em novas perspectivas, ela rapidamente deixará de ser lucrativa. Como já disse Jack Welch, CEO da GE: "Você não pode plantar no longo prazo se não puder comer no curto prazo. Qualquer um consegue gerenciar o curto e qualquer um consegue gerenciar o longo

# TRABALHANDO COM VISÃO

**Veja também:** Dê o segundo passo 43 ▪ A qual ritmo crescer 44–45 ▪ Liderança eficaz 78–79 ▪ Investimentos e dividendos 126–127 ▪ Prestação de contas e governança 130–131 ▪ Lucro vs. fluxo de caixa 152–153

prazo. Gerenciar é equilibrar as duas coisas".

Em 1994, James Collins e Jerry Porras estudaram empresas como a General Electric, a Marriott e a 3M, que já operavam havia mais de um século e consistentemente se valorizaram mais que o mercado de ações. Eles usaram o signo chinês do *yin-yang* – simbolizando opostos complementares – para explicar como os negócios de sucesso mantêm tanto o controle do curto quanto do longo prazo. As organizações estudadas foram capazes de gerenciar ideias contraditórias ao mesmo tempo, ao aplicar "tanto isso quanto..." em vez de "ou isso ou...". Elas também demonstraram o conceito com uma performance boa tanto no curto quanto no longo prazo.

## Público e privado

Numa empresa de capital fechado (Ltda.), os gerentes podem planejar diferentes horizontes de tempo sem o escrutínio dos acionistas. Sir Anthony Bamford, por exemplo, administra a JCB, uma empresa britânica de capital fechado. A JCB foi fundada por seu pai, Joseph Cyril Bamford, que começou a fazer basculantes agrícolas em 1945. Hoje, a JCB é a terceira maior fabricante de máquinas para construção no mundo, com 22 plantas na Europa, na Ásia, nas Américas do Norte e do Sul. Bamford pode investir quando e onde ele escolher. Ele decidiu investir na Índia ao abrir uma fábrica em 1978, uma perspectiva de longo prazo que se justificou já que a JCB é, atualmente, a líder de mercado lá. Em 2012, a JCB abriu uma fábrica no Brasil.

Diferentemente de muitos CEOs, que assumem o posto por alguns anos e depois mudam de empresa, Bamford viu que o equilíbrio do curto e do longo prazo é crucial. Seu foco duplo valeu a pena: a despeito da recessão mundial, as vendas da JCB cresceram 40% em 2011 e bateram £ 2,75 bilhões em 2012.

Em contraste, uma típica empresa de capital aberto, com ações em bolsa, está sempre sendo escrutinada. Seus investidores buscam retorno anualmente na forma de dividendos. Isso pode se tornar um problema estratégico, já que investidores institucionais podem pressionar os diretores de empresas de capital aberto a distribuir dividendos em vez de reinvestir no negócio, sem levar em conta as perspectivas de longo prazo. Isso aconteceu com a Apple em 2013. Para garantir o equilíbrio adequado entre o curto e o longo prazo, as empresas geralmente dividem a responsabilidade de planejamento entre diferentes equipes gerenciais. Isso permite à organização gerenciar a operação imediata, ao mesmo tempo que olha à frente em busca de crescimento e inovação. ∎

**O símbolo do yin-yang** reflete a natureza dual das empresas visionárias, de acordo com Collins e Porras. Eles sugerem a substituição da "tirania do 'OU' pelo gênio do 'E'".

## Jack Welch

Nascido em 1935, John F. Welch estudou engenharia química na Universidade de Massachusetts, fazendo mestrado e doutorado em engenharia química na Universidade de Illinois. Em 1960 entrou na General Electric, galgando postos até chegar a presidente do conselho e CEO de 1981 até a sua aposentadoria, em 2001. Durante essa época, Welch aumentou o valor do negócio de US$ 13 bilhões para várias dezenas de bilhões. Suas habilidades gerenciais, tornaram-se lendárias: ele não perdia tempo com burocracia e os executivos tinham liberdade, desde que seguissem a ética da GE de mudança constante e esforço por melhoria. Em 1999, a revista *Fortune* o chamou de Executivo do Século, e o *Financial Times* o classificou como um dos três mais admirados líderes do mundo. Fundou o Jack Welch Management Institute na Strayer University, EUA, em 2009.

### Principais obras

**2001** *Jack definitivo: segredos do executivo do século* (com John A. Byrne)
**2005** *Paixão por vencer: a bíblia do sucesso*

# ATRATIVIDADE DO MERCADO, ATRATIVIDADE DO NEGÓCIO
## A MATRIZ MABA

**EM CONTEXTO**

FOCO
**Estratégia empresarial**

DATAS IMPORTANTES
**Começo dos anos 1970** O Boston Consulting Group desenvolve a matriz de crescimento compartilhado para ajudar as empresas a decidir como alocar recursos para unidades de negócios e produtos tendo como base sua participação relativa de mercado e taxas de crescimento.

**Anos 1970** A consultoria McKinsey & Company desenvolve a matriz MABA.

**1979** Michael Porter desenvolve o Modelo das Cinco Forças, para permitir às empresas analisar a estrutura de seu setor e desenvolver uma posição mais lucrativa.

**2000** O arcabouço da Estratégia Corporativa Ativada pelo Mercado (MACS) é apresentado pela McKinsey para medir o valor individual de cada unidade de negócios dentro da corporação e sua adequação à venda.

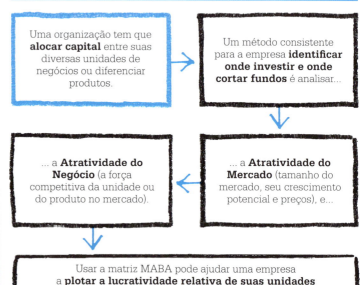

Uma organização tem que **alocar capital** entre suas diversas unidades de negócios ou diferenciar produtos.

Um método consistente para a empresa **identificar onde investir e onde cortar fundos** é analisar...

... a **Atratividade do Mercado** (tamanho do mercado, seu crescimento potencial e preços), e...

... a **Atratividade do Negócio** (a força competitiva da unidade ou do produto no mercado).

Usar a matriz MABA pode ajudar uma empresa a **plotar a lucratividade relativa de suas unidades de negócios ou produtos**.

Até meados do século XX, muitos negócios eram empresas simples vendendo um único produto. Mas a partir de mais ou menos 1950 surgiram as grandes corporações, que foram divididas em unidades de negócio. Era difícil gerenciar, com lucro, essas diferentes unidades, então os consultores de gestão passaram a desenvolver arcabouços para lidar com a nova complexidade. Um desses modelos, surgido nos anos 1970, foi a MABA – o arcabouço da atratividade do mercado/atratividade do negócio (da sigla em inglês). Ela também é conhecida como o "arcabouço dos nove blocos da GE-McKinsey", porque foi desenvolvido pela empresa de consultoria McKinsey para o

# TRABALHANDO COM VISÃO

**Veja também:** Estudando a concorrência 24–27 ■ Proteja o *core business* 170–171 ■ Estratégias boas e más 184–185 ■ As cinco forças de Porter 212–215 ■ A cadeia de valor 216–217 ■ Portfólio de produtos 250–255 ■ A matriz Ansoff 256–257

conglomerado General Electric, que tinha 150 unidades de negócios.

A matriz MABA é um método sistemático e consistente para que uma corporação descentralizada decida como dividir seu capital entre as várias unidades de negócios ao avaliar a lucratividade e posição de mercado de cada uma delas. Os métodos anteriores de alocação de orçamento se baseavam nas previsões de cada unidade de negócios quanto ao seu crescimento e lucratividade, os quais estavam sujeitos a erro. Apesar de desenvolvida para grandes empresas, a matriz também pode ser usada pelas pequenas para avaliar a força de uma linha de produto ou marca, em vez de unidades de negócios.

## Usando a matriz

A matriz permite a uma empresa julgar cada unidade de negócios em dois fatores que determinam seu sucesso futuro: a atratividade do seu setor, ou mercado, e a força concorrencial de cada unidade de negócios dentro do setor. A atratividade de mercado recebe uma nota baseada no tamanho do mercado, na taxa de crescimento, na lucratividade e no nível de concorrência. A atratividade do negócio recebe uma nota de acordo com a participação de mercado corrente ou seu nível de crescimento para uma unidade ou produto, a força de sua marca e as margens de lucro em relação aos seus rivais.

Ao plotar a atratividade de um setor num eixo e a posição concorrencial de uma unidade de negócios no outro, as grandes empresas podem comparar a força das diversas unidades de negócios. A matriz condensa o potencial de crescimento de valor de várias unidades de negócios num gráfico simples e palatável.

Cada unidade de negócios ou produto tem que ser avaliado, usando

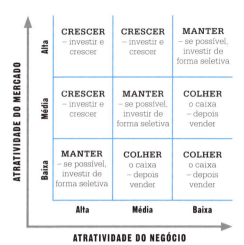

análise de dados, e colocado na matriz conforme sua atratividade de mercado ou de negócio. Isso categoriza as unidades em três categorias: as que devem "crescer" por meio de investimento, as que devem ser "mantidas" (com investimento seletivo) e as que devem ser "colhidas" em troca de caixa e vendidas ou liquidadas.

Classificar unidades nessas três categorias oferece um ponto de partida para a análise estratégica e para determinar onde investir para obter o maior crescimento. Com o passar dos anos, o critério para avaliar a atratividade do setor e a força concorrencial se tornou mais sofisticado. Mas mesmo hoje a maioria das grandes organizações com uma abordagem formal para modelar seus negócios usa a matriz MABA ou um de seus derivados. ■

A **matriz MABA** oferece um meio de identificar quais unidades de negócios devem ser estimuladas, mantidas em seu nível atual ou vendidas. As que estiverem no topo esquerdo da matriz têm uma atratividade alta no mercado e no negócio e devem ser estimuladas. As que estiverem no centro têm notas médias para ambos os fatores e talvez precisem de investimento seletivo. As que estiverem na parte baixa à direita têm notas baixas em ambos os fatores e deveriam ser colhidas, em troca de caixa, e vendidas ou liquidadas.

## Porque a Kraft engoliu a Cadbury

Quando a empresa Kraft Foods, de Illinois, comprou a fabricante britânica de chocolates Cadbury por mais de US$ 19 bilhões, em 2010, isso se deu porque ela viu a força concorrencial da Cadbury num setor atrativo. A Cadbury poderia ser colocada acima e à esquerda da matriz MABA. A Kraft já tem o segundo maior negócio de alimentos do mundo, com fortes marcas próprias, mas ela estava gerando 80% das suas vendas nos EUA e queria capitalizar seu potencial de crescimento em outros lugares do mundo. Só na primeira metade de 2009, 69% das vendas da Cadbury vieram de mercados emergentes. A empresa britânica ofereceu à Kraft um maior acesso a esses mercados, incluindo as economias dos BRICs – Brasil, Rússia, Índia e China. A Cadbury também tinha algumas das marcas líderes mundiais de chocolate, confeitaria e chiclete. O chocolate da Cadbury, por exemplo, já era uma marca líder na Índia.

# SÓ OS PARANOICOS SOBREVIVEM

## EVITANDO A COMPLACÊNCIA

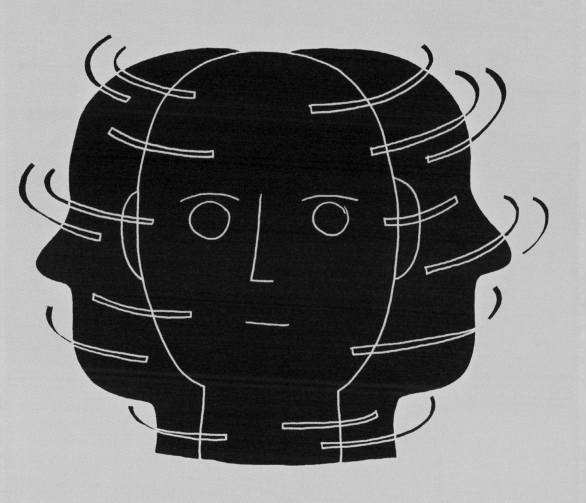

## EM CONTEXTO

FOCO
**Mudança de negócios**

DATAS IMPORTANTES
**1979** Michael Porter escreve *Como as forças competitivas moldam a estratégia*, dizendo que os executivos devem estar sempre cientes do que a concorrência está fazendo.

**1994** Em *The Empty Raincoat: Making Sense of the Future*, Charles Handy usa um gráfico para ilustrar como as organizações têm que estar alertas para responder a ameaças.

**1996** Andy Grove escreve *Só os paranoicos sobrevivem.*

**2010** Em *O cisne negro: o impacto do altamente improvável*, Nassim Nicholas Taleb explica que não podemos prever o futuro a partir do passado, de modo que devemos esperar (e nos preparar para) o inesperado.

---

Geralmente é mais fácil para quem está fora de uma empresa ver alguma maneira de complacência do que para aqueles que estão lá dentro. Os executivos às vezes estão cegos a ela, até que sua empresa mergulhe numa espiral de queda. A Research in Motion (RIM), fabricante do outrora ícone BlackBerry, desenvolveu a ideia de mandar e receber e-mails por celulares, e sua inovação ajudou-a a se tornar líder de mercado. Mas a RIM se acomodou em seu sucesso em vez de continuar a inovar e não percebeu nem previu a direção em que os produtos da Appl estavam sendo desenvolvidos. O iPhone, da sua empresa de tecnologia rival, mandava e-mails por celular além de um monte de outras facilidades. A RIM passou rapidamente de líder de mercado para um período de declínio, porque se tornou complacente em vez de manter-se alerta à mudança tecnológica ou às ameaças dos concorrentes.

Faz parte da natureza humana relaxar quando as coisas vão bem, mas a história mostra que é exatamente nessa hora que é preciso estar atento. O ex-CEO da Intel, Andy Grove, acredita que o "sucesso gera a complacência. A complacência gera o fracasso. Só os paranoicos sobrevivem". Essa última frase é composta por cinco questões (ver abaixo) e tornou-se o

Um ponto de inflexão estratégico é o momento na vida de um negócio em que seus fundamentos estão a ponto de mudar.
**Andy Grove**

título de um dos livros de Grove. Ele fugiu do regime comunista da Hungria e aprendeu desde a juventude que a paranoia pode ser uma habilidade útil à sobrevivência. Muitos anos mais tarde, quando entrou na Intel, transferiu as habilidades de cuidar de si mesmo para a empresa, guiando-a com segurança por meio de uma série de ameaças.

### O ponto de inflexão estratégico

Todo negócio enfrenta mudanças. De vez em quando a mudança pode ser enorme, e a posição que antes era tida como garantida pode mudar dramaticamente. Grove chama tal momento de "ponto de inflexão

---

### As cinco perguntas de Grove

| Você acha que a sua **concorrência mudou**? | O seu velho rival **não é mais a sua maior ameaça**? | Você está se **baseando numa empresa complementar** para tornar sua empresa atraente? | Todo mundo só **fala de algo novo**? | Para onde você **apontaria o revólver** se tivesse um? |

**Só os paranoicos sobrevivem.**

# TRABALHANDO COM VISÃO 197

**Veja também:** Reinventando e se adaptando 52–57 ▪ Mudando o jogo 92–99 ▪ Húbris e nêmesis 100–103 ▪ Aprendendo com o fracasso 164–165 ▪ As cinco forças de Porter 212–215 ▪ Lidando com o caos 220–221 ▪ Previsões 278–279 ▪ Feedback e inovação 312–313

estratégico". Ele não é necessariamente um ponto único no tempo, mas quase sempre está acompanhado por um período claro de insatisfação dentro da organização. Ele pode ser iniciado por mudanças no ambiente externo ou por nova concorrência, e os altos executivos com frequência estão entre os últimos a perceber o que está acontecendo.

O primeiro ponto de inflexão estratégico da Intel aconteceu quando as empresas japonesas começaram a produzir *chips* de memória de melhor qualidade e menor preço que as norte-americanas durante os anos 1980. Foram necessários três anos, e prejuízos enormes, para que Grove percebesse que somente por meio de uma mudança de mentalidade e reposicionamento é que a Intel poderia uma vez mais se tornar líder em seu setor.

## Uma mudança de 10×

Nos anos 1970, no professor norte-americano Michael Porter resumiu as cinco forças competitivas que as empresas enfrentam: concorrência, produtos substitutos, novos entrantes, fornecedores e compradores. Grove adicionou uma sexta força: produtos complementares. Trata-se do impacto

**Um ponto de inflexão** estratégico é o ponto no qual uma grande mudança (tal como a chegada da internet) acontece no ambiente concorrencial. Se a empresa reconhecê-lo e se ajustar, talvez ela consiga decolar; se ignorar a mudança, entrará em declínio.

**Ponto de inflexão**

O negócio atinge um patamar superior

A chegada de uma nova tecnologia, de novas regulações para o setor ou de uma mudança nos valores e nas preferências dos consumidores

O negócio afunda

de outro negócio que vende um produto ou serviço que complementa o próprio produto ou serviço da empresa ao adicionar valor a clientes mútuos. Por exemplo, os produtos de *software* complementam aqueles dos fabricantes de *hardware* de computadores.

Grove descreve todas essas forças como "um vento constante", mas se uma força fica dez vezes mais forte ela age como se fosse um tufão. Os líderes precisam estar alertas a tal mudança – uma mudança de "10×" –, porque ela exige uma mudança fundamental na estratégia. Dependendo das ações que os líderes tomam nesse ponto, a mudança pode ou levar a organização a um novo patamar positivo ou colocá-la numa espiral em direção ao esquecimento. É importante aos líderes discernir entre uma mudança esperada e uma mudança profunda, quando o equilíbrio de forças muda do velho para o novo.

Em seu livro, Grove usa o exemplo do crescimento da internet. A internet foi uma mudança de "10×" para todas as empresas, mas algumas falharam em reconhecer a força da internet ou foram complacentes e não agiram de modo a explorá-la. Muitas empresas no setor editorial foram culpadas dessas falhas – até mesmo aquelas que antes eram extremamente proativas. Por exemplo, em 1974 a empresa »

**A Intel Corporation**, na Califórnia, EUA, tornou-se a maior fabricante mundial de *chips* de computador sob a liderança de Andy Grove. Ele encorajava os empregados a lhe trazer más notícias.

# EVITANDO A COMPLACÊNCIA

*Não é a espécie mais forte a que sobrevive, nem a mais inteligente, mas a que responde mais rapidamente à mudança.*
**Leon C. Megginson, professor de gestão norte-americano (1921-2010)**

norte-americana Barnes & Noble foi a primeira livraria a fazer propaganda na televisão, em 1975 foi a primeira a vender livros com desconto e, em 1989, abriu uma "superlivraria". Suas inovações a ajudaram a manter uma grande participação no mercado de varejo. Em 1995 ela tinha 358 superlivrarias, mas em 1996 a internet mudou tudo. A Amazon, mestre na venda pela internet, rapidamente a ultrapassou em vendas e em valor de mercado.

### Mantendo-se alerta
Pontos de mudanças maiores são difíceis de encontrar, logo os executivos precisam o tempo todo observar o horizonte, assim como o vigia de um navio fica procurando *icebergs* que possam afundar o negócio. As empresas, hoje em dia, usam diversas abordagens diferentes para monitorar a concorrência e o mercado.
Normalmente, uma grande organização emprega uma equipe de pessoas para escrutinar as vendas da empresa, compará-las com as da concorrência e analisar tendências de mercado. Ela talvez também tenha uma equipe responsável pela gestão de risco que cobre muito mais que os riscos operacionais (como o de segurança). Ultimamente, tais equipes tendem a monitorar preocupações globais muito mais abrangentes, incluindo excessos quanto ao tempo resultante de mudança climática ou política e questões de direitos humanos.

A negociação bem-sucedida da mudança se baseia não apenas em observar o ambiente, mas também em explicar a informação que se obtém. Os altos executivos precisam estar particularmente atentos em entender eventos e tomar decisões baseados apenas em informações ou eventos passados. Em *O cisne negro: o impacto do altamente improvável*, Nassim Nicholas Taled explica como as pessoas, os negócios e os governos dão muita importância à possibilidade de eventos passados se repetirem. Prever o futuro com base no passado ignora o fato de o futuro ter diferentes possibilidades ainda não vistas. Por exemplo, se você só viu cisnes brancos, talvez presuma que todos os cisnes são brancos, a não ser que tenha ido à Austrália e deparado com um cisne negro. Taled usa a metáfora do cisne negro para discutir grandes descobertas científicas e eventos históricos. Tais "eventos de cisne negro" combinam baixa previsibilidade e alto impacto. Exemplos disso são os ataques terroristas de Onze de Setembro nos Estados Unidos e a quebra do mercado acionário de 1987. Taleb diz que as empresas não conseguem nunca prever eventos cisne negro, mas precisam se fortalecer contra eventualidades potencialmente negativas e estar prontas para explorar as positivas.

### Escutando a linha de frente
Grove alega que as informações corporativas (assim como os cisnes brancos) só são relevantes para o passado da empresa e não podem ser usadas para prever o futuro. Ele sugere que, ao buscar indícios sobre como lidar com o futuro, os executivos deveriam olhar em outra direção, como escrutinar qualquer desalinhamento entre as declarações da estratégia da empresa e suas ações estratégicas. Qual é a diferença entre o que a empresa diz que planeja fazer e o que ela está fazendo? As ações são guiadas

**Cisnes negros** são raros, mas existem, o que surpreende àqueles que só viram os brancos. Isso demonstra o erro de basear as previsões em experiências passadas.

**A Segunda-Feira Negra** – 19 de outubro de 1987, quando os mercados de ações sofreram enormes perdas – foi um ponto de inflexão estratégico que causou enormes mudanças no ambiente de negócios.

Também é importante fazer as perguntas certas. O guru de administração Peter Drucker diz que "os piores erros não são cometidos por causa de respostas erradas. Realmente perigoso é fazer a pergunta errada".

## Quais perguntas fazer

O questionamento vai além de olhar para o cenário competitivo. As vendas trazem receitas, mas as empresas também precisam olhar para os custos, porque o lucro é a diferença entre os dois. Os gestores devem questionar seus processos, ver onde conseguem maior eficiência, reduzir custos e assim melhorar suas margens de lucro.

Os gestores também precisam perguntar o tempo todo se existe uma forma melhor de fazer algo. Por exemplo, funções não essenciais poderiam ser terceirizadas. Os gestores têm que ser incansáveis, sem nenhuma complacência, e enxergar cada oportunidade de aumentar as margens de lucro e melhorar o negócio.

Os gestores têm que usar seu conhecimento e sua experiência para conectar todas as informações que juntarem e tentar antecipar como o mundo parecerá daqui a cinco ou dez anos. Quais mudanças acontecerão nesse novo mundo? Eles têm que posicionar a empresa para que ela avance. Isso exige pensar em vários cenários diferentes e ser capaz de pensar "fora da caixa".

O impacto dos ataques terroristas de Onze de Setembro no Estados Unidos, em 2001, foi sentido por todo o mundo. Para alguns negócios eles se tornaram um ponto de inflexão estratégico. Uma dessas empresas foi a Victorinox, fabricante do onipresente canivete suíço. A empresa produz seus canivetes desde »

pela dura realidade da empresa em ter que vencer um concorrente no mercado. O pessoal da linha de frente muito provavelmente enxergará primeiro a nova realidade e se adaptará a ela. Eles são as pessoas mais bem posicionadas para identificar questões críticas.

Isso quer dizer que os líderes nas organizações têm que estar preparados para ouvir as pessoas que lidam com clientes e fornecedores – aquelas que com frequência tendem a estar nos níveis mais baixos da hierarquia – e absorver o que elas estão dizendo. Ajuda ter uma cultura organizacional que encoraje isso e garanta que as pessoas não terão medo de se manifestar.

Pelas mesmas razões, tão importante quanto usar uma análise competitiva ou modelagem, os altos executivos devem escutar as informações trocadas nas conversas de corredor e as fofocas da matriz.

## A técnica dos "5 porquês"

Para garantir que eles entendam o que está guiando ou impactando o desempenho de uma empresa e o que está acontecendo no mercado e no mundo como um todo, os altos executivos têm que estar o tempo todo fazendo perguntas. Eles também precisam entender não apenas "o quê" está acontecendo, mas "por quê". Um método para chegar a isso é a técnica dos "5 porquês" inventada pelo pai de Kiichiro Toyoda, fundador da Toyota, e por ela adotada durante os anos 1970. Ao perguntar "por quê?" cinco vezes, é possível mudar dos sintomas para a raiz do problema. Por exemplo, a primeira pergunta talvez seja "por que perdemos o prazo?", para qual a resposta talvez seja "porque demoramos mais para terminar o projeto do que havíamos pensado". Por quê? "Porque subestimamos a complexidade da tarefa." Por quê? "Porque fizemos uma estimativa de tempo rápida sem entrar nos detalhes das exigências do projeto." Por quê? "Porque já estávamos atrasados em quatro projetos." Por quê? "Porque não estamos permitindo tempo suficiente quando fazemos as cotações." A técnica pode ser usada para interrogar sobre os problemas causados interna e externamente.

É extremamente importante ser capaz de ouvir as pessoas que lhe trazem más notícias.
**Andy Grove**

**O modelo de negócios** da Victorinox se baseava nas vendas de seus canivetes suíços, mas um ponto de inflexão estratégico – a proibição de canivetes em aviões – forçou-a a adicionar produtos de luxo ao seu portfólio.

1884, mas foi atingida pelas novas regras de segurança aérea que proibiam instrumentos cortantes de ser transportados em aviões depois dos ataques. Isso teve um enorme impacto na Victorinox, porque as compras de seus produtos em aeroportos ao redor do mundo respondiam por uma parte importante de suas vendas anuais.

As vendas corporativas também despencaram. No começo de 2002, a venda de canivetes caiu 30% em poucos meses. A empresa reconheceu que isso poderia representar o começo de um longo declínio e que, para sobreviver, teria que agir. O desenvolvimento de novos produtos – incluindo relógios, equipamentos de viagem, fragrâncias e itens de moda – que poderiam ser vendidos em aeroportos aumentou. A empresa ainda começou a explorar novas oportunidades de mercado, como a venda para China, Índia e Rússia.

A Victorinox agiu para preservar uma de suas principais forças – uma habilidosa e leal força de trabalho suíça. Evitou-se redundância ao serem tomadas medidas anticrise como redução das jornadas de trabalho, cancelando horas extras, encorajando férias planejadas e emprestando trabalhadores para outras empresas suíças. A Victorinox não apenas sobreviveu: graças aos seus novos produtos, foi capaz de aumentar sua imagem de marca de alta qualidade. Agora mais de 60% dos ganhos da empresa vêm dos outros itens que não são canivetes.

### Evitando a catástrofe

Para detectar a aproximação de um ponto de inflexão estratégico, o CEO de uma empresa, junto com o seu conselho, deve analisar todas as informações básicas disponíveis, ouvir as informações secundárias e, então, tomar uma ação decisiva. A British Petroleum (BP), que já foi uma estatal britânica, abriu seu capital em 1987. Seu novo CEO era John Browne, um diretor não executivo da Intel, onde foi influenciado pela mentalidade de Andy Grove sobre a importância da paranoia. Browne estava mais preocupado com algo maior que as empresas rivais – algo que poderia estragar o negócio não apenas da BP, mas de toda a indústria petrolífera.

Browne revisou as informações disponíveis a respeito de mudança climática, escutou especialistas no assunto e considerou o impacto no negócio da BP. Ele reconheceu a mudança climática como uma questão que viria à tona lentamente, mas percebeu que ela poderia impactar a indústria do petróleo. Em 1997, proferiu uma palestra seminal na Universidade Stanford, EUA, reconhecendo publicamente a mudança climática como uma realidade e comprometendo a BP a fazer algo a respeito.

Essa foi uma atitude ousada para uma petrolífera, numa época em que as empresas rivais tentavam ignorar o assunto. A BP buscou uma estratégia de investir em energia alternativa e foi a primeira na indústria de petróleo a estabelecer metas para reduzir sua própria emissão de gases de efeito estufa. Pediu aos empregados que buscassem alternativas para ajudar no cumprimento das metas. Browne causou mais uma celeuma quando a BP lançou uma nova identidade de marca, em 2000. O brilhante logo verde de Helios, cujo nome tinha origem no antigo deus sol grego, estava acompanhado da frase:

A sustentabilidade verdadeira tem a ver com, ao mesmo tempo, ser lucrativo e responder à realidade e às preocupações do mundo em que você opera.
**John Browne, britânico, ex-CEO da BP (1948-)**

"Além do Petróleo". Ele representava o reconhecimento da organização de que era necessário o fornecimento de novos, e mais inteligentes, tipos de energia. Também mandava um forte sinal de que a empresa não estava sendo complacente, mas preparada para confrontar problemas complicados e se adaptar a eles.

Mas depois que Browne deixou a BP, em 2007, o novo CEO tentou uma estratégia diferente, e o negócio de energia alternativa foi fechado. Toda a credibilidade ambiental que a empresa havia construído nos anos anteriores foi perdida quando um poço de petróleo explodiu no Golfo do México, em 2010.

## Vencendo a complacência

No final dos anos 1990, a varejista britânica Marks & Spencer (M&S) teve uma atitude quase oposta à de John Browne na BP. Os membros do conselho ignoraram fortemente a mudança no ambiente do varejo britânico e mundial. A empresa era hierárquica, e esperava-se que os empregados cumprissem ordens. No livro *The Rise and Fall of Marks & Spencer*, a autora Judi Bevan descreve um ambiente de negócios tradicional, com escritórios acarpetados, garçons com luvas

**O logo Helios da BP** demonstrou seu compromisso em encontrar novas formas de fontes energéticas. As respostas corporativas às mudanças 10x, como as mudanças climáticas, precisam ser comunicadas ao mercado.

brancas e regras trabalhistas controlando a pontualidade, a eficiência e a cortesia. A M&S não tinha um departamento de marketing, e seus executivos acreditavam que ela não precisava fazer propaganda. As lojas não aceitavam cartões de crédito, e os pagamentos só podiam ser feitos em dinheiro ou com o cartão da própria M&S.

Quando varejistas rivais surgiram com uma visão mais moderna e novos designs contemporâneos, as roupas e as lojas da M&S começaram a parecer fora de moda. Os consumidores passaram a comprar em outros lugares, mas mesmo assim a empresa não mudou de rumo, a despeito de uma queda abrupta nas vendas e nos lucros. O lucro no Reino Unido continuou a cair, do pico de £ 1 bilhão em 1997 para £ 146 milhões quatro anos depois, e o preço das ações caiu em quase dois terços. Foi só com a escolha emergencial do CEO Stuart Rose, em 2004, para barrar uma tentativa de aquisição por outra empresa, que a queda dramática foi estancada.

Mas a recuperação não durou muito: a M&S mais uma vez foi complacente com a queda nas vendas de roupas por oito trimestres consecutivos até 2013. Como resposta, anunciou que investiria em reforma das lojas, logística e TI, revelando planos de transformar a M&S num varejista internacional, de multicanais, conectando-se com os clientes por meio de lojas, internet e serviços móveis.

Esse é o desafio para todas as organizações. Os negócios devem enfrentar a mudança acelerada num mercado global altamente competitivo e multicanal e se proteger da complacência – ou arriscar perder para concorrentes que conseguem ficar um passo à frente. ∎

---

## Andy Grove

Andrew ("Andy") Stephen Grove nasceu em 1936, numa família judia de Budapeste, Hungria, como András István Gróf. Ele se escondeu dos nazistas durante a ocupação da Hungria, sobreviveu ao Cerco de Budapeste pelo Exército Vermelho soviético e depois fugiu para os EUA durante o levante de 1956. Lá, assumiu o novo nome de Andrew Grove, formou-se em primeiro lugar na classe de engenharia da faculdade e fez seu doutorado em engenharia química na Universidade da Califórnia, em Berkeley. Mudou seus pais para São Francisco e trabalhou na Fairchild Semiconductor (1963-1967), antes de ajudar na fundação da Intel Corporation, em 1968. Tornou-se seu presidente em 1979, CEO em 1987 e presidente do conselho de 1998 a 2005. Credita-se a ele o sucesso da empresa. Durante o tempo em que foi CEO, o valor da ação da Intel subiu 2.400%, fazendo dela uma das empresas mais valiosas do mundo.

Filantropo dedicado, Grove doou milhões de dólares para a pesquisa do câncer e de doenças neurodegenerativas. Também atua no conselho de supervisores do International Rescue Committee.

# PARA SOBRESSAIR, BASEIE-SE NA CAPACIDADE DAS PESSOAS DE APRENDER

## A ORGANIZAÇÃO APRENDIZ

# A ORGANIZAÇÃO APRENDIZ

## EM CONTEXTO

**FOCO**
**A abordagem pessoal**

**DATAS IMPORTANTES**
**Anos 1920** Charles Allen desenvolve um programa de treinamento para construtores navais nos EUA, que inclui lições pessoais para desenvolver a lealdade.

**Anos 1950** O treinamento de trabalho se torna individualizado, substituindo o instrutor por materiais programados, de modo que os empregados progridam no seu ritmo próprio.

**1984** O professor Richard Freeman propõe que os trabalhadores são "parte relacionada" e vitais para a sobrevivência da organização.

**1990** Peter Senge publica *A quinta disciplina*, defendendo "a organização aprendiz".

---

Quando uma empresa se dedica à educação e ao desenvolvimento de seus funcionários, ela será capaz de se reinventar constantemente, se adaptando ao mercado por causa da capacidade intelectual e do compromisso de seus quadros. Se a chave do sucesso num mercado fragmentado e de rápida mudança são a adaptação e a antevisão, então faz sentido treinar e valorizar pessoas talentosas como forma de conduzir toda uma organização.

Essa é a essência daquilo que a autoridade em administração Peter Senge chamou de "organização aprendiz", um lugar "onde as pessoas expandem o tempo todo sua capacidade de criar os resultados que elas realmente desejam, onde se alimentam novos e maiores padrões de ideias, onde se liberta a aspiração coletiva e onde as pessoas estão continuamente aprendendo a aprender juntas". Para chegar a esse ideal, uma empresa deveria adotar uma abordagem coletiva, focada na comunidade, de modo que seus funcionários se sintam parte de uma empreitada que vale a pena e que os sustenta, e em troca esses funcionários demonstrarão compromisso com o negócio. Senge propôs sua visão de utopia corporativa na obra *A quinta disciplina*, de 1990. Em seu livro, listou cinco disciplinas a que as organizações deveriam aspirar de modo a ter sucesso no longo prazo: domínio pessoal, modelos mentais, visão compartilhada, aprendizado em grupo e raciocínio sistêmico – a quinta disciplina que incorpora as outras quatro.

## As cinco disciplinas

As primeiras duas disciplinas são individuais. O controle pessoal, para Senge, significa que as pessoas devem usar seus próprios interesses e curiosidade para melhorar suas capacitações. Modelos mentais se referem a formas de pensar arraigadas que devem ser desafiadas para que as pessoas se tornem conscientes de por que pensam de uma maneira específica e do impacto que isso tem no comportamento. Senge encoraja os empregados a analisar seus filtros mentais sutis e estar preparados para mudá-los de maneira a se adaptarem ao futuro.

As outras três disciplinas são coletivas. A meta da visão compartilhada prevê que os membros de uma organização decidam juntos o que querem criar e concordem com metas e processos que os ajudem a chegar lá. Dessa forma, os empregados trabalharão pela meta porque querem, não porque lhes foi

Para concorrer num **mercado em constante mudança**, uma empresa precisa...

... de uma força de **trabalho inteligente e adaptável**.

... de uma abordagem **elaborada e responsiva**.

A **força de trabalho** precisa **desafiar a si mesma** e ao negócio.

O **negócio** tem que **aprender com seu pessoal** e se adaptar constantemente.

**Para sobressair, baseie-se na capacidade das pessoas de aprender.**

# TRABALHANDO COM VISÃO

**Veja também:** O valor da equipe 70–71 ▪ Criatividade e invenção 72–73 ▪ Liderança eficaz 78–79 ▪ Organizando equipes e talentos 80–85 ▪ Usando o máximo do seu talento 86–87 ▪ Cultura organizacional 104–109 ▪ Desenvolvendo a inteligência emocional 110–111

**As cinco disciplinas** definidas por Peter Senge capacitam a organização a mudar e se desenvolver tanto por meio do aprendizado individual quanto do coletivo.

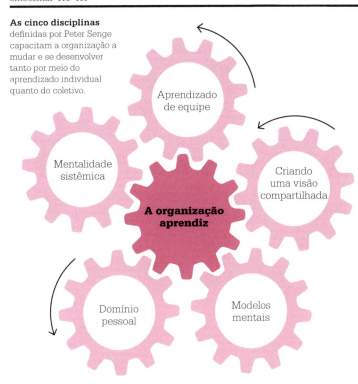

oportunidades de crescimento. Estima-se que o custo de substituir um empregado está entre 10% e 175% do salário do funcionário que está saindo, dependendo do campo de especialidade. Dados da OCDE (Organização para a Cooperação e Desenvolvimento Econômico) mostram um crescimento na migração de trabalhadores qualificados em todo o mundo no começo dos anos 1990. Muito dessa evasão partiu dos países em desenvolvimento e favoreceu países na América do Norte, na Australásia e na Europa. Mas mesmo em economias avançadas a evasão de talentos é um problema para a vida corporativa.

Durante os anos 1990, as maiores taxas de *turnover* voluntário na Ásia foram em Cingapura. O setor hoteleiro de Cingapura, por exemplo, tinha uma taxa anual de *turnover* de 57,6% em 1997, ao passo que a taxa anual no setor varejista ficou entre 74,4% e 80,4% entre 1995 e 1997. Um estudo feito pela Nanyang Business School de Cingapura, em conjunto com a Cardiff Business School, do Reino Unido, concluiu que práticas gerenciais ruins foram a principal causa do *turnover* de empregados. O problema de alto *turnover* em postos de baixos salários continua sem »

dito que fizessem assim. O aprendizado de equipe é o processo em que os empregados aprendem juntos por meio de discussões e diálogo, de modo que se tornem mais eficazes como equipe do que se trabalhassem sozinhos.

A quinta disciplina consiste na habilidade de ver a organização como um todo, com seus próprios padrões de comportamento. Essa capacidade é crucial para que as pessoas reconheçam comportamentos potencialmente contraproducentes que só existem por simples repetição e nunca foram questionados no passado.

### Turnover de pessoal
É pertinente que a proposta de Senge tenha aparecido num cenário de evasão de talentos corporativos. De acordo com trabalho de 2004 escrito por Arie C. Glebbeek e Erik H. Bax, da Universidade Groningen, Holanda, e publicado pelo *Academy of Management Journal*, quando o mercado de trabalho ficou mais apertado e a escassez de trabalhadores cresceu, durante os anos 1990, as empresas começaram a se preocupar com os efeitos danosos do *turnover*.

O *turnover* de pessoal é uma das grandes pragas tanto para as corporações quanto para as nações. O desejo por melhor educação e desenvolvimento motiva pessoas talentosas a se movimentar em busca de um ambiente melhor, com mais

Produtividade... vem das equipes que são desafiadas, empoderadas e recompensadas.
**Jack Welch, norte-americano ex-CEO da General Electric (1935-)**

solução. Na edição de janeiro de 2012 da *Harvard Business Review*, o professor Zeynep Ton, da Harvard Business School, escreveu sobre empresas que encontraram uma forma de investir em seu pessoal ao mesmo tempo que mantinham os custos baixos: "Redes de varejo de muito sucesso… não apenas investem pesadamente em funcionários de loja como também têm os menores preços de seu setor, uma performance financeira sólida e um serviço de atendimento ao cliente melhor que o de seus concorrentes. Elas demonstraram que, mesmo no segmento de varejo de preços baixos, empregos ruins não são uma necessidade para manter os custos baixos, mas uma escolha. E elas provaram que a chave para a mudança é uma combinação de investimento na força de trabalho e em práticas operacionais que beneficiam empregados, clientes e a companhia".

## Aprendendo a escutar

A teoria de Peter Senge sobre o aprendizado corporativo foi além de simplesmente minimizar o *turnover* de empregados. Ele queria que ela fosse um modelo pelo qual as empresas pudessem maximizar seu sucesso ao desenvolver ativamente a educação de seus empregados de modo a inovar e se adaptar. A esse respeito, a Honda Motor Company, do Japão, é frequentemente citada em estudos de caso como um perfeito exemplo de uma "organização aprendiz".

Nos anos 1980, o professor de administração na Universidade Stanford, Richard Pascale, analisou o estilo gerencial das empresas japonesas, em especial o da Honda. Ele concluiu que a "agilidade organizacional" era a razão do sucesso da Honda. Como evidência, ele mostrou a entrada da empresa japonesa no mercado norte-americano, em 1959.

A Honda estava se preparando para lançar suas motos mais possantes, de 250cc e 350cc, em Los Angeles, mas a equipe de vendas rapidamente percebeu que as grandes motos japonesas não eram adequadas para as condições de estradas e os longos percursos nos EUA. A equipe, com certa relutância, mandou os modelos de volta ao Japão para teste. Enquanto isso, três vendedores japoneses ficaram cruzando Los Angeles com as Super Cubs de 50 cc, sucesso no Japão, mas consideradas inapropriadas para os pilotos norte-americanos, sedentos por potência. Mesmo assim, o interesse norte-americano pelas Super Cubs cresceu, e a loja de departamentos Sears procurou a Honda para saber

> Não existe aprendizado organizacional sem aprendizado individual.
> **Chris Argyris e Donald Schön**

se poderia vender as motos menores. A equipe de vendas conversou com a matriz e sugeriu que, em vez de lançar as motos grandes, as Super Cubs deveriam ser o foco da entrada da Honda nos EUA. Em vez de desprezar os argumentos, os executivos entenderam e concordaram com a sugestão da equipe de vendas. O resultado foi um fenomenal sucesso da Honda no mercado dos EUA. No modelo de Peter Senge, a Honda é um exemplo de como "cada nível de uma organização deve se sentir incluído e valorizado".

## Questionando os precedentes

Em essência, a "organização aprendiz" de Senge se baseia em ideias anteriores, como a de Chris Argyris, de Harvard. Em 1977, Argyris publicou sua teoria de "aprendizado de ciclo duplo", mostrando que as empresas e seus empregados podem avaliar e modificar o que está por trás das ideias para melhorar sua capacidade de aprender e ter um desempenho eficaz. No ano seguinte, Argyris uniu forças com o professor do MIT

**A Super Cub da Honda** fez um enorme sucesso nos EUA graças aos executivos que escutaram seu pessoal de vendas e se afastaram da tradicional abordagem da "moto do machão".

**A aprendizagem organizacional** envolve tanto a aprendizagem de ciclo único, em que os erros são identificados e corrigidos, quanto o aprendizado de ciclo duplo, no qual as premissas que sustentam ações específicas são questionadas e melhoradas.

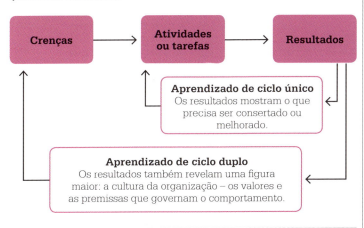

Donald Schön para escrever o influente livro *Organizational Learning: a Theory of Action Perspective*, que explorava teorias como a do aprendizado de ciclo duplo.

Voltando ainda mais no tempo, os primeiros estudos científicos de aprendizado dentro de uma organização foram conduzidos em meados do século XX. Duas teorias, em especial, surgiram para dominar as ideias nessa área. A primeira, do professor de Yale Charles Lindblom, em 1959, era de que a ação nas organizações se baseava em precedentes históricos e não na previsão do futuro. A segunda foi desenvolvida por Richard Cyert e James March, que publicaram, em 1963, suas observações de que o comportamento nas organizações é baseado em rotinas: procedimentos, convenções ou tecnologias pelos quais uma empresa opera. Esses aspectos negativos tornaram-se o foco de pesquisadores como Argyris e Senge. O interesse no conceito da organização aprendiz cresceu nos anos 1990, à medida que as condições empresariais ficaram mais incertas e as empresas passaram a depender mais de tecnologia.

Em 1993, o especialista em inovação gerencial Mark Dodgson, então associado à Science Policy Unit, da Universidade de Sussex, no Reino Unido, relacionou a incerteza econômica e a rápida mudança tecnológica a uma necessidade crescente de aprendizado em todos os níveis de uma empresa, citando a visão de psicólogos que diziam que o aprendizado era a forma mais elevada de adaptação. Dodgson, assim como outros especialistas, fez uma distinção entre "aprendizado organizacional" – quando as organizações aprendem a lição com um determinado evento – e a "organização aprendiz", a qual abarca um processo contínuo de educação e implementa estratégias para começar tal processo. Na opinião de Senge, as organizações focadas no aprendizado contínuo ganharão uma vantagem competitiva no mercado. ■

## Peter Senge

Especialista em gestão e aprendizado organizacional reconhecido em todo o mundo, Peter Senge nasceu em Stanford, Califórnia, em 1947, e estudou engenharia aeroespacial na Universidade Stanford. Fez seu MBA em sistemas sociais e seu doutorado sobre gestão na Sloan School of Management, do MIT. Também foi um dos fundadores da Society for Organizational Learning (SoL), com atuação mundial.

Senge foi pioneiro no conceito de "organização aprendiz" – uma organização estruturada de forma a criar novas ideias, reflexão e engajamento por seus empregados. Conforme disse uma vez, uma organização aprendiz "está sempre expandindo sua capacidade de criar seu futuro".

Em 1999, o Journal of Business Strategy chamou Peter Senge de "Estrategista do Século" – uma das 24 pessoas que tiveram a maior influência na estratégia empresarial no século XX.

### Principais obras

1990 *A quinta disciplina*
1999 *A dança da mudança*

# O FUTURO DO NEGÓCIO É VENDER MENOS DE MAIS
## A CAUDA LONGA

Hoje as empresas **não estão mais limitadas** por espaço físico ou custos para alcançar seu mercado.

Elas agora conseguem **oferecer um grande número de produtos de nicho** para muitos clientes individuais.

Os **consumidores têm mais escolhas** e querem expressar sua **individualidade**...

... ao comprar **itens de nicho de vendedores on-line**.

**O futuro do negócio é vender menos de mais.**

## EM CONTEXTO

FOCO
**Negócios na internet**

DATAS IMPORTANTES
**1838** O matemático francês Antoine Augustin Cournot produz um gráfico para representar oferta e demanda.

**1890** O economista britânico Alfred Marshall introduz o conceito de curvas de demanda em seu livro *Princípios de economia*.

**Século XX** A maioria das empresas vende um número limitado de bens, em que grande parte das vendas e dos lucros vem de seus itens mais vendidos.

**Anos 1990** O começo da internet prova ser uma tecnologia disruptiva que muda as tradições econômicas e sociais.

**2004** Chris Anderson cunha a expressão "A cauda longa" para descrever o conceito de que uma grande proporção das vendas provavelmente vem da cauda, e não da cabeça, da curva de demanda.

A teoria da "Cauda Longa" desafia princípios básicos da economia. No passado, os negócios de sucesso quase sempre vendiam enormes volumes de um número limitado de produtos. Agora, de acordo com Chris Anderson, o futuro do negócio está em vender menos de mais – pequenas quantidades de um número crescente de produtos.

Um fator primário na economia global de hoje é a internet, a qual está mudando o foco dos produtos e mercados do *mainstream* – representado pela "cabeça" da curva de demanda – para um grande número de produtos e mercados de nicho e de baixo volume, como visto na "cauda" da curva. Uma curva de demanda convencional é desenhada com o preço no eixo vertical e a quantidade no eixo

## TRABALHANDO COM VISÃO

**Veja também:** Vencendo os desafios na fase inicial 20–21 ▪ Obterndo uma vantagem 32–39 ▪ A *startup* leve 62–63 ▪ Pensando fora da caixa 88–89 ▪ O pequeno é bonito 172–177 ▪ O *M-commerce* 276–277 ▪ Tirando proveito do *big data* 316–317

horizontal, e demonstra que as pessoas compram mais conforme o preço cai. Anderson representa as vendas no eixo vertical e o número de produtos no eixo horizontal, mostrando que o crescimento em vários setores virá da ponta de nicho da demanda – a Cauda Longa.

### Removendo barreiras

A oferta costumava ser limitada por fatores como custo de produção, espaço físico para estocagem e custo de distribuição. O processamento digital, as compras on-line e a distribuição eletrônica removeram muitas dessas barreiras. Vender uma pequena quantidade de um grande leque de itens pode resultar em vendas e lucros totais maiores que com a venda de itens comuns.

Livros, música e filmes são exemplos clássicos da teoria da Cauda Longa. Um livraria tradicional só pode estocar livros que possivelmente serão vendidos. A Amazon, no entanto, pode listar todos os livros, mesmo que alguns deles jamais sejam vendidos. Títulos menos populares que não estão estocados em seus vastos centros de distribuição podem ser enviados diretamente da editora para satisfazer uma demanda individual. A venda combinada de um único livro pode ser maior que a de um *best-seller*, o que pode gerar mais lucros. De forma similar, o iTunes é capaz de oferecer uma lista maior de músicas do que qualquer loja física, e o Netflix pode fazer *streaming* de quase qualquer filme para os clientes. Quando lhes é oferecida uma escolha quase sem limite, os consumidores exercem sua preferência e gastam dinheiro.

A Ásia é um grande e crescente mercado, mas é fragmentada por várias diferentes culturas. Os países, individualmente, oferecem inúmeras oportunidades de nichos para

**A Cauda Longa** é baseada na representação de uma curva de demanda do mercado futuro (as vendas são mostradas na vertical, os produtos na horizontal). O autor Chris Anderson sugere que as vendas gerais de produtos de nicho na parte final da cauda da curva pode ser maior que a dos produtos mais populares na 'cabeça'.

empresas que podem desenvolver produtos e serviços específicos por língua e etnia, em vez de oferecê-los para os mercados de massa. As *startups* estão reconhecendo os benefícios da Cauda Longa e usam a diversidade da região a seu favor. Um exemplo é a Brandtology, empresa on-line que analisa redes sociais e *chats* on-line, em línguas locais, para clientes em Cingapura e Hong Kong. Falantes nativos de línguas como mandarim, japonês e coreano oferecem análises de redes sociais para garantir novas ideias e interpretações localizadas de questões-chave dentro de uma cultura em particular. ■

### Chris Anderson

O autor e empreendedor Chris Anderson nasceu em Londres em 1961 e mudou-se com sua família para os EUA aos cinco anos. Estudou física na George Washington University, depois cursou mecânica quântica e jornalismo científico na Universidade da Califórnia, em Berkeley, e mais tarde fez pesquisa no Laboratório Nacional de Los Alamos. Depois de trabalhar em dois importantes jornais científicos, *Nature* e *Science*, entrou na *The Economist*, em que teve várias funções (em Londres, Hong Kong e Nova York), desde editor de tecnologia a editor de negócios nos EUA. Chris Anderson entrou na revista *Wired* em 2001, em que foi editor-chefe até 2012. Atualmente mora em Berkeley, Califórnia, e é o CEO da 3D Robotics, uma fabricante de *drones*.

### Principais obras

**2004** "The Long Tail" (publicado na revista *Wired*)
**2006** *A cauda longa: do mercado de massa para o mercado de nicho*
**2012** *Makers: a nova revolução industrial*

# PARA SER UM OTIMISTA... TENHA UM PLANO DE CONTINGÊNCIA PARA QUANDO TUDO DÁ ERRADO
## PLANOS DE CONTINGÊNCIA

## EM CONTEXTO

FOCO
**Risco operacional**

DATAS IMPORTANTES
**1947-1991** Governos e multinacionais desenvolvem planos de contingência para um potencial ataque nuclear durante a Guerra Fria.

**Fim dos anos 1990** Países em todo o mundo desenvolvem planos de contingência para o "bug do milênio" – uma falha de computador antecipada devido à mudança de milênio (de 1999 a 2000).

**2010** A falta de um plano de contingência leva ao fechamento do espaço aéreo do norte da Europa pela primeira vez, logo após a erupção de um vulcão na Islândia. Os negócios perdem receita por causa das restrições nos transportes.

**2012** Devido à continuação da crise financeira, empresas ao redor do mundo fazem planos de contingência para o caso do fim da Zona do Euro.

N os negócios, quase nunca as coisas saem como o planejado. As empresas têm que se preparar para mudanças drásticas nos mercados ou no ambiente para garantir que os negócios diários continuem, mesmo "quando tudo dá errado", conforme foi dito pelo professor norte-americano Randy Pausch.

Planos de contingência estabelecem um curso de ação para lidar com uma crise, seja ela setorial (tal como o colapso financeiro de um importante fornecedor) ou humana, natural ou técnica por natureza. Eles exigem a identificação de possíveis desastres, avaliando a probabilidade de suas ocorrências e desenvolvendo um curso de ação para minimizar seus impactos sobre o negócio. Ter um plano permite a uma empresa gerenciar a crise e se recuperar rapidamente.

### Identificando tarefas-chave
Um plano de contingência tem que ser baseado em atividades empresariais críticas. Uma prestadora de serviços que se baseia numa equipe de *call center* para gerenciar as dúvidas dos clientes deve identificar instalações alternativas para o caso de alagamento. Uma empresa de marketing, antevendo

Aquele que fracassa em planejar está planejando fracassar.
**Winston Churchill, ex-primeiro-ministro britânico (1874-1965)**

o mesmo problema, talvez queira permitir que seus funcionários trabalhem remotamente. Em 2011, um terremoto devastador atingiu a costa leste do Japão, sendo seguido por um enorme *tsunami*. O plano de contingência do governo para terremotos – incluindo edifícios à prova de terremotos, um sistema de avisos prévios e uma coordenação de resposta rápida – salvou inúmeras vidas. Muitas empresas, como a NEC, foram capazes de reiniciar suas operações em poucos minutos por causa de seus planos de emergência. Até mesmo desastres naturais podem ser gerenciados. ■

**Veja também:** Gerenciando riscos 40–41 ■ Aprendendo com o fracasso 164–165 ■ Evitando a complacência 194–201 ■ Planejamento de cenários 211 ■ Lidando com o caos 220–221

# PLANOS SÃO INÚTEIS, MAS O PLANEJAMENTO É INDISPENSÁVEL
## PLANEJAMENTO DE CENÁRIOS

## EM CONTEXTO

**FOCO**
**Planejamento empresarial**

**DATAS IMPORTANTES**
**Começo do século XIX** O estrategista militar prussiano Carl von Clausewitz formula o princípio do planejamento estratégico.

**Anos 1940** A Força Aérea dos EUA considera prováveis ações de inimigos para poder preparar alternativas estratégicas.

**Anos 1950** O estrategista militar e futurólogo norte-americano Herman Khan encoraja os governos e as pessoas a "pensar o impensável" ao imaginar possíveis futuros cenários.

**1967** O filósofo francês Bertrand de Jouvenel cria o termo *futurible* para designar "um leque de possíveis futuros".

**Século XXI** Empresas e governos usam o planejamento de cenários para diversas questões, como alimentação, água, fornecimento de energia e crescimento populacional.

Além do planejamento de contingências, as empresas têm que se preparar para a possibilidade de vários futuros alternativos. Isso é conhecido como planejamento de cenários. Ele se origina do planejamento militar, e as empresas iniciam o processo perguntando "e se...?".

O que é provável que aconteça nos próximos dois, cinco ou dez anos? As empresas têm que considerar eventos locais, nacionais e internacionais e precisam identificar tendências subjacentes. Elas têm que determinar a probabilidade de cenários futuros, como eles podem afetá-las e como podem se preparar para diminuir os efeitos ou até mesmo colher alguns benefícios. O planejamento de cenários não remove a incerteza, mas é capaz de ajudar uma empresa a se adaptar à mudança.

### Preparada para a mudança
A petrolífera Royal Dutch Shell usa o planejamento de cenários há quase meio século. Suas primeiras versões eram baseadas na intuição, mas ela agora desenvolveu técnicas sofisticadas para criar cenários, os quais torna públicos. Contudo a empresa nunca comenta sobre os cenários que apresenta, já que isso pode afetar as decisões de outras empresas ou governos.

O planejamento de cenários da Shell lhe permitiu minimizar o impacto do embargo de petróleo aos países ocidentais em outubro de 1973, quando o preço do petróleo cru disparou e os mercados de ações despencaram. Apesar de a Shell ter sido atingida por esses eventos, ela já havia começado a se diversificar para outras fontes energéticas, o que lhe permitiu se recuperar mais rapidamente que seus concorrentes. ∎

**Durante o embargo de petróleo da Opep**, em 1973, o planejamento de cenários da Shell já previa o que a empresa faria caso os preços subissem, permitindo uma ação rápida da companhia.

**Veja também:** Gerenciando riscos 40–41 ▪ Aprendendo com o fracasso 164–165 ▪ Evitando a complacência 194–201 ▪ Planos de contingência 210 ▪ Lidando com o caos 220–221

# AS FORÇAS COMPETITIVAS MAIS FORTES DETERMINAM A LUCRATIVIDADE DE UM SETOR

## AS CINCO FORÇAS DE PORTER

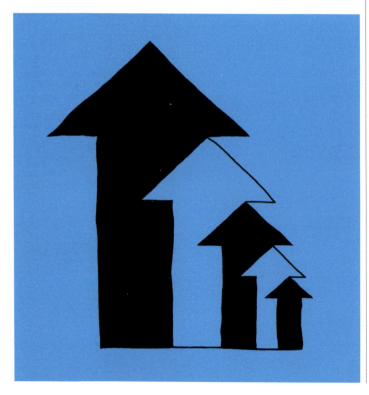

**EM CONTEXTO**

FOCO
**Estratégia competitiva**

DATAS IMPORTANTES
**1921** O economista e estatístico norte-americano Harold Hotelling diz que, enquanto houver lucro num mercado, mais e mais fornecedores se aproveitarão disso até que se chegue a um ponto de saturação.

**1979** Michael Porter publica o texto "Como as forças competitivas moldam a estratégia", na *Harvard Business Review*.

**2005** W. Chan Kim e Renée Mauborgne publicam *A estratégia do oceano azul*, sugerindo que as empresas deveriam focar mercados não disputados em vez de concorrer umas com as outras em mercados já existentes.

**2008** Michael Porter escreve *As cinco forças competitivas que moldam a estratégia*.

Para sobreviver, as empresas têm que entender a concorrência e responder a ela. Assim, é natural que se olhe para concorrentes mais próximos e rivais já estabelecidos para desenvolver uma estratégia. Mas isso pode restringir as ideias, definir a concorrência de forma muito estreita e ignorar outras forças estratégicas. Nos anos 1970, o economista e estrategista Michael Porter mudou a forma de as pessoas pensarem a estratégia.

O artigo de Porter de 1979 "Como as forças competitivas moldam a estratégia" mostrou que a percepção de forças competitivas mais amplas – aquelas por trás das empresas concorrentes óbvias – pode ajudar uma organização a entender a estrutura de seu setor e desenvolver uma posição que seja mais lucrativa e menos

**Veja também:** Estudando a concorrência 24–27 ▪ Obtendo uma vantagem 32–39 ▪ Liderando o mercado 166–169 ▪ As estratégias de Porter 178–183 ▪ Estratégias boas e más 184–185 ▪ A cadeia de valor 216–217

vulnerável a ataques. De acordo com Porter, existem cinco forças competitivas que, em conjunto, definem a estrutura de um setor, moldando a natureza da interação concorrencial dentro de um setor e definindo, fatalmente, a lucratividade. Agora conhecido com as Cinco Forças de Porter, esse modelo coloca os atuais concorrentes no centro, cercados por quatro outras forças: clientes, fornecedores, potenciais entrantes e produtos substitutos.

## Usando o modelo de Porter
Porter usou a aviação comercial como exemplo para explicar como o modelo funciona na prática, já que a intensidade das cinco forças faz com que o negócio de aviação seja um dos setores com menos lucro. No centro estão os rivais estabelecidos (como Qatar Airways, Virgin e Qantas), todos concorrendo intensamente no preço. Os clientes conseguem cotar preços facilmente em busca do melhor negócio. Os fornecedores – nesse caso, os fabricantes de aeronaves e seus motores e a força de trabalho sindicalizada – ficam com o grosso do lucro. Novos participantes entram no setor com frequência. Os substitutos estão disponíveis em outras formas de transporte, como trens, ônibus ou carros.

Em setores nos quais as forças são muito fracas – por exemplo, os de *software*, bebidas e itens de higiene pessoal –, as empresas conseguem obter um lucro maior. Em todos os setores, o lucro pode ser afetado pelo clima ou por mudanças cíclicas no curto prazo, mas no médio e no longo prazo é a estrutura do setor que guia a concorrência e a lucratividade. Porter tem certeza de que outros fatores – como os tipos de produto ou serviço, a maturidade do mercado, a regulação ou o nível de complexidade técnica – não são determinantes em termos de lucratividade.

## A força da "rivalidade"
Das cinco forças, a rivalidade entre os concorrentes atuais é a maior determinante da competitividade e da lucratividade dentro de um setor. Num setor muito concorrido, é difícil ganhar participação de mercado, logo é difícil haver lucro. Uma rivalidade concorrencial intensa pode ocorrer quando existem muitos concorrentes, o crescimento no setor é lento, os produtos não são diferenciados e podem ser facilmente substituídos, os concorrentes são mais ou menos do mesmo tamanho, a fidelidade do cliente é baixa, e é difícil e custoso sair do setor.

O setor hoteleiro tem esse tipo de negócio. Numa cidade como Nova York, existem muitos hotéis. O número de hóspedes é mais ou menos fixo, de modo que o crescimento é baixo. Dentro de um grupo específico de hotéis com o mesmo número de estrelas, eles são todos muito parecidos, assim como são iguais os tamanhos das grandes redes »

O primeiro fica com a ostra; o segundo, com a concha.
**Andrew Carnegie, industrial norte-americano (1835-1919)**

# AS CINCO FORÇAS DE PORTER

A estrutura do setor, conforme manifestada na força das cinco forças competitivas, determina o potencial de lucro para o setor no longo prazo.
**Michael Porter**

hoteleiras. Os clientes podem escolher ir a qualquer hotel e ter bom acesso aos preços. A saída do setor é difícil por causa do investimento inicial. Muitos grandes grupos de hotéis criaram programas de fidelidade como parte de sua estratégia de diferenciar sua marca.

## Substitutos
A mais importante das cinco forças não é sempre a mais óbvia. Por exemplo, mesmo com a rivalidade feroz no setor de *commodities*, esse talvez não seja o fator que mais limita a lucratividade. A força da "ameaça dos substitutos" é surpreendentemente importante aqui – os compradores nesses mercados podem facilmente encontrar matérias-primas ou produtos substitutos que talvez tenham preços mais atraentes ou de melhor qualidade. Além disso, podem trocar um produto ou serviço por outro com um custo baixo. Por exemplo, custa relativamente menos para um consumidor trocar o chá pelo café, diferentemente de trocar viajar de bicicleta por carro.

Em alguns setores, as empresas tentam limitar a ameaça de substitutos potenciais ao garantir uma acessibilidade maior ao produto. Por exemplo, os fabricantes de refrigerante conseguiram isso ao instalar máquinas de vendas com marca, impedindo que os concorrentes ofereçam seus produtos naquele lugar específico.

### Poder do comprador
Os compradores podem exigir preços menores ou uma melhor qualidade de produto dos fornecedores quando seu poder de barganha é alto. Ambos os cenários resultam em lucro menor para os produtores, porque preços menores querem dizer receitas menores, e produtos de alta qualidade geralmente trazem consigo custos de produção maiores. Os compradores exercem um forte poder de barganha quando são poucos, quando compram grandes quantidades, quando seu preço é sensível, quando controlam a distribuição até o consumidor final, quando há muitos substitutos e quando a troca por outro fornecedor pode acontecer a um baixo custo. Os compradores também podem produzir eles próprios o produto – e podem usar isso como uma ameaça.

Compradores de grandes supermercados têm um enorme poder de barganha no setor de alimentos e bebidas. O leite fresco quase sempre está no centro da guerra de preços dos supermercados, porque as grandes redes têm um poder de compra significativo em relação aos fornecedores. Os fazendeiros britânicos alegam que são tão pressionados para reduzir preços que, quase sempre, costumam ter prejuízo por garrafa de leite vendida.

### Poder do fornecedor
Quando o poder de barganha dos fornecedores é forte, isso lhes permite vender matérias-primas com preço alto ou de baixa qualidade. Isso afeta diretamente os lucros da empresa que está comprando, porque ela tem que pagar mais pelas matérias-primas. Os fornecedores têm um forte poder de barganha quando são poucos (com muitos compradores), quando controlam recursos escassos, quando o custo de trocar matérias-primas é alto e quando há poucas matérias-primas ou fornecedores substitutos. Seu poder cresce se eles forem grandes e puderem ameaçar entrar no processo e produzir os bens eles mesmos.

O petróleo é um exemplo de recurso escasso controlado por poucos países. A Opep (Organização dos Países Exportadores de Petróleo) representava a força política desses países em 1973 quando impôs um embargo do petróleo aos EUA. A ação da Opep interrompeu o fornecimento e forçou a quadruplicação do preço do produto.

### Novos entrantes
Segundo Porter, se um setor é lucrativo e existem poucas barreiras à entrada, a concorrência crescerá, e os lucros cairão. Quase sempre, as organizações que já existem tentam criar formas de deter os novos entrantes. A ameaça de novos entrantes é alta quando o custo de entrar no mercado é baixo, quando existe pouca regulação estatal, quando a fidelidade do consumidor é baixa, quando os negócios atuais não têm força para retaliar e quando se chega fácil às economias de escala. Os riscos crescerão se as empresas existentes não tiverem estabelecido a reputação da marca e não possuírem patentes, e quando os produtos forem praticamente iguais. Um exemplo de mercado com baixa ameaça de novos entrantes é o mercado de *software* para computadores pessoais. A

**O poder de compra** é alto no setor de alimentos e bebidas porque o consumidor pode facilmente encontrar um substituto que seja mais barato ou diferenciado – por exemplo, mais nutritivo.

**A indústria hoteleira** é caracterizada pela intensa competição. Algumas redes vêm introduzindo programas de fidelidade para ganhar a preferência do consumidor e aumentar o retorno dos clientes.

Microsoft acabou dominando o mercado com seu sistema operacional Windows 95. Os novos entrantes acharam difícil entrar, porque programas como Excel, PowerPoint e Word são usados por todo mundo.

### Escolhendo uma posição

Porter usou o fabricante norte-americano de caminhões pesados Paccar para ilustrar o princípio de escolha de como posicionar uma empresa dentro de uma dada estrutura de setor. Num mercado saturado, a Paccar queria encontrar um espaço no qual as forças competitivas fossem fracas e ela pudesse evitar o poder dos compradores e a rivalidade baseada em preços.

Na indústria de caminhões pesados, em que dominam os compradores de grandes frotas, é difícil criar um nicho baseado na diferenciação. A Paccar, com sede em Washington, EUA, escolheu focar um grupo de clientes: os donos dos próprios caminhões. O orgulho pessoal em ter seu próprio caminhão e o fato de serem economicamente dependentes de seus veículos tornaram-nos menos sensíveis aos preços como compradores. A Paccar, portanto, decidiu investir no desenvolvimento de um leque de facilidades tendo o caminhoneiro em mente: cabines luxuosas com cama, bancos de couro, cabines isoladas acusticamente e um estilo exterior arrojado. Ela oferecia milhares de opcionais para que os donos deixassem a sua marca pessoal em seus caminhões, sendo acessíveis nos computadores de sua rede de concessionárias. Também oferecia assistência ao usuário e um design aerodinâmico de baixo consumo de combustível. Como resultado, a Paccar é lucrativa há mais de 68 anos, com um retorno melhor que o da média.

Não importando quão diferentes os setores possam ser entre si, o modelo de Porter oferece a qualquer empresa uma forma de avaliar a lucratividade usando cinco forças competitivas facilmente calculáveis. Ao revelar a estrutura por trás de um setor, o modelo de Porter simplifica uma massa de informação, dando aos gerentes um claro processo para entender as informações de um setor e desenvolver uma estratégia eficaz. ∎

## Michael Porter

Nascido em 1947, em Michigan, EUA, Michael E. Porter era filho de um oficial do Exército norte-americano e viveu em diferentes lugares do mundo ainda criança. Porter serviu como reservista do Exército logo após sua graduação. Formou-se em engenharia mecânica e aeroespacial com louvor pela Universidade Princeton, em 1969, e fez seu MBA em 1971 na Harvard Business School, terminando seu doutorado em economia empresarial pela Universidade Harvard em 1973. Os estudos acadêmicos de Porter incluem a concorrência nas arenas nacional, regional, social e de assistência médica. Serviu como consultor para governos, corporações, organizações sem fins lucrativos e universidades por todo o mundo. É autor de 18 livros e mais de 125 artigos.

### Principais obras

**1980** *Estratégia competitiva*
**1985** *Vantagem competitiva*
**1990** *A vantagem competitiva das nações*

Defender-se contra as forças competitivas e moldá-las a favor de uma empresa é crucial para a estratégia.
**Michael Porter**

# SE NÃO TIVER UMA VANTAGEM COMPETITIVA, NÃO CONCORRA
## A CADEIA DE VALOR

**EM CONTEXTO**

FOCO
**Vantagem competitiva**

DATAS IMPORTANTES
**1933** O economista norte-americano Edward Chamberlin apresenta o conceito de diferenciação de produto no livro *Theory of Monopolistic Competition*.

**Anos 1970** A ideia de vantagem competitiva se estabelece conforme as empresas japonesas começam a vender mais que suas contrapartes norte-americanas e europeias. Mais tarde isso é explicado como gestão superior.

**1979** Os consultores de marketing norte-americanos Al Ries e Jack Trout escrevem *Posicionamento: a batalha pela sua mente*, esboçando a forma como as empresas deveriam desenvolver sua estratégia tendo como base as fraquezas de seus concorrentes.

**1985** Michael Porter apresenta suas teorias da vantagem competitiva e da cadeia de valor em *Vantagem competitiva: criando e sustentando um desempenho superior*.

---

As atividades interconectadas por meio das quais uma empresa oferece produtos ou serviços podem ser vistas como uma "**cadeia de valor**".

↓

A cadeia consiste em **atividades de valor primárias e secundárias**.

↓ ↓

As **atividades de valor primárias** incluem logística de compra, fabricação, logística de venda, marketing e vendas, e serviço de pós-venda.

As **atividades de valor secundárias** incluem compras, RH, tecnologia e infraestrutura.

↓ ↓

Por meio da análise de sua cadeia de valor, uma empresa pode identificar onde alcançar **vantagens de custo ou diferenciação** para seus produtos.

---

O alvo de toda empresa é criar e manter uma vantagem competitiva de modo a vender mais produtos e gerar lucros maiores que seus rivais. Conforme Jack Welch, CEO da multinacional norte-americana General Electric e famoso guru empresarial, advertiu, "se você não tiver uma vantagem competitiva, não concorra".

As "estratégias genéricas" de Michael Porter consistem em dois tipos de vantagem competitiva: vantagem de custo e vantagem de diferenciação. Porter identificou um conjunto de atividades que um negócio pode usar

**Veja também:** Liderando o mercado 166–169 ▪ As estratégias de Porter 178–183 ▪ Estratégias boas e más 184–185 ▪ As cinco forças de Porter 212–215

## Vermelho, amarelo ou roxo?

A Benetton, criada pela família Benetton na Itália nos anos 1960, busca uma estratégia de diferenciação. Para conseguir isso, a empresa focou cada aspecto de sua cadeia de valor, do fornecimento à satisfação da última moda no consumo. Para garantir que as roupas da Benetton estejam sempre atualizadas, a empresa fabrica várias peças na cor cinza e só depois as tinge para satisfazer a demanda pela cor da moda. Apesar de custar caro na produção, isso diminui os estoques, reduz as sobras e garante que a companhia responda aos novos gostos dos clientes. As lojas Benetton são gerenciadas por agentes, e as roupas são enviadas diretamente às lojas e colocadas nas prateleiras. Isso cria um forte sistema de valor, mantém os custos baixos e garante que cada parte da cadeia absorva flutuações de demanda. A Benetton tem mais de 6,5 mil lojas em mais de 120 países, e suas vendas passam de € 2 bilhões por ano.

para melhor entender como alcançar essas formas de diferenciação. Essas atividades inter-relacionadas – chamadas de "cadeia de valor" por Porter – descrevem o fluxo de um produto desde a primeira vez que é ofertado até o consumidor final. Uma empresa pode adicionar valor ao produto em cada estágio da cadeia por meio de atividades relacionadas ao produto – logística de compras da empresa (fornecimento de partes ou materiais), fabricação e serviço de pós-venda – e atividades relacionadas ao mercado: logística de vendas (a entrega do produto ao seu usuário final) e o marketing e a venda do produto.

### Ganhando a vantagem

Para conseguir vantagem competitiva, uma empresa não pode focar uma única atividade, mas precisa considerar cada atividade da cadeia. Por exemplo, a Mercedes-Benz busca uma estratégia de diferenciação, primeiro ao fornecer os produtos mais caros, mas também ao oferecer um excelente serviço de pós-venda. Analisar a cadeia de valor também pode ajudar uma empresa a identificar quais áreas de seus negócios são passíveis de terceirização e quais podem ajudar a empresa a alcançar uma vantagem de custo.

As atividades primárias da cadeia de valor numa empresa são apoiadas por uma série de atividades secundárias, as quais também podem ser usadas para atingir a vantagem competitiva. Essas atividades mudam conforme o setor, mas quase sempre incluem: compras (aquisição); gestão de recursos humanos (RH); desenvolvimento de tecnologia, incluindo pesquisa e desenvolvimento (P&D); e as estruturas funcionais da empresa, como finanças e jurídico. Apesar de as atividades de suporte poderem ser consideradas "gastos não

Quando você tem uma participação de mercado menor que 10% – e você está concorrendo com os grandões –, ou você se diferencia ou morre.
**Michael Dell, fundador da Dell Computers (1965-)**

operacionais", é possível gerar valor secundário, por exemplo, por meio de um melhor uso da tecnologia.

Além de suas atividades horizontais, as empresas operam num "sistema de valor" de atividades verticais: por exemplo, uma fábrica compra peças de fornecedores e usa outras empresas para distribuição. A vantagem competitiva está não apenas na cadeia de valor da empresa, mas no sistema de valor do qual ela faz parte.

### Reinventando o valor

As teorias de Porter sobre a vantagem competitiva tiveram muita influência e têm sido aprimoradas por outros teóricos da administração. Em 1993 os especialistas em gestão Richard Norman e Rafael Ramirez defendiam que a complexidade do mercado dos anos 1990 exigia que as empresas "reinventassem" a noção de valor além do pensamento linear de uma "cadeia". Em 1995, os executivos Jeffrey Rayport e John Sviokla fizeram um paralelo com o mundo emergente da internet, sugerindo que o valor poderia ser adicionado a atividades on-line e aos produtos numa cadeia de valor "virtual". ■

**A cadeia de valor da Benetton** alavanca a vantagem de diferenciação da empresa. As roupas podem ser tingidas com as cores da moda.

# SE VOCÊ NÃO SOUBER ONDE ESTÁ, UM MAPA NÃO VAI AJUDAR
## O MODELO DE MATURIDADE DE CAPACITAÇÃO

## EM CONTEXTO

**FOCO**
**Processos empresariais**

**DATAS IMPORTANTES**
**1899** O engenheiro e consultor de gestão Henry Gantt desenvolve o gráfico Cantt para ilustrar o cronograma de um projeto.

**Anos 1970** Diagramas de fluxo de dados são desenvolvidos para permitir a análise estrutural de como os dados se movem de um processo a outro.

**1979** Philip B. Crosby desenvolve uma grade de maturidade da qualidade de gestão em seu livro *Quality is Free*.

**1988** O Modelo de Maturidade de Capacitação (CMM) é descrito por Watts S. Humphrey num artigo publicado no periódico *IEEE Software*.

**2003** Em seu livro *Business Process Management is a Team Sport*, Andrew Spanyi diz que a estratégia deve guiar o desenvolvimento de processos empresariais, os quais devem, por sua vez, guiar o desenvolvimento organizacional.

---

No nível 1 do Modelo de Maturidade de Capacitação, os **processos iniciais são para um fim específico** e mal controlados.

No nível 2, os **processos começam a ser aplicados aos projetos** e são repetidos.

No nível 3, os processos são **definidos e podem ser implementados de forma proativa**.

No nível 4, os processos são mensuráveis e **podem ser gerenciados**.

Quando se chega ao nível 5, os processos podem ser **otimizados por meio de um monitoramento cuidadoso**.

---

Processos empresariais consistem em uma série de ações que são tomadas visando atingir um resultado. Talvez o objetivo seja fabricar um produto, pagar uma fatura ou servir um cliente, por exemplo. Adam Smith foi uma das primeiras pessoas a descrever processos empresariais, ao dissecar os muitos processos fabris usados nas fábricas de pregos no século XVIII. Com a descrição de diversas ações, Smith desenvolveu a ideia de divisão do trabalho em que este pode ser dividido em grupos de tarefas simples desempenhadas por trabalhadores especializados conforme uma sequência.

### Melhora contínua

A sequência de passos num processo pode ser facilmente visualizada num fluxograma. Assim como Watts Humphrey, inventor do Modelo de Maturidade de Capacitação (CMM), disse: é sempre "bom você saber onde você está" no processo. Humphrey desenvolveu a ideia de que a melhora contínua dos processos está baseada na evolução de vários e pequenos passos, e não nas enormes e revolucionárias inovações. O seu CMM oferece um arcabouço para organizar tais passos evolutivos em cinco níveis de desenvolvimento, cada um deles preparando o próximo.

## TRABALHANDO COM VISÃO 219

**Veja também:** Mantendo a evolução da prática empresarial 48–51 ▪ Reinventando e se adaptando 52–57 ▪ Simplifique os processos 296–299 ▪ *Kaizen* 302–309 ▪ Método do caminho crítico 328–329 ▪ *Benchmarking* 330–331

**Ao observar trabalhadores de uma fábrica de pregos**, Adam Smith afirmou que, se o processo fosse dividido em etapas especializadas, a produtividade poderia aumentar em 240 a 4.800 vezes.

O CMM foi desenvolvido com financiamento da Força Aérea dos EUA e utilizado como um modelo para os militares avaliarem o *software* desenvolvido por terceiros. O modelo original visava melhorar o processo de desenvolvimento de *software*, mas atualmente é aplicado como um modelo geral da maturidade de processos. É usado com frequência na avaliação de gestão de serviços de TI, por exemplo, ou mais amplamente em todos os sistemas da organização.

O CMM descreve cinco níveis de crescente maturidade, por meio dos quais uma organização ou equipe gerencia seus processos: no primeiro nível, o trabalho é conduzido de forma caótica e sem definição; no segundo, os processos são implementados e seguidos com alguma disciplina, e sucessos prévios podem ser repetidos; no terceiro nível, os processos são definidos, padronizados e podem ser implementados de forma proativa; no quarto nível, são gerenciados e monitorados; no quinto nível, passam por frequentes melhorias por meio de monitoramento e *feedback*.

### Comparando setores

O CMM pode ser usado para comparar diferentes organizações em setores parecidos. Por exemplo, duas empresas podem ser comparadas baseando-se em seus processos de desenvolvimento de *software*. Cada vez mais os projetos de TI, que envolvem o desenvolvimento de *softwares* complexos e a implementação de um novo sistema, são capazes de impactar a operação e a lucratividade de uma empresa, já que afetam todos os departamentos da empresa. A força do CMM está em sua medição efetiva da padronização dos processos de uma organização. É por isso que o modelo deixou de ser usado na avaliação do desenvolvimento de *software* para aplicações em gestão de projetos, gestão de risco, gestão de pessoas e engenharia de sistemas. Ele garante um ponto de partida para gestores que buscam melhorar os processos de uma empresa e um arcabouço para priorizar ações. Também oferece uma forma de definir o real significado de "melhoria". ■

O objetivo era motivar as pessoas a pensar sobre como estão trabalhando e como melhorar isso.
**Watts S. Humphrey**

### Watts S. Humphrey

O engenheiro de *software* Watts S. Humphrey, conhecido como o "pai da qualidade dos *softwares*", nasceu em Michigan, EUA, em 1927. Ele considerava seu pai responsável por sua abordagem na solução de problemas. Depois do ensino médio, em que lutou contra a dislexia, entrou para a Marinha americana para servir durante a II Guerra Mundial.

Depois, Humphrey fez graduação e mestrado em física antes de fazer um MBA em manufatura na Graduate School of Business da Universidade de Chicago. Ao se formar, entrou no Software Engineering Institute (SEI) da Carnegie Mellon University, na Pensilvânia, onde fundou o Programa de Processo de *Software* focado no entendimento e na gestão do processo de engenharia de software. Tal trabalho resultou no desenvolvimento do Modelo da Maturidade de Capacitação (CMM), pela qual ele é mais conhecido, e inspirou o desenvolvimento, a seguir, dos Personal Software Process (PSP) e do Team Software Process (TSP), que acabaram mais tarde sendo adotados pelas empresas de TI Adobe, Intuit e Oracle. Humphrey recebeu a National Medal of Technology em 2003 por seu trabalho na engenharia de *software*. Com sua esposa Barbara, teve sete filhos. Morreu em sua casa na Flórida em 28 de outubro de 2010, aos 83 anos.

**Principais obras**

**1995** *A Discipline for Software Engineering*
**1999** *Introduction to the Team Software Process*
**2005** *PSP, a Self-Improvement Process for Software Engineers*

# O CAOS TRAZ ANSIEDADE, MAS TAMBÉM PERMITE A CRIATIVIDADE E O CRESCIMENTO
## LIDANDO COM O CAOS

**EM CONTEXTO**

FOCO
**Mudança e incerteza**

DATAS IMPORTANTES
**1992** M. Mitchell Waldrop escreve *Complexity*, explicando a teoria da ciência dos sistemas complexos.

**1997** A pesquisadora Shona Brown afirma que a fronteira do caos tem uma estrutura que permite às empresas ser maleáveis o suficiente para mudar sem se desintegrar.

**1999** Em *Surfing the Edge of Chaos*, Richard Pascale, Mark Millemann e Linda Gioja dizem que, se um sistema de gestão for muito rígido e estável, ele não produzirá nada de original ou inovador.

**2000** Estoura a bolha das "pontocom", causando confusão nos mercados financeiros.

**Setembro de 2001** Os ataques terroristas de Onze de Setembro nos EUA têm impactos financeiros e empresariais enormes por todo o mundo.

A organização hierárquica das empresas, de cima para baixo, existe desde a Revolução Industrial, quando gestão não passava de controle. As organizações de hoje precisam de uma abordagem radicalmente diferente.

A primeira década do século XXI viu muitos eventos disruptivos por todo o mundo. Combinados com o desenvolvimento tecnológico acelerado, o crescimento das nações em desenvolvimento e uma mudança na ordem mundial, fizeram da vida com incerteza uma realidade para as empresas de hoje. Isso quer dizer que as empresas agora precisam de uma estrutura mais horizontal, incorporando a flexibilidade no lugar do controle direto. Em vez de serem dominadas pelo caos, o caos pode ser gerenciado. O político norte-americano Tom Barrett reconhece o valor de trabalhar num mundo instável, percebendo que "o caos traz ansiedade, mas também permite a criatividade e o crescimento".

**Gerenciando o caos**
A teoria científica do caos, que investiga padrões em sistemas complexos, como a meteorologia, pode ser relacionada às organizações. Liderança eficaz, visão clara, comunicação aberta e valores fortes são necessários para lidar com tal complexidade. Os líderes precisam estabelecer limites claros e, depois, permitir às pessoas e equipes que tenham espaço suficiente para se auto organizar, autorregular e tomar suas próprias decisões. É possível haver criatividade e crescimento porque os empregados têm um nível maior de responsabilidade e de prestação de contas pelo seu trabalho, bem como um maior investimento no resultado.

Uma empresa também tem que revisitar sua estratégia continuamente, com o foco de entregar um valor crescente ao cliente, para garantir que ela continue relevante num ambiente externo em mudança. Uma empresa mais flexível ajuda a garantir que os funcionários estejam envolvidos e possam se adaptar tranquilamente à mudança. Tais companhias colaboram

**A teoria do caos** propõe que sistemas complexos são altamente sensíveis às condições iniciais. Uma borboleta que bate suas asas no Japão, pode desencadear reações que levam a um furacão nos EUA.

**Veja também:** Gerenciando riscos 40–41 ▪ Reinventando e se adaptando 52–57 ▪ Criatividade e invenção 72–73 ▪ Evitando a complacência 194–201

---

Eventos econômicos, sociais e políticos **criam o caos**.

Novas tecnologias **adicionam incerteza**.

↓ ↓

Controles rígidos não funcionam mais – o negócio tem que ser **flexível**.

↓

Se forem dados aos empregados mais informações e envolvimento, eles se tornarão **mais criativos**, ajudando a empresa a ser flexível e mudar.

↓

**O caos traz ansiedade, mas também permite a criatividade e o crescimento.**

---

mais prontamente com seus parceiros externos em vez de simplesmente fazer negócios com eles, encorajando a adaptabilidade e o aprendizado compartilhado.

### Criatividade a partir do caos
A mudança interna e a reorganização de uma empresa podem ser uma fonte de caos. Envolver e engajar os empregados é a resposta para lidar com isso. Na integração dos serviços financeiros mais complexos que a Europa já viu, o Halifax Bank of Scotland (HBOS) foi comprado pelo Lloyds TSB logo após a crise financeira de 2008.

O caos externo (na forma de turbulência econômica sem precedentes) refletia o caos interno – 6 mil agências e 30 milhões de clientes se juntaram para formar o maior banco de varejo do Reino Unido. A nova empresa tinha que criar uma nova identidade, uma nova forma de fazer as coisas e garantir eficiência aos seus sistemas de TI e diferentes culturas organizacionais. Também era preciso que houvesse uma comunicação eficaz com os clientes.

Mas o maior desafio de todos era comum a muitas situações de caos empresarial – motivar os empregados que eram importunados pelos clientes e se preocupavam com o seu próprio emprego. Por meio de uma comunicação constante (incluindo comunicados internos para as equipes sobre mudanças internas), seminários sobre resolução de conflitos de equipes e construção de uma visão comum e medidas para colher ideias dos funcionários e dos clientes, as empresas que se fundiram mostraram que o caos não só pode ser gerenciado como talvez seja uma rica fonte de crescimento para um negócio em evolução. ∎

---

## Prosperando no caos

*Prosperando no caos*, escrito pelo especialista em administração Tom Peters, foi publicado na "Segunda-Feira Negra" (19 de outubro de 1987), quando houve o *crash* dos mercados acionários por todo o mundo. A época não poderia ter sido melhor. Peters previu um futuro de mudança, dizendo que tudo o que sabemos "com certeza" sobre a administração estaria em xeque. Sua previsão estava certa. Aquilo que antes havia sido um ambiente de negócios razoavelmente previsível desapareceu. Organizações e gerentes tinham que abraçar a mudança ou enfrentar o colapso.

Os vencedores empresariais do futuro lidariam proativamente com o caos, vendo-o como uma fonte de vantagem de mercado. As empresas de sucesso seriam aquelas que continuamente criassem e adicionassem qualidade e valor aos seus produtos e serviços em resposta aos desejos em constante mudança de seus clientes. Ele descreveu esse cenário como "uma revolução".

---

Não há sentido em ter saudade do passado – a estabilidade que assumimos como certa por tanto tempo jamais voltará.
**Tom Peters**

# SEMPRE FAÇA O QUE É CERTO. ISSO DEIXARÁ METADE DA HUMANIDADE SATISFEITA E A OUTRA, ESPANTADA
## A MORALIDADE NOS NEGÓCIOS

**EM CONTEXTO**

FOCO
**Ética empresarial**

ANTES
**1265** O filósofo e teólogo italiano Tomás de Aquino diz: "Nenhum homem deveria vender algo a outro por mais do que ele valha".

**1807** O Reino Unido e os EUA banem o comércio escravo do Atlântico.

**1948** As Nações Unidas (ONU) adotam a Declaração Universal dos Direitos Humanos.

**1970** O economista norte-americano Milton Friedman afirma: "a responsabilidade social do negócio é aumentar o seu lucro".

**Anos 1970** O termo "ética empresarial" ganha uso comum nos EUA.

**2011** O Conselho de Direitos Humanos da ONU apoia os *Princípios Orientadores sobre Empresas e Direitos Humanos*, que estabelecem padrões globais para direitos humanos e atividades empresariais.

O autor norte-americano Mark Twain disse que deveríamos "sempre fazer o que é certo", mas as coisas não têm sido bem assim nos negócios. Escândalos enormes, como os da Enron e do Lehman Brothers nos anos 2000, levaram ao colapso da confiança do público nas empresas.

As pessoas são sempre tentadas a usar meios imorais para atingir seus objetivos. J. D. Rockefeller controlava a indústria do petróleo no século XIX principalmente por ter usado métodos traiçoeiros para quebrar seus concorrentes. Hoje algumas empresas são, em essência, uma coletânea de pessoas que querem que sua empresa ultrapasse a concorrência, mas que também estão alertas às oportunidades de ganhos pessoais. Talvez elas passem dos limites ao fazer escutas telefônicas ou conluio de preços. Por exemplo, em 2013 a Dow Chemicals teve que pagar US$ 1,2 bilhão por fixar preços.

Os executivos talvez se sintam tentados a quebrar a lei por causa da pressão dos acionistas por resultado ou por causa dos bônus por cumprirem as suas metas. Ganhos com a valorização das ações e o valor total do negócio adicionam outras tentações. Nos anos 1980, por exemplo, o preço das ações da Guinness foi inflado de modo a ajudar a empresa a comprar a empresa de bebidas Distillers.

As empresas em todo o mundo estão sob forte escrutínio para que sejam éticas em suas ações. De 2011 a 2013, muitas empresas multinacionais foram acusadas de transferir lucro entre países a fim de evitar maiores custos tributários. Isso não é ilegal, mas muitos podem considerar tal prática como imoral, e a percepção dos clientes pode afetar os lucros da empresa. ■

**Em 2013, várias petrolíferas** foram investigadas pela autoridade antitruste da UE por evitar que empresas entrassem no processo de avaliação de preços, distorcendo assim o preço do petróleo.

**Veja também:** Jogue conforme as regras 120–123 ▪ Lucro primeiro, depois os benefícios 124–125 ▪ Conluio 223 ▪ Criando uma cultura ética 224–227 ▪ O apelo da ética 270

# NÃO EXISTE ALGO COMO UM PEQUENO LAPSO NA INTEGRIDADE
## CONLUIO

## EM CONTEXTO

**FOCO**
**Ética da concorrência**

DATAS IMPORTANTES
**Século XI** A lei na Inglaterra proíbe monopólios e práticas restritivas.

**Século XIII** O rei Venceslau II da Boêmia aprova uma lei que proíbe que comerciantes de minério de ferro atuem em conjunto para aumentar os preços.

**Anos 1790** Depois da Revolução Francesa, os acordos de membros do mesmo ofício para a fixação de preços são declarados nulos, inconstitucionais e "hostis à liberdade".

**Anos 1890** O Sherman Act, nos EUA, torna ilegal para as grandes empresas cooperar com rivais para fixar produção, preços e participação de mercado.

**Anos 2000** O Tratado de Lisboa proíbe acordos anticoncorrência, incluindo a fixação de preços, na União Europeia.

Numa economia de mercado, as empresas estão em concorrência comercial umas contra as outras. É ilegal para elas fazer "conluio" para fixar preços ou fazer acordos comerciais secretos. Mas conluio e colaboração são próximos entre si, e às vezes as empresas argumentam que a forma como elas "trabalham juntas" não constitui conluio. Sabe-se que empresas rivais "colaboram" para conseguir vantagens sobre outros concorrentes ou aumentar seu lucro. Talvez isso aconteça quando elas compartilham informações restritas, limitando a oferta de bens para influenciar os preços ou a sua fixação. Duas companhias aéreas apareceram na mídia em 2007 ao ser acusadas de fixar preços. Funcionários da British Airways se comunicaram com a concorrente Virgin Atlantic a respeito de sobretaxas nos combustíveis. A British Airways confessou o conluio e foi multada em £ 121,5 milhões.

### Prestação de contas
As pessoas em grandes empresas às vezes se consideram infalíveis. Em meados dos anos 1990, cinco empresas baseadas nos EUA,

Sempre soubemos que o interesse próprio exagerado era de má índole; hoje sabemos que ele é má economia.
**Franklin D. Roosevelt, ex-presidente dos EUA (1882-1945)**

na Coreia e no Japão fizeram um conluio secreto para aumentar o preço da lisina (um ingrediente usado na alimentação animal) acima de seu valor médio nos mercados internacionais. Em nove meses, o cartel ilegal havia aumentado os preços em 70%. O ganho das empresas e das pessoas teria sido enorme se elas não tivessem sido pegas. Vários executivos foram para a prisão, e a empresa norte-americana, a Archer Daniels Midland, recebeu a maior multa antitruste da história dos Estados Unidos. ∎

---

**Veja também:** Jogue conforme as regras 120–123 ▪ Lucro primeiro, depois os benefícios 124–125 ▪ A moralidade nos negócios 222 ▪ Criando uma cultura ética 224–227 ▪ O apelo da ética 270

# FACILITE ÀS PESSOAS FAZER A COISA CERTA E DIFICULTE AINDA MAIS FAZER A COISA ERRADA
## CRIANDO UMA CULTURA ÉTICA

**EM CONTEXTO**

FOCO
**Ética empresarial**

DATAS IMPORTANTES
**44 a.C.** O legislador romano Marco Túlio Cícero escreve *De Officiis*, discutindo os ideais do comportamento público.

**Anos 1200** O filósofo e teólogo italiano Tomás de Aquino diz que o preço tem um forte aspecto moral.

**Começo dos anos 1900** O presidente norte-americano Theodore Roosevelt declara que as empresas devem "agir conforme o interesse da comunidade como um todo".

**1987** O artigo "Ethical Managers Make Their Own Rule", publicado por Adrian Cadbury na *Harvard Business Review* descreve o conflito entre considerações éticas e comerciais e o escrutínio cada vez maior sobre as decisões corporativas.

A premissa fundamental de um negócio é que ele existe para gerar lucro. Mas a maneira como a empresa obtém lucro tem estado sob forte escrutínio, especialmente na economia global.

A primeira referência documentada sobre princípios morais estava em *De Officiis*, de Cícero, escrito em 44 a.C. e que dizia que "o certo está baseado não nas opiniões humanas, mas na Natureza". No século XIII, o filósofo e teólogo Tomás de Aquino definiu o princípio de lei natural afirmando que, como reflexo do plano racional de Deus, nossa ideia daquilo que é naturalmente correto também é racional: uma ação é ética se for julgada racional. Essa ainda é a

# TRABALHANDO COM VISÃO 225

**Veja também:** Liderando bem 68–69 ▪ Liderança eficaz 78–79 ▪ Cultura organizacional 104–109 ▪ Evite o pensamento de grupo 114 ▪ Lucro primeiro, depois os benefícios 124–125 ▪ A moralidade nos negócios 222 ▪ O apelo da ética 270

O líder da empresa **demonstra comportamento ético**.

A empresa **recruta novas pessoas por seus valores**, bem como suas habilidades.

A empresa **orienta novas pessoas segundo sua cultura ética**.

A empresa publica e comunica seu **código de conduta**.

A empresa **reconhece e recompensa** o comportamento ético.

**Uma empresa deve ser proativa em toda a sua operação de modo a tornar que seja mais fácil fazer a coisa certa e mais difícil fazer a coisa errada.**

base da conduta ética de hoje. Aquino também expôs os primeiros princípios para os mercados, dizendo que o estabelecimento do preço de um produto é uma questão moral.

## Um mundo mais moral

A noção do que é aceitável no mundo dos negócios hoje mudou radicalmente desde os primeiros séculos. O trabalho escravo era a norma para as fazendas de algodão e açúcar nos EUA até meados do século XIX. Ao mesmo tempo, os trabalhadores (incluindo crianças) eram explorados durante a Revolução Industrial na Europa, sendo forçados a trabalhar muitas horas, por baixos salários e em condições insalubres. Um pioneiro em mostrar que os negócios poderiam ter lucro enquanto seguiam por um caminho ético foi o reformador social escocês Robert Owen, cujo moinho, Lanark Mill, perto de Glasgow, na Escócia, ficou famoso em todo o mundo por seus valores morais e não comerciais.

Hoje as empresas têm que avaliar cada aspecto de sua operação – desde a escolha das matérias-primas até questões de marketing – de modo a ser considerada ética por seus consumidores. As políticas trabalhistas são muito importantes. O Instituto para a Liderança Ética, localizado no Canadá, define um negócio ético como "uma comunidade de pessoas

trabalhando juntas num ambiente de respeito mútuo, onde crescem como pessoas, sentem-se realizadas, contribuem para o bem comum e compartilham as recompensas pessoais, emocionais e financeiras de um trabalho bem-feito". Existe um entendimento compartilhado de que o sucesso depende de uma miríade de relacionamentos – tanto internos quanto externos – em que nem todos estão sob o controle da organização, mas ela pode influenciar por meio da forma ética como opera.

Um negócio ético que emprega pessoas de diferentes origens começa por chegar a um acordo, documentado, sobre seus próprios princípios ou padrões, que costumam ser chamados de "código de conduta" da empresa. Esses padrões tornam-se um ponto de referência para a tomada de decisões no ambiente de negócios, especialmente quando os empregados se defrontam com decisões difíceis.

Mas é preciso mais que um compromisso escrito para garantir um negócio ético. As organizações têm que estimular uma cultura na qual seja muito mais fácil para as pessoas "fazer o que é certo e muito mais difícil fazer o que é errado", de acordo com o especialista em gestão Stephen Covey. Confrontados com decisões diárias sobre o jeito certo de »

## Stephen Covey

Nascido em Salt Lake City, EUA, em 1932, o dr. Stephen Covey foi uma autoridade de liderança reconhecida mundialmente, além de professor, consultor organizacional e autor. Cresceu numa fazenda em Utah e devia seguir carreira no esporte, mas quase aos 20 anos foi acometido de uma doença degenerativa que o levou a usar muletas por muitos anos para poder andar. Estudou administração de empresas na Universidade de Utah, em seguida passando dois anos como missionário mórmon na Grã-Bretanha antes de fazer seu MBA em Harvard e seu doutorado na Brigham Young University, em Utah. Em 1983 abriu o Centro de Liderança Covey em Provo, Utah, que mais tarde se tornou a Franklin Covey Company. Covey morreu em 2012, aos 79 anos.

### Principais obras

**1989** *Os sete hábitos das pessoas altamente eficazes*
**1991** *Liderança baseada em princípios*

# CRIANDO UMA CULTURA ÉTICA

**As empresas de moda** usam materiais e trabalho do mundo inteiro. Os consumidores cada vez mais demandam transparência a respeito dos bens e das políticas para que possam comprar com a consciência tranquila.

se comportar, os empregados têm que saber o que significa de verdade "fazer a coisa certa". As políticas de uma empresa que cubram tudo, desde a segurança até aceitar presentes de fornecedores, existem para garantir que as pessoas entendam como se espera que elas se comportem de uma forma apropriada nos negócios.

## Levadas pelo topo

As empresas que priorizam uma cultura ética quase sempre selecionam seus empregados por seus valores tanto quanto por suas habilidades, deixando claro para os novos colaboradores quais são seus papéis e responsabilidades, bem como a forma como as coisas são feitas na organização. Tais empresas buscam garantir que os novos funcionários tanto ouçam sobre os valores da empresa quanto os vejam refletidos nas ações das pessoas ao seu redor. Tal cultura tem que ser guiada a partir do topo. O economista norte-americano Milton Friedman ficou famoso ao dizer que a responsabilidade social de um negócio é aumentar o seu lucro "sujeito aos limites da lei" e às "regras do jogo" para garantir uma

Somos pioneiros e queremos mostrar que esse modelo funciona, que ele pode se tornar autossustentável.
**Ali Hewson, empresária irlandesa (1961-)**

"concorrência aberta e livre sem enganação ou fraude". Mas a crise financeira de 2007-2008 mostrou claramente que códigos, leis e regulamentos não são suficientes para manter os padrões de ética empresarial. Líderes com integridade pessoal são vitais para implementar e encorajar um comportamento ético por toda a organização. Ao assumir os princípios da empresa em qualquer oportunidade e em qualquer nível, os líderes podem demonstrar continuamente sua importância dentro da cultura organizacional.

Em *Liderança baseada em princípios*, Stephen Covey descreve a confiança, o respeito, a integridade, a honestidade, a justiça, a igualdade e a compaixão como as "leis do Universo", classificando-as como valores essenciais para líderes éticos. Covey é mais conhecido por seu livro *Os sete hábitos das pessoas altamente eficazes*, no qual propõe que pessoas ineficazes tentam gerenciar seu tempo ao redor de prioridades, enquanto as eficazes levam sua vida e gerenciam seus relacionamentos baseadas em princípios. Essas leis naturais e valores governantes são universalmente válidos.

## Liderança ética

Geralmente, os líderes em organizações éticas não são dominadores. Eles provavelmente terão um estilo aberto, engajado e são bons ouvintes, capazes de estar antenados às questões de toda a empresa. A empresa que criaram terá uma estrutura clara, com papéis e responsabilidades bem definidos, será transparente, com promoções baseadas em mérito e com uma estratégia bem comunicada, de modo que todos os empregados saibam o que têm que fazer e onde se encaixam.

Os líderes com integridade pessoal são uma poderosa influência sobre os outros. Numerosos estudos têm mostrado que pessoas boas podem tomar más decisões quando agem em grupo, especialmente em situações de estresse. Para evitar o risco de "pensamento de grupo" antiético, o CEO tem que estabelecer o tom certo para todos na organização. A governança eficaz é crítica e se baseia num bom trabalho em equipe e na comunicação entre o conselho e o CEO. Um conselho que tenha uma estrutura definida e uma saudável cultura de debate terá uma chance maior de reconhecer problemas que surjam e tomar a ação apropriada, na hora certa.

Não foi esse o caso da Enron, empresa que se tornou um dos exemplos mais infames de liderança antiética. A Enron Corporation começou como uma pequena firma de gasodutos nos EUA e cresceu a ponto de se tornar a sétima empresa de capital aberto mais valiosa dos EUA. Seu CEO, Jeffrey Skilling, cultivou ativamente uma cultura que testava os limites. Seu mantra era "faça certo, faça agora e faça melhor". Mas, a despeito de um claro conjunto de valores a ser seguidos pelos empregados, os executivos manipularam as regras contábeis e ocultaram enormes perdas e passivos. O colapso da Enron foi em 2001. Skylling e o presidente do conselho, Ken Lay, foram processados juntos por 46 acusações que incluíam lavagem de dinheiro, fraude bancária, uso de informação privilegiada e formação de quadrilha.

### Fazendo a coisa certa

A marca de moda britânica Ted Baker foi aberta como uma especialista em camisas em Glasgow, na Escócia, em 1988, e agora tem lojas nas Américas, na Europa, na Ásia e no Oriente Médio. A empresa é conhecida por seu design irreverente, mas, em contraste com seu estilo, ela quer ser exemplar na forma como administra seu negócio. Para fazer disso uma realidade e não apenas uma declaração em seu site, a Ted Baker luta para garantir que questões ambientais, sociais e éticas sejam parte integrante de suas operações, de modo que os empregados estejam sempre de acordo com seus altos padrões.

A Ted Baker estabeleceu metas para melhorar continuamente a sustentabilidade geral de suas coleções, de modo que seus empregados sabem o que têm que alcançar. Também está comprometida com a medição e a divulgação de seu progresso em relação às suas metas de sustentabilidade, tendo sempre um "guardião verde" focado na melhoria. A empresa tem uma "Equipe de Consciência", formada por pessoas de toda a organização e responsável por resolver questões sociais, ambientais e éticas.

As empresas éticas geralmente demonstram seu compromisso ético ao estabelecer parcerias com organizações que as ajudem a melhorar seus padrões. A Ted Baker é membro da Made-by, organização europeia sem fins lucrativos que busca melhorar as condições sociais e ambientais no setor de moda para tornar uma prática comum a moda sustentável. Qualquer empresa parceira da Made-by tem que analisar a ética de cada aspecto da sua operação, desde as fibras que usa em seus tecidos até as condições de fábrica de seus trabalhadores. As empresas também podem inspirar os clientes a agir de maneira socialmente consciente: algumas roupas usam um símbolo de uma lata cruzada, encorajando seus consumidores a reciclá-las.

A ética empresarial também é um bom negócio. Os clientes são atraídos às empresas com as quais se sintam bem, funcionários mais talentosos são atraídos a elas e ficam lá por mais tempo, e os acionistas ficam blindados contra o tipo de queda no preço de ações que acabou com a Enron. ∎

---

**O comércio ético depende** de algo mais que práticas e cultura empresarial interna: o material de uma empresa, seus fornecedores e seus parceiros empresariais também precisam estar alinhados com a ética. Em nome da transparência, algumas empresas e organizações publicam dados sobre seus negócios, como localização da produção, mix energético, níveis de reciclagem e diversidade entre os funcionários.

Mix de energia

Descarte de lixo

Diversidade trabalhista

# VENDAS SUCESS

## A GESTÃO DE MARKETING

# DE
# O

# INTRODUÇÃO

Por definição, o marketing é o campo da administração voltado às vendas. É o *link* entre a produção e o lucro, oferecendo a *expertise* de levar um produto ou serviço por meio dos canais mais apropriados até as pessoas que muito provavelmente vão comprá-lo. Para cumprir essa meta, é crucial ser capaz de entender o mercado. Isso quer dizer estudar profundamente o comportamento e o estilo de vida do cliente de modo que o produto ou serviço possa ser desenvolvido para ser irresistível, desde o propósito, a função, a qualidade e a aparência, até a velocidade na qual ele é entregue, os lugares onde é vendido, seu preço e o nível do serviço de atendimento ao cliente oferecido.

## Conhecendo o cliente

Isso é na teoria. Na prática, fazer que seus clientes o adorem por colocá-los sempre em primeiro lugar e satisfazer suas necessidades e desejos é o maior desafio do marketing. Coletar dados sobre o histórico de compra do cliente é um ponto de partida. Combinado com a análise de qualquer estatística demográfica e de estilo de vida, tais dados podem ser usados para o desenvolvimento de um modelo de marketing – ou seja, uma fórmula matemática que indica as taxas de compras potenciais graças a uma série de variáveis. Naturalmente existem três perigos inerentes em tentar antever o futuro usando esse tipo de previsão. O profissional de marketing também deve estar atento às mudanças de gostos, à tecnologia, à política e às condições econômicas de modo que o negócio possa se adaptar rapidamente, evitando aquilo que o especialista em gestão Theodore Levitt chamou de "miopia em marketing". Por exemplo, conforme os consumidores ficam cada vez mais dependentes dos celulares e dos *tablets*, os negócios com tal capacidade de previsão já desenvolveram canais de comércio móvel e colheram os frutos.

Na busca por antecipar as necessidades e os desejos dos clientes, algumas das empresas mais progressistas coletam dados e os examinam diariamente, a fim de que elementos importantes do "mix de marketing" – como o próprio produto ou serviço, os lugares onde são vendidos, seu preço e qualquer oferta promocional – possam ser ajustados de acordo. A empresa de câmeras japonesas Konica Minolta, por exemplo, usa uma tecnologia especializada para monitorar os dados de vendas, a atividade do concorrente e as tendências de mercado em tempo real para poder responder à altura.

## Estratégias de marketing

Pode-se dizer que o produto ou o serviço em oferta é o componente mais crítico do mix de marketing. Para a maioria das empresas, cada produto ou serviço em seu portfólio tem seu próprio ciclo de crescimento e pode ser gerenciado para maximizar o lucro ao priorizar o gasto de marketing. Por exemplo, para o grupo alimentício Mars, a sua barra de chocolate que mais vende tem sido uma velha fonte de lucro, financiando a expansão da corporação em outras áreas, como a de sorvetes ou a de ração animal.

Para ajudar nas decisões sobre a diversificação em novos mercados, as empresas podem usar uma ferramenta em forma de diagrama, como a Matriz de Ansoff, que plota num gráfico os produtos ou serviços existentes e potenciais de acordo com os fatores de risco envolvidos. Se um negócio decide desenvolver e vender algo novo, a forma como apresenta a oferta e transmite a mensagem até os consumidores é uma consideração importante. Ao planejar um lançamento, outra ferramenta valiosa, o Modelo AIDA, oferece um

Demora um dia para aprender marketing. Infelizmente, demora uma vida toda para controlá-lo.
**Philip Kotler, especialista em marketing norte-americano (1931-)**

critério claro para definir as características de qualquer produto ou serviço novo: como ele atrai a atenção dos consumidores, mantém seu interesse, gera desejo e é reconhecido como atraente.

Junto com o desenvolvimento de um produto ou serviço específico para um mercado em especial, a criação de uma marca é igualmente importante. A meta deveria ser fazer da marca um sinônimo das qualidades únicas de produto. Nas palavras do especialista em marketing Seth Godin, "uma marca é um conjunto de expectativas, memórias, histórias e relacionamentos que, juntas, são responsáveis pela decisão do consumidor em escolher um produto ou serviço e deixar o outro de lado. Se o consumidor... não pagar um prêmio, fizer uma escolha ou contar para outros, então não existirá nenhum valor na marca para aquele consumidor".

## Promovendo o produto

Uma vez que o produto ou o serviço ideais tenham sido desenvolvidos em conjunto com a identidade da marca, existe uma questão de como anunciá--los aos clientes potenciais. Promoções e incentivos – como ofertas especiais, brindes e desconto no preço – podem ser usados no curto prazo para atrair um interesse inicial. Eles podem ser especificamente efetivos para lançamentos de produtos em áreas onde muitos rivais lutam por espaço nas prateleiras, como produtos de limpeza doméstica e alimentos.

Uma das estratégias mais velhas para a comunicação com os clientes é o boca a boca. Na era das redes sociais, gerar *frisson* a respeito do novo produto ou serviço cada vez mais se baseia em alcançar grupos de usuários específicos por meio do Facebook, do Twitter, do YouTube e outras mídias on-line, encorajando-os a passar a novidade adiante. Quando um vídeo de marca se torna viral, o potencial de alcance global pode chegar a dezenas de milhões. Se os métodos de comunicação de relativo baixo custo como esse forem eficazes, isso poderá levar os marqueteiros a se perguntar: por que anunciar? Mas, para a construção da imagem de longo prazo e para reforçar valores da marca, o anúncio ainda tem um papel a cumprir. Por exemplo, um plano sustentável de anúncios talvez leve uma audiência da infância até a maturidade com *slogans*, *jingles* e formatos reconhecíveis.

## Mensagens que ficam

Os negócios têm que cuidadosamente considerar as mensagens que mandam aos seus clientes e aos seus rivais, já que o mercado pode julgá-los de maneira cruel. Se alguém acha que alguma empresa agiu de forma desonesta ou transmitiu meias verdades sobre suas credenciais ecológicas, ela pode ser acusada de "lavagem cerebral verde" ("greenwashing") e ter muita dificuldade em reconquistar a opinião pública. Na verdade, não importa quão chamativa seja a proposta de vendas da empresa, os consumidores querem cada vez mais que as empresas das quais eles compram tenham consciência social. Por essa razão, é vital para os executivos considerar o papel da ética dentro da organização e desenvolver o código de conduta da empresa até chegar aos seus fornecedores, aos empregados, aos consumidores e à comunidade. Apesar de os acionistas verem a responsabilidade corporativa como a prioridade comercial menos importante, ela é, agora, uma parte integrante da estratégia do marqueteiro para uma venda de sucesso. ■

Não encontre clientes para os seus produtos; encontre produtos para os seus clientes.
**Seth Godin, empreendedor norte--americano (1960-)**

# O MARKETING É IMPORTANTE DEMAIS PARA SER DEIXADO NAS MÃOS DO DEPARTAMENTO DE MARKETING
## O MODELO DE MARKETING

**EM CONTEXTO**

FOCO
**Modelos de marketing**

DATAS IMPORTANTES
**1961** É fundado o Instituto da Ciência do Marketing.

**1969** O acadêmico norte-americano Frank Bass publica um modelo de marketing seminal que pode ser usado para prever a demanda.

**Anos 1970** São desenvolvidos complexos modelos de medição e de tomada de decisão.

**1980** O lançamento de *scanners* nas caixas registradoras dá aos marqueteiros novas informações e levam ao desenvolvimento de novos e sofisticados modelos.

**1982** O lançamento do periódico *Marketing Science* foca modelos matemáticos para fins de marketing.

**Anos 1990** Sistemas de informação de marketing inteligentes automatizam muitas funções de modelagem de rotinas, oferecendo atualizações e projeções diárias.

As empresas precisam estudar os hábitos de compra de seus clientes cuidadosamente de modo a planejar as estratégias de marketing do negócio. Usar um modelo matemático para planejar estratégias de produtos e ajudar nas tomadas de decisão é parte integrante de qualquer prática de marketing moderna. Programas de marketing automatizados usam um conjunto de dados numéricos a respeito dos padrões de compra dos consumidores junto com outras variáveis relacionadas aos produtos. Tais dados são inseridos num modelo matemático ou numa equação programada para fazer um cálculo customizado. Os resultados vão ajudar a quantificar a performance potencial de produtos em diferentes canais voltados a vários segmentos de mercado. Ao examinar os dados, os profissionais de marketing e outros numa

# VENDAS DE SUCESSO 233

**Veja também:** Gerenciando riscos 40–41 ▪ A qual ritmo crescer 44–45 ▪ Cultura organizacional 104–109 ▪ Evite o pensamento de grupo 114 ▪ Estratégias boas e más 184–185 ▪ Previsões 278–279 ▪ Mix de marketing 280–283 ▪ Tirando proveito do *big data* 316–317

O marketing tem tudo a ver com a produção de resultados.
**Geoff Smith, Vantage Point Marketing (1962-)**

organização podem medir o crescimento projetado do produto, ou o retorno sobre o investimento, e tomar decisões informados sobre como otimizar a combinação de fatores que muito provavelmente produzirão um sucesso de mercado.

Juntar os dados necessários para a modelagem é crucial. É preciso coletar informações de todas as áreas do negócio de modo que cada passo no processo de conseguir um produto, começando com a prancheta de design até o cliente, seja ponderado. Quando David Packard, cofundador da Hewlett-Packard, disse que "o marketing é importante demais para ser deixado nas mãos do departamento de marketing", quis dizer que os planos feitos pelos profissionais de marketing podem fracassar se o resto da organização não estiver plenamente engajada. Além de obter aprovações para planos e orçamentos, os profissionais de marketing devem se comunicar com todos os departamentos para coletar dados e compartilhá-los assim que as decisões tiverem sido tomadas.

Usando os dados, o profissional de marketing pode simular testes de produtos e considerar variações usando diferentes premissas a respeito dos elementos do mix de marketing, como as condições de mercado e o comportamento do consumidor. Quanto maior a quantidade de dados relevantes e quanto mais longo for o período coberto, mais precisos serão os resultados. Os modelos asseguram aos responsáveis pelo negócio que cada cenário foi investigado. Os profissionais de marketing podem escolher entre diferentes modelos ou desenvolver o seu próprio, mas a chave para fazer que um modelo funcione são os dados.

### Coletando e usando dados

O fabricante de bens de consumo Procter & Gamble (P&G) investiu pesadamente em coleta de dados e modelagem, implementando processos digitais da fábrica até a prateleira, de modo a capturar dados e os retroalimentar. Os dados podem ser usados para fazer ajustes imediatos no planejamento e na distribuição dos produtos, bem como ser adicionados a um enorme banco de dados para uso futuro. De acordo com o CEO, Robert McDonald, em 2011, "a modelagem de dados, simulação e outras ferramentas digitais estão reformatando a maneira como inovamos".

A P&G foca os processos de coleta de dados internos e também confia pesadamente nas informações de mercado vindas de parceiros externos. A equipe de liderança ao redor do mundo se reúne uma vez por semana para examinar dados e tomar decisões em resposta ao comportamento das compras. Conforme diz McDonald: "São as fontes de dados que ajudam a criar a marca e mantê-la dinâmica". ▪

**A pesquisa de mercado** é valiosa, mas pode demorar para juntar os dados sobre idade, gênero e hábitos dos consumidores. Os modelos de computador são mais ágeis nesse trabalho.

### A origem dos modelos de marketing

Os modelos de comportamento do consumidor datam dos anos 1960. Eles cresceram a partir de uma necessidade de fazer o marketing mais científico e menos guiado pelo instinto ou por ideias não comprovadas.

Nos anos 1960, o pesquisador norte-americano Robert Ferber defendia o uso de técnicas e modelos de simulação matemática. Isso se tornou conhecido como modelo de medição, por ser desenvolvido para medir a demanda por um produto como função de diversas variáveis – por exemplo, se o preço de venda aumentar 1%, qual será o impacto na demanda? Então, em 1969, Frank Bass, da Universidade Stanford, desenhou seu modelo Bass, que ainda é usado para prever a velocidade da adoção de novos produtos e sua disseminação pelo mercado.

A Decision Support Systems (DSS) usa modelos de medição para projetar o resultado de novas decisões adicionando variáveis como os resultados prévios em contextos parecidos.

# CONHEÇA O CLIENTE TÃO BEM QUE O PRODUTO VAI COMBINAR COM ELE E SE VENDER SOZINHO

## ENTENDENDO O MERCADO

## 236 ENTENDENDO O MERCADO

### EM CONTEXTO

FOCO
**Marketing focado**

DATAS IMPORTANTES
**Anos 1920** Surge o conceito de pesquisa de mercado nos EUA.

**1941** Robert K. Merton inventa a ideia de grupo de foco.

**1953** Peter Drucker diz que o primeiro passo para qualquer negócio é se perguntar: "Quem é o cliente?".

**1970** O economista norte-americano Milton Friedman apresenta o modelo de negócios da maximização do acionista.

**1988** O professor de marketing Robert V. Kozinets cunha o termo "netnografia" para se referir à teoria da etnografia voltada aos usuários da internet.

**1990** O professor norte-americano Gerald Zaltman desenvolve a primeira tecnologia de neuromarketing, a ZMET, para analisar as reações subconscientes dos consumidores à imagem da propaganda.

Todo negócio de sucesso...

... **junta dados** a respeito das necessidades dos seus clientes, atuais e potenciais.

... **avalia o ambiente de mercado** – incluindo concorrentes, distribuidores, economia, tecnologia e tendências sociais.

Assim, ele pode desenvolver os produtos que resolverão os problemas dos clientes, satisfazendo uma **demanda existente**.

**Um produto que combina com o cliente vai se vender sozinho.**

---

Para ter sucesso em um mercado, uma empresa precisa entender tanto o ambiente onde ela quer atuar quanto a forma como os consumidores naquele ambiente pensam e agem. O ambiente de marketing é o mundo fora dos limites da organização – o mundo onde moram os clientes – e inclui a situação econômica, as regulações do governo, as atitudes sociais, os problemas atuais, as empresas concorrentes, a infraestrutura de distribuição e parcerias, e as mudanças tecnológicas. No cerne desse mercado está o cliente que será influenciado por muitos dos fatores do ambiente, mas também será movido pelas necessidades e preferências pessoais, capazes de afetar quais produtos ou serviços ele compra.

Ou seja, para entender o mercado, uma empresa tem que entender o "contexto mais amplo" do ambiente externo e, ao mesmo tempo, sondar o perfil psicológico e a personalidade do cliente. O propósito final dessas investigações é identificar os maiores problemas que os clientes têm que enfrentar. Uma vez feito isso, uma empresa precisa responder a eles de forma inovadora, entregando os produtos e serviços que serão vistos como soluções perfeitas.

**Coletando dados**
Essa análise pode soar simples, mas, dado que qualquer mercado em particular pode chegar a milhares ou milhões de pessoas, como um profissional de marketing conseguiria pesquisar e entender como essas pessoas pensam e se comportam – e quais problemas ou desejos insatisfeitos elas têm, tanto individual quanto coletivamente? O ponto de partida é explorar a fundo o mundo onde esses clientes vivem. Quais são

## VENDAS DE SUCESSO 237

**Veja também:** Destacando-se no mercado 28–31 ▪ Foco no mercado futuro 244–249 ▪ Faça com que seus clientes o amem 264–267 ▪ Previsões 278–279 ▪ Mix de marketing 280–283 ▪ Maximize os benefícios para o cliente 288–289

as motivações básicas que direcionam as decisões de compra? Que importância o cliente dá para preço, qualidade e design? Dentre todas as forças no ambiente, como as sociais, as culturais, as financeiras e as tecnológicas, quais em especial afetam o cliente? Um profissional de marketing quer saber os detalhes práticos da vida diária dos clientes. Como ele vive o seu dia a dia? Eles têm tarefas que poderiam ser simplificadas? Que outros tipos de problemas poderiam ser resolvidos pela empresa? O objetivo dessa pesquisa, de acordo com o influente pensador de negócios Peter Drucker, "é fazer a venda desnecessária".

### Enfrentando a recessão

Em 1973, Drucker aconselhou os líderes empresariais a "conhecer e entender o cliente tão bem que o produto combinaria com ele e se venderia sozinho". Naquela época, o mundo corporativo estava em agitação, visto que a recessão se espalhava por todas as principais economias do Ocidente, pondo fim a um crescimento que tinha, com a exceção de alguns anos fracos, persistido desde o fim da II Guerra

Estar focado no cliente... tem a ver com uma profunda percepção de como o cliente usa o seu produto.
**Ranjay Gulati, professor de negócios em Harvard**

Mundial. Todos, nas empresas, refletiam sobre como sobreviver aos anos futuros de vacas magras.

A recessão bateu forte no mesmo ano em que Drucker publicou aquela que mais tarde seria reconhecida como uma obra-prima, *Management: Tasks, Responsibilities and Practices*, de 1973, na qual aconselhava que o negócio centrado no cliente era a única forma segura de gerar crescimento.

"Só existe uma definição válida de propósito empresarial", escreveu, e é

"criar um cliente". Com isso ele queria dizer que a disposição de um cliente em pagar por bens ou serviços é o catalisador que impulsiona os negócios a transformar matérias-primas e recursos em produtos para venda. Sem o desejo ou a necessidade do cliente, não há ímpeto para a atividade comercial. Por outro lado, sem comércio, nada pode ser produzido para satisfazer a demanda do cliente.

Drucker sugeriu que, quando os clientes compram algo, não estão pensando apenas no próprio produto ou serviço, mas na sua utilidade para si. Para eles, o valor está na capacidade do produto comprado de resolver um problema.

Apesar de a ideia de Drucker agora estar no centro da teoria e prática da maior parte do marketing, naquela época ela era contrária à abordagem empresarial predominante dos anos 1970, a qual defendia a maximização do valor do acionista. Essa teoria colocava a riqueza da empresa, em vez das necessidades e dos desejos dos clientes, no cerne de um negócio. Ela dizia que as empresas deveriam ser »

### Peter Drucker

Um dos mais citados especialistas em gestão e marketing, Peter Drucker foi exposto a grandes ideias durante sua infância, em Viena, Áustria. Nascido em 1909, seu pai era economista e advogado, e sua mãe foi uma das primeiras mulheres na Áustria a estudar medicina. O casal fazia saraus em casa, e Drucker era encorajado a participar com eles nessas noites de discussão, sempre frequentadas por pessoas proeminentes.

Armado com um diploma em direito pela Universidade de Hamburgo e no começo de uma

carreira jornalística, mudou-se para a Inglaterra quando os nazistas subiram ao poder antes de se estabelecer em Los Angeles, onde se tornou professor de política e, mais tarde, de administração. Drucker escreveu 39 livros sobre economia, liderança e administração. Morreu em 2005.

#### Principais obras

**1946** *The Concept of The Corporation*
**1954** *The Practice of Management*
**1973** *Management*

# 238 ENTENDENDO O MERCADO

**Os skatistas** têm um conjunto específico de exigências quanto à moda e à marca dos equipamentos. O micromarketing pode ajudar os negócios a alcançar nichos de mercado como esse.

geridas apenas e tão somente para aumentar o lucro, o que impulsionaria o valor do preço das ações e permitiria a elas dar um retorno em valor aos acionistas – os quais, afinal de contas, são os donos do negócio. Essa maneira de pensar foi apresentada pelo economista Milton Friedman em artigo que escreveu para o *The New York Times* em 1970, aprofundado mais tarde pelos professores de administração Michael Jensen e William Meckling em seu artigo "Theory of the Firm". Conforme o próprio nome diz, a tese de Jensen e Meckling não estava preocupada, como um todo, com o mundo além da companhia – ela focava o relacionamento entre a alta gerência e os acionistas, e não o relacionamento da gerência com o mercado.

## Mentalidade do século XXI

O conceito de maximização do acionista foi uma força dominante nas últimas décadas do século XX, mas a importância de entender o mercado e a gestão centrada no cliente gradualmente se tornou mais forte, em parte porque a estratégia centrada na empresa provou não garantir a longevidade. Os negócios no século XXI tornaram-se mais centrados nas pessoas, com um número enorme de histórias de sucesso ajudando a apontar a gestão cada vez mais na direção de estratégias voltadas ao cliente.

Em 2010, o professor de administração Richard Martin escreveu um artigo na *Harvard Business Review* anunciando "The Age of Consumer Capitalism". Ele alegou que agora vivemos numa era na qual o valor do acionista não é mais a meta primária. "Por três décadas, os executivos fizeram da maximização do valor do acionista sua primeira prioridade", escreveu. "Mas a evidência sugere que os acionistas se dão melhor quando a empresa coloca o cliente em primeiro lugar."

Um caso de fracasso a respeito de priorizar o cliente é o da joalheria britânica Ratners. No final dos anos 1980, a Ratners era uma das maiores joalherias do mundo, com 2 mil lojas em dois continentes. Elas vendiam itens baratos e eram muito populares – até o desastroso discurso de seu presidente, Gerald Ratner, no Institute of Directors em 1991. Em sua fala, supostamente a respeito do sucesso da empresa, ele insultou um de seus próprios produtos, brincando que seu preço baixo só era possível por causa de sua baixa qualidade. Clientes ofendidos abandonaram a loja, e o valor da empresa caiu quase £ 500 milhões, fazendo-a quase quebrar.

Esse exemplo notório mostra como os negócios que tratam seus clientes com desprezo podem acabar pagando um alto preço.

## Conhecendo o mercado

Desde a primeira vez que Drucker disse que um negócio deve conhecer seu cliente minuciosamente, o mercado amadureceu, tornando a tarefa de entender o consumidor, os grupos de clientes e o mercado como um todo muito mais complexa. Uma das razões é a fragmentação, ou seja, os consumidores agora estão divididos em diversos pequenos mercados em constante mudança, podendo surgir de uma hora para a outra do nada. Esses micromercados são definidos por aspirações, gostos ou necessidades comuns de seus consumidores. Cada consumidor está sujeito a um amplo espectro de fatores externos, de modo que é crucial entendê-los para conquistar seu coração e mente.

O corte de preços pelos concorrentes, por exemplo, talvez chame a atenção do cliente, mas talvez também estrague, potencialmente, o valor de uma marca

Seja Google, Apple ou *software* livre, temos fantásticos concorrentes que nos mantêm na ativa.
**Bill Gates,
CEO da Microsoft (1955-)**

Pesquisa é curiosidade formalizada. Tem a ver com cutucar e se intrometer, tendo um propósito.
**Zora Neale Hurston, antropóloga norte-americana (1891-1960)**

aos olhos dos consumidores. Logo, um negócio precisa saber quão sensíveis ao preço são seus atuais ou potenciais clientes.

O sistema de distribuição, que determina como os produtos e serviços chegam até seus compradores potenciais, também é um aspecto vital a ser considerado. Uma empresa tem que resolver como entregar produtos e serviços de uma maneira que seja melhor para os compradores. A internet transformou a maneira como isso é feito, e os clientes agora esperam que os vendedores entendam onde, quando e como querem fazer suas compras.

### Tipos de pesquisa

A condição da economia, o nível das taxas de juro, as leis regulatórias e a mudança tecnológica podem influenciar clientes, enquanto forças sociais e culturais podem ser consideradas as mais importantes no ambiente de marketing. Elas incluem questões de gênero, idade, renda, tendências, problemas atuais e a influência de pessoas-chave aos olhos do público.

O desafio para o profissional de marketing é descobrir como todas essas coisas influenciam os clientes e, por conseguinte, o que os motiva a comprar. O ponto de partida óbvio é fazer perguntas. Essa premissa básica foi desenvolvida nos anos 1960 e 1970, num processo formal de perguntas e respostas conhecido como pesquisa de mercado. Os pesquisadores coletavam tanto evidências quantitativas (a partir de simples perguntas direcionadas a uma grande audiência) quanto evidências qualitativas (por meio de observação direta ou discussões aprofundadas com uma pequena amostra de pessoas). A pesquisa qualitativa é quase sempre considerada como a mais favorável das duas, ao conseguir captar por que um cliente aceita ou rejeita um produto e no entendimento da realidade da vida dos clientes.

### Marketing personalizado

Desde os anos 1990, as empresas abriram um canal de comunicação direto com os clientes via internet. Os profissionais de marketing desenvolveram novas estratégias para a coleta de informações on-line, como o marketing personalizado, um a um, no qual os interesses e desejos de um único consumidor podem ser registrados e compilados para criar um perfil detalhado.

O perfil psicográfico é uma forma de tentar entender os interesses diversos do consumidor ao agrupar pessoas com interesses e motivações comuns em grupos que podem se tornar um alvo. Se por um lado as empresas costumavam definir seus clientes demograficamente, como os *baby boomers* ou a Geração X, um perfil psicográfico é muito mais detalhado. Ele é feito com o uso de informação a respeito dos hábitos diários do consumidor; suas marcas, suas músicas e seus atletas favoritos; seus hábitos quanto à mídia; suas atividades fora do trabalho; seus destinos nos feriados e muito mais.

As redes sociais e as comunidades on-line encorajaram as pessoas a se definir por meio de um conjunto cada vez mais específico de características, gostos e aversões. Ao mesmo tempo, a internet permitiu aos negócios ter acesso a muitas dessas informações, oferecendo às empresas quantidades enormes de dados para fins de marketing. *Softwares* que acompanham e analisam as preferências dos clientes por meio de suas atividades on-line ou via celular permitiram às empresas se envolver com o assim »

**Grupos de foco** foram usados com frequência no final do século XX para coletar comentários e opiniões informais sobre produtos, como mostrado aqui numa cena da série de TV *Mad Men*.

O **marketing personalizado** usa a informação coletada em redes sociais e outras plataformas para criar uma propaganda customizada. O consumidor A é uma pessoa ativa, esportista e capaz de responder ao marketing que se dirija ao seu estilo de vida.

O *customer relationship marketing* usa dados históricos para produzir marketing individual. O consumidor B assiste a muita TV; um varejista on-line poderia fazer recomendações de DVDs baseado em seu histórico de compra.

O **perfil psicográfico** permite aos profissionais de marketing detectar um ponto em comum entre os diversos grupos de indivíduos. Um marqueteiro esperto, focado nos consumidores A, B e C, poderia usar seu gosto em comum por música para desenvolver uma campanha.

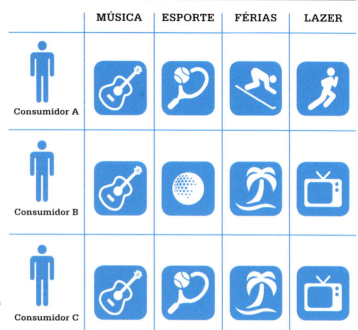

chamado *customer relationship marketing* (CRM), usando dados extraídos sobre os clientes e suas preferências para lhes vender mais produtos e serviços. A Amazon, por exemplo, utiliza o histórico de compras de um cliente para recomendar produtos similares e para mostrar o que outros clientes com os mesmos interesses têm comprado recentemente.

**Informação em tempo real**
O serviço de atendimento ao cliente via telefone está na outra ponta do espectro das redes sociais. Pioneiro nos anos 1980, ele se provou ainda mais útil na década de 1990, com o crescimento dos *call centers*. A alta gerência pode interceptar ligações do atendimento ao cliente – ou escutá-las – para ficar sabendo de questões que os usuários possam estar tendo, o que poderia ser melhorado e quais problemas eles querem ver resolvidos. Os marqueteiros chamam isso de "gestão da experiência do cliente" (CEM), porque captura a interação imediata do cliente com o vendedor, ao passo que o CRM usa o histórico do cliente.

É pouco provável que as pessoas saibam que precisam de um produto que não existe.
**John Harvey Jones, industrial norte--americano (1924-2008)**

O campo da neurociência levou a ideia do entendimento do cliente para o próximo nível, avançando na premissa de Drucker de que os negócios precisam examinar a fundo o interior da mente do cliente para descobrir como as decisões são tomadas. Vários estudos pelo guru de marcas Martin Lindstrom foram controversos ao propor que, independentemente de como os consumidores respondam às pesquisas cara a cara, a única forma de saber o que os motiva subconscientemente a comprar é medir as mudanças das suas ondas cerebrais quando expostos a certas imagens, sons ou cheiros. De acordo com Peter Drucker, "o principal objetivo do neuromarketing é decodificar o processo que acontece na cabeça dos clientes de modo a descobrir seus desejos, vontades e as causas ocultas de suas opções, para que

## VENDAS DE SUCESSO

seja possível dar a eles o que querem".

O neuromarketing é uma maneira de entender o cliente e está sendo ativamente usado por empresas como Google e Disney para testar as impressões dos clientes. Mas ele não é em si mesmo uma solução para saber o que os clientes querem comprar. É preciso uma perspectiva mais ampla para verdadeiramente entender um mercado e os elementos que o moldam. Em alguns casos é a pura inovação, guiada por um desejo de transformar a forma como as pessoas vivem por meio da tecnologia, que dá aos clientes algo que eles não sabiam que queriam, apesar de a necessidade já estar lá. O iPad da Apple é um exemplo da previsão de como a vida dos clientes poderia ser para se chegar ao sucesso no mercado.

### Soluções inovadoras

Quando o iPad foi lançado, em 2010, os investidores e a imprensa estavam céticos, curiosos sobre quem iria querer um, dado que um *laptop* tinha mais funções e era um pouquinho maior. O iPad foi um sucesso de vendas porque os clientes adoravam usá-lo – ele era divertido e rápido e lhes permitia fazer todas as coisas que gostavam no seu iPod touch, mas com uma tela maior e um teclado que era mais fácil de ser usado.

O CEO da Apple, Steve Jobs, disse numa entrevista à revista *Fortune* que nunca havia feito uma pesquisa com clientes. "Não é função do cliente saber o que ele quer", disse. "Isso não quer

**Steve Jobs, da Apple**, encorajava a empresa a levar em conta o mundo em mudança tecnológica e os hábitos diários das pessoas para oferecer uma solução inovadora para uma necessidade ainda não sentida: o iPad.

Será que Alexander Graham Bell fez alguma pesquisa de mercado antes de inventar o telefone?
**Steve Jobs**

dizer que não ouvimos os clientes, mas que é difícil para eles dizer o que querem quando nunca viram nada nem de longe parecido com isso".

Steve Jobs entendeu instintivamente o que o cliente queria porque ele tinha o mesmo problema: a falta de um aparelho portátil com um bom design que fizesse com que sua comunicação e coleta de informação fossem divertidas e fáceis.

Apesar de Peter Drucker ter enfatizado a importância de conhecer o cliente, ele não restringiu isso a apenas perguntar ao cliente o que quer. Ele queria que os negócios também pensassem além e descobrissem formas de inovar. "O 'desejo' que um negócio satisfaz talvez tenha sido sentido pelo cliente antes de lhe ter sido oferecido o meio para satisfazê-lo", justificou. "Isso continuou um 'desejo' potencial até que a ação do empresário o convertesse em demanda efetiva. Só assim existem um cliente e um mercado."

O professor Ranjay Gulati afirma que o primeiro passo para entender o novo e altamente competitivo mercado do século XXI é fazer aos clientes as perguntas certas, e as mais importantes são aquelas sobre os problemas que têm enfrentado. Mas ele diz que uma empresa tem que dar um passo criativo para descobrir as inovações que satisfarão as necessidades do cliente caso queira sobreviver no mercado. ∎

# ATENÇÃO, INTERESSE, DESEJO, AÇÃO
## O MODELO AIDA

### EM CONTEXTO

FOCO
**Modelos de marketing**

DATAS IMPORTANTES
**1898** E. St. Elmo Lewis descreve o princípio que se tornaria a AIDA.

**1925** O psicólogo norte-americano Edward Kellog Strong Jr. se refere à AIDA em seu *The Psychology of Selling and Advertising*.

**1949** O executivo de marketing norte-americano Arthur F. Peterson descreve a AIDA como um funil de vendas em seu *Pharmaceutical Selling, Detailing and Sales Training*.

**1967** Os professores norte-americanos Charles Sanclage e Vernon Fryburger propõem o modelo EPIA: Exposição, Percepção, Integração, Ação.

**1979** Os acadêmicos Robert L. Anderson e Thomas E. Barry propõem somar a fidelidade à marca aos vários modelos de hierarquia de efeitos baseados na AIDA.

O modelo AIDA é o fundamento do marketing moderno e da prática de propaganda. Ele descreve os quatro passos básicos que podem ser usados para persuadir potenciais clientes a concluir a compra. Os primeiros três passos estão relacionados a chamar atenção (A), desenvolver interesse (I) e criar o desejo (D) pelo produto antes de o quarto passo – "o chamado à ação " (A) – lhes dizer exatamente como e onde comprar.

A AIDA é com frequência expressada como um funil porque ela canaliza os sentimentos dos clientes por meio de cada estágio do processo de comunicação em direção a uma venda.

### A AIDA na prática

Captar a atenção do cliente é o primeiro desafio, e isso pode ser alcançado pelo uso de um *slogan* atraente, oferecendo um desconto ou algo de graça ou demonstrando como um problema pode ser solucionado. Assim que se capturou a atenção de alguém, ela deve ser convertida em interesse genuíno. Isso é mais bem-feito ao oferecer uma avaliação sucinta dos benefícios do produto ao consumidor, em vez de simplesmente listar as principais características do produto. Declarações sobre um problema resolvido, conselhos baseados em resultados ou testemunhos podem ser usados para criar desejo, antes de finalmente se apresentar uma simples forma de satisfazer tal desejo – os meios para a compra. Numa propaganda de site, isso talvez seja um link direto. Na TV, mídia impressa ou em *outdoors* ele pode ser um site, nome de loja ou número de telefone.

### Potencial comercial

Na indústria cinematográfica, os estágios da AIDA são usados com grandes resultados. Os estúdios de cinema geralmente começam suas campanhas de marketing muitos meses antes do lançamento, por meio de *outdoors* para atrair a atenção para o novo filme. *Trailers* e *teasers* curtos vêm em seguida, provocando interesse ao oferecer uma olhadinha tentadora no filme sem mostrar muita coisa. O desejo é instilado com o lançamento do *trailer* completo, o qual é cuidadosamente preparado para mostrar os principais pontos do filme, desde grandes explosões e efeitos especiais a linhas inteligentes no roteiro. No fim de semana de lançamento, propagandas em jornais e na TV chamam a atenção para o filme, provocando a ação ao convidar o consumidor a ir comprar o ingresso.

Um dos grandes sucessos de 1999, *A bruxa de Blair*, teve uma abordagem inovadora em relação à AIDA ao lançar mão de novas técnicas virais de

**VENDAS DE SUCESSO** 243

**Veja também:** Destacando-se no mercado 28–31 ▪ Criando uma marca 258–263 ▪ Promoções e incentivos 271 ▪ Por que fazer propaganda? 272–273 ▪ Causando alvoroço 274–275

marketing. Antes da primeira projeção do filme, os cineastas criaram um website que oferecia algumas dicas intrigantes sobre o que estava por trás. Ele apresentava fragmentos como "trechos do filme encontrados", deixando as pessoas curiosas se a história era ficção ou realidade. O site chamou a atenção e continuou a ganhar interesse conforme mais vídeos e arquivos de áudio foram adicionados. O agito em torno do "mito" da Bruxa de Blair cresceu, criando um desejo maior em ver o filme. O chamado à ação veio na forma de um lançamento muito restrito. Quem quisesse ir teria que comprar os ingressos antes que as poucas exibições lotassem. O filme custou só US$ 35 mil para fazer, mas gerou receitas de mais de US$ 280 milhões no mundo todo.

### E-marketing e AIDA

O advento do *e-commerce* levou o premiado redator publicitário britânico Ian Moore a sugerir uma NEWAIDA como um modelo mais importante para o e-marketing: o termo AIDA seria precedido por navegação (N), conforto (E) e texto (W). Ao que parece, conforme os mercados ficam mais complexos, os marqueteiros exigem uma forma cada vez mais clara de reconhecer a jornada do cliente. ■

## O modelo AIDA

**ATENÇÃO**
Faça com que o cliente conheça o produto ou serviço usando uma propaganda atraente ou uma oferta que o capture.

**INTERESSE**
Mantenha o interesse do cliente ao oferecer informações a respeito das vantagens do produto ou serviço e seus benefícios para o cliente.

**DESEJO**
Gere o desejo do cliente de comprar ao convencê-lo de que o produto ou serviço satisfará sua necessidade.

**AÇÃO**
Torne o mais fácil possível ao cliente fazer a compra.

**VENDA**

## Quem inventou a AIDA?

O especialista em gestão Philip Kotler cita o livro de Edward Kellogg Strong Jr. *The Psychology of Selling and Advertising,* de 1925, como a origem da AIDA. Mas o livro de Strong credita a ideia ao pioneiro da propaganda Elias St. Elmo Lewis (1872-1948), dizendo que Lewis formulou o *slogan* "atrair a atenção, manter o interesse, criar o desejo" em 1898 e que mais tarde ele adicionou o quarto termo "agir".

O primeiro uso do acrônimo AIDA é com frequência atribuído ao artigo de C. P. Russell "How to Write a Sales-Marketing Letter", publicado na revista americana de propaganda *Printer's Ink* em 1921 – Russell também fazia parte do seu conselho editorial. Ele resumiu a base do processo de quatro passos e mostrou que, "lidas em sequência, as primeiras letras dessas palavras formam a ópera *Aída*". Ele aconselhava: "Quando começar a escrever uma carta... diga 'AIDA' para si mesmo, e você não vai se dar mal...".

Na prática, poucas mensagens levam o consumidor desde o conhecimento à compra, mas a abordagem AIDA sugere as qualidades de uma boa mensagem.
**Philip Kotler, guru de marketing norte--americano (1931-)**

# MIOPIA EM MARKETING

## FOCO NO MERCADO FUTURO

# 246 MIOPIA EM MARKETING

## EM CONTEXTO

FOCO
**Serviço ao cliente**

DATAS IMPORTANTES
**1874** O matemático francês Leon Walrus reconhece que pequenas mudanças nas preferências do consumidor têm um grande impacto no negócio.

**1913-1914** Henry Ford, industrial norte-americano, instala a primeira linha de produção, mostrando às empresas que custos unitários menores são a chave para seu crescimento sustentável.

**1957** O teórico norte-americano de marketing Wroe Alderson enfatiza que um negócio precisa crescer e se adaptar a mudanças de modo a sobreviver e prosperar.

**1981** Os intelectuais do marketing Philip Kotler e Ravi Singh cunham o termo "hipermetropia em marketing" para descrever o problema de uma empresa que enxerga bem os problemas a distância, mas não de perto.

Quando a empresa tem uma ideia fixa sobre quais produtos ou serviços quer vender, e uma vaga ideia sobre para quem venderá, corre o risco de fracassar por não conseguir facilmente se adaptar às mudanças nas condições do mercado. Ela perderá oportunidades de se expandir e conquistar novas áreas de mercado. O professor da Harvard Business School Theodore Levitt chamou essa falta de antevisão de "miopia em marketing", uma expressão que usou pela primeira vez num artigo do mesmo nome publicado na *Harvard Business Review* em 1960. Ele enfatizou que uma empresa precisa olhar adiante e avaliar frequentemente as novas aberturas no mercado. Se não o fizer, seu crescimento vai estagnar e, fatalmente, entrará em decadência.

Na visão de Levitt, se um negócio estiver concentrado em como vender seus produtos e cego às circunstâncias e aos desejos dos clientes (que sempre mudam), ele não estará preparado para as mudanças no mercado. Por exemplo, uma mudança brusca na economia ou na política do governo, uma nova tecnologia ou uma crise social podem ter um efeito quase imediato no público consumidor. Se uma empresa estiver preparada para tais mudanças e flexível o bastante para se ajustar, poderá arrumar formas de seduzir os clientes e prosperar. A abordagem astuta, disse Levitt, é criar um negócio ao redor do cliente, e não ao redor da empresa. Ele propôs que "uma empresa seja um processo de satisfação do cliente, não um processo de produção de bens".

### Cresça ou morra

Por trás da ideia de Levitt está o inevitável padrão de crescimento de um negócio. A princípio, uma empresa entra no mercado com um produto ou

**VENDAS DE SUCESSO** **247**

**Veja também:** Descobrindo um nicho lucrativo 22–23 ▪ Faça com que seus clientes o amem 264–267 ▪ Maximize os benefícios para o cliente 288–289 ▪ *Feedback* e inovação 312–313

serviço e talvez desfrute de um rápido crescimento. Mas todo crescimento um dia para, porque o mercado já comprou o suficiente de produtos e serviços ou desenvolve prioridades diferentes. A empresa com miopia em marketing se volta para dentro para ver como cortar os custos de fabricação ou tomar outras medidas de redução de custos. Essas táticas talvez compensem a queda no lucro por um tempo, mas no final não serão suficientes para salvar o negócio da falência. Levitt, no entanto, argumentava que um setor pode continuar a crescer muito depois de as estratégias óbvias de marketing terem sido usadas se os seus executivos estiverem totalmente focados no cliente.

Levitt perguntou a alguns altos executivos nos Estados Unidos em 1960: "Em qual negócio você está?", exigindo que mudassem seu foco da manufatura para a satisfação do cliente. Esse conceito é tido como certo no mundo de hoje, voltado à análise do cliente e ao marketing de nicho, mas, dado que a economia norte-americana estava num *boom* nos anos 1950,

Vender não é marketing... todo o processo de negócio é um esforço fortemente integrado de descobrir, criar, despertar e satisfazer as necessidades do cliente.
**Theodore Levitt**

desfrutando de sua era mais próspera em décadas, a ideia de Levitt pode não ter parecido muito relevante na época. Ainda assim, ele citou exemplos convincentes na indústria para sustentar suas ideias. Em especial, acusou as montadoras automobilísticas de miopia em marketing.

### A indústria automobilística
Na superfície, a indústria automobilística parecia invencível. Em 1960, as "Big Three" na cidade de Detroit (General Motors, Ford e Chrysler) dominavam os mercados domésticos e globais. Elas produziam 93% dos automóveis vendidos nos Estados Unidos e controlavam 48% das vendas mundiais. Um sexto da força de trabalho norte-americana estava empregada direta ou indiretamente nesse setor. Mas começaram a surgir algumas rachaduras.

Em 1955, as Big Three desfrutaram de um ano recorde. Mas a demanda caiu dramaticamente em 1956 e 1957, porque muitos consumidores já haviam comprado carros. Tal queda nas vendas foi responsável, em parte, pela recessão de 1958, durante a qual a indústria como um todo caiu. Essa foi a primeira retração econômica nos EUA desde a Grande Depressão. Enquanto isso, as montadoras na Alemanha, no Reino Unido, na França e no Japão ameaçavam a hegemonia das Big Three.

"Na verdade, Detroit nunca pesquisou o que queriam os clientes", alegou Levitt. "Ela só pesquisava as coisas que já estava decidida a ofertar". Quando as montadoras norte-americanas perceberam o que havia acontecido, ficou difícil para elas se ajustar. Após uma série de modelos e esforços de marketing fracassados, elas finalmente se recuperaram em 1965, com os onipresentes carros "musculosos" como o Ford Mustang – mas, desde então, nunca mais tiveram tal controle sobre o mercado.

Antes do revolucionário artigo de Theodore Levitt em 1960, o marketing não era considerado um esforço sério e digno de atenção da alta gerência. »

**Montadoras abandonadas** em Detroit são uma lembrança da crise econômica norte-americana no final dos anos 1950. Para Levitt elas não se adaptariam às necessidades dos clientes.

O **marketing míope** foca os clientes atuais e suas necessidades, mas despreza o potencial de novos mercados, levando à perda de oportunidades e a lucros mais modestos.

O **marketing hipermetrope** é adaptável, permitindo aos negócios mudar seu foco para pesquisar um escopo maior de consumidores com uma oferta mais ampla de produtos. O retorno pode, então, ser muito maior.

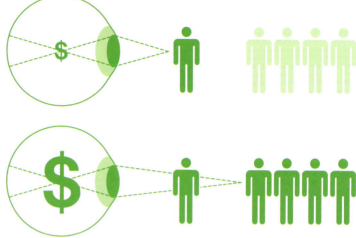

Em vez disso, era uma tarefa previsível deixada aos departamentos de vendas ou de produção. Mas o artigo "Marketing Myopia" exortou tanto o mundo corporativo quanto o acadêmico a começar a pensar de maneira diferente.

### Levando o marketing a sério

Quase na mesma época em que Levitt escrevia seu importante artigo, o professor inspirou um aluno, Philip Kotler, a levar sua proposição adiante para consolidar uma mudança fundamental na forma como a gerência encarava os negócios. Kotler estudou em Harvard em 1960 em seu pós-doutorado em matemática, tendo já completado seu doutorado em economia pelo Massachusetts Institute of Technology (MIT). Exposto, em primeira mão, às ideias de Levitt e outros professores de marketing, começou a desenvolver um esboço rigoroso quanto ao papel do marketing em qualquer organização. O resultado foi publicado em 1964, e o *Marketing Management* ainda é considerado o livro seminal sobre o assunto. Ele recebeu o crédito de ser o primeiro livro a fazer uma abordagem acadêmica e científica do marketing. Os principais ensinamentos de Kotler se fundamentam em dois pilares: o cliente deve ser o centro de qualquer negócio, e o lucro é derivado não somente das vendas, mas da satisfação dos clientes – a mentalidade ainda está no cerne da maioria dos programas de MBA.

O efeito das ideias de Levitt e Kotler no mundo corporativo foi quase imediato. Em 1962, o executivo Robert Townsend havia sido recém-fisgado da American Express para assumir a posição de CEO na então problemática empresa de locação de carros Avis. Ele reestruturou o negócio ao focar dois princípios interdependentes: colocar o cliente em primeiro lugar e criar um ambiente de trabalho no qual os empregados amam o que fazem. Pela primeira vez o negócio começou a dar lucro.

### Serviço ao cliente

Em 1964, a Avis estava se expandindo. O homem escolhido como responsável pelas operações na Europa, na Ásia e no Oriente Médio, Colin Marshall, também era adepto da abordagem de Levitt, centrada no cliente, e a empregou com grande sucesso. Em dez anos ele já administrava toda a empresa a partir de Nova York, supervisionando as inovações que deram aos clientes um serviço melhor e que fez da Avis a líder de mercado. Em 1981, ao ser recrutado para ajudar a salvar a British Airways (BA), ele reverteu a sorte da companhia num ambiente adverso, criando um modelo de sucesso orientado ao serviço. Sua tática não era cortar o preço dos bilhetes, mas oferecer um serviço

Toda a corporação deve ser vista como um organismo que cria o cliente e o satisfaz.
**Theodore Levitt**

melhor ao cliente. Marshall viu que a experiência do cliente ia além de *check-in*, voo, aterrissagem e controle de passaporte e foi o primeiro a criar os saguões VIP para a primeira classe.

**A experiência do cliente**

Outras companhias aéreas de primeira linha adaptaram o modelo da BA. A maioria das companhias aéreas agora se baseia na otimização do relacionamento com o cliente de modo a ganhar uma vantagem competitiva de longo prazo. A United Airlines, por exemplo, adotou um sistema que faz com que os funcionários identifiquem clientes frequentes de alto valor e lhes ofereçam serviços especiais caso o voo tenha sido cancelado. A American Airlines promoveu o uso de tecnologia para fazer a experiência de voo mais atraente aos clientes, tornando-se a primeira a conseguir autorização da Federal Aviation Administration (FAA) para que seus comissários de bordo usem *tablets* para oferecer uma experiência de bordo mais eficiente. Foi a primeira grande companhia aérea a oferecer *tablets* de marca para os passageiros da primeira classe e da executiva para uso em voo. Melhorar a

**As salas especiais** nos aeroportos foram oferecidas aos passageiros da BA para melhorar sua experiência de viagem com a companhia aérea. Em vez de cortar preços, a BA focou o serviço ao cliente.

O marketing não é a arte de encontrar formas inteligentes de se livrar do que você faz. É a arte de criar um genuíno valor para o cliente.
**Philip Kotler**

experiência do cliente por meio de acesso à internet e aplicativos no iPad, em *tablets* e nos celulares agora é uma consideração importante em muitos setores, algo que o Google soube capitalizar.

Em 2005, o Google comprou a então desconhecida empresa Android Inc, que estava desenvolvendo uma plataforma para *smartphones*. Dois anos mais tarde, a Apple lançou seu iPhone e rapidamente dominou o mercado. Os clientes o adoraram, já que podiam replicar o mundo da internet num aparelho de mão. O gigante da busca on-line, Google, viu o risco de se tornar refém da Apple para ter acesso a vender seus aplicativos e então, junto com outros fabricantes de celulares, desenvolveu uma alternativa – um sistema operacional aberto que funcionaria em qualquer celular. O Google agora tinha uma plataforma por meio da qual poderia ter lucro com a venda de aplicativos e publicidade.

Kotler cita o Google como um modelo de inovação, sempre buscando resolver os problemas dos clientes e ajudá-los a gerenciar enormes quantidades de informação. Levitt teria concordado com a primeira linha da filosofia corporativa do Google: "Foque o cliente, e tudo o mais virá depois". ∎

### Theodore Levitt

Reconhecido como um dos pensadores de gestão mais originais da era moderna, Theodore "Ted" Levitt nasceu em Vollmerz, Alemanha, mas emigrou para os EUA com sua família aos 10 anos. Serviu no Exército norte-americano durante a II Guerra Mundial, de onde saiu para entrar na Universidade de Ohio. Com seu doutorado em economia, virou professor da Harvard Business School em 1959, tendo escrito seu famoso artigo "Marketing Myopia" apenas um ano depois. Nos trinta anos seguintes ele lecionou em Harvard, tendo escrito 26 artigos para a *Harvard Business Review*, da qual foi editor-chefe de 1985 a 1989. Em sua edição de 2004, o periódico citou a miopia em marketing como a ideia de marketing mais eficiente dos últimos cinquenta anos. Levitt criou um agito semelhante em 1983 com outro artigo, "The Globalization of Markets", com o qual recebeu o crédito pela popularização do termo "globalização".

**Principais obras**

**1960** "Marketing Myopia", *Harvard Business Review*
**1983** *A imaginação de marketing*

# O CARRO-CHEFE É O CORAÇÃO DA ORGANIZAÇÃO

## PORTFÓLIO DE PRODUTOS

## PORTFÓLIO DE PRODUTOS

### EM CONTEXTO

FOCO
**Avaliação de produto**

DATAS IMPORTANTES
**9000 a.C.** Gado é usado como a primeira forma de moeda.

**Meados dos anos 1960** Peter Drucker use o termo carro-chefe (*cash cow* em inglês) no contexto de gestão de negócios.

**1968** O Boston Consulting Group desenvolve a matriz crescimento-participação para categorizar os produtos de uma empresa de acordo com sua participação de mercado e potencial de crescimento.

**Começo dos anos 1970** A empresa de consultoria McKinsey & Company desenvolve a matriz alternativa GE-McKinsey com o seu cliente General Electric.

**1982** H. C. Barksdale e C. E. Harris publicam sua nova matriz no artigo "Portfolio Analysis and the PLC".

O termo carro-chefe (*cash cow*, em inglês) se refere a um investimento ou área de negócio que dá um fonte confiável de receita. Num contexto corporativo, o carro-chefe é o produto ou serviço que mantém os lucros ano após ano e garante recursos que financiam o crescimento da empresa. Ele traz caixa para a organização, o qual se torna sua força vital ao contribuir bastante com as despesas operacionais da empresa; pagar o desenvolvimento, o lançamento e o apoio a novos produtos; e sustentar as iniciativas menos lucrativas da empresa.

**Gerador de caixa**
O carro-chefe é, em geral, um produto que alcançou a maturidade em seu ciclo de vida. Assim como seu termo em inglês ("vaca"), seu custo inicial já foi pago, e ela precisa de pouca manutenção e pode ser "ordenhada" para o resto da vida. Apesar de esses produtos talvez não estarem crescendo mais, eles ainda geram uma receita substancial porque têm uma boa participação de mercado e não exigem mais tanto desembolso de capital para se perpetuarem.

Diz-se que o veterano em gestão Peter Drucker foi o primeiro a usar a metáfora da *cash cow* em meados dos

Como empreendedores, adoramos coisas novas e atraentes. Mas não se esqueça de dar atenção aos carros-chefes que mantêm o negócio em funcionamento.
**John Warrilow, empreendedor britânico (1971-)**

anos 1960. Ele certamente já se referia a ela por toda a sua carreira para descrever qualquer produto que fosse um bom gerador de caixa. Em sua analogia, ele se baseava na história do comércio. O gado, como bois, bodes e camelos, serviu de moeda ao redor de 9000 a.C. Se por um lado Drucker entendia o valor de um carro-chefe, por outro ele discordava da demasiada dependência dele. Defendia uma estratégia de interrupção planejada quando o carro-chefe é desafiado por outro produto, potencialmente um rival

### O Boston Consulting Group

Em 1875, o Boston Safe Deposit and Trust Company foi aberto naquela cidade da Nova Inglaterra para oferecer serviços de custódia para os mercadores locais e os donos de navios. Administrada por várias gerações de uma rica família de Boston, os Lowell, a empresa cresceu no século XX até se tornar uma proeminente instituição financeira.

Em 1963, um encontro casual entre o CEO do Boston Safe Deposit and Trust Company, John Lowell, e um dos mais brilhantes pensadores sobre gestão nos EUA, Bruce Henderson (1915-1992), levou à fundação do Boston Consulting Group (BCG). Essa consultoria de gestão era basicamente uma orquestra de um homem só, tendo Henderson no leme.

Henderson havia sido um vendedor de bíblias antes de se formar em engenharia na Vanderbilt University, Nashville, e ter ido estudar na Harvard Business School. Entrou na Westinghouse Corporation antes de se formar, tornando-se um dos mais jovens vice-presidentes na história da empresa. Tendo dificuldade, a princípio, em conseguir clientes e concorrer com as consultorias maiores, Henderson teve a ideia de oferecer a "estratégia de negócios" como um serviço único. Alguns anos mais tarde, com uma equipe de 36 pessoas, desenvolveu a agora famosa matriz crescimento-participação (1968). Sua empresa, o BCG, cresceu desde então para se tornar uma consultoria de gestão global empregando mais de 2 mil pessoas em 75 escritórios ao redor do mundo.

## VENDAS DE SUCESSO  253

**Veja também:** Gerenciando riscos 40–41 ▪ A qual ritmo crescer 44–45 ▪ A curva de Greiner 58–61 ▪ Lucro vs. fluxo de caixa 152–153 ▪ Liderando o mercado 166–169 ▪ A matriz MABA 192–193 ▪ Modelo de marketing 232–233 ▪ Mix de marketing 280–283

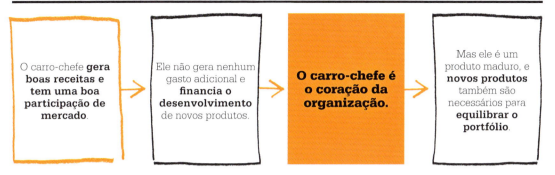

dentro do portfólio da empresa que estiver crescendo rápido.

Peter Drucker citou o caso da IBM em meados dos anos 1970. O *mainframe* era o seu carro-chefe, embora o recém-lançado PC fosse o seu produto de maior crescimento. Na verdade, a IBM dominava o mercado de PCs no começo. Mas a empresa deliberadamente restringiu as vendas dos PCs por medo de que pusessem em risco o seu carro-chefe e, ao fazer isso, deu tempo para que alguns clones inundassem o mercado. A IBM perdeu tanto espaço que seu negócio de PCs nunca mais se recuperou. O portfólio de produtos da IBM continuou subordinado ao seu carro-chefe. Tendo os investidores em mente, ela evitou os riscos que acompanham a inovação e o desenvolvimento de novos produtos de ponta, ficando impedida de concorrer em meio às rápidas mudanças tecnológicas e de mercado dos anos 1990.

Drucker talvez tenha sido o primeiro a usar o termo num contexto de negócios mas o Boston Consulting Group (BCG), fundado por Bruce Henderson, foi o primeiro a incorporar a ideia de carro-chefe a um modelo de negócios, em 1968. Conhecido como a matriz BCG, Boston Box ou matriz crescimento-participação, esse modelo representa de forma gráfica a relação entre crescimento de mercado e participação de mercado. Ele rapidamente se tornou uma ferramenta de negócios popular nas tomadas de decisão a respeito de quais produtos abandonar e em quais investir.

### O portfólio de produtos

O ponto de partida da matriz do BCG é o conceito de portfólio de produto – o mix total de produtos oferecidos por uma organização. Ele pode ser categorizado de acordo com sua participação de mercado, receitas e potencial de crescimento. Cada um também pode ser avaliado por sua posição no "ciclo de vida do produto", o qual acompanha o percurso de um produto desde seu crescimento inicial até a maturidade e subsequente declínio. Ao tomar decisões sobre quais produtos uma empresa deveria continuar a fabricar, ela precisa considerar o ciclo de vida de cada produto e o equilíbrio de sinergia entre todos os produtos do portfólio.

A matriz BCG oferece uma ferramenta analítica para avaliar a »

Uma companhia deve ter um portfólio de produtos com diferentes taxas de crescimento e diferentes participações no mercado. O portfólio é uma função entre os fluxos de caixa.
**Bruce Henderson**

**A IBM lançou** seu PC em 1981 e vendeu bem. Mas a empresa falhou em capitalizar com o seu sucesso focando, em vez disso, seus computadores *mainframe*.

A **matriz BCG** pode ser usada para categorizar produtos em termos de crescimento e participação de mercado, para que as empresas possam verificar que têm um portfólio de produto bem equilibrado. Os produtos com alta participação de mercado são plotados nas células à esquerda e os que têm baixa participação de mercado ficam na direita. A linha de cima é para os produtos com alto potencial de crescimento, enquanto as de baixo são para os mercados em queda.

As "estrelas" são os produtos que têm uma grande participação de mercado num mercado em crescimento. Elas demandam investimento da organização para manter sua posição e a ajudam a virar um produto dominante no mercado. Elas, no futuro, podem virar vacas.

"Vacas" são produtos que já foram estrelas. Elas continuam a manter uma grande participação de mercado, mas são produtos maduros num mercado já estabelecido que tem pouco potencial de crescimento. Elas não precisam mais de grandes investimentos porque já alcançaram seu potencial de crescimento e, como líderes de mercado, vendem muitas unidades, o que lhes dá uma vantagem de economia de escala. Isso quer dizer que geram caixa, ao mesmo tempo que custam muito pouco para a empresa.

### A matriz na prática

A Nestlé é com frequência citada pelos teóricos da administração como exemplo de como uma empresa consegue organizar seu portfólio de produtos de acordo com a matriz BCG. A maior empresa mundial de alimentos, com quase 8 mil marcas, a Nestlé desenvolveu uma estratégia de desenvolver seus carros-chefes de longo prazo e mantê-los novos o máximo possível, alocando capital para áreas de produtos que têm uma perspectiva de alto retorno e trocando os produtos com potencial limitado. A marca de café

eficácia do mix de produtos e sua lucratividade. Um negócio pode usar essa informação para garantir que tenha um mix de produtos que satisfará suas necessidades no curto e no longo prazo e para pensar sobre a prioridade e os recursos que deve alocar a cada produto. A matriz avalia o produto em dois níveis: primeiro, o crescimento potencial no mercado para aquele produto; segundo, a participação de mercado mantida por cada produto.

### Usando a matriz Boston

Ao usar a matriz, os executivos podem ver onde seus produtos se encaixam entre quatro categorias: cão, ponto de interrogação, estrela e vaca. Os "cães" são os produtos que têm pequena perspectiva de crescimento e pequena participação de mercado. Talvez esses produtos estejam dando prejuízo, talvez até atingindo o ponto de equilíbrio ou gerando um pouco de lucro. Por estarem num mercado de crescimento baixo, há pouca chance da sua performance melhorar, mantidas as condições atuais. Os produtos que se encaixam nessa célula da matriz são candidatos a ser excluídos do portfólio de produtos. Mas, antes de venderem um cão ou se livrarem dele, os executivos devem considerar se não é vantajoso mantê-lo para fins de estratégia. Por exemplo, se ele estiver bloqueando um produto da concorrência ou se o mercado daquele setor talvez cresça no futuro, pode ser que valha a pena mantê-lo. Ou se ele desempenhar um papel importante na complementação de outro produto no portfólio ao oferecer aos clientes uma referência para aquele produto.

Assim como o cão, o produto "ponto de interrogação" também tem uma pequena participação de mercado, mas está num setor de alto crescimento. O produto nessa célula pode criar um dilema para a empresa. Caso ele seja novo, será que não precisa de mais tempo para se estabelecer e mais investimentos na fabricação ou no marketing? Ou será que precisa de maior participação de mercado, que poderia ser alcançada ao comprar concorrentes? Talvez precise de reposicionamento no mercado. Ou seria melhor abandoná-lo por completo?

Produtos com alto crescimento exigem injeções de dinheiro para crescer. Os produtos com baixo crescimento deveriam gerar mais caixa. Ambos são necessários, ao mesmo tempo.
**Bruce Henderson**

# VENDAS DE SUCESSO 255

Nescafé sempre teve um bom desempenho desde seu lançamento, em 1938, graças em parte à estratégia da empresa de investir nela e na sua expansão. Em fases distintas na história da empresa, ela já foi um produto vaca e estrela. O café instantâneo é agora um carro-chefe confiável, financiando a expansão em outras áreas. Mas a linha de comida orgânica da empresa tem tido uma pequena participação de mercado num mercado crescente, tornando-a um ponto de interrogação. A grande participação da Nestlé no setor de temperos para comida, uma área que cresce pouco, poderia ser vista como uma vaca.

Por meio de uma série de aquisições, a Nestlé tornou-se líder entre os fabricantes de rações animais num mercado global em franca ascensão, elevando os produtos alimentícios para cães e gatos a produtos estrela.

**O Nescafé** é a maior marca da Nestlé, um carro-chefe avaliado em US$ 17,4 bilhões. Em crescimento desde a II Guerra Mundial, o produto gerou receitas de US$ 10 bilhões em 2012.

### Gestão de portfólio

Outros modelos de planejamento de portfólio evoluíram a partir do BCG. Nos anos 1970, a General Electric contratou os consultores de negócios da McKinsey & Company para desenvolver uma alternativa conhecida como matriz GE-McKinsey. Esse modelo de nove células permite uma análise mais complexa do portfólio de produtos, deixando as empresas plotar no gráfico a atratividade e a força competitiva. Em 1982, H. C. Barksdale e C. E. Harris propuseram duas novas classificações à matriz original BCG: o "cavalo de batalha" e o "dodô". Os cavalos de batalha lideram o mercado, mas são ameaçados por um crescimento de mercado negativo de modo que a empresa tem que avaliar se vale a pena atravessar a tempestade, acreditando que o mercado vai se recuperar, ou manter o cavalo o máximo possível com o mínimo de investimento. Os dodôs estão para ser extintos, tendo uma baixa participação num mercado de crescimento negativo.

**Barksdale e Harris** criaram uma matriz que adicionava duas novas classificações conhecidas como cavalos de batalha e dodôs, ambas em declínio.

Apesar de serem líderes de mercado, os cavalos de batalha são ameaçados pela perspectiva de crescimento negativo.

A caminho da extinção, os dodôs têm uma pequena participação de mercado com perspectiva de crescimento negativo.

### Usando as matrizes

De acordo com um estudo de 1981 feito pelos professores de administração Richard Bettis e W. K. Hall e apoiado por P. Haspeslagh em 1982, a matriz BCG era usada por 45% das empresas listadas na *Fortune 500*.

Mas a matriz BCG atraiu críticas por ser muito simplista e por basear seu julgamento no fluxo de caixa, e não no retorno sobre o investimento. Um estudo da Colorado State University em 1992 descobriu que as empresas usando a matriz BCG e modelos similares tinham um retorno sobre o investimento menor que as empresas que não usavam tais modelos. A despeito dos que a atacam, a BCG oferece uma forma simples de entender o portfólio de produto e as estratégias envolvidas na sua gestão de sucesso. ∎

# CRESCER PARA LONGE DO SEU CERNE TRAZ RISCOS; A DIVERSIFICAÇÃO OS DUPLICA
## A MATRIZ ANSOFF

## EM CONTEXTO

FOCO
**Planejamento estratégico**

DATAS IMPORTANTES
**500 a.C.** O conceito de "planejamento estratégico" é usado pela primeira vez nas campanhas militares da Grécia antiga.

**Anos 1920** A Harvard Business School, nos EUA, desenvolve o Harvard Policy Model, uma das primeiras abordagens do planejamento estratégico aplicado a empresas.

**1965** *A estratégia empresarial*, de Igor Ansoff, é o primeiro livro sobre estratégia corporativa.

**1980** Michael Porter apresenta sua teoria de estratégia competitiva.

**Anos 1989-1990** Os conceitos de *core competence* e intenção estratégica são desenvolvidos por Gary Hamel e C. K. Prahalad.

Uma organização precisa se **desenvolver e crescer**...

... mas se afastar dos **produtos existentes** é arriscado...

... e desenvolver **novos produtos** para vender em **novos mercados** dobra esse risco.

**Crescer para longe do seu cerne traz riscos; a diversificação os duplica.**

Publicada primeiro em 1957 na *Harvard Business Review*, a matriz de Ansoff é uma ferramenta de marketing para planejamento do crescimento estratégico de uma organização. Criada pelo matemático Igor Ansoff, ela é voltada para os negócios que estão prontos para expandir e têm os recursos para financiar tal crescimento. A matriz oferece quatro possíveis estratégias a ser adotadas por uma empresa, dependendo do *status* de seu produto e das condições de mercado: penetração de mercado, desenvolvimento de mercado, desenvolvimento de produto e diversificação. Além de apresentar as quatro opções estratégicas, a matriz inclui um fator de risco inerente a cada uma. É crucial para os tomadores de decisão levar o fator de risco em consideração, a menos que queiram apostar pesado usando os recursos da empresa.

**As quatro estratégias**
Cada abordagem é diferenciada, dependendo de os produtos e serviços da empresa serem os mesmos ou novos e de continuarem num mercado já existente ou num novo. A menos arriscada das quatro estratégicas é a "penetração de mercado" – a maximização das vendas de um produto já existente num mercado já existente. Nessa abordagem, é possível

# VENDAS DE SUCESSO 257

**Veja também:** Gerenciando riscos 40–41 ▪ Dê o segundo passo 43 ▪ A qual ritmo crescer 44–45 ▪ Proteja o *core business* 170–171 ▪ A matriz MABA 192–193

## A matriz Ansoff
é expressa num quadrado dividido em quatro células iguais, cada uma representando uma estratégia de marketing diferente, com combinações de *status* de produto e condições de mercado diferentes. A penetração no mercado é claramente a menos arriscada, ao passo que o quadrante da diversificação apresenta o maior risco.

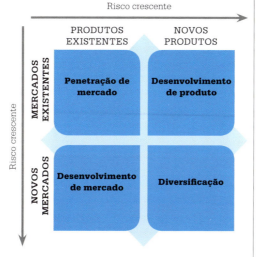

## A matriz Ansoff ainda é relevante?

Igor Ansoff (1918-2002) é lembrado como o pai da moderna estratégia de marketing. Sua matriz teve muitas variações com o passar das décadas e tornou-se um dos alicerces da estratégia empresarial, escorada em ideias como *core competence* e estratégia competitiva.

Nos anos 1970, Ansoff reconheceu o problema da "paralisia pela análise" – pensar muito num problema e depois fracassar na hora de agir. Ele passou a defender uma abordagem mais flexível, baseada nas condições locais e nas circunstâncias individuais de cada empresa.

A matriz Ansoff tem limitações. Por focar o mercado potencial e as estratégias de crescimento, não é capaz de dar apoio a outros fatores e cenários, como a disponibilidade de recursos, ou se a prioridade de uma empresa é sobrevivência em vez de crescimento. Mas, empregada com outras ferramentas, continua útil e é usada para medir o crescimento real e esperado.

---

alcançar vendas maiores por meio de preços competitivos, propaganda, programas de fidelidade ou por iniciativa de concorrentes.

O "desenvolvimento do mercado" prevê a venda do mesmo produto em diferentes mercados. Gastos adicionais são desnecessários, a não ser que haja uma questão de localização, mas o custo de canais de distribuição no novo mercado impõe algum risco. Nesse modelo, devem-se experimentar diferentes mercados demográficos ou geográficos, ou canais alternativos de vendas – como as vendas on-line ou diretas.

A estratégia do "desenvolvimento de produto" consiste na venda de produtos novos ou significativamente melhorados num mercado já existente. Nesse caso, o custo do desenvolvimento do produto, associado à sua distribuição e ao apoio de marketing, impõe um risco. As empresas que adotam essa estratégia podem oferecer variações do produto ou desenvolver produtos similares.

A última e mais arriscada estratégia é a "diversificação" – ir para a área de novos produtos e novos mercados. Essa estratégia reduz o risco no longo prazo ao diminuir a dependência da empresa de produtos principais. Mas a empresa pode se arriscar bastante, dependendo do investimento inicial, e precisa ter muitos recursos para o caso de a estratégia fracassar.

### Um empreendimento arriscado
A aventura da marca de supermercados britânica Tesco nos Estados Unidos mostra os riscos da diversificação. Depois de dez anos de preparação, a Tesco lançou suas lojas Fresh & Easy em 2007, mas não leu direito o mercado. Posicionando-se no meio do caminho, ela não era nem barata nem cara, com a maioria de suas lojas em bairros de trabalhadores onde os consumidores estavam em busca de descontos. Pior ainda, as lojas pequenas e sem estacionamentos da Tesco não eram adequadas ao comprador norte-americano, acostumado a ir de carro. O investimento da Tesco não teve retorno, a um custo de mais de £ 1,2 bilhão. O resultado talvez não tivesse sido previsto pela matriz de Ansoff, mas o risco era claro. ■

Conforme as empresas vão aprendendo mais, os que desenvolvem a estratégia, a tradução da estratégia em resultado... criam paralisia por análise.
**Igor Ansoff**

# SE VOCÊ FOR DIFERENTE, VAI SE DESTACAR

## CRIANDO UMA MARCA

# 260 CRIANDO UMA MARCA

## EM CONTEXTO

**FOCO**
**Criação de uma marca**

DATAS IMPORTANTES

**Anos 1850** Durante a Revolução Industrial, os produtos são produzidos em massa pela primeira vez, de modo que a oferta supera a demanda.

**Anos 1880 e 1890** Nos EUA e na Europa, as marcas – incluindo Coca-Cola, Kelloggs e Kodak – se tornam populares na promoção de produtos.

**Anos 1950** As TVs invadem as casas, oferecendo uma nova maneira de as empresas enviarem mensagens de venda para um mercado de massa.

**2002** O número médio de marcas num supermercado dos EUA é 32 mil, em comparação aos 20 mil de 1990.

**2013** Os promotores de marcas – membros do público que recomendam produtos ou serviços on-line – são estimados em 60 milhões só nos EUA.

As marcas são a forma de as organizações fazerem seu produto ou serviço se destacar da concorrência. Antigamente, o gado e os escravos eram marcados para mostrar quem eram seus donos, e na Idade Média os fabricantes de papel podiam ser identificados por uma marca d'água. Mas nossa ideia moderna de marca – que inclui cada parte da identidade reconhecida de uma empresa, do logo até as associações – não surgiu até meados ou final do século XIX.

O crescente número de consumidores de classe média, letrados, nas sociedades ocidentais foi capaz, pela primeira vez, de escolher entre um leque de opções em vez de comprar por necessidade. Nos EUA e na Europa, conforme a oferta de bens embalados continuava a crescer, os fabricantes perceberam a necessidade de diferenciar seus produtos. A Coca-Cola foi lançada em 1886 com o seu nome escrito de uma forma peculiar, tendo sua marca reforçada trinta anos mais tarde pela agora famosa garrafa com curvas. A aveia Quaker usava um homem vestido de *quaker* em sua propaganda de 1896, segurando um pacote de aveia numa mão e um papel dizendo "Pura" na outra. Fabricantes de roupas como a

Os produtos são feitos na fábrica, mas as marcas são criadas na mente.
**Walter Landor, especialista em marcas alemão (1913-1995)**

Levi's começaram a estampar seu nome nos produtos. Essa empresa estava tentando criar um relacionamento direto com os clientes.

**A origem da propaganda**
As marcas decolaram nos anos 1950, quando houve um *boom* no pós-guerra na produção em massa e as televisões se tornaram um item comum na casa das pessoas. Empresas como a Unilever e a Procter & Gamble começaram a criar identidades para os sabões em barra e em pó que antes não tinham nenhuma distinção. Elas precisavam embalar seus produtos

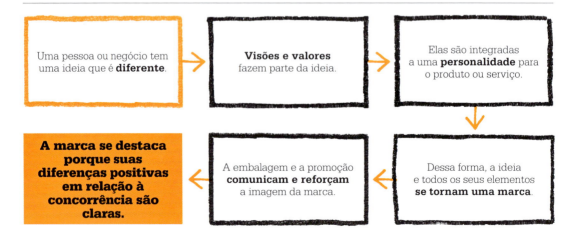

## VENDAS DE SUCESSO

**Veja também:** Descobrindo um nicho lucrativo 22–23 ▪ Destacando-se no mercado 28–31 ▪ Entendendo o mercado 234–241 ▪ Faça com que seus clientes o amem 264–267 ▪ Causando alvoroço 274–275 ▪ *Feedback* e inovação 312–313

A marca "easy" começou como uma companhia aérea, mas a essência da sua marca – "mais valor por menos!" – já foi aplicada com sucesso a mais de uma dúzia de negócios, desde entrega de pizza a aluguel de espaço corporativo.

para que os consumidores os identificassem. Com a ascensão das lojas e dos supermercados de autoatendimento, as marcas tinham que capturar o olhar do consumidor na prateleira, além de apelar para o nível emocional. A Persil, por exemplo, jogava com o orgulho das donas de casa na brancura de suas roupas com o *slogan*: "Get your whites right".

### Criando uma marca

Hoje, uma marca é mais do que simplesmente um logo ou uma embalagem atraente. A criação de uma marca tem que começar com uma ideia, e é mais provável que uma ideia tenha sucesso se ela for diferente da concorrência. Em geral, ela começa com o cliente e aquilo que ele quer ou precisa. Mas ela pode estar baseada na forma como a nova empresa ou o novo produto preenche uma lacuna no mercado – a Pret A Manger, por exemplo, lançou seus cafés de *fast-food* saudável como uma alternativa para as onipresentes redes de hambúrguer. A marca gira em torno do conceito de comida fresca, sem aditivos, preparada diariamente em cada loja. Além disso, um novo produto pode ser algo que melhora a tecnologia existente por meio de um design novo e inovador, como os aspiradores de pó sem saco da Dyson. Ou a ideia pode ser algo que ninguém pensou antes ou que eles nem sabiam que queriam, como o iPad, que se tornou indispensável para milhões.

Um dos aspectos-chave a respeito de uma marca de sucesso, como a Apple ou a Dyson, é que elas criam uma comunidade de pessoas afins – que gostam de iPads ou preferem Dysons e se sentem felizes em ser identificadas com os outros membros desse grupo. As marcas mais poderosas têm até um grupo de "não seguidores" – Coca vs. Pepsi, Mac vs. PC. O sentimento de pertencer a um grupo que parece compartilhar seus próprios valores é uma parte fundamental da fidelidade do consumidor.

### Marcas traduzíveis

É difícil dizer se o produto faz a marca ou a marca faz o produto. A easyJet, por exemplo, era uma ideia simples. O fundador da empresa, Sir Stelios

Um produto pode sair de moda facilmente; uma marca de sucesso é eterna.
**Stephen King, executivo de propaganda norte-americano (1931-2006)**

Haji-Ioannou, queria que a viagem aérea fosse fácil, barata e diferente das grandes companhias aéreas. A marca "easy", que começou com o lançamento da companhia aérea em 1995, agora é usada por uma dúzia de diferentes negócios em todo o mundo. A ideia "easy" tinha muitos elementos diferentes responsáveis por ela – desde a forma como as pessoas reservam seus bilhetes on-line aos serviços supérfluos a bordo –, mas a ideia essencial de vender um serviço básico a um preço acessível foi traduzida para muitas outras formas de negócios.

### Visão e valores

Os diferentes elementos que constituem a visão e os valores de uma empresa estão integrados para criar a personalidade de uma marca. As empresas olham para essa "personalidade" para fazer a proposta única de venda (USP, no inglês), que fará com que seu produto ou serviço se destaque da concorrência, ao passo que os valores e a visão criam uma marca a partir de um pedaço de papel até a sua realidade comercial. A visão da empresa » reflete aonde os fundadores ou diretores querem levar a ideia. A visão da loja de móveis IKEA, por exemplo, é criar "uma vida cotidiana melhor para muitas pessoas". A ideia de negócios que apoia essa visão é oferecer móveis de boa qualidade a preços acessíveis. A IKEA se tornou uma marca global porque todas as partes do seu negócio apoiam essa ideia, desde um *layout* único até o ambiente de compras – incluindo cafés voltados às famílias e *playgrounds* para crianças – por meio da propaganda. Hoje a IKEA é a maior varejista mundial de móveis.

### Que tipo de marca?

Os valores são outro elemento sutil da marca e resumem a sua razão de ser. É importante que a empresa não apenas declare seus valores. Eles devem estar refletidos na forma como a organização opera.

Os três fundadores da empresa de *smoothies* Innocent, que surgiu durante um festival de música britânico em 1999, decidiram que queriam que um dos valores-chave de sua *startup* inovadora fosse a abertura. Cada bebida tem um selo convidando os clientes a "ligar para o bananafone" com suas opiniões ou para que deem um pulo na matriz da empresa, na Fruit Towers, na hora em

Uma marca que captura sua mente ganha comportamento. Uma marca que captura seu coração ganha comprometimento.
**Scott Talgo, estrategista de marca norte-americano**

que quiserem. O site da Innocent também convida a "família Innocent" a fazer sugestões sobre o que a empresa deveria fazer no futuro, "já que, algumas vezes, nos confundimos". Sua abordagem leve e informal sugere que a organização prioriza a abertura e o diálogo com os clientes, cujos valores e opiniões ela respeita. O tom da linguagem, o site informal e os escritórios diferentes na Fruit Towers também ajudam a criar a personalidade da Innocent, resultando numa marca ousada e irreverente.

### O terceiro lugar

Howard Schultz, que transformou o Starbucks numa marca global, teve a ideia de uma empresa de cafeterias com personalidade diferenciada capaz de criar um sentimento de conexão. Quando Schultz entrou no Starbucks, em 1982, a empresa só tinha uma loja em Seattle vendendo café torrado na hora, mas não moído. O nome, tirado de um personagem do livro *Moby Dick,* de Melville, invocava a tradição navegante dos primeiros comerciantes de café. Schultz viajou para a Itália no ano seguinte e observou que nas cafeterias italianas o café era mais que uma simples bebida: era uma experiência que inspirava contatos diários. Decidiu levar a tradição das cafeterias italianas de volta aos EUA, onde ele via pouca interação social informal.

Surgiu, então, o conceito de "terceiro lugar" – um lugar entre o trabalho e o lar onde se poderia desfrutar de uma conversa e ter um sentimento de comunidade. Essa ideia se tornou parte essencial da marca e foi incorporada ao design dos cafés: sofás de couro confortáveis, poltronas agradáveis e jornais gratuitos. Em 1990, a ascensão dessa cafeteria em várias esquinas tornou-se um fenômeno social que se espalhou da América do Norte para a Ásia, a Europa e outros

---

### Anita Roddick

Nascida de pais imigrantes italianos numa cidade litorânea na Inglaterra em 1942, Anita Roddick descreve a si mesma como uma "estrangeira natural". Ela abriu o The Body Shop, varejista de cosméticos e beleza, em 1976, com uma loja em Brighton. Baseada em sua própria experiência e em viagens pela Europa, pela África e pelo sul do Pacífico, criou produtos cosméticos naturais em potes recicláveis. A The Body Shop acabou por formar o consumo ético por causa da vida pessoal de Roddick e das campanhas que foram promovidas dentro de suas lojas. Para Roddick, os negócios têm o poder de fazer o bem, e ela foi pioneira na proibição de testes com animais para produtos cosméticos, além de promover a ideia de "comércio justo". Também ofereceu apoio empresarial para causas políticas como as do Greenpeace e da Anistia Internacional.

Em 2000, publicou sua autobiografia, *Meu jeito de fazer negócios*, seguida de uma série de publicações ativistas. Em 2006, o The Body Shop foi comprado pela gigante americana L'Oreal. Roddick morreu em 2007.

## VENDAS DE SUCESSO

**POTENCIAL DE RECEITA**

**Ligação**
Esse é com certeza o meu tipo de marca.

**Vantagem**
Consigo ver como essa marca me serve melhor que outras.

**Performance**
Ela é melhor que as outras marcas?

**Relevância**
Essa marca satisfaz meu desejo e orçamento?

**Presença**
Notei a marca.

**FIDELIDADE**

**A pirâmide da marca** foi criada pela consultoria Millward Brown em meados de 1990 para ilustrar os cinco estágios principais da construção da fidelidade do cliente. A receita aumenta conforme os clientes vão da percepção do produto para o comprometimento.

lugares, porque satisfazia a necessidade de um lugar de encontro amigável.

### Ética e marca
Anita Roddick abriu sua loja de cosméticos The Body Shop nos anos 1970, enquanto seu marido viajava pelas Américas e ela precisava sustentar a si mesma e à sua família. Apesar da pouca experiência em negócios, Roddick tinha um instinto de que seus produtos precisariam ser diferentes para vender. A produção em massa trouxe escolhas para os consumidores, mas dúvidas quanto à origem dos ingredientes, ao modo como os produtos eram feitos e às questões éticas mais amplas estavam entrando na pauta. Roddick vendia produtos naturais em potes reutilizáveis e relacionava

a marca a diversas causas. A The Body Shop tornou-se um sucesso global porque estava associada à responsabilidade social, ao respeito pelos direitos humanos, ao meio ambiente e à proteção dos animais, bem como ao "comércio justo" com fornecedores.

A despeito dessa força, houve um retrocesso contra a hegemonia de algumas marcas. O livro de Naomi Klein de 1999, *Sem logo*, disparou o movimento sem-marca, o qual chamava atenção para a globalização e a exploração de trabalhadores em países subdesenvolvidos que fabricavam bens de marca, como agasalhos.

A varejista japonesa Muji seguiu, de maneira consistente, a estratégia sem-marca. No cerne de seu sistema de crenças estava a *kanketsu* (simplicidade). A embalagem do produto é simples, e o negócio gasta pouco com marketing e propaganda, baseando-se no boca a boca. De maneira irônica, isso ajudou a diferenciar a empresa e seus produtos, criando seguidores leais.

Hoje a tecnologia está mudando a forma como os consumidores notam as marcas. As redes sociais e a internet encorajaram os consumidores a compartilhar opiniões e interagir. Grandes marcas globais, como a Apple, podem influenciar o comportamento do consumidor e ter o potencial de mudar a sociedade. Mas as organizações também reconhecem que os consumidores têm mais escolhas do que antes e estão focadas na criação de marcas capazes de se relacionar com eles em um nível pessoal. ∎

**A marca Starbucks** é reconhecida instantaneamente. Nos anos 1990, o Starbucks fez seu marketing como uma parada relaxante entre o trabalho e o lar, bem como um lugar para tomar um café fresco.

# SÓ EXISTE UM CHEFE: O CLIENTE
## FAÇA COM QUE SEUS CLIENTES O AMEM

**EM CONTEXTO**

FOCO
**Fidelidade do cliente**

DATAS IMPORTANTES
**1891** Surgem os cupons, nos EUA, para encorajar compras repetitivas. Os clientes são recompensados com cupons que podem ser juntados e trocados por bens.

**1962** Sam Walton abre o Wal-Mart, com o *slogan* "Satisfação garantida".

**1967** O primeiro serviço de atendimento ao cliente com número 0800 é lançado nos EUA.

**1981** A American Airlines oferece ao setor o primeiro programa de fidelidade para recompensar a fidelidade do cliente.

**1996** Com o crescimento da internet, do *chat* e do e-mail, surge o apoio ao cliente para quem compra on-line.

A ideia de que o cliente determina o sucesso do negócio é aceita por muitos empreendedores e especialistas em administração desde o final do século XIX. É lógico que, se os clientes estão felizes com um produto, eles farão compras repetidas e o recomendarão a seus amigos e parentes. Isso ajuda o negócio a crescer e, de fato, paga o salário dos funcionários.

Assim como qualquer caso amoroso, a intensidade de um relacionamento entre o fornecedor e o comprador é tanto emocional quanto física. O processo envolvido no desenvolvimento de paixão e confiança entre as partes exige não apenas criatividade por parte dos negócios para promover uma conexão

## VENDAS DE SUCESSO 265

**Veja também:** As estratégias de Porter 178–183 ▪ Entendendo o mercado 234–241 ▪ Foco no mercado futuro 244–249 ▪ Promoções e incentivos 271 ▪ Maximize os benefícios para o cliente 288–289 ▪ Satisfazendo a demanda 294–295

Os clientes recompensarão **a boa qualidade e o serviço** com a fidelidade à marca.

Por isso as empresas têm que **dar aos clientes o que eles querem**...

... para que cultivem uma **base de clientes leais**.

**Só existe um chefe: o cliente.**

Exceda as expectativas dos seus clientes. Se o fizer, eles voltarão cada vez mais.
**Sam Walton**

emocional com o cliente como também um *know-how* para garantir sistemas de produção e distribuição racionalizados. Esses aspectos práticos incluem fatores como ciclo de pedidos; disponibilidade de produtos; conveniência do pedido; flexibilidade dos horários de entrega; aparência da embalagem e a facilidade de abri-la; simplicidade no processo de devolução; e acesso ao pessoal do serviço de atendimento ao cliente para lidar com problemas e dúvidas.

### Satisfação do cliente
Historicamente, o processo de cortejar o cliente se dava cara a cara, na própria loja, e as lojas de departamento abriram o caminho para isso na virada do século XIX. A Selfridges, em Londres, foi desenhada do zero para dar aos compradores, em especial às mulheres, uma série de alegrias. As lojas não somente ofereciam produtos atraentes para comprar como também uma completa experiência que permitia aos clientes fantasiar com um estilo de vida mais luxuoso.

Uma das forças emocionais mais poderosas na conquista de um cliente é o dinheiro – a promessa de conseguir mais por menos é irresistível para a maioria das pessoas. A Coca-Cola tem o crédito de ter apresentado o primeiro de tais feitiços em 1887, com um cupom que

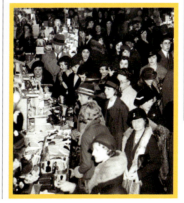

dava direito a um copo grátis de refrigerante.

No caso do fundador do Wal-Mart, Sam Walton (1918-1992), oferecer economia ao cliente estava no cerne de seu plano de negócios, e diz-se que essa estratégia o tornou um dos comerciantes de maior sucesso no final do século XX. "A ideia era simples", explicava ele. "Quando os clientes pensassem no Wal-Mart, eles deveriam pensar em preços baixos e satisfação garantida. Eles poderiam ter certeza de que não encontrariam nada mais barato em nenhum outro lugar e, se não gostassem, poderiam devolver."

### A importância da qualidade
A qualidade do produto ou serviço oferecido é outra força emocional para os clientes. Diferentemente do preço, que tem que ser mantido sempre baixo para manter o compromisso do cliente, a qualidade tem que ser sempre alta, para um casamento longo e feliz entre o produtor e o usuário final. O fundador »

### A loja de departamentos Selfridges
era tanto um destino quanto um lugar para comprar. O estabelecimento contava com café e jardim, entre outros atrativos para os clientes.

da Selfridges, Harry Gordon Selfridge, aconselhou: "Lembre sempre que a lembrança da qualidade continua muito depois de o preço ser esquecido. Assim, seu negócio prosperará num processo natural".

No começo dos anos 1980, diversos setores quantificaram pela primeira vez o impacto da qualidade do produto na lucratividade por meio de estudos como o PIMS (Impacto no Lucro da Estratégia de Mercado, em inglês). Antes disso, a "qualidade" não era uma alta prioridade para os líderes setoriais, mas, à medida que as pesquisas insistiram em mostrar a clara conexão com a lucratividade, a qualidade do produto se tornou um fator essencial nas estratégias para atrair e manter clientes.

## Pagando um prêmio

Apesar de uma empresa talvez não ter a maior participação de mercado, ela ainda pode gerar o maior lucro se os seus clientes perceberem que a qualidade do produto é tão alta que eles estão dispostos a pagar mais caro por isso. No mercado de *smartphones*, por exemplo, o iPhone da Apple tem uma participação relativamente pequena, mas fica com quase 50% do lucro. Fazer um produto desejável e criar uma experiência emocional ao seu redor pode ser suficiente para fazer com que seus clientes o amem – tanto que eles podem até encomendar o produto, esperar e fazer fila. Isso fica muito claro no mundo da moda, em que os clientes sofrem com gosto a dureza de pisar sobre os outros em troca de uma bolsa ou um sapato exclusivo ou – no caso da marca de luxo Hermès – esperar anos por uma bolsa. Mas para a maioria dos negócios isso é uma exceção. Os clientes esperam que os fornecedores de bens e serviços façam tudo o que for possível para conquistá-los e mantê-los felizes em

**Os clientes estão dispostos** a pegar fila em troca de descontos por serem tão leais a marcas específicas. Na Itália, os compradores esperam fora da loja da Burberry em Milão, no primeiro dia da sua liquidação.

todos os processos de compra. Apesar de conquistar novos clientes ser sempre uma parte importante da estratégia de marketing, geram-se mais receitas com os clientes atuais. Esses clientes continuarão a comprar o mesmo produto ou serviço ou podem começar a comprar outros produtos do mesmo fornecedor. O mundo dos negócios percebeu que alguns clientes são mais lucrativos que outros, e vale a pena atrair clientes que gerem lucro e "enfeitiçá--los" para que gastem mais.

No varejo on-line, a compra repetitiva pode ser encorajada por campanhas de e-mail baseadas no histórico de compras do cliente. Nas compras ou nas propagandas pelo correio, uma correspondência com ofertas especiais ou promoções cruzadas por produtos complementares têm função parecida, enquanto numa loja o envolvimento perspicaz do vendedor pode oferecer uma lógica emocional para uma compra adicional, apesar de isso também ser um custo para o negócio. Fazer com que seus clientes o amem, portanto, está baseado tanto na

---

**A escala Likert**, criada pelo psicólogo norte-americano Rensis Likert nos anos 1930, foi desenvolvida para medir atitudes. A escala de cinco pontos oferece respostas a uma declaração, e os participantes escolhem a resposta com a qual concordam mais. Considerada uma boa forma de conseguir *feedback* dos clientes, a escala tem sido criticada por dar resultados enviesados por causa do seu conjunto de escolhas forçadas.

Concordo muito

Concordo

Não concordo nem discordo

Discordo

Discordo muito

qualidade do produto ou serviço quanto nos benefícios para o cliente em se manter fiel a uma marca ou empresa específica, quer isso se dê por conveniência, uma oferta, ou por ele se sentir bem.

**Cultivando a fidelidade**
Tendo como pioneiro o setor de aviação, com seus programas de fidelidade, a ideia de fidelidade é importante especialmente para os varejistas. Um programa de fidelidade bem-sucedido não só oferece aos clientes um incentivo do tipo "seu dinheiro de volta" como também permite à empresa coletar dados sobre as preferências dos clientes, seus hábitos de gastos, marcas favoritas e reação às promoções.

Os varejistas usam esses dados para tomar decisões sobre quais produtos ter em estoque. Por meio de seu sistema de fidelidade, a loja de departamentos norte-americana Nordstrom registra as preferências de tamanho e cor de seus clientes, bem com seu aniversário, datas importantes e outras informações pessoais. Ela oferece "Recompensa de Moda" – pontos ganhos com cada dólar gasto com seu cartão próprio. Quando o cliente tiver acumulado certo número de pontos, ele recebe "Notas da Nordstrom", que podem ser trocadas em compras futuras. Muitas outras lojas usam programas de fidelidade semelhantes por todo o mundo.

**Desafios on-line**
Os varejistas on-line têm, potencialmente, mais a ganhar com clientes fiéis, mas por outro lado lhes falta a conexão emocional imediata causada pelo ambiente de uma loja física.

Por exemplo, a Zappos, vendedora de sapatos, usa seu *call center* para criar um relacionamento com seus clientes e ganhar sua fidelidade. Para

O cliente pode te despedir simplesmente ao decidir comprar em outro lugar.
**Michael Bergdahl, diretor de RH da Wal-Mart (1954-)**

o fundador, Tony Hsieh, o *call center* não é um centro de custo, mas uma oportunidade para vender. Os funcionários do *call center* não leem um *script* e têm como objetivo estabelecer uma conexão emocional com os clientes. Sua reputação de fazer até o impossível pelos clientes já faz parte de sua marca. Táticas simples, como mandar pedidos antes do prazo final e um serviço de devolução 365 dias por ano, têm ajudado a manter uma taxa de compra repetida de quase 75%.

O CEO da Amazon, Jeff Bezos, abriu o caminho para o desenvolvimento da satisfação do cliente na era digital. Bezos conseguiu resolver alguns dos problemas do varejo da internet, como o cliente não conseguir tocar os produtos ou ter que esperar pela entrega, já que o seu serviço ao cliente inclui entregas no dia seguinte e devoluções grátis. A companhia tem se mantido de forma consistente entre as melhores do American Customer Satisfaction Index. Conforme Bezos, "se você deixar os clientes infelizes no mundo físico, eles talvez contem sua experiência para até seis amigos. Se você fizer um cliente infeliz na internet, ele consegue atingir até 6 mil pessoas". ∎

**Programas de fidelidade e cartões de crédito próprios** incentivam a repetição de compra e proporcionam aos negócios uma ferramenta para reunir dados sobre os hábitos de consumo dos clientes.

### O cliente está sempre certo?

Os donos de lojas de departamento Harry Gordon Selfridge (1857-1947), que fundou a Selfridges em Londres em 1909, e Marshall Field (1834-1906), que abriu a loja com o seu nome em Chicago, receberam o crédito pela frase "o cliente tem sempre razão", a qual pode ser entendida como "é mais barato manter um cliente que encontrar um novo". Numa época de elogios exagerados aos produtos, essa foi uma abordagem desenvolvida para atrair as classes médias ascendentes. Mas desde os anos 1990 os profissionais de marketing adotaram uma abordagem mais discriminatória em relação aos clientes, acreditando que nem sempre eles têm razão.

Cada cliente pode ser medido por seu retorno sobre o investimento (ROI) ou seu valor perene, permitindo às empresas focar seu serviço ao cliente naqueles que lhes dão mais lucro. Nesse contexto, algumas empresas diferenciam entre clientes que sempre têm razão e os que não vale a pena escutar.

# PINTANDO O MUNDO DE VERDE
## *GREENWASHING* - DESINFORMAÇÃO VERDE

## EM CONTEXTO

FOCO
**Ética empresarial**

DATAS IMPORTANTES
**1985** Cientistas anunciam que encontraram um buraco na camada de ozônio.

**1986** Primeiro uso do termo *greenwash* ("desinformação verde") num artigo pelo ativista ambiental Jay Westerveld.

**1990** No 20º aniversário do Dia da Terra, um quarto de todos os produtos domésticos no mercado norte-americano é anunciado como "reciclável", "biodegradável", ou "não ofensivo à camada de ozônio".

**1992** A Federal Trade Comission, em associação com a Agência de Proteção Ambiental dos EUA, publica "Guidelines for Environmental Marketing Claims".

**1999** A palavra *greenwash* entra no Dicionário Oxford (inglês).

Quando **uma questão** ou um desastre ambiental vem a conhecimento do público, muitos consumidores querem ajudar ao **comprar com responsabilidade**.

Para **atrair** esses clientes...

... a Empresa A implementa **reformas ambientais fundamentais**.

... a Empresa B faz mudanças mínimas para ter **credenciais verdes**.

... a Empresa C engana o público com suas **políticas ambientais**.

Algumas empresas levam as **questões ambientais muito a sério**.

**Algumas empresas usam questões ambientais como uma ferramenta de marketing – pintando o mundo de verde.**

# VENDAS DE SUCESSO

**Veja também:** Gestão de crises 188–189 ▪ Evitando a complacência 194–201 ▪ A moralidade nos negócios 222 ▪ Criando uma cultura ética 224–227 ▪ O apelo da ética 270

A noção de *greenwashing* surgiu durante a ascensão do movimento ambientalista nos anos 1990 e se refere à prática por empresas e setores do governo de adotar uma fachada ambientalmente correta. O *greenwashing* é definido como uma tentativa de dissimulação de assuntos ambientais, de modo a dispensar a atenção do público e evitar uma discussão mais séria ou uma ação mais definitiva.

O ativista ambiental de Nova York Jay Westerveld foi o primeiro a usar essa palavra em um texto, num artigo de 1986 a respeito da prática de alguns hotéis de pedir a seus clientes que não usassem muitas toalhas para reduzir a necessidade de gasto de água com lavanderia, ajudando assim o ambiente. Westerveld interpretou isso como uma manobra para economizar dinheiro em vez de salvar o planeta.

## Movimento crescente

Até os anos 1980, os executivos em geral tratavam as questões ambientais como obstáculos potenciais a ser transpostos ou problemas de relações públicas que precisavam ser resolvidos. Mas, em 1985, as notícias sobre o buraco na camada de ozônio levaram a um boicote dos produtos aerossóis que usassem o clorofluorcarbono (CFCs), considerados uma das maiores ameaças à camada de ozônio. Conforme a onda de apoio do consumidor ao movimento ambientalista cresceu, os profissionais de marketing viram uma vantagem em alinhar seus produtos e sua identidade corporativa às questões verdes.

O mundo do marketing parece ter se tocado pela primeira vez sobre o conceito de proteção ao ambiente depois da publicação do *Relatório Brundtland*, em 1987 (ver abaixo). Os anos 1990 foram previstos como o prelúdio de uma revolução verde, e as empresas se apressaram em associar a si mesmas com produtos e processos ambientalmente corretos.

## Empresas verdes

Empresas como a The Body Shop e a Volvo já haviam adotado estratégias verdes no começo dos anos 1970, e, já que a mídia buscava histórias com um ângulo ambiental, elas com frequência apareciam na imprensa. Sua publicidade tornava a adoção de políticas e produtos verdes ainda mais atraente.

Ao mesmo tempo, havia uma evidência crescente de que os consumidores não acreditavam em tudo o que liam ou viam e acabaram desenvolvendo um ceticismo geral a respeito das intenções verdes do mundo corporativo. Mas o mundo empresarial ainda via uma vantagem comercial em ser verde, e os marqueteiros começaram a adotar estratégias para estreitar laços com consumidores com consciência ambiental.

O *greenwashing* passou a aparecer em lugares inusitados. O setor nuclear tentou se livrar da reputação de perigo ao apresentar a energia nuclear como um remédio para o aquecimento global. A fabricante de armas BAe anunciou em 2006 que estava fabricando "balas sem chumbo". Os marqueteiros precisam se lembrar de que o público quase sempre consegue distinguir entre políticas e práticas que são genuinamente verdes e aquelas que são puro *greenwashing*. ∎

---

### Tons de verde

Nos anos seguintes à publicação, em 1987, do *Relatório Brundtland* das Nações Unidas convocando a proteção ao meio ambiente, o volume de propagandas e campanhas verdes cresceu dramaticamente. Entre 1989 e 1990, dobrou a quantidade de produtos verdes lançados nos EUA. Eles continuaram a crescer no começo dos anos 1990, impulsionados pela pesquisa de mercado mostrando que os consumidores estavam interessados em produtos ambientalmente responsáveis. Em meados dos anos 1990, no entanto, vários estudos importantes revelaram que existia uma inconsistência entre a intenção do consumidor e a sua ação nos casos em que tinha que pagar mais caro por produtos verdes. Também havia certa preocupação sobre o efeito negativo que as estratégias verdes estavam tendo para os acionistas.

Tais fatores talvez tenham levado a uma forma de *greenwashing* em que as organizações faziam mudanças genuínas, porém pequenas, nos produtos ou processos para mostrar uma fachada verde, mas não deixavam as questões ambientais afetar o lucro final.

---

A incidência de *greenwashing* – inverdades propositais... provavelmente não é tão alta. Mas há muita coisa... que chega perto.
**Andrew Winston, estrategista ambiental norte-americano**

# AS PESSOAS QUEREM QUE AS COMPANHIAS ACREDITEM EM ALGO ALÉM DA MAXIMIZAÇÃO DO LUCRO
## O APELO DA ÉTICA

**EM CONTEXTO**

FOCO
**Ética empresarial**

DATAS IMPORTANTES
**1867** Karl Marx defende que o capitalismo foi construído sobre a exploração do trabalho.

**1962** O presidente norte-americano John F. Kennedy esboça a Declaração dos Direitos Essenciais do Consumidor: o direito à segurança, o direito à informação, o direito à escolha e o direito a ser ouvido. Ela é ampliada e adotada pelas Nações Unidas em 1985.

**1988** Surge a Fairtrade Foundation.

**2008** Um estudo no periódico *Psychological Science* afirma que os humanos têm uma programação neural que os faz preferir ser bem tratados.

**2012** Os Jogos Olímpicos de Londres obrigam suas lanchonetes a vender apenas marcas de "comércio justo" em chá, café, açúcar, vinho, chocolate e bananas.

O apelo da ética está baseado na preferência básica humana de um tratamento justo. A ética empresarial – os princípios e regras morais do comércio – tem sido uma área de estudo desde o começo do século XX. A atenção inicial focava os direitos e condições dos trabalhadores, para saber se estavam recebendo um "salário justo". Nos anos 1960 os consumidores também exigiram seus direitos, querendo saber mais sobre a reputação e o comportamento das empresas.

Mas não foi antes dos anos 1980 que a ética começou a ter reflexos no mercado, com a criação da Fairtrade Foundation. Ela introduziu um sistema de selos para os produtos produzidos e comercializados sem exploração. Deu aos consumidores a habilidade de escolher produtos segundo a ética quando fizessem suas compras.

A partir de 1990, conforme as empresas desenvolviam estratégias de globalização e cada vez mais terceirizavam sua produção para países com baixos salários, os consumidores se tornavam mais cientes das questões envolvidas e das suas escolhas de compra.

A Unilever publicou suas metas éticas em 2010 ("Sustainable Living Plan"), comprometendo-se a cortar pela metade sua pegada ambiental e comprar todas as suas matérias-primas de forma sustentável até 2020. Outras empresas seguiram seus passos. Apesar de os consumidores saberem que algumas empresas falham no cumprimento dessas promessas, eles com frequência preferem acreditar nelas porque, como o fundador do Facebook, Mark Zuckerberg, observou, "as pessoas querem usar serviços de empresas que acreditam em algo mais que a simples maximização do lucro". ■

**O café maia**, vendido com um rótulo de Comércio Justo, dá aos consumidores uma garantia de que os fazendeiros de café foram pagos de forma justa por seu trabalho.

**Veja também:** Jogue conforme as regras 120–123 ▪ A moralidade nos negócios 222 ▪ Criando uma cultura ética 224–227 ▪ Entendendo o mercado 234–241 ▪ *Greenwashing* 268–269

# VENDAS DE SUCESSO

# TODO MUNDO QUER UM ALGO MAIS DE GRAÇA
## PROMOÇÕES E INCENTIVOS

### EM CONTEXTO

FOCO
**Incentivos de marketing**

DATAS IMPORTANTES
**1895** A Postum Cereals, nos EUA, apresenta seus "cupons de desconto" para promover o cereal.

**1912** A oferta de "um prêmio em cada caixa" é usada para tentar o cliente norte-americano a comprar a pipoca Cracker Jack.

**1949** O produtor de grãos norte-americano Pillsbury desenvolve campanha de marketing baseada num concurso de gastronomia ligado a um produto.

**1975** O "Desafio de sabor da Pepsi" ajuda a empresa de refrigerante a ultrapassar as vendas da Coca-Cola em supermercados nos EUA.

**1992** O fabricante de eletrodomésticos Hoover oferece um voo grátis para cada consumidor britânico que gaste £ 100 num produto. A oferta é tão popular que acaba custando mais de £ 50 milhões à empresa.

Os profissionais de marketing quase sempre usam a oferta de um brinde, prêmio, desconto ou bônus para atrair os clientes na compra de mercadorias. Essa estratégia é conhecida como "marketing de incentivo" ou "promoção de vendas". Ela é frequentemente usada para lançar novos produtos, despertar interesse quando o crescimento das vendas é nulo ou para ajudar a reputação ou marca da empresa.

O industrial norte-americano William Wrigley foi pioneiro nos incentivos visando encorajar compras. Em 1892, ele começou a comercializar seus chicletes oferecendo brindes, ou "prêmios", para atrair, com sucesso, os clientes de outras marcas já estabelecidas. Foi uma tática que usou outras vezes para incrementar as vendas.

### Empurra e puxa
Na moderna tecnologia de marketing, Wrigley usou incentivos de "puxão": brindes ou reduções de preços que estimulam a demanda do consumidor de modo que os varejistas tenham que estocar mais desses produtos. Os marqueteiros também usam incentivos de "empurrão": são compensações voltadas ao varejista ou atacadista para que eles, por sua vez, direcionem a atenção do consumidor para certos produtos.

Tantos os incentivos de empurrão como os de puxão conseguem aumentar as vendas, mas com o tempo seu efeito desaparece: ou há certo cansaço com a promoção ou os incentivos ficam muito caros. O sucesso de uma promoção é medido ao se olhar para o retorno sobre o investimento (ROI). Quando ele começa a cair ou a reputação da empresa sofre com um excesso de promoções, a estratégia deixou de funcionar. ∎

Eu aprendi uma coisa: não dá para empurrar a tecnologia. Ela tem que ser puxada.
**Bill Ford, industrial norte-americano (1957-)**

**Veja também:** Entendendo o mercado 234–241 ▪ Criando uma marca 258–263 ▪ Causando alvoroço 274–275 ▪ Mix de marketing 280–283

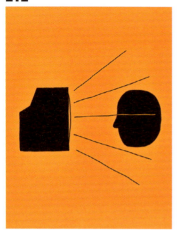

# EM TEMPOS DE VACAS GORDAS, TODOS QUEREM ANUNCIAR; EM TEMPOS DE VACAS MAGRAS, TODOS TÊM QUE ANUNCIAR
## POR QUE FAZER PROPAGANDA?

## EM CONTEXTO

FOCO
**Propaganda**

DATAS IMPORTANTES
**1729** Benjamin Franklin, cientista e um dos Pais Fundadores dos EUA, anuncia as invenções da sua companhia no *Pennsylvania Gazette*.

**1840** A primeira agência de propaganda é fundada na Filadélfia, EUA.

**1939** A Coca-Cola usa o Papai Noel em sua campanha publicitária, ajudando a criar as curvas de sua marca, tão comuns hoje em dia.

**1955** O icônico Homem de Marlboro é lançado e faz um enorme sucesso, apesar das pesquisas que ligam o cigarro ao câncer de pulmão.

**1994** O HotWired se torna o primeiro site a vender anúncios na forma de *banners*. No ano seguinte surge o primeiro servidor capaz de acompanhar e gerenciar anúncios.

No cenário corporativo, a propaganda é às vezes vista como um desperdício de dinheiro, e os gastos com ela são quase sempre a primeira parte do orçamento a ser cortada durante uma recessão. O que o executivo de propaganda Bruce Barton (1886-1967) quis dizer em sua declaração tão citada "em tempos de vacas gordas todo mundo quer anunciar; em tempos de vacas magras eles têm que anunciar" é que a propaganda deve ser usada como parte de um esforço contínuo para criar relacionamentos com os clientes atuais e os potenciais.

Barton, que foi responsável por algumas das principais campanhas de publicidade norte-americana dos

# VENDAS DE SUCESSO  273

**Veja também:** Destacando-se no mercado 28–31 ▪ O modelo AIDA 242–243 ▪ Foco no mercado futuro 244–249 ▪ Criando uma marca 258–263 ▪ Faça com que seus clientes o amem 264–267 ▪ Causando alvoroço 274–275

**As propagandas do Kit Kat**, como essa, dos anos 1960, usaram o *slogan* 'Have a break – have a Kit Kat' por quase sessenta anos. A frase virou sinônimo da marca.

Durmo cedo, acordo cedo. Trabalho muito e anuncio.
**Ted Turner, magnata da mídia norte-americano (1938-)**

anos 1920 até os 1940, acreditava que o corte na propaganda era imprudente. Em vez disso, ele chamava atenção para as vantagens de uma presença contínua no mercado por meio de anúncios constantes. Para sobreviver aos altos e baixos, a empresa precisa manter uma presença constante na mente do consumidor.

Barton acreditava que é uma falsa economia anunciar apenas quando o mercado está em alta e a empresa tem orçamento para isso, cortando os anúncios quando as margens de lucro caem. Se uma empresa deixa de anunciar, o consumidor pode se esquecer dela, ficando difícil reconquistá-lo quando a economia se recuperar.

## Criando uma marca

Barton não foi o primeiro a valorizar a propaganda no desenvolvimento de uma imagem inesquecível da empresa ou do produto. Thomas Barratt (1841-1914), às vezes chamado de o "pai da propaganda moderna", criou uma série de campanhas para o fabricante inglês de sabão Pears no final do século XIX. Esses anúncios ajudaram a fazer da marca um sinônimo para sabão. Enquanto o dono do negócio, Francis Pears, se preocupava muito com o dinheiro gasto na propaganda, Barratt, seu cunhado, preferia assumir riscos. Ele entendia a importância de continuar na arena pública, sempre avaliando as mudanças de gostos no mercado.

Um extraordinário exemplo de criação de imagem por meio de uma propaganda de longo prazo é o caso do Kit Kat, da Nestlé. A maioria das pessoas nos cem países onde o produto é vendido talvez consiga terminar o slogan do produto em inglês: "*Have a break – have a Kit Kat*". Uma das razões de o *slogan* fazer tanto sucesso é que ele tem sido usado desde 1957, tornando-se parte importante da propaganda da marca e de seus esforços de marketing desde então.

## Poder permanente

Pode-se questionar que uma empresa que pare de anunciar corre o risco de desaparecer da consciência das pessoas, ainda mais hoje, quando a maioria das pessoas é bombardeada com informações e imagens diariamente. Pesquisas sobre a reação da audiência aos comerciais de TV mostram que, mesmo quando os consumidores são soterrados com informações e ficam ostensivamente desinteressados por, ou imunes a, mensagens de propaganda, ainda assim eles provavelmente registrarão impressões positivas em relação a anúncios que reforçam preferências antigas a marcas. Isso parece apoiar a visão de Barton de que uma propaganda eficaz exige um compromisso duradouro. ■

### Edward Bernays

Lembrado como o pioneiro das relações públicas, Edward Bernays (1891-1995) conseguia fazer o *link* de eventos especiais, comunicados à imprensa e influência de terceiros na promoção de produtos de seus clientes.

Sobrinho de Sigmund Freud, Bernays era fascinado pela psicologia, quase sempre usando a psicanálise como suporte para suas campanhas.

Ele conduziu, com sucesso, uma campanha para a American Tobacco Company nos anos 1920 que mudou radicalmente a opinião pública ao acabar com o tabu de as mulheres fumarem em público.

Bernays adorava competições e, para promover o sabão da Procter & Gamble, criou um concurso de escultura em sabão para crianças.

Fez pesquisas, compilou opiniões de especialistas e planejou almoços de negócios para mudar a opinião pública. Seus outros clientes foram a General Motors e a Philco, pioneira da televisão.

Bernays também se esforçou para consolidar o perfil das relações públicas, estabelecendo-as como uma profissão independente.

# TENTE TER UMA MENTALIDADE O MAIS DIVERTIDA POSSÍVEL
## CAUSANDO ALVOROÇO

### EM CONTEXTO

FOCO
**Marketing boca a boca**

DATAS IMPORTANTES
**Começo dos anos 1970** O psicólogo norte-americano George Silverman é pioneiro no estudo do marketing boca a boca. Ele percebeu o poder persuasivo de pessoas conhecidas dentro de grupos de pesquisa testando novos produtos farmacêuticos.

**1976** O biólogo britânico Richard Dawkins desenvolve a ideia de como as tendências são espalhadas por meio do processo natural de imitação.

**1997** A disseminação do serviço de e-mail Hotmail torna-se o primeiro exemplo de marketing viral on-line.

**2012** O fabricante de bebidas Red Bull patrocina Felix Baugartner no pulo mais alto, atraindo 8 milhões de visualizações no YouTube – um recorde para as mídias sociais.

O **marketing boca a boca** é mais efetivo. → Usando comunidades on-line e mídias sociais, é possível **gerar alvoroço** para um produto. → As melhores ideias "pegam" e se **espalham rapidamente**.

Apesar de a expressão ser contemporânea, a ideia de "causar alvoroço" é um velho conceito em vendas. Num mercado sofisticado, cheio de consumidores tarimbados que não acreditam mais nas mensagens apresentadas pelos anunciantes, o marketing boca a boca tornou-se uma ferramenta vital para qualquer um nos negócios. A estratégia é usar a própria voz do consumidor – a voz de uma pessoa comum – para vender, e não a voz de uma grande marca ou de um onipotente comunicador de massa.

Em 1973, a lenda da propaganda da Madison Avenue, David Ogilvy, reconheceu que *jingles* de campanha, *slogans* e modismos poderiam "pegar" e se tornar parte da cultura social. "Ninguém sabe como fazer isso de propósito", ele acreditava, apesar de ter certeza de que o marketing boca a boca era valioso, chamando-o de "maná do céu". Ele também sabia o poder de uma boa risada. "As melhores ideias surgem como piadas", dizia. "Tente ter uma mentalidade o mais divertida possível."

**Espalhando a mensagem**
No século XXI, as estratégias de boca a boca são muito usadas on-line via redes sociais. Marqueteiros modernos são capazes de iniciar, de propósito, campanhas boca a boca dentro de comunidades on-line, mas eles também entendem o impacto do conselho de Ogilvy sobre o uso de ideias engraçadas, diferentes e inesperadas para gerar uma reação. Hoje as pessoas ainda compartilham suas experiências de primeira mão com amigos, mas também compartilham imagens e vídeos on-line, facilitando a disseminação da informação. Táticas para manipular essa tendência incluem o marketing

**Veja também:** Entendendo o mercado 234–241 ▪ Criando uma marca 258–263 ▪ Por que fazer propaganda? 272–273 ▪ *Benchmarking* 330–331

A partir de **uma única pessoa** compartilhando imagens e opiniões com amigos, e esses amigos passando essa informação para seus amigos, a tecnologia moderna pode espalhar ideias rapidamente, chegando a milhões de usuários.

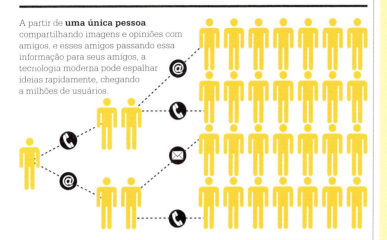

de guerrilha, que usa métodos não convencionais de baixo custo, com um elemento surpresa para provocar comentários, e o marketing viral, que normalmente usa as redes sociais para espalhar um vídeo patrocinado ou encorajar blogueiros influentes e outras pessoas a recomendar produtos.

No livro *O ponto da virada*, de 2000, o analista social britânico Malcolm Gladwell descreve o poder das epidemias sociais e como o menor ímpeto pode servir de estopim para um fenômeno de massa. De acordo com Gladwell, o título de seu livro se refere ao "momento mágico quando uma ideia, uma tendência ou um comportamento social cruza um limiar, dá uma virada e se espalha como fogo". Isso descreve bem o moderno marketing boca a boca, apesar de ele começar com ideias mais amplas a respeito de como as ideias se reproduzem na cultura humana. Conforme Gladwell explica, "ideias e produtos... mensagens e comportamentos se espalham como vírus".

### Dando o pontapé inicial no processo
Os profissionais de marketing podem copiar esse processo ao encorajar os clientes ou os membros influentes de comunidades on-line a dar o pontapé inicial no processo de imitação e criar "marcas campeãs", às vezes oferecendo incentivos em troca de uma resenha ou recomendação. Os setores em que as tendências são o mais importante para o sucesso no *front* do boca a boca on-line. O varejista on-line ASOS usa o Twitter e o Facebook para propagar recomendações e oferecer diversão. Em sua campanha de 2011, "Urban Tour", os marqueteiros da ASOS criaram vídeos mostrando os melhores dançarinos de *street dance* e de patins do mundo. Os vídeos permitiam as compras com cliques e eram neutros quanto à plataforma, para facilitar sua disseminação nos canais de mídias sociais.

A marca de tênis Nike tem estado no *front* da tendência, produzindo vídeos surpreendentes para torná-los virais. O vídeo de dois minutos "Touch of Gold", de 2008, mostrava o jogador Ronaldinho exibindo sua técnica usando tênis da marca. ▪

**VENDAS DE SUCESSO** **275**

### Memes e imitações

Em 1976, o biólogo evolucionista Richard Dawkins apresentou a teoria de que, assim como os genes são responsáveis por replicar características físicas, informações culturais como ideias, comportamento e estilo também podem ser transferidas de pessoa para pessoa. Dawkins se referia a esses dados culturais como "memes". Esses memes, assim como os genes, podem se espalhar, passar por mutação ou morrer na sociedade. Dawkins os descreve: "Assim como os genes se propagam na piscina genética ao pular de corpo em corpo via esperma ou óvulo, os memes também se propagam na piscina dos memes ao pular de cérebro em cérebro por meio de um processo que, no sentido mais amplo, pode ser chamado de imitação".

Os profissionais de marketing aplicaram a teoria ao comportamento on-line. Um meme na internet pode ser uma foto, uma imagem, um vídeo, um site, uma palavra ou um símbolo que surgem com um único usuário ou grupo de usuários e acumula força quando é imitado por outros usuários da internet. Ao pegar carona nos memes que já existem, as marcas podem ganhar uma enorme exposição com um custo relativamente pequeno.

Hoje o potencial de persuadir está nas mãos de milhões...
**B. J. Fogg, cientista comportamental norte-americano**

# O *E-COMMERCE* ESTÁ SE TRANSFORMANDO EM COMÉRCIO MÓVEL
## O *M-COMMERCE*

## EM CONTEXTO

FOCO
**Comércio móvel**

DATAS IMPORTANTES
**1983** O inventor norte-americano Charles Walton patenteia o primeiro aparelho identificador de radiofrequência (RFID), abrindo caminho para o *m-commerce* e a comunicação de campo próximo (NFC).

**1997** A primeira transação de *m-commerce* acontece em Helsinque, na Finlândia, com a instalação de duas máquinas de venda de Coca-Cola que aceitam pagamento via SMS.

**1999** São lançadas as primeiras plataformas comerciais para *m-commerce*: i-Mode, no Japão, e Smart Money, nas Filipinas.

**2007** A Nokia lança seu primeiro celular com características comerciais de NFC.

**2011** O aplicativo Google Wallet permite o armazenamento de informações de cartões de crédito para ser utilizadas em compras usando celulares.

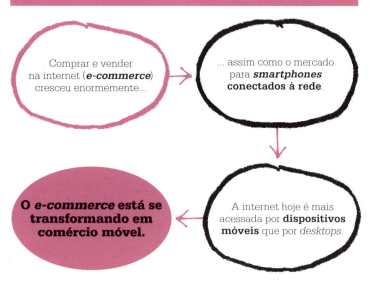

O termo *e-commerce* (*electronic commerce*) se refere a todas as vendas e compras feitas pela internet. O *m-commerce* (*mobile commerce*) especificamente envolve transações feitas por meio de redes de telecomunicações móveis. Essas transações podem ser pequenas, como uma compra no eBay, ou potencialmente enormes, como na compra e venda de ações. O *m-commerce* funciona de um jeito parecido com o *e-commerce*, com sites e aplicativos adaptados ou originados para celulares e outros dispositivos móveis. Também pode incluir uma cobrança posterior, quando as compras são somadas à conta telefônica. Outra função é a *tap-to-pay*, na qual o cliente faz pagamentos usando um aparelho móvel que tem informações de cartões de crédito instaladas por meio de programas como o Google Wallet. O cliente coloca o aparelho

**VENDAS DE SUCESSO** **277**

**Veja também:** Reinventando e se adaptando 52–57 ■ Entendendo o mercado 234–241 ■ Produção enxuta 290–293 ■ Aplicando e testando ideias 310–311 ■ A tecnologia certa 314–315

---

Os consumidores não *vão* mais às compras, eles *estão* sempre comprando.
**Chuck Martin, CEO do Mobile Future Institute**

perto de um ponto de venda usando uma tecnologia chamada comunicação de campo próximo (NFC); é feita uma conexão de rádio entre os dois aparelhos, e a transação é completada.

### O crescimento do *m-commerce*

O valor das vendas on-line feitas por dispositivos móveis deve crescer exponencialmente. A especialista em pesquisas norte-americana Forrester prevê que as vendas de *m-commerce* nos EUA devem mostrar um crescimento anual composto de 48% entre 2012 e 2017, com o valor do *m-commerce* no mesmo período subindo 250% para os *smartphones* e mais de 425% nos *tablets*.

No Reino Unido, que lidera o crescimento do *m-commerce* na Europa, o Barclays PLC espera que essa modalidade de comércio aumente 55% no mesmo período de cinco anos, enquanto as vendas on-line tradicionais crescerão só 8% e as vendas em lojas, 1,6%.

### Mercados emergentes

O súbito e explosivo crescimento do *m-commerce* pode ser atribuído a vários fatores. A adoção, pelo consumidor, de *smartphones* e *tablets* tem crescido, mais pessoas acessam a internet com dispositivos móveis do que com computadores, e os clientes estão cada vez mais acostumados a fazer compras em movimento, desfrutando da conveniência e da rapidez que isso traz. As pessoas estão confiando mais no serviço.

Dado que o maior crescimento nas vendas de *smartphones* tem ocorrido em mercados emergentes como a China, a Índia e África, não é de surpreender que essas regiões sejam consideradas como centros difusores para o *m-commerce*. Na China, um crescente número de jovens da classe média tem impulsionado uma rápida expansão nas transações móveis, enquanto na África o *e-commerce* tem sido quase ultrapassado pelo *m-commerce*. Em alguns países africanos, com a falta de uma infraestrutura bancária convencional, os celulares têm criado um sistema bancário informal.

Em 2007, o maior provedor de rede móvel no Quênia, a Safaricom, criou um serviço bancário móvel chamado M-Pesa. O dinheiro carregado no telefone pode ser usado para fazer compras ou transferir recursos. Hoje a M-Pesa opera no Quênia, na Tanzânia, no Afeganistão, na África do Sul e na Índia, e há planos para a Vodafone, empresa ligada à Safaricom, expandir o serviço pelo mundo afora. Conforme mostra esse exemplo, a implicação de longo prazo do *m-commerce* pode ser uma sociedade sem dinheiro vivo. ∎

---

### Bancarização móvel

O setor bancário ajudou a estimular o *m-commerce* desde o começo, quando o Merita Bank, da Finlândia, lançou o primeiro serviço bancário baseado em celulares usando SMS, em 1997. Desde então, os principais desafios para os desenvolvedores têm sido a questão da segurança (ambiente seguro); a tecnologia (aplicativos para diversas plataformas); e a inovação (novas e melhores formas de conectar os bancos digitais com os fornecedores de varejo, oferecendo um serviço personalizado). O banco La Caixa, na Espanha, implantou caixas eletrônicos sem contato físico, permitindo aos clientes sacar dinheiro com um toque em seus *smartphones*. Eles também podem comprar ingressos para eventos. Na Austrália, os clientes do Commonwealth Bank já podem fazer pagamentos no sistema *tap-and-go* em redes varejistas. A bancarização móvel está evoluindo de modo que os usuários possam fazer pagamentos independentemente dos bancos que usam ou de quais varejistas frequentam.

**Usar o M-Pesa**, o serviço de transferência de dinheiro por celular, é comum no Quênia. Os fundos são transferidos via SMS para uma carteira eletrônica no telefone a ser usado em lojas e agentes por todo o país.

# TENTAR PREVER O FUTURO É COMO DIRIGIR COM OS FARÓIS APAGADOS E OLHANDO PELO VIDRO TRASEIRO
## PREVISÕES

**EM CONTEXTO**

FOCO
**Previsão**

DATAS IMPORTANTES

**1939** Um método quantitativo de previsão é desenvolvido usando a correlação com vendas passadas.

**1959** O Project RAND, usina de ideias desenvolvida pela Força Aérea dos EUA, cria a técnica Delphi para previsão usando a opinião de especialistas.

**1970** Os matemáticos britânicos George Box e Gwilym Jenkins desenvolvem um modelo sofisticado para encontrar tendências a partir de dados históricos.

**Anos 1980** Surgem modelos de previsão computadorizados, como o INFOREM e o E3.

**2003** Sunil Chopra e Peter Meindel, da Northwest University, EUA, enfatizam a conexão entre uma previsão precisa e a gestão de cadeia logística.

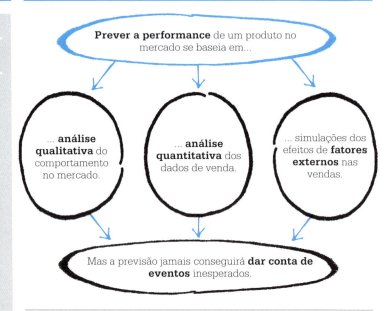

Prever as vendas é um dos papéis mais importantes de um profissional de marketing. Outros departamentos de gestão de uma empresa tomarão decisões críticas que afetarão toda a organização baseados na informação que o marketing prevê sobre a performance antecipada dos produtos de uma empresa no mercado. Os profissionais dessa área primeiro sugeriram a ideia de usar modelos econômicos para prever vendas regionais, nos anos 1930, e a partir dos anos 1950 surgiu a ideia de abordagens quantitativas e qualitativas. A previsão qualitativa se baseia na *expertise* dos executivos e de seu conhecimento adquirido sobre as reações do mercado. A previsão quantitativa usa dados numéricos como padrões

**VENDAS DE SUCESSO** 279

**Veja também:** Gestão de crises 188–189 ▪ O equilíbrio entre o longo e o curto prazo 190–191 ▪ Planos de contingência 210 ▪ O modelo de marketing 232–233 ▪ Produção enxuta 290–293 ▪ Gestão baseada em tempo 326–327

de vendas. Também nessa categoria estão as equações que fazem previsões sobre as vendas futuras baseando-se nos dados históricos da empresa e na pesquisa de mercado que indica o número de clientes potenciais para um produto ou serviço específico. Ainda, os profissionais de marketing olham fatores externos além do controle da empresa, como a situação econômica, e fazem simulações de como as previsões quantitativas seriam afetadas por fatores externos.

### Circunstâncias imprevistas

Até mesmo a previsão mais cuidadosamente planejada pode errar devido a eventos imprevistos. No setor de turismo, por exemplo, é difícil prever os desempenhos, porque fatores como o tempo ou eventos globais têm um impacto significativo nas escolhas dos clientes.

O efeito dos eventos globais pode ser visto na venda de relógios de luxo na China. De 2009 a 2011, os fabricantes de relógios de luxo na Europa experimentaram vendas crescentes no país asiático, mas a partir do final de 2012 houve uma queda dramática – chegando a 24%

A única coisa que sabemos do futuro é que ele será diferente.
**Peter Drucker**

num único trimestre. Isso se deveu, em parte, à desaceleração do crescimento econômico da China, o que os exportadores poderiam ter sido capazes de levar em conta. Mas o que não podia ser esperado foi um incidente de grande publicidade na luta do Partido Comunista contra a corrupção. Um líder do partido na província de Shanxi foi demitido depois que imagens dele usando vários relógios de luxo foram vistas na internet. Um deles valia mais de £ 20 mil. A história acabou nas primeiras páginas de jornais por toda a China em setembro de 2012. Os relógios de luxo ficaram publicamente associados à corrupção, e a demanda despencou.

### Vale a pena fazer previsões?

O consultor de gestão Peter Drucker duvidava das previsões. "Devemos começar com a premissa de que a previsão não vale a pena, a não ser para períodos muito curtos", escreveu em *Administração: responsabilidades, tarefas e práticas*, de 1973. Ele tinha razões para ser cauteloso, já que havia declarado num periódico econômico em 1929 que os preços das ações continuariam a subir poucas semanas antes da quebra de Wall Street. A empresa de auditoria internacional KPMG afirma que a maioria das empresas faz previsões irrealistas que podem estar erradas em até 13%, em média.

De acordo com a KPMG, uma melhor gestão de dados, planejamento de cenários e previsões que são continuamente atualizados, em vez de o serem apenas no longo prazo, podem aumentar a precisão. A despeito da dificuldade de previsões corretas, ela ainda se mantém como o principal meio pelo qual os profissionais de marketing comandam as decisões empresariais de uma empresa. ▪

**As ações no mercado** são afetadas por vários fatores, incluindo alguns difíceis de prever – como eventos mundiais, condições climáticas e previsões econômicas globais.

### Previsão precisa

Fazer uma previsão precisa depende do *lead time* exigido na empresa – o tempo entre o recebimento do pedido e a entrega ao cliente. Quanto maior o *lead time*, maior o erro na previsão dos números. Uma teoria diz que, se o *lead time* for reduzido em 50%, os erros de previsão também serão reduzidos pela metade. Desde os anos 1990 os teóricos de gestão, incluindo o dr. Edmund Prater, da Universidade do Texas, defendem que uma previsão precisa pode ser otimizada com a criação de uma gestão de cadeia logística que utilize informação e tecnologia para reduzir o intervalo de tempo entre as decisões logísticas e a demanda real. Assim, a necessidade de previsão é menor quando as atividades forem mais voltadas à demanda. Por exemplo, quando o Wal-Mart pediu às lojas que fizessem seus pedidos a cada duas semanas e não a cada mês, os estoques se reduziram, porque a precisão

# PRODUTO, PRAÇA, PREÇO E PROMOÇÃO
## MIX DE MARKETING

**EM CONTEXTO**

FOCO
**Estratégia de marketing**

DATAS IMPORTANTES
**1910** O professor Ralph Butler inclui o termo "marketing" no título de seu curso universitário.

**Anos 1920** O marketing se estabelece como um campo de estudo reconhecido.

**1948** James Culliton identifica a ideia de marqueteiro com o de "misturador de ingredientes".

**1953** Neil Borden cunha a expressão "mix de marketing".

**1960** E. J. McCarthy define os Quatro Ps como os ingredientes do mix de marketing.

**1990** Robert Lauterborn defende os Quatro Cs em vez dos Quatro Ps.

**2013** Philip Kotler mantém os Quatro Ps vivos, adicionando um quinto P – de propósito.

O conceito de mix de marketing (ou marketing mix) é um arcabouço teórico desenvolvido para ajudar as empresas a planejar e colocar em prática estratégias efetivas para lançar e vender seus produtos e serviços. A cristalização de suas metas ajudou a definir um claro papel para o marqueteiro, separando a função de marketing de outras atividades dentro de uma empresa.

As empresas precisam considerar diversos fatores ao levar um produto ou serviço ao mercado. Elas devem tomar decisões a respeito de aspectos do produto (como o seu tipo), sua praça de distribuição, seu preço e sua promoção. Esses fatores são os "ingredientes" que juntos formam o

# VENDAS DE SUCESSO 281

**Veja também:** O modelo de marketing 232–233 ▪ Portfólio de produtos 250–251 ▪ Promoções e incentivos 271 ▪ Satisfazendo a demanda 294–295 ▪ A qualidade vende 318–323

Quando uma organização **decide lançar um produto novo** ou atualizado, os marqueteiros têm que definir a **estratégia de venda**.

Eles também têm que considerar as **forças externas ao mercado** que afetam o mix de marketing.

Eles têm que calcular cuidadosamente as **proporções dos elementos** (como produto, praça, preço e promoção) no **mix de marketing**.

O marqueteiro tem que **ponderar as forças** e **lidar com os elementos** dentro das restrições de **recursos disponíveis**.

mix de marketing, e cada um pode ser ajustado para influenciar a reação do consumidor ao produto ou serviço sendo vendido. O profissional de marketing também deve levar em conta as forças de mercado externas, como o comportamento do cliente ou a concorrência, que terá impacto no mix de marketing.

## Criando o mix

O professor da Harvard Business School Neil Borden cunhou pela primeira vez a expressão "mix de marketing" nos anos 1950, usando-o em 1953, em seu discurso presidencial na Associação Americana de Marketing. Borden reconheceu seu colega professor James Culliton como o primeiro a apresentar a ideia do marqueteiro como um "misturador de ingredientes", em 1948. Inspirado pelas ideias de Culliton, Borden começou a usar o termo para descrever o que Culliton chamava de "misturador de ingredientes".

Em um artigo em 1964 intitulado "The Concept of the Marketing Mix", Borden sugeriu que, quando os gerentes de marketing fizessem um programa de marketing, deveriam elaborar duas listas: a primeira mostraria os elementos importantes ou "ingredientes" que fazem parte dos programas de marketing; a segunda resumiria as forças externas que pudessem ter algum efeito sobre a primeira lista.

A primeira lista inclui ingredientes considerados essenciais para a empresa vender – planejamento de produto, precificação, marca, distribuição,

O gerente de marketing, como chefe, tem que usar a criatividade para coordenar todas as suas atividades para promover os interesses da empresa no curto e no longo prazo.
**Neil Borden**

promoção etc. A segunda lista inclui forças de mercado, como comportamento dos consumidores, varejistas, concorrentes, políticas públicas e outros fatores.

No modelo de Borden, o gerente de marketing deveria ponderar os efeitos das forças externas e, então, conciliar os elementos de marketing da primeira lista para conseguir o melhor programa possível, que se adequasse aos recursos da empresa. Borden defendia que, para realmente qualificar todas as considerações de marketing, o gerente deveria fazer um gráfico mostrando os elementos do mix de marketing.

Tanto Culliton quanto Borden inspiraram o desenvolvimento subsequente do conceito dentro da comunidade acadêmica. Em 1960, um professor de marketing na Michigan State University, Edmund Jerome McCarthy, delineou o que viria a ser a expressão definitiva quanto ao mix de marketing. Ele condensou os ingredientes do mix num mnemônico de fácil memorização, os Quatro Ps: Produto, Praça, Preço e Promoção. Em seu texto clássico, *Marketing básico* (1960), McCarthy se aprofunda na »

## MIX DE MARKETING

**Os Quatro Ps**, ingredientes-chave no mix de marketing, precisam ser cuidadosamente balanceados entre si e com o mix como um todo. Ingredientes alternativos foram propostos como componentes necessários para o mix de marketing, mas os Quatro Ps continuam até hoje.

### MIX DE MARKETING

**PRODUTO**
Avalie as necessidades do cliente; estabeleça onde e como o produto será usado; defina a marca e a embalagem e como o produto será diferente dos outros no mercado.

**PRAÇA**
Decida como o produto chegará ao mercado; os canais de distribuição; os métodos de estocagem; manuseio e transporte; e como se diferenciar da concorrência.

**PREÇO**
Veja o ponto de preço baseado nas normas de mercado; valor percebido pelo cliente e quão sensíveis eles são aos preços; veja os concorrentes.

**PROMOÇÃO**
Veja quando e onde vai atingir o mercado-alvo; qual será o meio ótimo (televisão, rádio ou imprensa); e avalie as técnicas dos concorrentes.

---

natureza dos Quatro Ps. O "produto" se refere ao desenvolvimento do produto ou serviço certo, quer seja ele o sabão em pó, um serviço de contabilidade ou as diretrizes políticas de um partido, e que também inclua a marca, embalagem e garantias e qualquer outra coisa que se relaciona à oferta do produto. A "praça" se refere a como o produto chegará ao mercado de modo que esteja disponível quando e onde for necessário – em outras palavras, o canal de distribuição e a logística de transporte, armazenamento e manuseio. A "promoção" é a comunicação sobre o produto com os mercados-alvo e outros agentes envolvidos na cadeia de distribuição – relações públicas, propaganda, promoção de vendas etc. O "preço" inclui a definição do preço baseada na concorrência dentro do mercado, o custo de todo o mix de marketing e qual nível será aceito pelo cliente. Se o preço não for aceito, os esforços do profissional de marketing foram desperdiçados.

### Uma fórmula duradoura
A partir dos anos 1960, os Quatro Ps passaram a ser um meio inquestionável pelo qual os profissionais de marketing tomavam suas decisões estratégicas. A abordagem tornou-se clássica, mencionada em quase todos os manuais de marketing, e ainda domina a mentalidade gerencial. Novos elementos ou mixes alternativos foram propostos, apesar de nenhum deles ter substituído a premissa original de McCarthy.

Nos anos 1990, por exemplo, o professor de propaganda da Universidade da Carolina do Norte Robert Lauterborn argumentou que os Quatro Ps articulavam a visão do vendedor em vez da visão do comprador, estando, assim, ultrapassada no marketing centrado no cliente do final do século XX. Ele repensou os Quatro Ps como os Quatro Cs: Cliente (solução), Conveniência, Comunicação e Custo.

Os professores Jagdish Sethe e Rajendra Sisodia propuseram os Quatro As (em inglês): Aceitação, Acessibilidade, Disponibilização e Conscientização. Em 2005, os acadêmicos Chekitan Dev e Don Schultz alegaram que os Quatro Ps não eram mais relevantes e que as decisões dos consumidores eram motivadas pela emoção e por um desejo de valor em vez da premissa de que um produto específico supra a necessidade ou um ponto de preço peculiar. Outros analistas também buscaram um arcabouço mais aplicável ao *e-commerce*. Por outro lado, Carolyn Siegel, autora de *Internet Marketing*, diz: "Apesar das muitas tentativas de substituir ou ampliar os Ps, eles continuam como um método efetivo para a organização das principais ferramentas táticas

O mix de marketing é um pacote com quatro grupos de variáveis: produto, preço, promoção e a praça.
**E. J. McCarthy**

## VENDAS DE SUCESSO 283

> O mix de marketing representa um conjunto de variáveis de decisão de marketing de uma empresa num momento específico do tempo.
> **Philip Kotler**

que os profissionais de marketing podem usar num mercado competitivo".

### Os Quatro Ps na prática

Em um setor como o da moda, que por sua natureza precisa sempre pensar no futuro e aceitar o *e-commerce* e o *m-commerce*, os Quatro Ps ainda estão em evidência. Para suprir a demanda imediatista dos clientes preocupados com a moda, a marca de roupas casuais britânica Bench focou a "praça" – nesse exemplo, na velocidade com que o produto chega às lojas de varejo. Em vez de se basear nas tradicionais feiras de moda e nos convites para *showrooms*, a Bench usa uma abordagem mais direta. Os vendedores levam amostras aos varejistas e enviam seus pedidos diretamente à matriz enquanto ainda estão na loja varejista. Um sistema automático gera as ordens de compra para o setor de fábrica dentro de horas. Do ponto de vista do cliente (tanto indivíduos quanto lojas), os estilos chegam rapidamente, mantendo a marca revigorada. Para a empresa, há uma maior eficiência, uma melhor previsão de receitas e um risco muito mais reduzido de estar com o estoque cheio no fim da estação.

O mix de marketing da rede de moda Zara incorpora os Quatro Ps. Por ter uma ênfase na "praça" (distribuição), novos produtos são entregues duas vezes por semana, e demora apenas de 10 a 15 dias entre o esboço de um novo design até a chegada do item na loja. Tal abordagem direta à "praça" quer dizer que o "produto" reflete as tendências imediatas; as "promoções" acontecem no canal instantâneo da internet; e o "preço" é mantido baixo por causa da ênfase na "praça".

O guru de marketing Philip Kotler reconhece alternativas aos Quatro Ps, mas defende que eles ainda são um arcabouço útil. Mais recentemente, em 2013, ele sugeriu um quinto P – Propósito. Isso não se refere apenas ao propósito de um negócio de ganhar dinheiro, mas também ao propósito mais elevado de ser um bom cidadão corporativo. O quinto elemento é um conceito incorporado pela Zara, uma empresa que mantém 50% de sua fabricação na Espanha, em vez de subcontratar na Ásia. Não apenas os negócios reagem mais rapidamente à moda que muda, mas também recebe os louros por manter empregos em seu país. ∎

### Os pioneiros do marketing

Neil Borden reconhece a importância de criar uma metodologia de marketing. Quando apresentou seu conceito de mix de marketing, em 1953, baseou-se em teorias desenvolvidas por teóricos anteriores a ele.

Ralph Butler, professor na Universidade de Wisconsin, foi o pioneiro no uso do termo "marketing" ao organizar um curso de vendas chamado "métodos de marketing", em 1910. Alguns anos depois, em 1915, H. W. Shaw escreveu *Some Problems in Marketing Distribution*, no qual identifica as tarefas de produção e distribuição.

Paul Cherington e Paul Ivey, entre outros na década de 1920, consolidaram o marketing como um campo de pesquisa acadêmica. Nos anos 1920 e 1930, Paul Dulaney Converse descreveu os elementos-chave do mix de marketing – distribuição, precificação e propaganda – e enfatizou a necessidade de coordenar as atividades de marketing.

**A loja de moda Zara** concentra seu mix de marketing na "praça". Ela é capaz de entregar novos designs às suas lojas em menos de duas semanas.

# ENTREGAN OS BENS

## PRODUÇÃO E PÓS-PRODUÇÃO

DO

# INTRODUÇÃO

A globalização dos mercados e as rápidas mudanças tecnológicas aumentaram as expectativas dos clientes, e as empresas podem ter sucesso ou fracasso dependendo de sua habilidade de entregar os bens certos, pelo preço certo, na hora certa e por meio dos canais de distribuição certos.
Se der errado, isso vai custar caro, e para dar certo demora. É preciso avaliar o tempo todo cada parte do processo de produção, para ver onde ela pode ser mais eficiente sem que se perceba uma queda na qualidade ou nas vendas. Henry Ford foi o primeiro industrial a reconhecer o valor de oferecer ao cliente "mais por menos", e assumiu para o seu negócio a responsabilidade de fazer melhorias em seus carros todos os anos, ao mesmo tempo que baixava seu preço. Hoje muitas empresas usam uma estratégia de "custo baixo, qualidade boa" para atrair clientes, especialmente em tempos de recessão.

### Eficiência de baixo custo
Uma das formas mais efetivas de diminuir os custos enquanto se mantém valor é reduzir o desperdício. Essa abordagem é conhecida como "produção enxuta" e envolve identificar e cortar desperdícios em todos os processos, desde a produção até a entrega. A produção enxuta veio das ideias de Joseph Juran, consultor de gestão que desenvolveu maneiras inovadoras de melhorar a qualidade e a eficiência ao mesmo tempo. Nos anos 1950, a União Japonesa de Cientistas e Engenheiros convidou-o a dar palestras para centenas de altos executivos, que rapidamente puseram suas ideias em prática. A Toyota foi uma entre várias empresas a implementar seus métodos. A abordagem da empresa acabou se transformando no sistema de produção *just-in-time* (JIT) amplamente utilizado hoje em dia.

O controle do estoque desempenha um papel fundamental no sistema *just-in-time* e é vital para equilibrar o fluxo de caixa. Estoque demais no armazém representa dinheiro sem fazer nada. Mas, caso não haja estoque suficiente para satisfazer a demanda, talvez os clientes tenham que procurar fornecedores alternativos.

A manufatura é mais que simplesmente colocar as partes juntas. Trata-se de ter ideias, testar princípios e aperfeiçoar a engenharia, bem como a montagem final.
**James Dyson, inventor britânico (1947-)**

A redução de custo é o que buscam todos os gerentes de produção, e uma forma de chegar a ela se dá por meio da simplificação dos métodos produtivos. Isso envolve a eliminação de passos desnecessários e caros ou inovar para que os estágios fiquem mais rápidos e com menos desperdício. O empreendedor Michael Dell economizou tempo e dinheiro ao cortar o varejo, deixando os clientes montar seus próprios computadores. Eles eram produzidos conforme o pedido (JIT) e vendidos diretamente ao usuário.

### Criatividade e inovação
A inovação pode surgir em qualquer parte de um negócio. A ideia japonesa do *kaizen* – que quer dizer melhoria contínua – é uma filosofia antiga, mas foi usada primeiro no mundo empresarial pela Toyota nos anos 1950. Seu fundador, Elji Toyoda, esperava que todos os funcionários – do chão de fábrica até os altos executivos – sugerissem sempre novas ideias para melhorar os produtos ou a produção.

A ideia se espalhou pelo mundo, e muitas empresas reconheceram o valor de criar equipes para aumentar a criatividade. Mas grandes empresas com frequência limitam a inovação – ou, pelo menos, o teste de sua validade – a um departamento de P&D (Pesquisa e Desenvolvimento). Ele pode focar as novas mudanças de mercado e responder de maneira adequada, garantindo à empresa se beneficiar do serviço diferenciado ou de produtos

inovadores, criando uma forte lealdade à marca.

Mais recentemente, as empresas também começaram a valorizar a criatividade de seus clientes. Usando uma abordagem conhecida como "inovação aberta", novas ideias são bem-vindas de todas as fontes, e o retorno do cliente é levado em conta no processo de desenvolvimento do produto. A oportunidade para os clientes darem notas e fazerem críticas ao produto on-line significa que as empresas têm acesso direto às ideias dos clientes. Algumas até usam o *crowdsourcing* on-line para refinar o design dos produtos.

## A ascensão do *big data*

Os sistemas de computador podem coletar e produzir quantidades enormes de informação precisa, a qual pode ser traduzida em valiosos dados sobre os empregados, as linhas de produção e os mercados.

Os dados coletados sobre os clientes são, com frequência, simplesmente chamados de *big data*. As empresas agora conseguem acompanhar as preferências de compra e os hábitos de seus clientes com uma precisão inacreditável – desde os movimentos de um cliente num site até onde e como ele gosta de comprar produtos e serviços, tanto on-line quanto nas lojas. Isso capacita as empresas a desenhar uma imagem exata do seu mercado como um todo, ao mesmo tempo que miram clientes individuais oferecendo-lhes produtos compatíveis com suas preferências.

## O custo da qualidade

As empresas focam satisfazer os clientes para conseguir negócios repetidos e um bom boca a boca, capaz de alavancar bastante as vendas. Aquelas que atuam no mercado de bens de consumo não duráveis, vendendo produtos como chocolate, cerveja e cereais, dependem da qualidade para criar lealdade entre os clientes. No setor de serviços, seguir essa abordagem de "valor agregado" pode ser problemático. Se as empresas concorrentes aumentarem a qualidade de seus produtos ou serviços até um ponto que não gerem mais lucro, isso talvez seja sinal da necessidade de uma nova mentalidade estratégica.

Mas os produtos de alta qualidade podem durar um longo tempo sem ser substituídos, e isso foi um problema tratado pelo designer industrial Brooke Stevens. Ele sugeriu que as empresas poderiam aumentar as vendas ao criar nos consumidores o "desejo de ter algo um pouco melhor, um pouco mais rapidamente que o necessário". Isso parece especialmente verdade hoje, quando novos modelos de produtos como os *smartphones* são produzidos regularmente – antes mesmo de os seus antecessores terem sido descontinuados. Para uma rota suave e rápida em direção à alta qualidade dos produtos, as empresas precisam usar melhor o tempo e os recursos. Isso levou ao desenvolvimento de uma forma de trabalhar conhecida como "gestão baseada no tempo", que envolve o uso do tempo como se faz com as matérias-primas. É com frequência usada com a análise do caminho crítico, capaz de identificar todos os estágios de um projeto e colocá-los numa ordem lógica, economizando tempo e dinheiro para as empresas.

Finalmente, os negócios podem melhorar os processos e as vendas ao observar as melhores práticas dos concorrentes em seu campo de ação usando um processo conhecido como *benchmarking*, que pega "o melhor dos melhores" para que a empresa possa oferecer os melhores produtos na melhor forma para satisfazer os clientes. ■

A melhoria geralmente implica fazer algo que nunca foi feito.
**Shigeo Shingo, engenheiro industrial japonês (1909-1990)**

# VEJA QUANTO, E NÃO QUÃO POUCO, VOCÊ CONSEGUE COM UM DÓLAR
## MAXIMIZE OS BENEFÍCIOS PARA O CLIENTE

**EM CONTEXTO**

FOCO
**Aumentando a qualidade**

DATAS IMPORTANTES
**1850** A teoria da escolha do consumidor é desenvolvida pelo economista britânico William Jevons – de acordo com essa teoria, os compradores procuram os produtos que oferecem o melhor valor pelo dinheiro.

**1915** O empresário Vincent Astor estabelece o primeiro supermercado, em Manhattan, Nova York, EUA.

**1971** O empresário Rollin King e o advogado Herb Kelleher criam a Southwest, a primeira companhia de baixo custo, no Texas, EUA.

**1995** O governo liberal do Canadá, sob a liderança de Jean Chrétien, consegue cortar o gasto público em quase 10% em sua tentativa de oferecer aos contribuintes mais por menos.

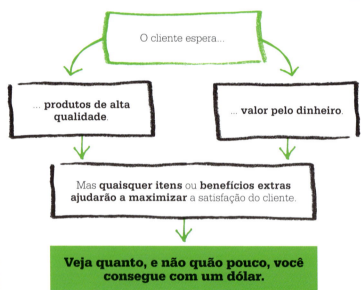

Henry Ford enxergou uma brecha no mercado para um carro produzido em massa que o norte-americano médio poderia comprar. O Modelo T Ford foi lançado em 1908 e continuava vendendo bem mais de vinte anos depois. Durante esse período, Ford melhorou continuamente o carro. Por exemplo, a primeira versão exigia que motorista desse a partida no motor com uma manivela, mas os modelos posteriores já vinham com partida elétrica. Ford não escolheu fazer com que seus clientes pagassem mais por esse produto melhor. Na verdade, ele fez o oposto. O preço do Modelo T Ford caiu ano após ano desde 1909 a 1916. Ford viu a importância de oferecer mais por menos. Quando as economias de custo aconteciam na linha de produção, elas eram

# ENTREGANDO OS BENS

**Veja também:** Seus trabalhadores são seus clientes 132–137 ∎ As estratégias de Porter 178–183 ∎ Produção enxuta 290–293 ∎ Aplicando e testando ideias 310–311

imediatamente transferidas para os seus clientes na forma de preços mais baixos, o que ajudou a disparar as vendas.

Empresas de sucesso são capazes de atrair consumidores ao oferecer produtos e serviços de alta qualidade a um preço que o comprador esteja disposto a pagar. Empresas como a Dollar Tree, nos EUA, e a Poundland, no Reino Unido, baseavam seu modelo de negócios em oferecer a seus clientes o máximo possível por US$ 1 ou £ 1 – por exemplo, em junho de 2013 a Poundland lançou o sutiã mais barato do mundo, custando £ 1. Oferecer mais por menos pode ser uma estratégia empresarial efetiva, desde que o preço cubra os custos. Preços baixos, que oferecem um valor excelente para o dinheiro, atraem clientes de outros rivais.

## Mais por menos

Redes de supermercados barateiros, como o Lidl e o Aldi, na Europa, têm usado essa estratégia com sucesso. Esses negócios conseguiram aumentar sua participação de mercado, tirando das grandes redes de supermercados. Desde a crise financeira, a inflação tem sempre sido maior que os reajustes de salário, e as famílias responderam ao buscar varejistas que oferecem menos por mais.

O segredo do Lidl e do Aldi não se deve apenas aos seus preços baixos. Eles também oferecem produtos de alta qualidade. Por exemplo, em 2012, o Lidl lançou sua própria loção pós-barba, chamada G. Bellini X-Bolt por £ 3,99. Em testes cegos, a fragrância ganhou de marcas famosas como Dior Homme, D&G The One e Hugo Boss Bottled, que chegam a custar dez vezes mais.

O foco das lojas está em oferecer um estoque de bom valor em vez de uma atraente experiência de compras. Eles oferecem produtos nos paletes vindos diretamente do depósito e não gastam tempo nem dinheiro expondo seus produtos de forma atraente. Eles tampouco estocam marcas populares, que os compradores podem comprar em outros lugares. A maioria dos itens em estoque vem de fornecedores muito menos conhecidos, que as lojas conseguem obter a preços competitivos.

O desafio para o empreendedor é oferecer um valor excelente pelo dinheiro enquanto mantém os custos baixos o suficiente para vender com lucro. ∎

Não entendo quando alguém segura algo e diz com orgulho: 'Paguei mais por isso do que eu precisava'.
**Paul Foley, diretor da Aldi no Reino Unido (1958-)**

**Os supermercados Lidl** são básicos, com poucos tipos de produto, alguns dos quais expostos em paletes. Mas eles podem ser de alta qualidade.

## Hyundai

A montadora Hyundai é a quarta maior do mundo e o terceiro maior *chaebol* (conglomerado) na Coreia do Sul. O sucesso da empresa é resultado direto de sua política de oferecer aos clientes um bom negócio a um preço competitivo.

Uma das formas pela qual a Hyundai aumentou sua participação de mercado foi oferecer os prazos de garantia mais longos do setor. Uma garantia maior é um óbvio impulsionador de venda porque, se um carro novo quebra durante o período de cobertura, o comprador pode devolvê-lo ao fabricante, que o consertará de graça. A garantia da Hyundai cobre o motor por dez anos, a lataria, por sete anos, e oferece assistência ao motorista no caso de quebra por cinco anos. A despeito dessas longas garantias, a Hyundai ainda cobra relativamente baixo por seus veículos.

Os carros da Hyundai também são bem equipados. Itens como conexão *bluetooth*, espelhos de porta aquecidos, ar-condicionado e faróis de LED são todos de série. A Hyundai compete ao oferecer a seus clientes tanto quanto possível pelo preço cobrado.

# OS CUSTOS NÃO SÃO FEITOS PARA SER CALCULADOS. OS CUSTOS EXISTEM PARA SER REDUZIDOS
## PRODUÇÃO ENXUTA

**EM CONTEXTO**

FOCO
**Redução de desperdício**

DATAS IMPORTANTES
**1908** O Modelo T Ford é produzido em massa numa linha de montagem pela Ford Motor Company em Detroit, Michigan.

**1950** W. Edwards Deming treina engenheiros e gestores (incluindo Akio Morita, cofundador da Sony) no processo de controle de qualidade no Japão.

**1961** Robôs são usados pela primeira vez na linha de montagem da planta da General Motors em Ewing Township, Nova Jersey.

**2006** A consultoria de gestão McKinsey & Company, dos EUA, publica um importante relatório cobrando do governo que aplique técnicas de produção enxuta à oferta de serviços públicos, para que o contribuinte consiga mais por menos.

Nos negócios, ideias para novos produtos e técnicas de produção tendem a surgir durante momentos de crise, quando velhos produtos e métodos deixaram de ser lucrativos. É esse o caso na "produção enxuta", método de planejamento de demanda com redução de desperdício desenvolvido no Japão pela Toyota Motor Corporation nos anos 1950. Naquela época, a Toyota era um produtor de carros relativamente ineficiente. Assim como muitas outras empresas, lutava para vencer as limitações criadas por uma economia que havia sido devastada pela guerra. Procurando ideias, a Toyota mandou um jovem engenheiro chamado Eiji Toyoda aos EUA para visitar a planta

# ENTREGANDO OS BENS 291

**Veja também:** Reinventando e se adaptando 52–57 ▪ O valor da equipe 70–71 ▪ Criatividade e invenção 72–73 ▪ Liderando o mercado 166–169 ▪ Maximize os benefícios para o cliente 288–289 ▪ Simplifique os processos 296–299 ▪ Gestão baseada em tempo 326–327

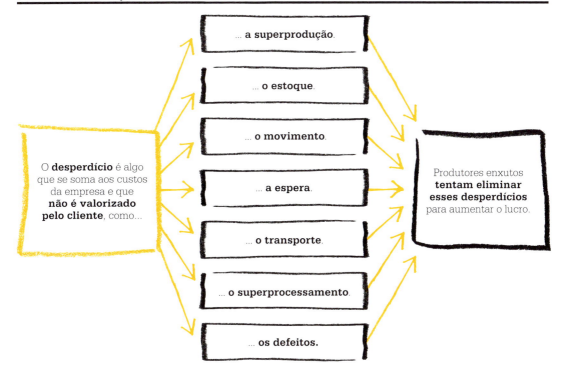

O **desperdício** é algo que se soma aos custos da empresa e que **não é valorizado pelo cliente**, como…

… a superprodução.
… o estoque.
… o movimento.
… a espera.
… o transporte.
… o superprocessamento.
… os defeitos.

Produtores enxutos **tentam eliminar esses desperdícios** para aumentar o lucro.

Rouge da Ford em Detroit, Michigan. Toyoda passou três meses estudando a técnica de produção em massa pioneira da Ford em Rouge. Quando voltou, Eiji relatou que ficara impressionado com a escala de produção alcançada pela Ford – a Rouge era tão grande que exigia sua própria ferrovia, hospital e várias bases de bombeiros. Mas ele também achava que a fábrica estava tomada pela *muda* – o termo em japonês para o desperdício de esforço, material e tempo. Toyoda e seus colegas passaram a desenvolver um novo sistema de produção que visava replicar a produção e as economias de escala alcançadas pela Ford, porém com menos desperdício.

**Sete tipos de desperdício**
Shigeo Shingo, engenheiro industrial japonês que trabalhou na Toyota nos anos 1970, identificou sete tipos de desperdício, ou *muda*.

O primeiro era a superprodução. Os fabricantes tradicionais tendem a produzir em massa antes das vendas. Essas empresas tentam prever o que acham que seja a demanda provável para seus produtos e então fabricam os produtos que esperam vender. Mas o maior problema com esse sistema de fabricação é que ele se baseia numa previsão exata da demanda. Se a previsão não for igualzinha à demanda, a empresa poderá acabar ficando com estoques não vendidos. O segundo exemplo de *muda* consiste no desperdício no estoque. Além de estocar produtos acabados não vendidos, muitos produtores em massa mantêm estoques de matérias-primas e produtos em processo para reduzir o risco de ter que parar a produção. Mantêm-se estoques de matérias-primas para o caso de o fornecedor não conseguir entregá-las ou para se proteger contra a possibilidade de algumas das matérias-primas estarem com defeito ou inutilizáveis. Os estoques de produtos em processo, ou de semiacabados, são mantidos caso uma máquina na linha de produção quebre. Nesse caso eles podem ser incluídos no processo para garantir a continuidade da produção. Mas estocar matérias-primas e produtos em processo é considerado um »

## 292 PRODUÇÃO ENXUTA

**Manter itens em estoque** é um custo para a empresa, já que é preciso pagar por armazenagem e pelo pessoal. Além disso, o caixa empatado no estoque poderia estar no banco rendendo juros.

desperdício por causa do espaço que usam e do custo com funcionários.

O terceiro tipo de *muda* que Shingo identificou é o movimento. Em algumas fábricas, as estações estão mal desenhadas e os empregados ficam gastando tempo fazendo coisas que não adicionam valor ao produto, como procurar ferramentas, andar de uma parte a outra da fábrica ou se abaixar para pegar peças. Esse tipo de desperdício aumenta o tempo de ciclo – o tempo necessário para produzir uma unidade de produção. Tempos de ciclo mais longos levam a uma produtividade menor, que por sua vez aumenta os custos trabalhistas por unidade.

O quarto *muda* consiste no tempo desperdiçado esperando. Os atrasos podem acontecer quando as máquinas numa linha de produção são mal coordenadas, resultando em gargalos. Também se perde tempo reconfigurando máquinas para produzir uma peça diferente.

O quinto *muda* é o transporte. Tempo e dinheiro gastos movendo produtos em processo de uma fábrica para outra aumentam os custos, sendo pouco provável que isso adicione valor ao produto – por isso, são desperdício.

O sexto exemplo de *muda* é o superprocessamento. Os consumidores só pagam pelos itens de produtos aos quais eles dão valor. Fabricar produtos complexos e com engenharia demais causa desperdício porque cria custos adicionais sem nenhuma receita extra.

O *muda* final é a produção de itens defeituosos. Produtos abaixo do padrão representam desperdício, de tempo e recursos. Além disso, implicam mais processos de inspeção e que os produtos sejam remanufaturados.

A Toyota identificou ainda outros dois problemas potenciais: *mura* e *muri*. A *mura* consiste no fluxo desbalanceado num processo, levando a práticas de trabalho desequilibradas. O *muri* é a sobrecarga para pessoas ou equipamentos.

### Estratégia enxuta
Usando essas ideias, o engenheiro de produção Taiichi Ohno desenvolveu o Sistema Toyota de Produção (TPS). Esse método de produção enxuto diminui desperdícios ao fabricar mais usando menos. Ele capacita o fabricante a aumentar a produção sem ter que pagar mais salários, utilizar matérias-primas ou usar mais capital. Por outro lado, um negócio pode usar técnicas de produção enxutas para fazer

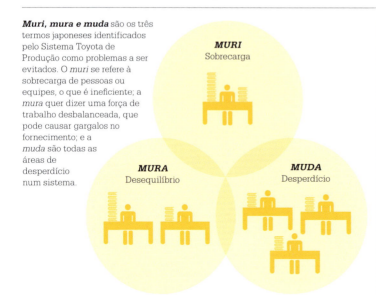

**Muri, mura e muda** são os três termos japoneses identificados pelo Sistema Toyota de Produção como problemas a ser evitados. O *muri* se refere à sobrecarga de pessoas ou equipes, o que é ineficiente; a *mura* quer dizer uma força de trabalho desbalanceada, que pode causar gargalos no fornecimento; e a *muda* são todas as áreas de desperdício num sistema.

**Um sistema de fornecimento** *just-in-time* elimina *muri*, *mura* e *muda* do sistema de produção, de modo que as equipes recebam os materiais conforme precisarem deles, evitando o desperdício.

produtos de melhor qualidade, que podem ser vendidos a um preço maior.

Produtores enxutos tentam eliminar a superprodução e o desperdício de estoques ao usar o *just-in-time*, no qual a produção só acontece se houver um pedido do cliente. As empresas que usam o *just-in-time* nunca produzem para estocar, e, se não há pedidos dos clientes, a produção para. Assim, a produção é puxada pelo consumidor em vez de ser puxada pela fabricante. O mesmo princípio vale para matérias-primas e componentes. Produtores enxutos usam muito pouco estoque de emergência, dependendo, em vez disso, de entregas diárias, ou até mesmo a cada hora, de seus fornecedores. Mas a falta de um estoque de matérias-primas implica que um carregamento errado de componentes possa fazer com que toda a fábrica pare. Assim, para fazer o *just-in-time* funcionar, os produtores enxutos exigem fornecedores de confiança, capazes de produzir com erro zero.

### Lead time

Se os produtos são para satisfazer pedidos e não para ser estocados, existe o risco de um *lead time* mais longo (o tempo entre um pedido ser feito e a entrega para o cliente), que poderia resultar em insatisfação do cliente e na consequente queda nas vendas. Portanto, para que haja uma produção enxuta eficiente, as empresas

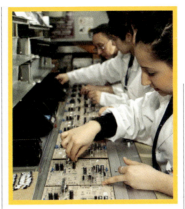

precisam diminuir o tempo de ciclo necessário para fazer seus produtos. Para acelerar o passo da produção, os gestores precisam controlar os *mudas* de movimento, espera e transporte. Simplificando, isso poderia ser alcançado com uma redefinição das estações de trabalho e das linhas de produção de modo que os empregados tenham todas as ferramentas e os componentes para completar a tarefa em questão. De forma similar, gargalos na produção podem ser eliminados pelo uso de mais máquinas ou de mais mão de obra na área com problema.

### Superprocessamento

Produtos enxutos lidam com o desperdício do superprocessamento, o sexto *muda*, ao aplicar um processo chamado análise de valor no estágio do design do produto. As empresas usando análise de valor tentam identificar itens de produto que criam custo, embora não tenham nenhum valor para o consumidor. Se esses itens puderem ser removidos para criar um produto mais simples e barato, as margens de lucro aumentarão. Ao mesmo tempo, as receitas não devem cair porque os itens que eles removeram não tinham valor a princípio.

Pode-se argumentar que o modelo de negócios de hotéis sem supérfluos, como visto na empresa Tune Hotels, da Malásia, é baseada em análise de

**Trabalhadores** na linha de produção serão muito mais eficientes se todos os componentes de que precisarem estiverem ao seu alcance. O tempo gasto buscando esses itens aumenta o movimento *muda*, incorrendo em custos para o negócio.

valor. Para o Tune Hotels, quartos baratos são uma prioridade. Para chegar lá, serviços que elevam o preço de um quarto que são vistos como não essenciais pelos clientes, como ar-condicionado ou artigos de toalete, tornaram-se itens opcionais. A rede foca exclusivamente qualidades centrais, como limpeza e segurança, de grande valor segundo o cliente.

Para eliminar o sétimo *muda*, produtos defeituosos, os produtores enxutos focam a criação de itens de alta qualidade. Isso exige que os gerentes confiem nos trabalhadores para identificar qualquer queda na qualidade. Os empregados têm a autoridade de parar a linha de produção para resolver o problema, e a produção só recomeça quando a fonte do problema é encontrada e resolvida.

A alta qualidade do produto, alcançada por uma produção enxuta, leva a custos menores. Ao resolver problemas onde eles se originam, as empresas gastarão menos tempo e dinheiro na refabricação de produtos defeituosos, de modo a deixá-los no padrão exigido. ■

Tudo o que fazemos é olhar para um cronograma, do momento em que o cliente faz o pedido até o ponto em que recebemos o pagamento.
**Taiichi Ohno**

Independentemente de quanto os trabalhadores se movam, isso não quer dizer que o trabalho foi feito. Trabalhar quer dizer que o progresso foi feito.
**Taiichi Ohno**

# SE A TORTA NÃO FOR GRANDE O SUFICIENTE, FAÇA UMA MAIOR
## SATISFAZENDO A DEMANDA

**EM CONTEXTO**

FOCO
**Gestão de estoque**

DATAS IMPORTANTES
**10000 a.C.** Melhores técnicas agrícolas permitem a criação de excedente de alimentos. Os grãos são armazenados para tempos de escassez ou para o comércio.

**4100-3800 a.C.** As primeiras culturas sumérias desenvolvem um dos primeiros sistemas de escrita de modo a acompanhar os bens.

**1889** O estatístico norte-americano Herman Hollerith inventa a primeira máquina de leitura de cartões perfurados. Os mercadores que antigamente dependiam de notas feitas à mão e de contagem de estoque agora conseguem registrar dados complexos.

**1974** Surge o código de barra, que pode ser escaneado, revolucionando a habilidade de gerenciar estoques.

**Anos 2000** Programas de *software* para gestão de estoques podem atualizar instantaneamente bancos de dados usando leitores de códigos de barra.

Durante os períodos de pico, a **demanda excede a produção** atual.

O **estoque é liberado** para complementar a produção atual.

Se a torta não for grande o suficiente, faça uma maior.

O sucesso de uma companhia pode depender, em grande parte, da gestão efetiva de seus estoques. A demanda dos clientes em muitos mercados muda durante o ano. Em períodos mais ocupados, as empresas talvez não consigam produzir o suficiente para satisfazer os consumidores. Se uma empresa fracassar em igualar a oferta à demanda, compradores potenciais terão que buscar fornecedores alternativos e as vendas são perdidas. Além disso, uma vez que os consumidores tenham experimentado a concorrência, talvez eles troquem a fidelidade e nunca mais voltem. Talvez as vendas nunca voltem aos níveis anteriores, mesmo depois de se haver resolvido a questão da oferta, levando a lucros menores.

**Tipos de estoque**
As empresas mantêm estoques como se fosse uma política de seguros – eles as capacitam a lidar com picos inesperados de vendas ou uma queda abrupta na produção. Além dos

# ENTREGANDO OS BENS

**Veja também:** A sorte (e como virar sortudo) 42 ▪ A qual ritmo crescer 44–45 ▪ Evitando a complacência 194–201 ▪ Promoções e incentivos 271 ▪ Por que fazer propaganda? 272–273 ▪ Previsões 278–279 ▪ Produção enxuta 290–293 ▪ Simplifique os processos 296–299

estoques de bens acabados, os fabricantes talvez estoquem matérias-primas, para criar peças do produto final ou para substituir materiais defeituosos. Essa estratégia garante que a produção possa continuar no evento de um atraso do fornecedor. É mais comum às empresas manter estoques de matérias-primas se o seu fornecedor não for de confiança. Talvez as empresas também mantenham estoques de produtos em processo. Eles podem manter a produção fluindo, mesmo se uma máquina na linha de fabricação quebrar.

## Controle de estoque

Uma boa gestão de estoque equilibra a demanda de produto com a minimização do custo de manter estoques. Se acabar o estoque de uma empresa, ela talvez tenha que rejeitar pedidos ou atrasar entregas, correndo o risco de perder clientes recorrentes. Em 1993, a fabricante de brinquedos Bandai foi pega de surpresa pela popularidade dos bonecos Power Rangers e teve que limitar a compra de um item por cliente no Reino Unido até que pudesse alcançar a enorme demanda.

Por outro lado, se uma empresa for muito cuidadosa e mantiver estoques enormes, ela incorrerá em custos desnecessários: o espaço de depósito é caro, e é preciso ter funcionários para cuidar dele. O estoque também pode perder valor se perecer ou se tornar tecnologicamente obsoleto. Também há um custo de oportunidade associado à manutenção de estoques: o dinheiro parado poderia estar ganhando juros ou sendo investido em outra área.

A meta é manter apenas a quantidade certa de estoque para satisfazer a demanda, com o mínimo de atraso para o cliente e o mínimo de custo para a empresa. No McDonald's, um sofisticado programa de computador chamado Manugistics ajuda a rede a prever vendas e garantir que a quantidade correta de estoque seja encomendada para a semana seguinte.

## Estoque mínimo

A maioria das empresas mantém estoques de emergência – estoques que excedem a quantidade necessária para satisfazer a demanda atual. Leva tempo para refazer estoques, de modo que as empresas vão encomendar dos fornecedores bem antes do nível de o estoque cair abaixo do estoque mínimo. Quanto mais longo for o *lead*

Por causa da nossa gestão de estoques, a Dell é capaz de oferecer as mais novas tecnologias com preço baixo, enquanto nossos concorrentes lutam para vender produtos velhos.
**Paul Bell, ex-executivo da Dell, Inc.**

*time* – o tempo entre o pedido e a entrega dos bens –, maior será a necessidade de estoques mínimos. Se a demanda for estável e previsível, cairá a necessidade de grandes quantidades de estoque mínimo.

As empresas on-line talvez não precisem de uma loja física. Mas, a menos que seus produtos possam ser baixados digitalmente, muitas ainda precisarão de um depósito físico, bem como da gestão desse estoque e da manutenção de estoques mínimos. ■

**Brinquedos** produzidos para a Olimpíada de Londres, em 2012, encalharam por conta de uma superestimada expectativa de vendas.

## Hornby

Para ajudar a recuperar os quase £ 9 bilhões de gastos para receber a Olimpíada de 2012 em Londres, o governo britânico vendeu os direitos de produção de produtos olímpicos. A Hornby pagou pelos direitos de produzir brinquedos oficiais. A empresa produz a maior parte de seus produtos na China e na Índia, para aproveitar os custos mais baixos. Mas, ao terceirizar a produção, o *lead time* da Hornby aumentou: são necessárias quase seis semanas para transportar por mar um frete da China para o Reino Unido. A Hornby tem que fornecer a seus clientes a partir do estoque, e não da produção, de modo que os produtos olímpicos tinham que ser previstos com bastante antecedência.

As previsões de vendas se mostraram extremamente otimistas. A Hornby esperava lucrar £ 2 milhões na Olimpíada. O contrato acabou custando £ 1,3 milhão à empresa. Para liquidar o estoque, a Hornby foi forçada a dar descontos de até 80%, acabando com sua margem de lucro.

# ELIMINE OS PASSOS DESNECESSÁRIOS
## SIMPLIFIQUE OS PROCESSOS

**EM CONTEXTO**

FOCO
**Simplificando processos**

DATAS IMPORTANTES
**Século III a.C.** Os romanos produzem luminárias em massa. Em vez de fazê-las à mão, usam dois moldes.

**1760** Começa a Revolução Industrial, abandonando métodos de produção manuais para máquinas especializadas.

**Anos 1730** O estadista norte-americano Benjamin Franklin escreve a respeito da redução de desperdício na indústria em seu livro *Poor Richard's Almanack*.

**Anos 1900** A Ford revoluciona a fabricação de carros com a produção em massa e a padronização.

**2010** No livro *The Art of Invention*, o inventor norte-americano Steven J. Paley declara que é mais fácil inovar ao aumentar a complexidade, mas os melhores resultados vêm da simplificação.

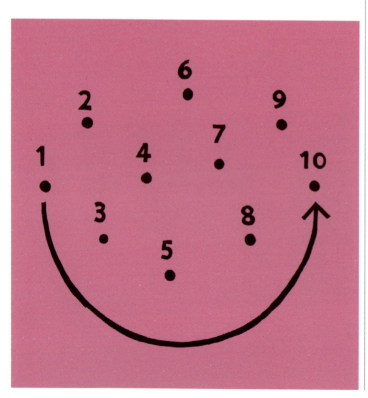

Existem várias maneiras de as empresas aumentarem seu lucro: elas podem elevar sua receita, reduzir seus custos ou usar uma combinação dos dois métodos. Se o custo de produção de bens e serviços puder ser reduzido, sem impactar negativamente as receitas, o lucro total crescerá. Uma boa forma de baixar os custos é simplificar o método de produção removendo qualquer passo caro e não essencial, que não afete a percepção do consumidor sobre a qualidade do produto. Métodos de produção mais diretos – e, portanto, mais efetivos em custo – têm sido uma meta por séculos. Um exemplo antigo de processo que foi simplificado com sucesso é o da siderurgia. Durante a Revolução Industrial, enormes

# ENTREGANDO OS BENS

**Veja também:** Destacando-se no mercado 28–29 ▪ Criatividade e invenção 72–73 ▪ Pensando fora da caixa 88–89 ▪ A organização aprendiz 202–207 ▪ A cadeia de valor 216–217 ▪ Produção enxuta 290–293 ▪ *Kaizen* 302–309

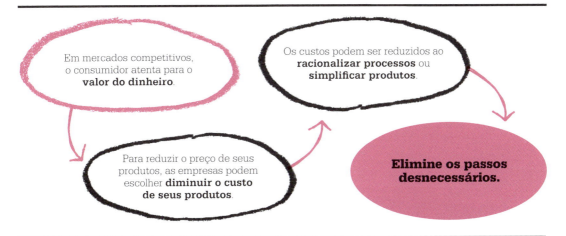

Em mercados competitivos, o consumidor atenta para o **valor do dinheiro**.

Os custos podem ser reduzidos ao **racionalizar processos** ou **simplificar produtos**.

Para reduzir o preço de seus produtos, as empresas podem escolher **diminuir o custo de seus produtos**.

**Elimine os passos desnecessários.**

---

quantidades de aço eram necessárias para a construção de pontes, navios e ferrovias. Havia pouca oferta de aço, porque tinha um custo elevado de produção. Na Grã-Bretanha, o aço era produzido a altas temperaturas em fornalhas aquecidas a coque desde os anos 1740. Pequenas quantidades de ferro eram colocadas em pequenos cadinhos de argila (recipientes que aguentavam o calor) e depositadas dentro da fornalha. Depois de três horas, tiravam-se as impurezas dos cadinhos para ficar apenas o aço.

**Simplificando o processo**
Nos anos 1850, o método de produção foi simplificado pelo engenheiro britânico Henry Bessemer. O seu assim chamado processo Bessemer não exigia cadinhos. Em vez deles, as impurezas geradas no aquecimento do ferro para fazer aço eram removidas do metal ao se injetar ar no ferro durante o processo de produção. O método de produção mais simples

**A siderurgia** foi revolucionada pelo novo conversor de Henry Bessemer. Ele aumentava a temperatura do ferro de modo que as impurezas pudessem ser removidas durante o processo de oxidação.

de Bessemer era mais eficiente no consumo de combustíveis. Como resultado, o custo da fabricação de aço caiu de mais de £ 60 por tonelada para £ 7.

Em alguns casos, simplificar um processo pode implicar usar diferentes materiais. Em 1946, nos EUA, James Watson Hendry inventou a tecnologia de plástico injetado que foi usada para produzir cadeiras e mesas de uma única peça, de forma mais barata do que com madeira.

**Produção em massa**
No começo dos anos 1900, Henry Ford revolucionou a manufatura ao padronizar o método utilizado para fabricar carros. Antes das linhas de montagem de Ford, os carros eram feitos por equipes de artesãos altamente especializados que produziam veículos sob medida »

# 298 SIMPLIFIQUE PROCESSOS

usando, em sua maioria, ferramentas manuais. Os componentes utilizados pelos primeiros fabricantes não eram, como regra, padronizados. Isso implicava que os trabalhadores gastassem tempo ajustando os componentes para que eles pudessem ser montados. Ford removeu esse estágio ao desenhar o primeiro carro padronizado do mundo. A produção em massa do Modelo T, feito com um conjunto de componentes-padrão, começou em 1910, em Highland Park, Michigan.

A segunda maior inovação de Ford foi a esteira rolante. No passado, os trabalhadores especializados tinham que se mover pela fábrica procurando matérias-primas, componentes e ferramentas. Em algumas fábricas, eram contratados para empurrar carros ainda não montados de uma estação de trabalho para outra. Ford acreditava que essas eram etapas desnecessárias que poderiam ser facilmente removidas. As pessoas foram tiradas do processo de produção e substituídas por máquinas especializadas, incluindo uma esteira rolante que levava o trabalho ao trabalhador. Cada empregado fazia

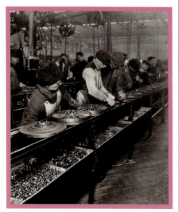

**Henry Ford** usou a esteira rolante na linha de montagem de sua fábrica de Modelos T. Os trabalhadores se especializavam em uma tarefa, com um conjunto de ferramentas, todas ao alcance da mão.

Quase toda melhora na qualidade vem por meio da simplificação de design, manufatura, *layout*, processos ou procedimentos.
**Tom Peters**

uma única tarefa, usando a mesma ferramenta, de forma repetida. Como resultado, não havia desperdício de tempo em busca, manuseio e descarte de uma série de ferramentas.

Finalmente, Ford removeu a variedade do processo de produção. Todos os Modelos T produzidos em Highland Park eram idênticos. Ford acreditava na simplicidade do produto, até a cor, o que aumentava a velocidade da produção. Evitou-se o tempo gasto religando e limpando as máquinas entre os lotes. Um produto padronizado possibilitou a criação de produções de fluxo contínuo, e a quantidade de tempo necessária para produzir um carro caiu de mais de doze horas para pouco mais de uma hora e meia. A decisão de Ford de simplificar a produção ao remover mão de obra qualificada e diminuir o tempo do processo permitiu-lhe produzir seus carros a um baixo custo, o que ele então usava para baixar o preço, assim criando um mercado de massa para o Modelo T.

### Produção padronizada

A fabricante de computadores Dell alcançou taxas estratosféricas de crescimento nos anos 1990 ao racionalizar sua gestão de cadeia logística. Michael Dell, o fundador da empresa, baseava seu modelo de negócios no ganho de uma vantagem de custo frente a seus rivais. Ele conseguiu isso por dois caminhos. Primeiro, a Dell se especializou na venda de computadores sob medida. Os clientes podiam configurar sua própria máquina, que a Dell montava com base num pedido específico do cliente. A Dell quase não tinha estoques, e a produção era puxada pelo comprador. A principal vantagem desse método *just-in-time* consistia no fato de que a Dell não precisava mais pagar os custos associados à estocagem. Quando acabava um produto, ele era enviado diretamente ao cliente.

### Indo direto ao comprador

A segunda vantagem de custo da Dell, diferentemente de outros fornecedores de PCs, era que ela não vendia seus produtos para varejistas especializados. Em vez disso, vendia-os diretamente ao consumidor pela internet. Assim, a empresa não precisava mais perder parte da sua margem de lucro para terceiros. Quando a Dell vendia um computador a US$ 400, recebia os US$ 400. A exclusão dos varejistas não teve efeito adverso na participação de mercado da Dell. Na verdade, aconteceu o contrário. A maioria dos consumidores preferia a flexibilidade de configurar exatamente o tipo de computador que eles queriam e também gostavam da conveniência da entrega em domicílio. O modelo de

O simples pode ser mais difícil que o complexo: você tem que dar duro para clarear sua mente.
**Steve Jobs, cofundador da Apple (1955-2011)**

negócios simplificado da Dell garantiu custos menores, capacitando a empresa a ganhar participação de mercado ao oferecer um preço menor que o cobrado pelos seus rivais no ramo de computadores.

O sucesso do modelo de venda direta aos consumidores da Dell foi adotado por empresas em outros setores. Em 1996, a Amazon, agora a maior loja on-line do mundo, começou a vender livros sem a necessidade – ou o custo – de ter uma livraria.

Mas desde 2000 a Dell tem perdido terreno para uma concorrência revitalizada. Algumas empresas copiaram a ideia da Dell de vender computadores diretamente aos clientes, enquanto outras, como a Hewlett-Packard, conseguiram anular a vantagem de preço ao tornar seu processo de produção mais eficiente. O reaparecimento da Apple também deixou uma marca na participação de mercado da Dell. A Apple produz uma série de produtos com preços diferentes e também permite a seus clientes fazer alguns ajustes nas especificações do computador.

### Serviços mais simples

As empresas que vendem serviços também buscam aumentar sua eficiência ao tentar remover alguns passos desnecessários de seus sistemas de produção. Às vezes essas mudanças são requeridas para garantir a sobrevivência da empresa.

**Os computadores da Dell** não são vendidos por varejistas; em vez disso, eles ficam disponíveis diretamente do fabricante. A Dell deu o passo ousado de cortar o varejista para enfraquecer a concorrência.

Por exemplo, no passado, muitos pontos de venda de comida independentes ofereciam refeições feitas de maneira tradicional, intensiva em mão de obra, preparadas do zero com ingredientes frescos. Algumas cadeias de negócios, querendo capitalizar em cima da crescente demanda por comida barata, adotaram uma abordagem mais simples. Começaram a servir comida que havia sido comprada pronta e simplesmente esquentada no micro-ondas conforme o pedido do cliente. Não era preciso ter cozinheiros treinados, e não se gastava tempo preparando ingredientes frescos. Tirar esses passos corta custos e capacita o estabelecimento a oferecer preços mais baixos aos consumidores sem diminuir a margem de lucro.

Mas inovações como essas podem ser cíclicas. Um mercado crescente por comida fresca levou a novas redes de *fast-food* que vendiam refeições preparadas no local. No clima atual, muitas empresas buscam cortar custos ao racionalizar processos. Mas os negócios mais propensos a sobreviver são aqueles capazes de diminuir custos, mas não a qualidade, para os clientes. ∎

Todas as coisas devem ser tornadas tão simples quanto possível, porém não simplistas.
**Albert Einstein, físico alemão radicado nos EUA (1879–1955)**

### Michael Dell

Nascido em 1965 em Houston, Texas, EUA, filho de pai ortodontista e mãe corretora de ações, Michael Dell era um empreendedor por natureza. Ganhou seus primeiros US$ 1 mil mexendo com selos aos 12 anos, além de vender assinaturas para o hoje fechado *Houston Post*. Dell frequentou uma faculdade de medicina no Texas em 1983, mas a largou rapidamente para focar em seu negócio de computadores, cujo nome era PC's Limited. Dell abriu sua primeira subsidiária internacional no Reino Unido dois anos mais tarde e, em 1988, mudou o nome do negócio para Dell Computer Corporation, abrindo seu capital e levantando US$ 30 milhões. Em 1992 Dell tornou-se o mais jovem CEO da história da *Fortune 500*, aos 27 anos. Em 2000, o site de vendas diretas da empresa (lançado em 1996) gerava receitas de US$ 18 milhões por dia. Dell deixou de ser CEO em 2004 para se dedicar a obras de caridade, mas voltou em 2007, fechando o capital da empresa em 2013.

### Principais obras

**1999** *Estratégias que revolucionaram o mercado*

# QUALQUER GANHO VINDO DA ELIMINAÇÃO DE DESPERDÍCIO É OURO NA MINA
## O IDEAL DE PRODUÇÃO DE JURAN

**EM CONTEXTO**

FOCO
**Redução de desperdício**

DATAS IMPORTANTES
**1969** A planta de incineração de Spittelau, em Viena, é aberta para queimar lixo coletado na cidade. O design premiado prevê que a energia gerada pode oferecer água quente a um hospital local.

**1931** Walter Shewhart resumiu sua obra sobre controle de processos de qualidade na Western Electric em seu livro *Economic Control of Quality and Manufactured Product*.

**1994** Em *The Empty Raincoat: Making Sense of the Future*, Charles Handy prevê o crescimento do trabalho a distância, no qual os empregados trabalham em casa para reduzir o espaço do escritório.

**1999** A Salesforce.com e o Google desenvolvem a computação em nuvem. As empresas que escolhem essa tecnologia não precisam mais rodar servidores caros para armazenar seus dados.

---

**Reduzir o desperdício** aumenta a eficiência ao **melhorar a produtividade** do capital e do trabalho.

↓

**Ganhos de eficiência** criados pelo corte nos desperdícios fazem com que o **custo unitário médio caia**.

↓

Menores custos unitários podem **ajudar a empresa a crescer** porque menores custos podem ser usados ou:

↓ ↓

Para financiar o **corte de preço**, que deve aumentar as vendas.

Ou para **melhorar a margem** de lucro, que pode ser usada para financiar o **desenvolvimento de novos produtos**.

↓ ↓

**Qualquer ganho vindo da eliminação de desperdícios é ouro na mina.**

# ENTREGANDO OS BENS

**Veja também:** A qual ritmo crescer 44–45 ▪ A cadeia de valor 216–217 ▪ Faça com que seus clientes o amem 264–267 ▪ Produção enxuta 290–293 ▪ Simplifique os processos 296–299 ▪ *Kaizen* 302–309 ▪ A qualidade vende 318–323

Nos negócios, o desperdício é qualquer coisa que aumente os custos da empresa sem criar um nível de produção maior ou que leve a uma satisfação maior do cliente. Qualquer caixa gerado a partir da redução de desperdícios pode ajudar um negócio a crescer, ao melhorar sua competitividade.

Joseph Juran (1904-2008) nasceu na Romênia e mudou-se para os EUA ainda criança. Tornou-se um *expert* em qualidade nos negócios depois de trabalhar na Western Electric nos anos 1920 e ser treinado em amostragem estatística e controle de qualidade. Juran identificou o desperdício como um fator que minava o lucro. Ele encorajou os negócios a procurar o tempo todo oportunidades para reduzir o desperdício. Para Juran, a melhor forma de fazer isso era melhorar a qualidade do produto e a confiabilidade de seus processos de produção.

## Reduzindo o desperdício

O desperdício nos negócios vai desde investir em máquinas caras que não satisfazem o nível de produção exigido porque quebram com frequência até a produção de produtos acabados que não passam nos controles de qualidade internos e não são bons para serem vendidos. Se o desperdício desse tipo pudesse ser reduzido, seria possível aumentar a produção sem ter que contratar funcionários adicionais, gastar mais capital ou comprar matérias-primas e componentes a mais.

De acordo com Juran, os custos menores podem ajudar uma empresa a crescer de duas formas. Primeiro, caso os custos médios pudessem ser diminuídos, o negócio poderia escolher repassar a redução baixando os preços para o consumidor. Por exemplo, se uma iniciativa de reduzir o desperdício levasse a uma diminuição de 10% nos custos médios, os executivos poderiam optar por baixar os preços de varejo na mesma magnitude e, ainda assim, ter a mesma margem de lucro. Reduzir os preços pode ajudar um negócio a crescer: vender mais barato que a concorrência provavelmente aumentará a participação de mercado. Além disso, mesmo nos mercados onde existe pouca concorrência, cortes de preços tornarão o produto mais acessível. O preço mais baixo aumentará o apelo da marca e potencialmente gerará crescimento ao aumentar o mercado alvo.

## Reinvestindo o lucro

Custos unitários menores podem ajudar uma empresa a aumentar suas margens de lucro. Se tais economias não forem repassadas ao consumidor, elas poderão ser usadas para aumentar o lucro ganho com o volume de vendas atuais da empresa. O lucro adicional obtido com a redução do desperdício pode ser reinvestido no negócio – tendo como meta aumentar as vendas e alcançar crescimento. Uma forma eficiente de usar o caixa economizado com a redução de desperdícios pode ser fazendo uma nova campanha de propaganda.

Ou as empresas podem reinvestir uma proporção significativa de seu lucro na pesquisa científica e no desenvolvimento de produto. Teorias a respeito do ciclo de vida dos produtos, avanços tecnológicos e mudanças nos gostos do consumidor sugerem que a maioria dos produtos tem uma vida finita no mercado. Se esses investimentos compensarem, a nova geração de produtos incorporará os últimos itens e vantagens obrigatórios, que terão apelo para os consumidores e se traduzirão em vendas maiores. ■

**Robôs de pintura** nesta fábrica da Volkswagen ajudam a reduzir o custo com mão de obra e podem ser programados para utilizar a quantidade mínima de tinta para pintar o carro.

### Volkswagen

Em 2012, a Volkswagen anunciou sua intenção de se tornar a mais ecológica montadora do mundo em 2018. Para atingir essa meta, a empresa alemã se prontificou a reduzir o desperdício durante o processo de produção.

Quando os carros são produzidos, chapas de aço são cortadas para formar as partes do chassi. Se esse processo não for gerido com eficiência, o aço caro pode acabar sendo desperdiçado como apara. Os executivos da Volkswagen conseguiram uma diminuição de 15% na quantidade de aço usada para produzir cada carro ao investir em novas máquinas de corte e ao mudar as dimensões das chapas de aço para reduzir o desperdício com as aparas. Na área de pintura, a quantidade de tinta usada para produzir um veículo caiu pela metade com a instalação de robôs de última geração.

Essas economias deram à Volkswagen a possibilidade de reduzir seus preços. Por exemplo, o preço do Golf Cabriolet foi reduzido em quase € 6.650 em junho de 2013. Reduções desse tipo contribuíram para um aumento de 6% nas vendas globais em maio de 2013.

# MÁQUINAS, INSTALAÇÕES E PESSOAS

DEVERIAM TRABALHAR JUNTAS PARA

## AGREGAR VALOR

*KAIZEN*

## EM CONTEXTO

FOCO
**Melhoria da eficiência**

DATAS IMPORTANTES
**1882** O armador escocês William Denny & Brothers Ltd torna-se a primeira empresa a usar uma caixa de sugestões para coletar ideias de sua força de trabalho.

**1859** O naturalista inglês Charles Darwin publica *A origem das espécies*, expondo sua teoria da evolução como um processo de mudanças graduais.

**1990** Em seu artigo "Re-engineering Work: Don't Automate, Obliterate", na *Harvard Business Review*, o professor do MIT Michael Hammer diz que, para se manter à frente, as empresas precisam com frequência redesenhar seu processo de produção.

**1997** O fundador japonês do Kaizen Institute, Masaaki Imai, escreve *Gemba Kaizen*, enfatizando que o *kaizen* funciona melhor quando os trabalhadores de chão de fábrica dão ideias para melhoria contínua.

No Japão, *kaizen* é uma ideia antiga que se tornou parte da cultura. Em seu uso diário, a palavra significa uma melhora ou uma mudança para melhor. No contexto empresarial, *kaizen* é mais que uma filosofia. De acordo com a mentalidade *kaizen*, as empresas deveriam se esforçar para aumentar a eficiência por meio de uma contínua melhoria nos processos.

A maioria dos benefícios do *kaizen* é baseada em pessoas e suas ideias, e não no investimento em novas máquinas. Os empregados usam o *kaizen* para produzir centenas de novas ideias todos os anos, visando melhorar a eficiência do negócio. Sozinha, cada ideia *kaizen* talvez tenha apenas um efeito marginal sobre a produtividade e a eficiência geral, mas juntas essas mudanças criam uma importante vantagem competitiva. As ideias para melhoria contínua devem vir tanto dos executivos quanto dos empregados.

### O jeito Toyota

A *kaizen* foi usada primeiro em escala industrial pela montadora Toyota nos anos 1950, como parte do agora famoso Sistema Toyota de Produção. Esse sistema foi projetado

Antes de dizer que não consegue fazer algo, tente.
**Sakichi Toyoda**

para reduzir as *mudas* – palavra japonesa para desperdício. Uma das formas de *muda* identificada pela Toyota foi o desperdício de talento dos empregados. Eiji Toyoda queria mais de sua força de trabalho do que apenas obediência e esforço. Na Toyota, os empregados eram valorizados e mereciam confiança – tanto que a empresa esperava que os trabalhadores de chão de fábrica resolvessem problemas associados à qualidade e trouxessem ideias para melhorar a eficiência. De acordo com o *Kaizen* Institute, fundado por Masaaki Imai para implementar a filosofia, a meta de qualquer plano kaizen deveria ser persuadir todos os trabalhadores de que foram

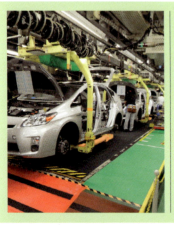

### Toyota

A Toyota Motor Company (TMC) foi fundada em 1937. Os preceitos de Sakichi Toyoda, seu fundador, incluíam: "Sempre se esforce para criar uma atmosfera familiar no trabalho, que seja confortável e amigável".

Depois da II Guerra Mundial, a empresa enfrentou uma crise financeira e, pela primeira vez em sua história, teve que demitir funcionários. Em 1951, a Toyota implementou um sistema de sugestões de ideias baseado nos princípios do *kaizen*. Isso, junto com seus princípios de "cliente primeiro" e "qualidade primeiro", ajudou a empresa a se recuperar, começando a exportar para os EUA em 1957.

Em 1962, seus executivos e os sindicatos assinaram uma declaração conjunta dizendo que a relação entre eles deveria ser baseada em "confiança mútua e respeito".

Em 1999, a produção no Japão chegou aos 100 milhões de veículos. Hoje a empresa continua a ser guiada pelo pilares gêmeos da melhoria contínua e trabalho em equipe.

## ENTREGANDO OS BENS

**Veja também:** Dê o segundo passo 43 ▪ Reinventando e se adaptando 52–57 ▪ Cuidado com os homens-sim 74–75 ▪ Usando o máximo do seu talento 86–87 ▪ Será que o dinheiro é a motivação? 90–91 ▪ Produção enxuta 290–293

contratados para dois trabalhos – fazer sua função e procurar formas de fazê-la de maneira mais eficiente.

*Gemba* é uma palavra japonesa que quer dizer "o verdadeiro lugar". Num contexto empresarial, *gemba* se refere ao lugar onde se cria o valor agregado. A *kaizen* é fundada na convicção de que o trabalhador da linha de produção é o especialista *gemba* que sabe onde está o problema. Portanto, a maioria das ideias para mudanças *kaizen* deveria vir dos trabalhadores do chão de fábrica, e não dos executivos. Isso se dá porque as dificuldades e anormalidades podem apenas ser analisadas e consertadas na *gemba*, e não na escrivaninha. A filosofia *kaizen* reconhece que o maior recurso de uma empresa são os seus funcionários.

### Círculos de qualidade

A *kaizen* provavelmente será mais efetiva se for pedido aos trabalhadores que trabalhem em equipe, em vez de ser indivíduos isolados. O processo de surgimento de boas ideias e soluções é, com frequência, o produto da sinergia criada por pessoas que têm um grupo de habilidades, qualificações ou visões de mundo diferentes. Trabalhar junto como uma equipe em projetos *kaizen* é visto como parte de um "círculo de qualidade". O círculo de qualidade consiste em um grupo de pessoas que geralmente trabalha junto –, por exemplo, na mesma parte de uma linha de montagem –, bem como de indivíduos de outras partes do negócio capazes de trazer perspectivas diferentes. Por exemplo, um engenheiro poderia dar conselhos sobre questões técnicas, enquanto membros de uma equipe de vendas poderiam dar ao grupo uma ideia sobre o ponto de vista do cliente.

Em 1964, a Toyota estabeleceu círculos de qualidade em sua fábrica na Toyota City, Japão. Os círculos de qualidade se reúnem regularmente, pelo menos uma vez por semana, para discutir qualquer problema que tenham identificado em sua seção ou linha de produção. Todas as manhãs, espera-se que os empregados participem de uma reunião *asa-ichi* (manhã) com uma atitude positiva, antes de começar seu dia de trabalho regular. Nessa reunião eles discutem problemas de qualidade e possíveis soluções a esses problemas. Uma das principais ferramentas usadas pelos círculos de qualidade da Toyota para gerar ideias *kaizen* é o diagrama "espinha de peixe". Trata-se de um esquema gráfico que usa a estrutura de um esqueleto de peixe para plotar todos os diversos aspectos de um problema de modo a explorar um número de soluções. Pede-se aos membros dos círculos de qualidade que identifiquem possíveis causas para o problema, e cada sugestão é classificada em uma das seis categorias: pessoal, métodos, máquinas, materiais, medição (inspeção) e mãe natureza (fatores ambientais). As soluções para cada »

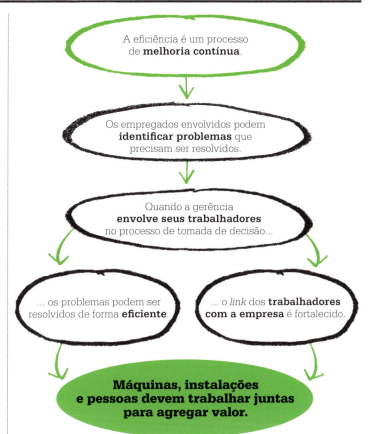

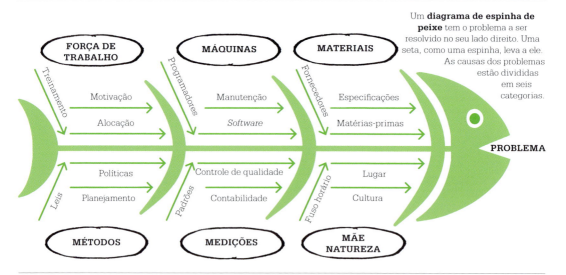

Um **diagrama de espinha de peixe** tem o problema a ser resolvido no seu lado direito. Uma seta, como uma espinha, leva a ele. As causas dos problemas estão divididas em seis categorias.

uma das causas possíveis do problema são avaliadas pelo círculo usando os "cinco Ws" (em inglês), que são as cinco perguntas: por quê, quando, onde, quem e o quê.

As empresas japonesas não costumam dar bônus em dinheiro aos seus trabalhadores em troca de ideias. Para que o kaizen seja realmente efetivo, os trabalhadores devem sentir um tipo de orgulho e realização ao contribuir com suas sugestões. Diz-se aos novos empregados quando entram na empresa que o kaizen é algo que se espera deles: uma parte diária da vida empresarial. Nos negócios que usam o kaizen com sucesso, o compromisso dos empregados em contribuir com ideias é, com frequência, assegurado por meio de programas de enriquecimento profissional, o que tende a produzir elevados níveis de motivação laboral. De acordo com teóricos motivacionais, como Frederick Herzberg, os trabalhadores gostam de resolver problemas e tomar decisões e da oportunidade de avançar e crescer psicologicamente ao trabalhar. Portanto, é de esperar que os trabalhadores gostem de participar de melhorias kaizen, logo não seria necessário pagar-lhes bônus em dinheiro.

**Empoderamento**
Uma forma de a gerência empoderar seus trabalhadores é dar-lhes a autoridade para tomar decisões que afetam sua vida no trabalho. O empoderamento é muito mais abrangente que a delegação, que simplesmente envolve dar a permissão para um empregado fazer uma tarefa específica. Ao empregado empoderado é dada a liberdade de decidir o que fazer e como isso deve ser feito. O empoderamento é essencial para qualquer programa kaizen ao permitir que as boas ideias vindas do chão de fábrica sejam colocadas em prática imediatamente. Assim que a filosofia kaizen é implementada, boas ideias e suas melhoras subsequentes deveriam continuar a surgir – o número de ideias pensadas toda semana cresce porque os trabalhadores são capazes de observar os efeitos de suas próprias soluções.

Para funcionar de forma eficaz, o kaizen exige uma cultura empresarial onde existam confiança, lealdade e respeito mútuo entre a gerência e a força de trabalho. Isso evita um desgaste potencial da filosofia: o fato de que, num mercado onde as vendas estão estagnadas, as ideias dos empregados que levam a um aumento na produtividade poderiam representar uma ameaça ao emprego. É pouco provável que os trabalhadores discutam medidas de cortes de emprego e de custos se eles próprios forem afetados por elas. Em muitas empresas japonesas, a cultura kaizen costumava incorporar a promessa da gerência de que os trabalhadores teriam garantia de emprego por toda a vida na empresa. Nos anos 1980 e 1990, esse foi o caso na Sony. Durante crises econômicas, quando as vendas caem, a

Uma companhia não irá a lugar algum se todo o pensamento for deixado para seus executivos.
**Akio Morita, fundador da Sony (1921-1999)**

# ENTREGANDO OS BENS 307

Tentaremos criar as condições em que as pessoas possam se juntar num espírito de trabalho em equipe e exercer até o desejo de seu coração, sua capacidade tecnológica.
**Akio Morita**

maioria das empresas tenta proteger sua margem de lucro fazendo demissões visando o corte de custos. A Sony rejeitou tal visão porque, ao demitir funcionários, seria quebrada a confiança necessária ao funcionamento do *kaizen*. De acordo com o cofundador da empresa, Akio Morita, "a missão mais importante para um gerente japonês é desenvolver uma relação saudável com seus empregados, para criar um sentimento próximo do familiar dentro da corporação, um sentimento de que trabalhadores e gerentes compartilham o mesmo destino". Durante os anos de enorme crescimento, a Sony usava os aumentos de produtividade vindos do *kaizen* para aumentar a produção, possibilitando à empresa entrar em novos mercados.

### O *kaizen* vai para o Ocidente

No outono de 1984, a partir das preocupações norte-americanas com o crescente domínio da indústria automobilística japonesa, o Massachusetts Institute of Technology (MIT) desenvolveu um programa de pesquisa de cinco anos e US$ 5 milhões sobre a indústria automobilística mundial. O estudo produziu uma nova forma de olhar a produção, um novo jargão, e um *best-seller* – *A máquina que mudou o mundo*, escrito por James Womack, Dan Jones e Dan Roos. O estudo confirmou os piores temores da indústria de automóveis nos EUA: as montadoras japonesas lideravam o esforço de minimizar as horas de montagem por carro, o tamanho do estoque e os defeitos de montagem a cada 100 carros. O livro atribuiu o sucesso japonês a um processo chamado "produção enxuta" – em que

Empresas excelentes não acreditam em excelência – só em constante melhora e constante mudança.
**Tom Peters, escritor de gestão norte-americano (1942-)**

*kaizen* era um dos componentes vitais.

Os gerentes que leram *A máquina que mudou o mundo* tentaram incorporar a mentalidade *kaizen* em seus modelos de negócios, e, aos poucos, a filosofia *kaizen* se espalhou pela América do Norte e pela Europa. Um dos primeiros a adotá-la na Grã-Bretanha foi a Rover. Sob a liderança da Honda, que na época tinha 20% do capital da Rover, a empresa implementou passeios *gemba* em sua fábrica de Longbridge em 1991. Sob o programa *gemba* da Rover, os gerentes, supervisores e trabalhadores do chão de fábrica andavam juntos por toda a linha de produção, pelo menos uma vez por semana, de modo a procurar ineficiências e encontrar soluções para os problemas que identificavam. Os passeios *gemba* eram desenvolvidos visando acabar com a divisão entre gerentes e trabalhadores, e a filosofia por trás disso era a de que os gerentes, supervisores e trabalhadores da linha de montagem deveriam »

**Discutir o problema** com outros é a forma mais efetiva de chegar a uma solução. Consultar pessoas de outras partes da empresa traz novos pontos de vista e um espectro mais amplo de opções.

aprender, descobrir, ensinar, crescer e melhorar juntos.

## O *kaizen* em ação

Uma das primeiras empresas britânicas a adotar círculos de qualidade foi a cerâmica Wedgwood. Começando em 1980, 80 círculos de qualidade representando diferentes partes do negócio se reuniam uma hora por semana. Cada círculo de qualidade era empoderado para identificar o seu próprio problema, e se gastavam seis meses para resolvê-lo. A solução proposta pelo círculo era apresentada à gerência, e a maioria era aprovada e implementada. A motivação dos empregados melhorou, o que aumentou a produtividade. Além disso, as ideias dos empregados reduziram os custos ao cortar a quantidade de argila e tinta desperdiçadas durante o processo de produção. De acordo com Dick Fletcher, o homem que liderou o programa de círculos de qualidade, para cada £ 1 que a empresa gastou com os círculos de qualidade, os custos da Wedgwood caíram em £ 3.

Outro negócio que usou as técnicas *kaizen* com sucesso foi o grupo indiano Tata Steel. A empresa melhorou a produtividade das suas máquinas de corte, o que levou a uma produção maior.

## A antítese do *kaizen*

Uma abordagem muito diferente do *kaizen* é o Business Process Re-engineering (BPR). Ele é baseado em programas de investimento esporádicos – muito intensivos em capital – que são desenvolvidos para criar um grande salto adiante em termos de produtividade, redução nos custos unitários ou melhorias na qualidade do produto. Diferentemente do *kaizen*, as empresas que usam o BPR não almejam fazer pequenas mudanças regulares. Em vez disso, a meta é repensar radicalmente todo o processo de produção a cada cinco anos para torná-lo mais eficiente. Geralmente isso é uma resposta a crises. Uma vez que a empresa usando BPR alcançou seus rivais, segue-se um período de estabilidade até que volta a complacência e surge a nova crise, disparando uma nova rodada de BPR.

Em vez de se voltarem aos empregados por ideias que levem a melhorias em eficiência, as empresas que usam o BPR só usam ideias que surgem dos gerentes e de consultores

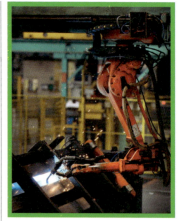

**O investimento em robôs** no local de trabalho pode ser uma iniciativa de larga escala, custosa, que quase sempre implica demissões. Esse tipo de atividade de BPR pode alienar a força de trabalho.

altamente qualificados. A força de trabalho é relativamente passiva: a mudança é imposta de cima e geralmente inclui muitas demissões. Isso se dá porque as empresas que utilizam essa abordagem geralmente tentam acelerar a eficiência ao investir em sistemas de produção automatizados que substituem os trabalhadores por capital. Os que são a favor da *kaizen* argumentam que é melhor tentar melhorar a eficiência ao fazer mudanças pequenas, mas regulares, em vez de usar mudanças menos frequentes, mas mais radicais, como o BPR. No mercado competitivo, as empresas que se baseiam no BPR lutam para se igualar ao crescimento menos dramático, porém mais constante, alcançado pelo *kaizen*. As empresas que usam o BPR talvez demorem a mudar porque, durante o tempo que leva para desenvolver, instalar e testar novos sistemas, as empresas que aplicam o *kaizen* já seguiram adiante, aumentando a produtividade a um nível ainda mais alto. É possível fazer uma analogia com a fábula de Esopo, na qual uma tartaruga lenta ultrapassa a lebre que dispara, depois para. A produtividade

**Os efeitos do *kaizen*** e do BPR sobre a produtividade são mostrados aqui num período de tempo de trinta anos. No todo, o *kaizen* aumenta a produção com melhoras pontuais e consistentes, enquanto o BPR traz uma série de aumentos bruscos na produtividade, seguidos de períodos de baixo crescimento.

# ENTREGANDO OS BENS 309

maior alcançada pelo *kaizen* tende a ser mais barata de se obter que o crescimento de produtividade alcançado pela BPR. A fonte da melhoria do *kaizen* são as pessoas. As ideias dos empregados são quase gratuitas, diferentemente das novas e caras máquinas para um novo sistema de produção.

## O *kaizen* é sempre eficiente?

Mas em algumas empresas o *kaizen* não funciona. A média gerência e supervisores que preferem um estilo de liderança autoritário geralmente não gostam do *kaizen*: eles preferem tomar todas as decisões e às vezes resistem à mudança. Pessoas com essa mentalidade não estarão dispostas a delegar a tomada de decisão para os trabalhadores do chão de fábrica. Se suas boas ideias são quase sempre ignoradas pelos gerentes, os empregados ficam desiludidos e param de contribuir. A história das relações industriais de uma empresa também é capaz de afetar o resultado do *kaizen*. Em geral, as chances de sucesso com o *kaizen* são menores quando não há confiança entre a gerência e a força de trabalho. Os empregados talvez vejam o *kaizen* de maneira cética – sentindo que o esquema é só mais um truque da gerência para arrancar mais alguma coisa da força de trabalho sem lhes oferecer nada em troca.

O *kaizen* é baseado na premissa de que nenhum método de produção é perfeito. Os sistemas sempre podem ser melhorados por meio das sugestões dos empregados. Mas será que isso é sempre verdade? É lógico que os negócios tentarão usar o *kaizen* para resolver os maiores problemas primeiro. Pode-se argumentar que, com o tempo, os benefícios do *kaizen* tendem a diminuir, já que os novos problemas que surgem serão aqueles antes considerados menos importantes.

## As recompensas do risco

A tecnologia e os gostos do consumidor mudam. De tempos em tempos, o velho produto – e, com ele, os velhos métodos de produção – precisará ser descartado em troca de algo novo e radical. As empresas que preferem o *kaizen* tendem a evitar revisões radicais, optando por mudanças menos dramáticas. O perigo é que podem acabar sendo deixadas para trás por rivais mais ousados. Um bom exemplo de uma empresa que sofreu o resultado dessa abordagem é a Nokia. Por muitos anos, a fabricante de celulares finlandesa desfrutou de enorme sucesso ao continuar com seu clássico design de telefones. Enquanto isso, empresas rivais como a Samsung e a Apple assumiram riscos maiores e, como resultado, ultrapassaram a Nokia em inovação, roubando-lhe a liderança de mercado. ∎

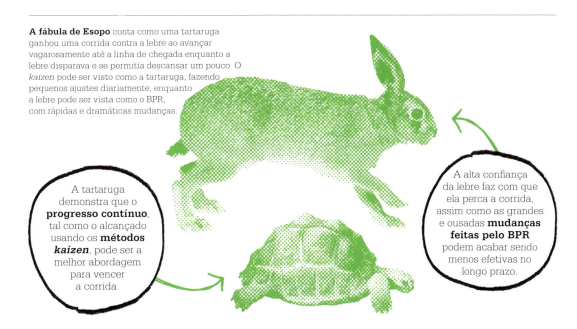

**A fábula de Esopo** conta como uma tartaruga ganhou uma corrida contra a lebre ao avançar vagarosamente até a linha de chegada enquanto a lebre disparava e se permitia descansar um pouco. O *kaizen* pode ser visto como a tartaruga, fazendo pequenos ajustes diariamente, enquanto a lebre pode ser vista como o BPR, com rápidas e dramáticas mudanças.

A tartaruga demonstra que o **progresso contínuo**, tal como o alcançado usando os **métodos kaizen**, pode ser a melhor abordagem para vencer a corrida.

A alta confiança da lebre faz com que ela perca a corrida, assim como as grandes e ousadas **mudanças feitas pelo BPR** podem acabar sendo menos efetivas no longo prazo.

# APRENDIZADO E INOVAÇÃO SEGUEM LADO A LADO
## APLICANDO E TESTANDO IDEIAS

### EM CONTEXTO

FOCO
**Pesquisa e desenvolvimento**

DATAS IMPORTANTES
**Anos 1790** Na França pós-revolucionária, o governo trabalha com o cientista Claude Chappe para desenvolver um sistema nacional de semáforos.

**1806** Nasce Isambard Kingdom Brunel. O cientista e engenheiro britânico projeta e constrói o primeiro navio movido a hélice e o primeiro túnel sob um rio.

**1939-1945** Durante a II Guerra Mundial, são desenvolvidos os aviões a jato, a produção em massa de medicamentos como a penicilina e as transfusões de sangue.

**1942** O economista austríaco Joseph Schumpeter usa a expressão "destruição criativa" para descrever como a inovação na indústria cria novas sociedades ao destruir as velhas.

---

A pesquisa científica leva a **mudanças tecnológicas** que os negócios usam para...

- ... **criar novos** produtos.
- ... melhorar os **produtos existentes**.
- ... **atualizar processos**.

Para **inovar**, as empresas devem estar **dispostas a aprender** sobre novas tecnologias e sobre como elas podem ser aproveitadas.

**Aprendizado e inovação seguem lado a lado.**

---

A pesquisa e o desenvolvimento (P&D) é um trabalho investigativo e criativo que visa levar a novas descobertas ou a melhorias em produtos ou processos já existentes. Algumas empresas, em áreas como *software* e farmacêutica, dependem da pesquisa científica para produzir as novidades tecnológicas e se manter na vanguarda de seu setor. Outras aplicam a P&D para melhorar produtos que já existem.

**Preenchendo uma lacuna**
Em alguns casos, a direção de P&D é resultado de descobertas de pesquisas que mostram uma lacuna no mercado, como a que aconteceu com os cereais Kellogg's. Uma

# ENTREGANDO OS BENS

**Veja também:** Obtendo uma vantagem 32–39 ▪ *Kaizen* 302–309 ▪ A qualidade vende 318–323 ▪ Obsolescência programada 324–325 ▪ Gestão baseada em tempo 326–327

pesquisa de mercado mostrou que havia um desejo no Reino Unido por um cereal matinal mais doce, feito de castanhas, que as pessoas consideravam mais saudável. Para satisfazer essa necessidade, a Kellogg's instruiu seu departamento de P&D a desenvolver um novo cereal matinal. O resultado foi o Kellogg's Crunchy Nut, que acabou se tornando o segundo cereal mais popular no Reino Unido.

Houve alguns casos nos quais uma pesquisa de mercado levou as empresas para uma direção errada. Um bom exemplo é o da criação do Walkman da Sony. Esse toca-fita portátil foi inventado em 1978 por Nobutoshi Kihara, engenheiro de áudio que trabalhava para a Sony. De acordo com a pesquisa de mercado, o Soundabout (nome do protótipo do Walkman) jamais venderia porque grupos pesquisados declaravam que ouvir música era uma atividade social, não solitária. Mas Akio Morita, cofundador da Sony, pediu ao seu departamento de P&D que continuasse seu trabalho e ignorasse as conclusões. O Walkman acabou sendo um dos produtos de maior sucesso da Sony.

Inove ou morra.
**Damon Darlin, editor de negócios,** *The New York Times* **(1956-)**

### Mais produtos, com mais frequência

A concorrência intensa fruto da globalização, junto com rápidos avanços tecnológicos, encurtou a vida de muitos produtos. Para continuar operando nesse ambiente comercial difícil, as empresas precisam lançar produtos com maior regularidade. As mais complacentes e que fracassam em inovar serão dominadas por seus rivais. Pode-se afirmar que os executivos que não investem em P&D estão destinando os negócios ao fracasso.

Empresas como a BMW separam uma parte considerável de suas receitas para P&D por motivos que vão além da sua própria preservação. Os que lançam novos produtos primeiro podem cobrar preços maiores e desfrutar de lucros de monopólio até que chegue a concorrência. Além disso, a lealdade dos consumidores às marcas surge, geralmente, no começo. As empresas que investem pouco em P&D, felizes em imitar em vez de inovar, talvez tenham problemas para estabelecer uma forte base de clientes.

Há mais num departamento de P&D efetivo que gastar dinheiro em novidades tecnológicas. De acordo com Akio Morita, converter esses avanços em produtos que oferecem valor e vantagens para os consumidores é mais importante que a própria novidade. Portanto, faz sentido para a P&D ser coordenada por uma equipe multidisciplinar que inclua representantes do marketing de modo a entender como a mente do consumidor funciona. ∎

## O sistema de posicionamento global

A tecnologia do sistema de posicionamento global (GPS) foi desenvolvida pelo governo norte-americano durante os anos 1960 e 1970, para capacitar a Marinha e a Força Aérea a localizar com precisão submarinos e aeronaves.

Em 1983, o presidente Ronald Reagan decidiu dar acesso ao GPS às empresas, para que elas pudessem usá-lo para fins comerciais. Várias empresas viram uma oportunidade nisso e começaram a desenvolver sistemas de navegação por satélite (Satnav) via GPS para motoristas.

O GPS é um excelente exemplo de inovação revolucionária e guiada pela tecnologia. Mas, na prática, a maior parte das inovações de novos produtos é baseada em ajustar os produtos já existentes. Empresas como a TomTom, que fabrica Satnavs, usam P&D para chegar a um desenvolvimento de produto que seja evolucionário – e não revolucionário.

**Os satélites orbitando** a Terra podem prover dados sobre tempo e localização para vários tipos de receptores de GPS baseados no planeta ou perto dele.

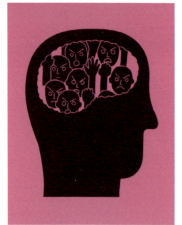

# OS SEUS CLIENTES MAIS INSATISFEITOS SÃO A SUA MELHOR FONTE DE APRENDIZADO
## *FEEDBACK* E INOVAÇÃO

Um negócio **pergunta aos seus clientes** como ele poderia melhorar um produto ou serviço.

Os clientes ou o **público dão o seu *feedback***, tanto positivo quanto negativo, para a empresa.

As **boas ideias** para melhorar os processos ou produtos são **incorporadas** ao negócio.

**Seus clientes são a sua melhor fonte de aprendizado.**

---

**EM CONTEXTO**

FOCO
**Inovação aberta**

DATAS IMPORTANTES
**1989** Cai o Muro de Berlim. As empresas que antes estavam atrás da Cortina de Ferro agora têm que responder às reclamações dos clientes.

**2000** O site de viagens Trip Advisor, que permite aos usuários dar nota para hotéis e restaurantes, é fundado por Stephen Kaufer.

**2003** O estudioso das organizações e professor Henry Chesbrough publica *Inovação aberta: como criar e lucrar com a tecnologia*, estimulando os negócios a estar abertos ao aprendizado vindo de fontes internas e externas.

**2009** O site norte-americano de *crowdfunding* Kickstarter é criado para encorajar investimento individual em pequena escala de projetos de negócios.

---

No passado, as empresas exigiam que seus próprios funcionários desenhassem e desenvolvessem novos produtos. O conhecimento era construído internamente, pelo departamento de pesquisa e desenvolvimento (P&D), e costumava ser um segredo muito bem guardado. Tal crença de que a empresa deveria ter o controle único da criação de sua propriedade intelectual é conhecida como inovação fechada. Mais recentemente, surgiu uma nova abordagem. A inovação aberta é baseada na ideia de que as empresas deveriam ser menos fechadas quanto ao programa de desenvolvimento de seus produtos, refletindo a visão de que os clientes podem, às vezes, dar contribuições valiosas ao processo de desenvolvimento de produto.

***Feedback* pela internet**
A internet detonou uma mudança radical em como os negócios conseguem *feedback* de seus clientes.

## ENTREGANDO OS BENS 313

**Veja também:** Descobrindo um nicho lucrativo 22–23 ▪ Entendendo o mercado 234–241 ▪ Faça com que seus clientes o amem 264–267 ▪ Por que fazer propaganda? 272–273 ▪ Aplicando e testando ideias 310–311 ▪ Tirando proveito do *big data* 316–317

Avaliações e comentários on-line permitem à empresa ver o que seus cientes gostam e não gostam a respeito de um produto.

No setor de TI, empresas como a Apple e a Microsoft usam versões beta para melhorar a qualidade de seus novos produtos. Por esse processo, o desenvolvedor do *software* disponibiliza cópias do novo produto via internet antes do seu lançamento. As pessoas interessadas em *software* e programação têm a oportunidade de testá-los. Elas podem apontar erros que encontrarem e oferecer possíveis soluções. O desenvolvedor tem a oportunidade de melhorar o *software* antes de ele ser lançado, aumentando a probabilidade de novos produtos terem sucesso no mercado.

### Crowdsourcing

A crença em que as empresas podem, e devem, aprender com seus clientes está em alta. Um exemplo é o crescimento do *crowdsourcing* – prática pela qual a empresa consegue ideias, ou até mesmo financiamento, para um novo produto (*crowdfunding*) do seu público. Existem tipos diferentes de *crowdsourcing*. Por exemplo, alguns cineastas independentes financiam seus filmes por meio de projetos de *crowdsourcing*. Montadoras como a Citroën e a Nissan usaram *crowdsourcing* para permitir aos compradores de carros que contribuíssem com ideias para o tipo de itens de produto que deveriam vir de série. A Citroën rodou seu projeto de *crowdsourcing* por meio de um aplicativo do Facebook. O público em geral estava livre para entrar num grupo do Facebook – chamado C1 Connexion – e apresentar suas ideias em seis aspectos importantes do design do novo carro, incluindo o número de portas, a cor do interior e a especificação do equipamento. A Citroën manteve sua palavra de fazer o carro de acordo com as preferências expressas via o aplicativo Connexion do Facebook.

Existem várias vantagens em incorporar *feedback* positivo e negativo do público e dos clientes no processo de desenvolvimento do produto. A mais óbvia é que é mais barato. Em muitos casos as empresas não pagam pelas ideias e opiniões de quem faz o *crowdsourcing*. Voluntários oferecem a informação de graça. Caso haja um pagamento em troca de *feedback*, o valor tende a ser pequeno. As empresas que usam *crowdsourcing* como parte do seu processo de desenvolvimento de produto também reconhecem que há *experts* fora da empresa, que não estão na sua folha de pagamento, mas que têm ideias e conhecimentos valiosos que devem ser aproveitados. ∎

**O site oficial de Ozzy Osbourne** fez uma pesquisa para que seus fãs votassem no *single* de seu álbum *Black Rain*, de 2007. Eles tinham três músicas para escolher – a música-título, "Black Rain", ganhou.

*Quanto mais você se envolve com os clientes, mais claras se tornam as coisas, ficando mais fácil para você saber o que tem que ser feito.*
**John Russell, presidente da Harley Davidson (1950-)**

### Wikipedia

A enciclopédia on-line Wikipedia foi lançada em 2001 por Larry Sanger e Jimmy Wales como um projeto de *crowdsourcing*. Em vez de contratar escritores e editores pagos, os fundadores da Wikipedia possibilitaram que o próprio público criasse o produto, submetendo seus artigos eletronicamente.

Em julho de 2013, a Wikipedia tinha mais de 22 milhões de artigos escritos em 285 línguas por 77 mil autores, na sua maioria anônimos e não pagos. A Wikipedia é um projeto de código aberto, o que quer dizer que qualquer um com acesso à internet é capaz de escrever ou fazer mudança nela. A Wikipedia não cobra dos clientes para usar o seu produto. Em vez disso, o projeto é financiado por doações de admiradores. Muitos desses admiradores alegam que a Wikipedia é melhor que as enciclopédias convencionais porque nela, diferentemente das outras, os artigos podem ser atualizados rápida e facilmente. A Wikipedia levou o conceito de *crowdsourcing* ao seu limite – o produto inteiro foi criado pelos consumidores.

# A TECNOLOGIA É O GRANDE E BARULHENTO MOTOR DA MUDANÇA
## A TECNOLOGIA CERTA

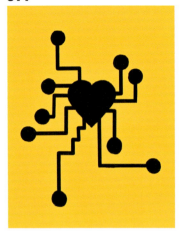

## EM CONTEXTO

**FOCO**
**Mudança de gestão**

**DATAS IMPORTANTES**
**1822** O matemático inglês Charles Babbage desenvolve a "máquina diferencial" – o primeiro computador mecânico e programável do mundo.

**1951** O fabricante de comida britânico J. Lyons & Co começa a usar o LEO (Lyons Electronic Office), o primeiro computador desenvolvido especificamente para uso empresarial – nesse caso, para acompanhar o valor das vendas.

**1981** A empresa norte-americana de *software* Microsoft desenvolve o sistema operacional MS-DOS.

**1998** Bancos e *hedge funds* nos EUA desenvolvem *softwares* para comprar e vender ações, derivativos de títulos e outros ativos financeiros. Essa é a origem do *trading* de alta frequência.

Com **objetivos claros** e uma visão compartilhada...

... **novos sistemas de TI** podem aumentar a receita, melhorar a segurança e elevar o moral.

**A tecnologia é o grande e barulhento motor da mudança.**

Nenhum negócio hoje consegue sobreviver sem algum tipo de sistema de computador, mas o investimento contínuo em TI (tecnologia da informação) é capaz de melhorar uma empresa de forma nunca antes imaginada. Ele pode ser usado para acelerar a produtividade ou aumentar a confiabilidade ou para diminuir o risco de erro humano. A Air India decidiu melhorar sua eficiência em 2013 com um novo Sistema de Gestão de Tripulação (CMS) computadorizado, desenvolvido para organizar os pilotos e a tripulação de bordo de maneira mais efetiva que o feito pelo sistema manual. Pelo sistema anterior, alguns tripulantes trabalhavam mais horas que outros pelo mesmo salário, o que causava desconforto entre os tripulantes. O CMS capacitou a gerência a monitorar a alocação da tripulação mais cuidadosamente. A expectativa é de que, ao assegurar que os funcionários sejam empregados mais

# ENTREGANDO OS BENS 315

**Veja também:** Destacando-se no mercado 28–31 ▪ Obtendo uma vantagem 32–39 ▪ A cadeia de valor 216–217 ▪ Previsões 278–279 ▪ *Kaizen* 302–309 ▪ *Feedback* e inovação 312–313

---

Errar é humano – pôr a culpa no computador é ainda mais humano.
**Robert Orben, escritor de comédias (1927-)**

igualitariamente e eliminando o favoritismo, a companhia aérea melhore o clima laboral, gerando um efeito positivo no serviço ao cliente e, em consequência, aumentando as vendas. A Air India também espera que o CMS aumente a segurança ao melhorar a habilidade da companhia aérea em satisfazer as rígidas regulações internacionais relacionadas às horas trabalhadas.

Mas nem todos os projetos de TI têm sucesso. O banco de investimento americano JP Morgan perdeu US$ 6 bilhões em 2012 porque um novo programa de TI, desenvolvido para ajudar os *traders* a avaliar os riscos de manter uma gama de derivativos financeiros, não funcionou adequadamente.

### Gerenciando a mudança
Assim, como os grandes projetos de TI poderiam ser mais bem gerenciados para alcançar o progresso, não o desastre? Em 2005, uma pesquisa feita pela Universidade Lancaster, no Reino Unido, mostrou que as chances de

implementar com sucesso um novo projeto de TI de grande escala aumentam quando a alta gerência está certa quanto ao que espera alcançar com ele. Um conjunto claro de objetivos ajudar os desenvolvedores de TI a produzir um sistema que de fato beneficie o usuário final. Itens que não são necessários aumentam o custo do projeto e tornam o sistema menos útil.

Na Austrália, em 2005, houve um plano para melhorar a produtividade dos agentes de trânsito ao fazer com que ficassem mais tempo na estrada e menos no escritório. Governos estaduais equiparam os carros de polícia com câmeras com Reconhecimento Automático de Número de Placa (ANPR). A informação coletada em tempo real pelos carros da polícia era armazenada, a partir da estrada, no banco de dados nacional – CrimTrac. O sistema tornou o policiamento mais eficiente porque os oficiais podiam usar o CrimTrac para identificar e parar imediatamente carros roubados sem seguro ou que não estavam com o pagamento de seus impostos em dia.

### Fatores para o sucesso
Um novo projeto de TI também precisa ter uma visão compartilhada. Os empregados que têm contato direto com

Como regra, o *software* não funciona bem até que tenha sido usado e falhado, várias vezes, em aplicações reais.
**David Parnas, engenheiro de *software* canadense (1947-)**

o cliente deveriam saber por que o novo sistema de TI foi implantado, ter uma clara visão dos benefícios do sistema e receber um treinamento adequado. Em algumas organizações os sistemas fracassam porque existe resistência à mudança – os empregados podem ter medo de perder sua *expertise* ou até mesmo o emprego. Para superar isso, os executivos precisam comunicar aberta e honestamente o motivo de se precisar de um novo sistema de TI. ▪

**Carros de polícia** em vários países usam o *software* de Reconhecimento Automático de Número de Placa (ANPR). Veículos suspeitos são checados e podem ser interceptados imediatamente.

# SEM O *BIG DATA* VOCÊ ESTÁ CEGO E SURDO NO MEIO DE UMA AUTOESTRADA
## TIRANDO PROVEITO DO *BIG DATA*

**EM CONTEXTO**

FOCO
**Análise de dados**

DATAS IMPORTANTES
**1995** A empresa Netscape Communications Corporation desenvolve os *cookies* para internet.

**1997** Os cientistas da NASA Michael Cox e David Ellsworth criam o termo *big data* para descrever o desafio de processar e visualizar a quantidade enorme de informações geradas pelos supercomputadores.

**2000** Francis X. Diebold, economista da Universidade da Pensilvânia, publica o artigo "Big Data, Dynamic Factor Models for Macroeconomic Measurement and Forecasting".

**2012** A equipe de Barack Obama usa o *big data* para reelegê-lo à Casa Branca.

**2013** O informante norte-americano Edward Snowden revela que a National Securtiy Agency foi autorizada a usar o *big data* para espionar cidadãos nos Estados Unidos.

---

Um grande volume de **informação** é coletado sempre que há uma **interação digital**.

↓

Quando esse **big data** é organizado e analisado...

↓

... ele revela os **hábitos de visita e compra** de milhões de pessoas.

↓

**Sem o *big data* você está cego e surdo no meio de uma autoestrada.**

---

Hoje em dia há uma enorme quantidade de informação frequentemente coletada, armazenada e analisada pelas empresas e pelo governo. O *big data* inclui dados de vendas com cartões de débito e crédito nos pontos de venda; histórico de navegação na internet por clientes atuais ou potenciais; informação obtida das redes sociais; padrões de uso coletados dos *smartphones*, gravadores de vídeo digitais, consoles de games e outros dispositivos conectados à internet. Por causa de seu tamanho, o *big data* talvez acabe ficando caro demais para ser armazenado e organizado em bancos de dados convencionais.

**Usando o *big data***
O *big data* pode ser usado para fins de pesquisa de mercado, visando acompanhar e mirar consumidores, além de identificar lacunas lucrativas no mercado. Uma empresa que tem feito uso do *big data* para aumentar sua receita é a Progressive Corp. A seguradora norte-americana tentou aumentar sua participação de mercado ao oferecer um seguro de automóvel especial para motoristas que instalem um dispositivo em seu carro. O rastreador mede como o carro é dirigido – sua velocidade e o número de vezes que o carro freou de repente ou acelerou muito rapidamente. Os dados

# ENTREGANDO OS BENS 317

**Veja também:** Descobrindo um nicho lucrativo 22–23 ▪ Estudando a concorrência 24–27 ▪ Obtendo uma vantagem 32–39 ▪ Previsões 278–279 ▪ A tecnologia certa 314–315

## Os *cookies* da internet

Os números de vendas são um excelente exemplo de *big data*. Diariamente, a varejista on-line norte-americana Amazon coleta os históricos de navegação e os dados de compras de seus 152 milhões de clientes. A Amazon usa *cookies*, arquivos de texto salvos no navegador de um cliente, que ajudam a acompanhar os itens nos quais cada um de seus clientes está interessado. Essa informação é utilizada para mandar recomendações que terão algum apelo ao cliente, podendo causar novas vendas para a empresa.

Os *cookies* são usados para criar uma identidade única que armazena o nome do cliente, seu endereço e o número do cartão de crédito no HD do seu computador. Quando um cliente volta ao site, a identidade armazenada no computador do cliente é enviada à empresa, o que lhe permite identificar o cliente e cumprimentá-lo pelo nome. A identidade também permite ao varejista on-line recuperar o endereço e os detalhes de seu cartão de crédito rapidamente, acelerando a transação a aumentando a satisfação do cliente com o site.

O *big data* é uma enorme quantidade de informação que os consumidores geram sempre que usam seu cartão de crédito ou débito, jogam games ou navegam *on-line*, ou com a TV por *streaming*. Essa informação é analisada pelas empresas para focar seus produtos mais especificamente.

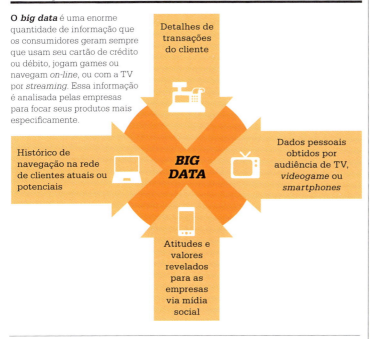

coletados são, então, enviados via sinal de GPS para a seguradora, para análise. Em teoria, o uso do *big data* pela Progressive a ajudará a escolher cuidadosamente os clientes mais lucrativos no mercado – aqueles com hábitos mais seguros ao volante, que pagam seus prêmios, mas que não devem resultar em grandes despesas à seguradora.

A TiVo, empresa norte-americana que faz gravadores de vídeo digitais, usou o *big data* para criar uma nova fonte de receita. Os conversores da TiVo estão conectados à internet. Isso permite à empresa coletar enormes volumes de dados sobre os hábitos de audiência da TV a um custo relativamente pequeno. Os dados são vendidos, depois, para os anunciantes da TiVo. Fazendo a correlação entre esses dados com os valores de vendas coletados via código de barras nos caixas registradores, os varejistas podem avaliar a eficácia de suas campanhas de propaganda na TV.

### Desenvolvimento de produto

O Netflix, o provedor de *media-streaming* norte-americano, usou o *big data* para guiar o seu desenvolvimento de produto. Em 2011, depois de avaliar os hábitos de audiência de seus 33 milhões de assinantes, a empresa decidiu fazer o *remake* de uma série da BBC chamada *House of Cards*. O Netflix sabia, a partir de seu *big data* que seria inteligente gastar US$ 100 milhões na sua versão norte-americana do programa porque o original foi havia sido baixado em grande quantidade. O *big data* também foi usado para tomar decisões de produção, incluindo a escolha do diretor David Fincher. Os fãs de *House of Cards* também gostam de ver os filmes de Kevin Spacey, por isso ele foi escolhido para o papel principal. ▪

É um erro mortal teorizar antes de ter os dados.
**Arthur Conan Doyle, escritor e médico britânico (1859-1930)**

# PONHA O PRODUTO NAS MÃOS DO CLIENTE, E ELE FALARÁ POR SI SÓ

## A QUALIDADE VENDE

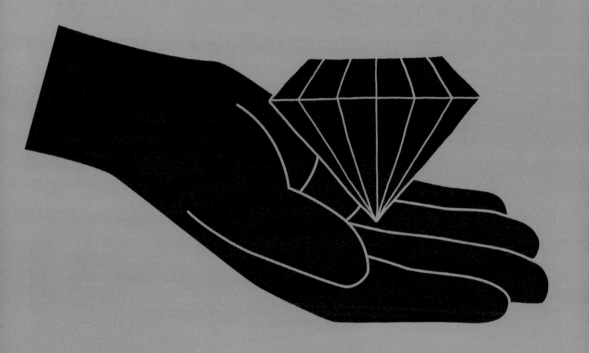

## EM CONTEXTO

FOCO
**Definição de qualidade**

DATAS IMPORTANTES
**1924** A fabricante alemã de canetas Montblanc lança sua luxuosa *Meisterstück* ("obra-prima"), caneta-tinteiro que até hoje é tida como um ícone de qualidade superior.

**1970** A Hamilton Watch Company desenvolve o primeiro relógio digital. O produto faz sucesso, mesmo com o preço de U$ 2,1 mil.

**1985** O guru de gestão Peter Drucker publica *Inovação e espírito empreendedor*, no qual afirma que a qualidade é o principal fator que afeta as vendas. Para Drucker, o consumidor é o juiz definitivo acerca da qualidade de um produto.

**2005** O empresário Richard Branson anuncia planos para oferecer as primeiras "férias no espaço". O preço de US$ 120 mil não atrai potenciais consumidores ricos e famosos.

Há um provérbio que diz que a qualidade vende, e muitas empresas acreditam que a melhor forma de atrair compradores é produzir um produto superior. As empresas que colocam a qualidade em primeiro lugar acreditam que os outros fatores que afetam a demanda, como promoções, distribuição e preço, são menos importantes que o próprio produto.

A princípio, essa abordagem pode parecer irracional. Em alguns mercados, afinal, os preços baixos são fundamentais. Por exemplo, a vantagem competitiva da Ryanair sobre seus rivais é baseada em seu modelo de negócios de baixo custo, que capacita a companhia aérea a cobrar tarifas mais baixas que seus rivais. Mas alguns bens ou serviços de baixo custo podem representar uma falsa economia para os clientes, especialmente se forem de má qualidade, gerando custos adicionais para o consumidor que tiver que consertá-los ou trocá-los.

Outra maneira de impulsionar a receita é aumentar o volume de bens vendidos. Algumas empresas tentam atingir essa meta usando campanhas publicitárias para roubar participação de mercado de seus rivais. Mas o problema em tentar aumentar a receita por meio de promoções é que isso costuma sair caro. No Reino Unido, por exemplo, em 2013, um comercial de TV de 30 segundos pode custar até £ 50 mil.

Oferecer um produto de qualidade é uma alternativa a essas abordagens de baixo custo ou grande volume. Essa estratégia pode alcançar a mesma meta que o crescimento das receitas da empresa, aumentando a retenção do cliente ao oferecer-lhe um produto de alto padrão que ele desejará ter ou comprar cada vez mais.

### O que é qualidade?
Para apreciar o papel desempenhado pela qualidade, é preciso, primeiro, entender o que esse termo quer dizer. No contexto de fabricação, a qualidade é alcançada quando uma empresa é capaz de oferecer bens confiáveis e duráveis que satisfaçam ou ultrapassem as expectativas do consumidor, sem dar defeito.

Produtos de alta qualidade inspiram confiança. Veja, por exemplo, os pneus de alta qualidade. Eles quase sempre têm sulcos mais profundos que os de baixa qualidade, fazendo com que os carros que os usam derrapem menos em situações de emergência ou com o tempo ruim. Nesse caso, a qualidade de um pneu pode ser a

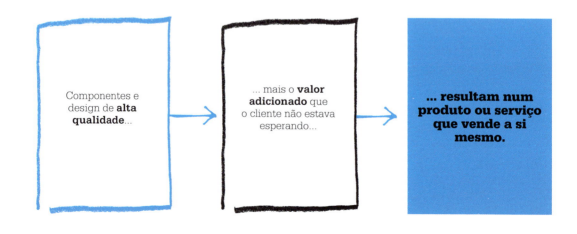

Componentes e design de **alta qualidade**... → ... mais o **valor adicionado** que o cliente não estava esperando... → ... **resultam num produto ou serviço que vende a si mesmo.**

# ENTREGANDO OS BENS 321

**Veja também:** Descobrindo um nicho lucrativo 22–23 ▪ Obtendo uma vantagem 32–39 ▪ A *startup* leve 62–63 ▪ Liderando o mercado 166–169 ▪ O modelo de marketing 232–233 ▪ Criando uma marca 258–263 ▪ Satisfazendo a demanda 294–295

diferença entre a vida e a morte. Pneus de qualidade superior, feitos com compostos de borracha mais duros, também duram mais que os de menor qualidade, o que quer dizer que o motorista não terá um custo maior ou a inconveniência de substituí-los com frequência.

Uma boa qualidade não tem a ver apenas com o uso de melhores componentes. O design também é crucial para ter produtos de qualidade superior, porque esse quesito é capaz de oferecer ao consumidor novas vantagens pelas quais ele está disposto a pagar um preço maior. Em 2011, a fabricante de pneus japonesa Bridgestone lançou sua série de pneus com design inovador, o que permitia aos motoristas dirigir com um pneu murcho por até 80 km a uma velocidade de 80 km/h. Essa facilidade possibilitava ao motorista conduzir o veículo até a borracharia mais próxima para trocar o pneu furado em vez de ter que parar no acostamento.

As empresas que conseguiram incorporar itens diferenciados em seus produtos podem explorar o valor adicionado atrelado a eles cobrando preços mais altos. Se em outros aspectos (como a função) os produtos são iguais aos dos concorrentes, aumentar o preço de produtos que têm um apelo especial para os consumidores é capaz de levar a uma receita maior e a um lucro maior.

### A qualidade ganha

Estée Lauder adotou a filosofia de que "qualidade vende" quando abriu seu negócio de cosméticos em Nova York, em 1946. Quando era criança, sua mãe lhe repetia sem parar que a exposição ao sol causava o envelhecimento precoce

> O lucro no negócio vem de clientes repetitivos, clientes... que trazem amigos com eles.
> **W. Edwards Deming**

da pele. A jovem Lauder anotou tudo e começou a fazer seus próprios cremes com o tio, um químico. Assim como outros empreendedores de sucesso, Lauder acreditava de verdade que havia demanda por seu produto e, em 1935, começou a vender seus primeiros ítens: cremes especiais, kits de cremes, óleo de limpeza e loção para pele.

No começo, a Estée Lauder não fez nenhuma propaganda. Para ela, seus produtos eram tão bons que se venderiam sozinhos. A empresa se baseava em suas clientes para promover seus produtos. As clientes experimentariam seus cremes, gostariam deles e continuariam a comprá-los. Além disso, recomendariam os produtos de Estée Lauder para suas amigas. Ela deu um nome a esse tipo de promoção: "marketing diga a ela".

Mais recentemente, a Samsung também adotou uma abordagem sobre a qualidade com grandes resultados. A fabricante de eletrônicos sul-coreana não se baseia em exuberantes campanhas de publicidade para criar sua vantagem competitiva. Em vez disso, apela para o segmento de mercado que prioriza a qualidade do produto em lugar da imagem da marca.

Em abril de 2013, foi lançado o Samsung Galaxy 4. Rapidamente ele ganhou participação de mercado em relação ao líder – o iPhone da Apple –, porque era visto como mais avançado tecnologicamente que o último modelo da Apple, o iPhone 5. A tela tinha quase 100 pixels por polegada a mais que o iPhone 5, e sua câmera também era melhor que a do rival em termos de funcionalidade e pixels. »

**Os clientes** que são compradores fiéis de uma marca específica são valiosos para uma empresa, mesmo se esse produto for de baixo custo. A qualidade é um item que pode gerar confiança e proporciona negócios continuados.

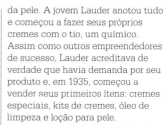

# 322 A QUALIDADE VENDE

Além disso, de acordo com pesquisas feitas pela revista britânica de foco no consumidor *Which?*, o processador da Samsung era quase duas vezes mais rápido que o do produto da Apple.

O preço da Samsung era um pouco mais baixo que o da Apple, mas não conseguiram outros produtores de celulares com Android com preços bem menores que os da Samsung conquistar participação de mercado. A chave para o sucesso do Samsung Galaxy 4 era a sua qualidade superior.

## Fidelidade à marca

A qualidade pode ser um importante fator de venda, mesmo para os produtos mais baratos, já que ajuda a criar fidelidade à marca, garantindo uma compra repetitiva. Em mercados de bens de consumo não duráveis, os fabricantes usam a qualidade superior de um produto para preservar e ampliar sua base de clientes. Os bens de consumo não duráveis incluem cerveja, pasta de dente, chocolate e cereal matinal, comprados com frequência pelas famílias e consumidos imediatamente. Como são comprados com regularidade durante todo o ano, os volumes de venda alcançados por um produto de sucesso podem ser imensos.

Um bom exemplo de um mercado desses é o de papel higiênico. De acordo com pesquisas feitas pelo fabricante norte-americano de papel higiênico Charmin, 126 bilhões de rolos de papel higiênico são comprados todos os anos nos EUA. Num mercado assim tão grande, mesmo uma pequena participação de mercado pode se traduzir em milhões de dólares de receita. Se os consumidores compram, por hábito, a mesma marca de um produto específico toda vez, em vez de ficar trocando por marcas rivais, sua fidelidade à marca não tem preço. Marcas de alta qualidade têm maiores chances de conquistar fidelidade do que aquelas com qualidade inferior. Por exemplo, famílias são mais propensas a comprar o papel higiênico Charmin repetidas vezes se o produto é mais macio e forte que os vendidos pelos seus rivais, gerando maiores volumes de venda e receitas superiores. Isso quer dizer que a empresa tem aumentado suas receitas sem nenhum custo de marketing, geralmente associadas à conquista de clientes.

## Serviço e qualidade

Outro indicador de boa qualidade é oferecer o serviço de um jeito que supere as expectativas do cliente. Isso pode ser manifestado por meio da eficiência ou da resposta rápida às dúvidas do cliente. O Zurich Insurance Group opera em mais de 170 países e a cada mês processa mais de 600 mil interações com clientes via telefone, correio ou internet. Sua ambição é ser a melhor seguradora do mundo segundo os clientes, trabalhadores e acionistas, o tempo todo buscando garantir sua qualidade. Seu programa de iQuality define como os empregados podem dar maior atenção ao cliente e descobrir mais coisas sobre suas novas necessidades e expectativas. Ele verifica regularmente a qualidade do trabalho dos empregados e usa amplas pesquisas de mercado para acumular informações sobre a experiência do cliente.

> Qualidade quer dizer utilidade. A utilidade é definida pelo cliente.
> **Joseph Juran, especialista norte-americano sobre gestão de qualidade (1904-2008)**

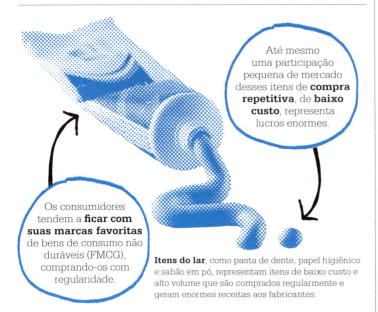

Até mesmo uma participação pequena de mercado desses itens de **compra repetitiva**, de **baixo custo**, representa lucros enormes.

Os consumidores tendem a **ficar com suas marcas favoritas** de bens de consumo não duráveis (FMCG), comprando-os com regularidade.

**Itens do lar**, como pasta de dente, papel higiênico e sabão em pó, representam itens de baixo custo e alto volume que são comprados regularmente e geram enormes receitas aos fabricantes.

# ENTREGANDO OS BENS 323

A Zurich também tem protocolos sobre como reagir a clientes insatisfeitos. Quando muitos deles reclamaram que os pagamentos demoravam muito para sair ao fim de suas apólices, a Zurich usou os "5 por quês" para descobrir que o problema estava no atraso em mandar a correspondência. A empresa implantou um sistema automático de envio de correspondência dez dias antes de as apólices vencerem, resultando numa queda de 78% nas reclamações. A Zurich já ganhou vários prêmios pelo seu serviço, incluindo dois "Five-star Service Awards" baseados em 25 mil questionários respondidos.

**Valor agregado**

As empresas também podem criar produtos de alta qualidade ao agregar valor. O valor agregado é a diferença entre o preço de um produto e o custo da matéria-prima usada para fabricá-lo. As empresas podem agregar valor aos seus produtos com novos itens, funções inovadoras e adicionais projetados, para favorecer e atrair compradores atuais e potenciais.

No ramo hoteleiro, o Ibis agrega valor ao prometer ao cliente que suas camas, colchões, edredons e travesseiros lhe garantirão uma ótima noite de sono. O custo desses itens é equilibrado com a melhoria

**Hóspedes de hotéis** têm uma surpresa agradável quando descobrem itens extras de luxo que não esperavam. Podem ser serviços ou produtos complementares.

na retenção de clientes ou com preços mais altos, que geram receitas maiores.

Outros hotéis foram até mais ousados na busca de agregar valor. No segmento *premium* do mercado, criam valor adicional ao redefinir sua função principal. Esses hotéis não apenas vendem um lugar confortável para dormir; vendem uma "experiência" na qual os hóspedes recebem um leque de "prazeres" – fatores do serviço que agradam aos hóspedes mas que não são esperados, com frequência, por eles. Exemplos: TV de HD, artigos de toalete de marca, champanhe e pantufas grátis que os clientes podem levar embora.

Agregar valor é uma batalha constante, porque os "prazeres" podem acabar se tornando uma expectativa. Se um hotel não conseguir satisfazer as crescentes exigências de seus hóspedes, ele perderá clientes para os rivais. Hotéis de sucesso buscam o tempo todo novos "prazeres" que surpreendam os hóspedes sem ser muito caros. Prazeres baratos são a forma ideal de criar valor agregado, gerar compras repetitivas e acabam gerando lucros saudáveis. ■

Qualidade não é aquilo que o fornecedor coloca. É aquilo que o cliente consegue e pelo qual está disposto a pagar.
**Peter Drucker, guru de gestão norte-americano (1909-2005)**

## W. Edwards Deming

William Edwards Deming nasceu em 1900 em Sioux City, Iowa, EUA. Estudou física na Universidade do Wyoming antes de fazer doutorado em Yale. Depois de se formar, trabalhou na Bell Telephones, na equipe cuja meta era aumentar o controle de qualidade.

Deming via a qualidade como um fator mais importante do que o preço nas matérias-primas, pois tal fator, segundo ele, seria determinante no produto final. Por isso, defendia, os fabricantes não deveriam escolher seus fornecedores apenas com base no que eles cobravam. No mundo ideal, as empresas deveriam tentar desenvolver uma relação duradoura com um único fornecedor, baseada na confiança. A abordagem provavelmente levaria a materiais de melhor qualidade.

Além disso, Deming acreditava que a qualidade vinha de um processo de produção que fosse estável e consistente.

### Principais obras

**1982** *Out of the Crisis*
**1993** *A nova economia*

# O DESEJO DE TER ALGO UM POUCO MELHOR E UM POUCO ANTES DO NECESSÁRIO
## OBSOLESCÊNCIA PROGRAMADA

**EM CONTEXTO**

FOCO
**Manutenção de vendas**

DATAS IMPORTANTES
**1924-1939** Os fabricantes de lâmpadas Osram, Philips e General Electric formam um cartel no qual operam juntos para impedir o desenvolvimento de qualquer novo produto que envolvesse lâmpadas que queimassem mais que mil horas.

**1932** Bernard London escreve um livreto chamado *Ending the Depression Through Planned Obsolescence*, cobrando do governo britânico que aprovasse leis que limitassem a vida útil dos produtos para aumentar a obsolescência.

**1959** A Volkswagen usa o *slogan* "Não acreditamos em obsolescência programada, não mudamos um carro só por mudar", para criticar as montadoras rivais que supostamente não fabricavam carros para durar muito.

**2013** A Apple declara que o iPhone original, lançado em 2007, está obsoleto.

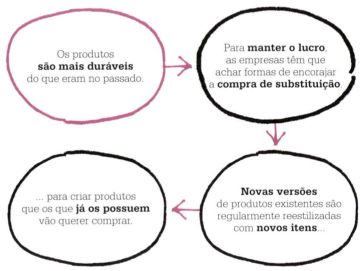

Os produtos **são mais duráveis** do que eram no passado.

Para **manter o lucro**, as empresas têm que achar formas de encorajar a **compra de substituição**.

... para criar produtos que os que **já os possuem** vão querer comprar.

**Novas versões** de produtos existentes são regularmente reestilizadas com **novos itens**...

"Feito para durar" soa como algo essencial em qualquer forma de produção, mas alguns fabricantes produzem itens que eles sabem que se tornarão obsoletos em poucos anos. Essa política garante que os clientes continuarão a comprar novos produtos. Os produtos são substituídos porque os seus componentes se estragam ou porque eles são ultrapassados por produtos com novas funções.

No passado, itens como lâmpadas ou meias femininas eram feitos para estragar em vez de durar. Hoje em dia, cartuchos de impressoras, pilhas ou componentes para produtos da linha branca podem ser difíceis ou caros de substituir, o que torna tentador comprar uma nova versão do produto. Muitos bens, como canetas e lâminas de barbear, tornaram-se descartáveis – baratos de fazer e fáceis de trocar.

**Estilo atualizado**
O designer industrial Brooks Stevens definiu a expressão "obsolescência

# ENTREGANDO OS BENS 325

**Veja também:** A qual ritmo crescer 44–45 ▪ Pensando fora da caixa 88–89 ▪ Proteja o *core business* 170–171 ▪ A moralidade nos negócios 222 ▪ *Greenwashing* 268–269

---

programada" como o estímulo para que o consumidor queira "algo um pouco melhor e um pouco antes do necessário". A estratégia de obsolescência programada foi originalmente desenvolvida pela General Motors ao perceber que o avanço da tecnologia afetaria negativamente seu negócio futuro. Durante os anos 1950, ela começou a atualizar seus estilos de grade de radiador, faróis traseiros e lataria a cada poucos anos para encorajar os motoristas a trocarem seus carros com maior frequência.

Nos últimos trinta anos, com o avanço da tecnologia, os carros se tornaram mais duráveis e confiáveis. Hoje os novos carros são feitos para durar. Com uma manutenção regular, o motor e a transmissão de um carro novo podem garantir um serviço confiável por mais de 400 mil km. Geralmente, com um uso médio, isso quer dizer que sua vida útil esperada é de mais de uma década. Se os motoristas trocassem seus carros apenas a cada dez anos, isso levaria a vendas menores para as montadoras.

Para gerar maiores níveis de vendas, muitas montadoras se planejam para criar uma obsolescência programada a fim de aumentar as compras por trocas, ao fazer nos carros uma "maquiagem" regular. As mudanças de design

Eu acredito em símbolos de *status*.
**Brooks Stevens, designer industrial norte-americano (1911-1995)**

A obsolescência nunca quer dizer o fim de alguma coisa. É apenas o começo.
**Marshall McLuhan, teórico da mídia canadense (1911-1980)**

visam encorajar os motoristas preocupados com o *status* a se livrar de seus carros ainda em perfeito estado para comprar o último modelo.

### Novidades

As montadoras também usam várias outras táticas para persuadir os consumidores a trocar seus veículos. Os novos modelos de carros incorporam novidades, como sistemas de controle multimídia com tudo junto (*touchscreen*) para diversão no carro, ou sistemas de segurança adicionais, como o que avisa quando o carro sai da faixa, ou contra possíveis colisões.

Os fabricantes de telefones, como a Samsung e a Apple, usam a obsolescência programada para aumentar as vendas ao persuadir os consumidores a trocar seus celulares e *tablets* em perfeitas condições por algo novo e melhor. Nesse mercado altamente competitivo, a recompensa vai para a empresa que criar uma obsolescência programada mais rapidamente, o que lhe dá uma taxa mais rápida de compra para substituição. A Samsung usou essa estratégia com sucesso para aumentar seu lucro. Em julho de 2013, a empresa sul-coreana teve um lucro recorde £ 5,5 bilhões, 47% maior que o do ano anterior. No mesmo período, a participação da Apple no mercado de *smartphones* na Europa caiu de 30,5 para 25%. Isso se deu em parte e sem dúvida por causa da popularidade do Samsung Galaxy S4, que oferecia a novidade do S-Tradutor, que capacitaria o usuário a traduzir nove línguas da fala para o texto e do texto para a fala.

### Ansiedade de *status*

Os times de futebol também se beneficiam da obsolescência programada. No começo de cada temporada, a maioria dos clubes lança pelo menos dois kits de uniformes para que seus fãs comprem. As camisetas para uso doméstico ou para sair são reestilizadas, para que pareçam muito diferentes dos kits do ano anterior. Esse tipo de obsolescência programada é baseado na ansiedade de *status*. Muitos fãs decidem comprar as novas camisetas para ser aceitos por outros fãs ou para mostrar lealdade ao clube, mesmo quando as camisetas que eles compraram um ano antes ainda estão novas. ■

**Crianças no Zimbábue** usam camisetas de futebol doadas por times ingleses. Na Europa, elas não serão vendidas porque o consumidor sabe que mudam a cada temporada.

# TEMPO É DINHEIRO
## GESTÃO BASEADA EM TEMPO

**EM CONTEXTO**

FOCO
**Desenvolvimento de produto**

DATAS IMPORTANTES
**Século V a.C.** Os gregos antigos usavam o fluxo de caixa descontado para considerar quanto o dinheiro se desvaloriza durante decisões de investimento no longo prazo.

**1764** O inventor inglês James Hargreaves inventa a máquina de fiar hidráulica – um dispositivo que capacitava os trabalhadores têxteis a fiar oito bobinas de algodão de uma vez, e não só uma.

**1994** O gerente da Nissan Chris Baylis, alega que a "engenharia simultânea" é a forma mais rápida e eficaz de alcançar uma "solução de design otimizada".

**2001** Desenvolvedores de *software* em Utah, EUA, produzem um manifesto em favor de uma abordagem de desenvolvimento de *software* ágil.

> Tradicionalmente, novos produtos são desenvolvidos numa **sequência linear**, indo de um estágio de design para outro.
>
> ↓
>
> Ao formar **equipes multidisciplinares**, todos os elementos do design de produto podem ser completados ao mesmo tempo.
>
> ↙ ↘
>
> Isso **reduz** o custo de design.    Isso permite um **desenvolvimento mais rápido**.

O tempo tem valor monetário. Por exemplo, se os empregados passam a tarde em uma reunião improdutiva, esse tempo custa dinheiro à empresa. Há também o "custo de oportunidade", uma vez que a reunião os impede de fazer outras tarefas potencialmente mais produtivas. Essa é a preocupação principal da gestão baseada no tempo, que valoriza o uso do tempo da mesma forma que outros modelos de gestão focados em matérias-primas e gastos não operacionais. Uma abordagem baseada no tempo permite à empresa gerenciar o trabalho de forma efetiva em toda a empresa, coletar dados de custos reais e cortar custos ao reduzir a quantidade de tempo usada para desenvolver e lançar novos produtos.

Uma forma de reduzir os custos de tempo num projeto é usar um processo chamado "engenharia simultânea". Essa estratégia envolve realizar todos

**Veja também:** Criatividade e invenção 72–73 ▪ Lucro vs. fluxo de caixa 152–153 ▪ Liderando o mercado 166–169 ▪ A cadeia de valor 216–217 ▪ Produção enxuta 290–293 ▪ Simplifique os processos 296–299 ▪ Método do caminho crítico 328–29

os processos de design necessários para lançar um produto ao mesmo tempo, em vez de numa sequência linear, e pode reduzir o tempo de desenvolvimento em meses ou até anos.

## Comparando abordagens

Tradicionalmente, as empresas desenvolvem produtos numa sequência linear de desenvolvimento, em que cada departamento envolvido nas etapas de design trabalha isoladamente, completando suas tarefas antes de passar o produto ao novo departamento. Dessa forma, o produto parcial tem que passar pelos departamentos de design, engenharia e produção.

Mas tal abordagem pode levar a erros no uso do tempo. Por exemplo, no design de carros novos, os diversos departamentos podem trabalhar em partes diferentes de maneira isolada e numa sequência certa. Mas, quando as várias submontagens são finalmente juntadas no estágio do protótipo, o resultado nem sempre é satisfatório. E, para corrigir algo – como um banco bonito causando problemas de visibilidade quando montado –, as peças talvez tenham que voltar aos

**No processo linear**, a evolução do protótipo ou das partes individuais se move separadamente, vai e volta, entre os departamentos. Isso leva tempo e é custoso.

**Na abordagem de engenharia simultânea**, os departamentos são representados numa equipe multidisciplinar, para resolver novos problemas e economizar tempo e dinheiro.

seus diversos departamentos.

A abordagem alternativa, escolhida por fabricantes baseados em tempo, é usar uma equipe de pessoas de diferentes departamentos, todas trabalhando juntas num novo produto desde o começo. Os gerentes de produto desempenham um papel-chave, já que devem garantir que os

membros de uma equipe multidisciplinar concordem com as trocas de design necessárias num estágio ainda inicial no processo de desenvolvimento. A integridade do design é alcançada logo na primeira tentativa, sem precisar haver um retrabalho, cortando o tempo necessário para lançar um novo produto.

A gestão baseada em tempo só funciona de forma eficaz em empresas que empregam funcionários flexíveis e com múltiplas habilidades e que, em troca, respeitam as habilidades uns dos outros e valorizam as ideias de mutuamente. Um processo não linear implica que os gerentes devem estar preparados para trabalhar com uma estrutura menos rígida e estimular uma cultura de confiança.

Essa abordagem gerencial cria a base de muitas empresas de tecnologia hoje, pois permite uma resposta mais rápida às mudanças no mercado e nas necessidades dos clientes, ao mesmo tempo que garante aos empregados uma maior autonomia, num ambiente de trabalho mais criativo. ■

## Desenvolvimento ágil de software (ASD)

Na indústria de *software*, ocorrem mudanças rápidas e repetidas nos componentes e nas demandas dos clientes. Isso implica que os desenvolvedores tenham que encontrar formas mais rápidas e melhores de gerenciar projetos.

Em 2001, um grupo de desenvolvedores de *software* se reuniu em Utah, EUA, para discutir como isso poderia ser feito, e suas conclusões serviram de base para a abordagem de desenvolvimento ágil de *software*. Ele reconhece o cliente como uma alta prioridade e incorpora as novas exigências (mesmo nos estágios finais do desenvolvimento) de modo a lhe oferecer a maior vantagem competitiva. Mas os fundadores perceberam que tal abordagem só é possível quando as "pessoas do negócio" assumem uma atitude flexível e de confiança, tendo conversas diárias cara a cara com os desenvolvedores, de modo a lhes proporcionar o apoio de que precisam.

# UM PROJETO SEM CAMINHO CRÍTICO É COMO UM BARCO SEM LEME
## MÉTODO DO CAMINHO CRÍTICO

Num bom plano estratégico, **são identificadas todas as atividades** que devem ser completadas para terminar um projeto.

↓

Essas atividades são ordenadas numa **sequência lógica**.

↓

Onde possível, as atividades são planejadas para **ocorrer ao mesmo tempo**, a fim de economizar tempo.

↓

**São identificadas as atividades críticas** que, se atrasadas, pararão o projeto antes de ele terminar a tempo.

↓

**Um projeto sem caminho crítico é como um barco sem leme.**

## EM CONTEXTO

FOCO
**Procedimentos de planejamento**

DATAS IMPORTANTES
**1814** A invasão da Rússia por Napoleão fracassa, porque a Grande Armée não está equipada com o tipo de roupa necessário para sobreviver ao inverno.

**1910** O engenheiro mecânico norte-americano Henry Gantt inventa o gráfico Gantt, que mostra as datas de começo e fim para todas as atividades que precisam ser completadas para terminar um projeto.

**1959** Morgan Walker e James Kelley publicam seu revolucionário artigo "Critical Path Planning and Scheduling".

**1997** Em seu livro *Golden Chain*, o físico israelense Eliyahu Goldratt aconselha a gerência a se planejar para as incertezas ao criar "recursos de proteção" que podem ser usados para resolver problemas conforme eles surgem.

Para minimizar o tempo necessário à finalização de um projeto complexo, os executivos usam, com frequência, um processo conhecido como análise de caminho crítico (CPA). A CPA foi desenvolvida pelos matemáticos Morgan Walker e James Kelley e usada pela primeira vez em 1957 pela indústria química DuPont, com o intuito de estabelecer um programa de fechamento de fábricas da forma mais eficiente em custo. Ao seguir os conselhos de Walker e Kelley, a DuPont economizou

# ENTREGANDO OS BENS

**Veja também:** Obtendo uma vantagem 32–39 ▪ A cadeia de valor 216–217 ▪ Produção enxuta 290–293 ▪ Simplifique os processos 296–299 ▪ Gestão baseada em tempo 326–327

**Nessa rede de processo crítico** para um projeto de 20 dias, os nódulos (círculos) registram o tempo de finalização. O tempo que a tarefa deveria demorar é registrado acima, enquanto o tempo que demora para ser completada e manter o projeto no prazo está abaixo. As tarefas B, D e G formam um caminho crítico, já que precisam ser completadas de imediato; as outras tarefas têm mais tempo que precisam.

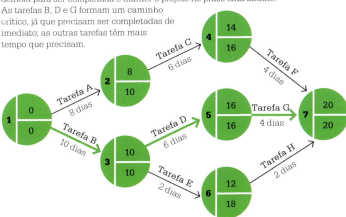

25% nos fechamentos. No começo dos anos 1960, a NASA usou a análise de caminho crítico para derrotar a União Soviética na Corrida Espacial. Por meio de um cronograma cuidadoso do projeto, a NASA foi capaz de avançar em seus programas de desenvolvimento de naves espaciais e foguetes.

## Ferramenta de planejamento

A CPA é uma ferramenta de planejamento que descreve os estágios de um projeto numa sequência lógica, indicando quais atividades precisam ser terminadas antes de as outras terem início. Ela permite que as atividades sejam agendadas simultaneamente para economizar tempo. Aquelas que são críticas ao projeto são identificadas – por exemplo, os passos que, caso atrasem, seguram todo o resto do projeto.

Os gerentes de projeto representam essa informação de forma visual, usando um diagrama de rede passo a passo. A parte mais importante do diagrama é o caminho crítico, que mostra onde não há tempo de sobra. Se uma atividade crítica parece correr o risco de atrasar, os executivos terão que agir, provavelmente usando pessoal ou máquinas extras. Esses recursos podem ser tirados de atividades não críticas que têm sobra de tempo.

## Economizando tempo e dinheiro

Empresas manufatureiras talvez usem o CPA para planejar o lançamento de um novo produto. Ao identificar as tarefas que podem ser feitas ao mesmo tempo, os fabricantes devem ser capazes de reduzir a quantidade de tempo necessária para o desenvolvimento, permitindo antecipar o lançamento no mercado. Terminar um projeto mais cedo também reduz custos. Por exemplo, uma empresa pode usar o CPA para reduzir a quantidade de dinheiro gasta ao alugar um equipamento caro. Ao estudar a rede, os executivos podem prever quando contratar um tipo de equipamento e por quanto tempo. ■

## Sidney Opera House

Uma das maravilhas arquitetônicas do mundo moderno, a Sidney Opera House é um exemplo dramático do que pode dar errado quando projetos não são adequadamente planejados e gerenciados. Quando a famosa casa de espetáculos em todo o mundo foi inaugurada, em 1973, já havia um atraso de dez anos, tendo custado 14 vezes mais que o orçamento original.

Numa tentativa de abrir o prédio ao público o mais rápido possível, o governo definiu que o início dos trabalhos deveria ser feito em 1959, antes que o arquiteto dinamarquês Jorn Utzon tivesse acabado seu projeto.

A decisão de começar a construção mais cedo levou a uma série de problemas. Por exemplo, as colunas do pódio usadas inicialmente se mostraram fracas demais para aguentar o teto. Por causa disso, desperdiçaram tempo e dinheiro, sendo substituídas. Infelizmente para Utzon, a princípio o seu projeto foi injustamente responsabilizado pelos atrasos e estouros de orçamento, e não o terrível gerenciamento do projeto.

**Ícone arquitetônico**, a Sydney Opera House é um feito de engenharia e design, a despeito das dificuldades encontradas durante sua construção.

# PEGANDO O MELHOR DOS MELHORES
## BENCHMARKING

## EM CONTEXTO

**FOCO**
**Vantagem competitiva**

**DATAS IMPORTANTES**
**240 a.C.** Os romanos capturam um barco cartaginês durante uma tempestade. Eles construíram novos barcos baseados em seu design e derrotaram os cartagineses na Batalha de Aegus.

**1819** O industrial escocês James Finlayson constrói uma tecelagem em Tampere, Finlândia. Seus métodos têm como modelo aqueles usados pelas famosas tecelagens de Lancashire.

**1972** O Ajax, o time holandês de futebol, ganha a Eurocopa jogando o "futebol total", a tática que permite que os jogadores assumam qualquer posição no gramado. O time espanhol FC Barcelona adota, mais tarde, a mesma estratégia e alcança enorme sucesso.

---

Para se tornar **líder no setor**...

↓

... uma empresa deve identificar seu **concorrente de maior sucesso**...

↓

... e adotar as **melhores práticas** de seu rival.

↓

**Pegando o melhor dos melhores.**

---

Se o desempenho de uma empresa é adequado, mas não espetacular, é possível que ela tente identificar áreas que a ajudariam a sobressair na concorrência. O processo de *benchmarking* permite a uma empresa melhorar sua eficiência ao comparar seu desempenho com o de outras organizações. O objetivo é identificar, para depois aprender, as melhores práticas no setor. As melhores práticas podem vir, por exemplo, de um concorrente que consegue o menor custo unitário, a melhor nota de satisfação do cliente ou o *lead time* mais curto. A abordagem do rival é, então, avaliada cuidadosamente, incluindo fatores como equipamento, treinamento e métodos de produção usados. Uma vez entendida, a melhor prática pode ser adotada na esperança de que ela melhore a performance da empresa até se igualar ao líder do setor.

### Eficiente em custo

Algumas empresas tentam se tornar mais eficientes somente por meio de tentativa e erro, o que pode ser lento e custoso. Uma das vantagens do *benchmarking* reside no fato de ele ser uma forma relativamente barata de melhorar o desempenho, porque não há necessidade de replicar os caros erros cometidos por outros negócios. As

# ENTREGANDO OS BENS 331

**Veja também:** Estudando a concorrência 24–27 ▪ Mantendo a evolução da prática empresarial 48–51 ▪ Evite o pensamento de grupo 114 ▪ Ignorando a manada 146–149 ▪ Evitando a complacência 194–201 ▪ Simplifique os processos 296–299 ▪ Aplicando e testando ideias 310–311

melhorias podem vir tão rapidamente porque, uma vez que o *benchmarking* tenha identificado práticas eficazes, esses métodos podem ser adotados. As mudanças devem elevar a performance ao nível alcançado pelo líder do setor, de modo que qualquer lacuna competitiva seja eliminada rapidamente. No futuro, o *benchmarking* pode ser repetido de forma regular.

## O *benchmarking* na prática

Nos anos 1980, o fabricante de fotocópias Xerox usou o *benchmarking* para recuperar sua participação de mercado. Por dez anos, a empresa norte-americana perdeu clientes para suas rivais japonesas Canon e Ricoh. Essas empresas ganharam terreno porque foram capazes de cobrar um preço mais baixo que o da Xerox, sem comprometer a qualidade do produto. Para identificar o que faziam de errado, a Xerox comprou os produtos das suas rivais e os desmontou. Ela descobriu que a Canon e a Ricoh desenvolveram suas máquinas a partir de um número relativamente pequeno de componentes. A simplicidade de design capacitou a concorrência a se beneficiar de economias de escala: ao comprar componentes em grandes quantidades, os custos operacionais caíram, tornando possíveis preços menores aos consumidores. A Xerox respondeu simplificando seu design, de modo que os pontos em comum entre todos os componentes das linhas Xerox foram de 20% para 70%.

Os executivos norte-americanos da Xerox também visitaram as fábricas das copiadoras japonesas para aprender mais sobre os seus métodos de produção. Ao voltarem aos EUA, eles adotaram muitos dos métodos de produção que haviam visto. O *benchmarking* também permitiu à Xerox melhorar a confiabilidade de seus produtos. De 1981 a 1990, as reclamações dos clientes caíram 60%. No mesmo período, os custos de fabricação da Xerox foram reduzidos em mais de 50%, o que permitiu à empresa cobrir os preços das japonesas enquanto mantinha sua margem de lucro.

## Elevando o padrão

Os governos também utilizam o *benchmarking* para melhorar seu desempenho. Por exemplo, de 2000 a 2009 a Organização para a Cooperação e Desenvolvimento Econômico (OCDE) pesquisou padrões educacionais em 65 países e identificou que a Finlândia alcançou as mais altas notas em leitura, matemática e ciência. Professores de todo o mundo agora visitam a Finlândia anualmente para aprender mais sobre o sucesso educacional finlandês. ■

O *benchmarking* oferece um estoque de mudanças criativas que outras companhias já adotaram.
**John Langley, executivo do Barclays Bank, do Reino Unido**

---

**A equipe de *pit-stop* da Ferrari** tem uma pessoa no comando, possibilitando o reabastecimento do carro e a troca dos quatro pneus em menos de sete segundos.

### *Benchmarking* entre setores

Algumas empresas aprendem com outras organizações que atuam em mercados completamente diferentes. Por exemplo, em 2005, dois médicos do hospital infantil Great Ormond Street, de Londres, ficaram espantados com a eficiência da equipe de boxe da Ferrari durante uma corrida de Fórmula 1.

Alan Goldman e Martin Elliot observaram que só uma pessoa na equipe dava ordens, evitando a perda de tempo com discussões. Os membros da equipe eram especializados em uma tarefa, a qual eles repetiam até que ficasse perfeita.

Goldman e Elliot mudaram as práticas de trabalho no Great Ormond Street ao aplicar a melhor prática da Ferrari: uma descrição clara do cargo implicava que cada membro da equipe sabia qual era seu papel e atribuiu-se uma posição de liderança para cada turno. Como resultado, os erros entre o centro cirúrgico e a UTI caíram 70%.

# DIRETÓ

# RIO

# DIRETÓRIO

Negócios têm a ver com sucesso, quase sempre contra sérias adversidades, e, para que isso aconteça, quem está nesse ramo usa muitas ideias de várias disciplinas relacionadas. É preciso entender de pessoas, números e sistemas, logo não causa surpresa que um grande número de pensadores importantes venha de campos como a psicologia, a matemática e a engenharia. Alguns deles são adeptos de transformar teoria em prática, criando grandes negócios que continuam evoluindo e crescendo mais ainda no longo prazo. A maior parte deste livro examinou alguns desses pensadores em detalhe. Aqui, veremos outros desse time e o impacto que tiveram no ambiente empresarial, desde designers industriais a teóricos, até líderes inspiradores e gurus de gestão.

## RICHARD BRANSON
### 1950-

Fundador do Virgin Group de negócios, Richard Branson nasceu em 1950, em Surrey, Reino Unido. Em 1969, abriu um negócio de discos, que só vendia pelo correio, chamado Virgin, o qual acabou se transformando numa rede de lojas de varejo. Em 1972, construiu um estúdio de gravação e abriu o seu próprio selo. A marca Virgin se expandiu a diversas áreas, e o Virgin Group hoje tem mais de 200 empresas em mais de 30 países, incluindo a companhia aérea Virgin Atlantic, Virgin Radio e Virgin Galactic.
**Ver também:** Vencendo os desafios na fase inicial 20-21; Criando uma marca 258-263; Causando alvoroço 274-275

## SUBIR CHOWDHURY
### 1967-

Especialista em gestão de qualidade, Subir Chowdhury nasceu em Chittagong, Bangladesh, em 1967. Estudou engenharia aeronáutica no Indian Institute of Technology, Kharagpur, antes de estudar gestão industrial na Central Michigan University, EUA. Seu trabalho como consultor dentro de diversos setores o levou a desenvolver a solução LEO (Ouça, Enriqueça, Otimize, em inglês), popularizada em seu livro *The Ice Cream Maker*. Tal abordagem diz que ao tornar a "qualidade" em responsabilidade de cada empregado, a qualidade individual leva à qualidade de processo e ao sucesso organizacional.
**Ver também:** A qualidade vende 318-323

## CLAYTON CHRISTENSEN
### 1952-

Clayton Christensen é considerado um dos maiores pensadores da administração no mundo. Nascido em Utah, EUA, em 1952, trabalhou como missionário para a Igreja de Jesus Cristo dos Santos dos Últimos Dias na Coreia do Sul, entre 1971 e 1973. Ao voltar aos EUA, estudou economia na Brigham Young University, Utah, e na Universidade Oxford, no Reino Unido, antes de fazer seu MBA e doutorado na Harvard Business School. Enquanto trabalhava como consultor, ajudou a fundar a Innosight, uma ONG de política pública. Atualmente professor na Harvard Business School, Christensen já publicou várias obras. Seu primeiro livro, *O dilema da inovação*, é um *best-seller* internacional.
**Ver também:** Mudando o jogo 92-99; Gestão de crises 188-189; Evitando a complacência 194-201

## ROBERTO CIVITA
### 1936-2013

O barão da mídia brasileiro Roberto Civita nasceu em Milão, Itália, em 1936. Sua família mudou-se para os EUA logo depois de seu nascimento e para o Brasil dez anos depois, onde seu pai fundou a Editora Abril. Civita fez vários cursos em universidades norte-americanas, em temas tão diversos como física nuclear e de partículas, jornalismo, economia e sociologia. Depois de uma breve passagem pela *Time*, em 1968 ele fundou a revista *Veja*, a revista semanal de maior circulação no Brasil. Seus bem-sucedidos negócios de mídia e educação levaram a revista *Forbes* a estimar seu patrimônio em US$

# DIRETÓRIO 335

4,9 bilhões quando da sua morte, em 2013.
**Ver também:** Rupert Murdoch 337

## KATHLEEN EISENHARDT
### 1947-

A professora da Universidade Stanford Kathleen Eisenhardt é uma especialista em estratégia em mercados e setores de alta velocidade, como o Vale do Silício. Com formação em engenharia mecânica (estudou na Brown University, EUA), Eisenhardt fez seu mestrado em ciência da computação e doutorado em administração em Stanford. Seu livro de 1998, *Estratégia competitiva no limiar do caos* (em coautoria com Shona Brown), é um texto clássico.
**Ver também:** Evitando a complacência 194-201; Lidando com o caos 220-221

## HENRI FAYOL
### 1841-1925

Nascido em Istambul, Turquia, em 1841, Henri Fayol estudou engenharia na École des Mines de Saint-Étienne, na França, antes de se tornar engenheiro de mineração. Sua abordagem inovadora para problemas técnicos e gestão o levou a desenvolver teorias organizacionais que mudaram a mentalidade contemporânea. Foi a primeira pessoa a contextualizar a organização como uma empresa industrial e conduziu um trabalho revolucionário sobre a excelência operacional.
**Ver também:** Simplifique os processos 296-299; Método do caminho crítico 328-329

## BILL GATES
### 1955-

William Henry Gates nasceu em Seattle, EUA, em 1955. Seu pai atuava como advogado e sua mãe era ativa na sociedade civil e no mundo corporativo. Gates começou a programar computadores aos 13 anos com seu amigo Paul Allen, com quem mais tarde fundou a Microsoft. Gates estudou na Universidade Harvard por dois anos antes de largar o curso e abrir a Microsoft com Allen, em 1975. Como CEO, Gates transformou a Microsoft numa das maiores empresas do mundo. Em 1994, ele abriu a fundação de caridade William H. Gates com uma contribuição inicial de US$ 28 bilhões.
**Ver também:** Liderando o mercado 166-169; A tecnologia certa 314-315

## PANKAJ GHEMAWAT
### 1959-

Nascido em Jodpur, Índia, Pankaj Ghemawat viveu nos EUA por trinta anos antes de se mudar para a Espanha. Demonstrou excelência acadêmica ainda jovem: foi aceito no doutorado da Harvard Business School aos 19 anos, tendo completado o curso três anos depois. Após trabalhar por um curto período de tempo na empresa de consultoria McKinsey & Company, voltou a Harvard para se tornar um dos seus professores mais jovens. Especialista em estratégia global, questionou, de forma controversa, a ideia de globalização, alegando que as empresas têm que encontrar um equilíbrio entre "local" e "global".
**Ver também:** Entendendo o mercado 234-241

## SUMANTRA GHOSHAL
### 1948-2004

O especialista organizacional Sumantra Ghoshal nasceu em Calcutá, Índia. Estudou física na Delhi University e trabalhou como gerente na Indian Oil antes de fazer dois doutorados ao mesmo tempo, no Massachusetts Institute of Technology (MIT) e na Harvard Business School nos EUA. Em 1994 foi para a London Business School, onde se tornou professor de gestão estratégica. Escreveu doze livros, dos quais dois revolucionaram a administração: *Managing Across Borders* e *A organização individualizada*.
**Ver também:** Cultura organizacional 104-109

## GARY HAMEL
### 1954-

O estrategista Gary Hamel fez seu doutorado na Universidade de Michigan, EUA, antes de virar professor da London Busines School, Reino Unido, em 1983. Dez anos mais tarde, fundou uma empresa de consultoria empresarial no Vale do Silício, EUA, para ganhar experiência prática com as empresas de alta tecnologia locais. Hoje também trabalha como professor visitante nas universidades de Harvard e Oxford. Em 1995 foi coautor, junto com C. K. Prahalad, do *best-seller Competindo pelo futuro*, no qual introduziu o conceito de *core competence* no mundo empresarial.
**Ver também:** Proteja o *core business* 170-171; C. K. Prahalad 338

## JOHN H. JOHNSON
### 1918-2005

O magnata da mídia John Harold Johnson nasceu em Arkansas City, EUA. Neto de escravos, não pôde seguir nos estudos porque as escolas locais não aceitavam alunos negros, mas se destacou academicamente quando sua família se mudou para Chicago. Depois de ganhar uma bolsa de estudos na Universidade de Chicago, tornou-se editor de uma

# 336 DIRETÓRIO

revista de negócios. Em 1942, usando um empréstimo garantido pelos móveis da sua mãe, abriu a revista voltada ao público negro que mais tarde ficou conhecida como *Ebony*. Em 1951, lançou a revista *Jet*, e em 1982 sua participação em editoras de livros e revistas, TV, rádio e empresas de cosméticos era tão grande que lhe permitiu ser o primeiro afro-americano a entrar na lista dos 400 mais ricos da *Forbes*.

**Ver também:** Obtendo uma vantagem 32-39; Mudando o jogo 92-99

## JOSEPH JURAN
### 1904-2008

Nascido na Romênia, Juran emigrou com sua família para os EUA aos 8 anos. Estudante brilhante, pulou quatro séries na escola, para depois se formar em engenharia elétrica. Em 1937, era chefe de Engenharia Industrial na Western Electric, mas foi chamado a Washington, DC, para melhorar a eficiência do programa de financiamento por meio do qual os EUA emprestavam dinheiro às forças aliadas. Depois voltou à academia: em 1951, publicou *O controle de qualidade handbook*, que se tornou um clássico da administração.

**Ver também:** Produção enxuta 290-293; A qualidade vende 318-323

## INGVAR KAMPRAD
### 1926-

O empresário sueco Ingvar Kamprad é o fundador da varejista de móveis IKEA. Nascido em Pjätteryd, Smaland, começou a fazer negócios ainda menino, por diversão, vendendo relógios e, depois, material de escritório em sua vizinhança. Quando fez 17 anos, recebeu uma recompensa em dinheiro pelas boas notas na

escola e a usou para abrir um negócio. Kamprad começou vendendo de porta em porta, depois abriu um negócio de vendas pelo correio. Em 1948, começou a vender móveis feitos na região, e a empresa cresceu. Renomada por produtos que são tanto estilosos quanto baratos, a IKEA cresceu e tem 284 lojas em 26 países que visam "permitir às pessoas com poucos recursos decorar sua casa como pessoas ricas".

**Ver também:** Mudando o jogo 92-99; Produção enxuta 290-291

## ROSABETH MOSS KANTER
### 1943-

A professora de administração em Harvard Rosabeth Moss Kanter nasceu em Cleveland, EUA. Estudou sociologia até o doutorado antes de querer fazer carreira na pesquisa empresarial. Kanter lecionou em Harvard e Yale e publicou muitos livros sobre técnicas de gestão de negócios, incluindo *Men and Women of the Corporation*, considerado um clássico nos estudos de gestão crítica.

**Ver também:** Cultura organizacional 104-109; O valor da diversidade 115

## PHILIP KOTLER
### 1931-

Geralmente considerado o fundador da gestão de marketing moderna, Kotler nasceu em Chicago em 1931. Fez doutorado em economia no MIT, bem como trabalhos de pós-doutorado na Universidade Harvard. Kotler foi responsável por reposicionar o marketing nas empresas, tirando-o de uma posição periférica para uma posição central. Também mudou a ênfase do preço para a satisfação das necessidades do cliente. Kotler é autor de mais de 50 livros, incluindo o

clássico *Administração de marketing*, de 1967.

**Ver também:** O modelo de marketing 232-233; Entendendo o mercado 234-241; Mix de marketing 280-283

## JOHN KOTTER
### 1947-

O professor de Harvard John Kotter é um especialista em liderança e mudança. Estudou engenharia elétrica e ciência da computação, mas seguiu sua primeira graduação com um doutorado em administração de empresa na Harvard Business School. Considerado o "guru de liderança" número um pela revista *BusinessWeek* em 2001, Kotter escreveu 17 livros, incluindo o *best-seller Liderando mudança*, de 1996.

**Ver também:** Liderando bem 68-69; Mudando o jogo 92-99

## ESTÉE LAUDER
### 1908-2004

Estée Lauder nasceu numa família de imigrantes judeus em Queens, Nova York, em 1908. Foi ensinada a fazer produtos de beleza pelo seu tio, um químico. Começando com a venda de produtos em salões de beleza locais, Lauder criou um negócio que foi avaliado em £ 2 bilhões em 1995.

**Ver também:** A qualidade vende 318-323

## KONOSUKE MATSUSHITA
### 1894-1989

Fundador da Panasonic, Konosuke Matsushita nasceu em Wakayama, Japão. Depois de problemas financeiros familiares, Matsushita foi mandado para Osaka aos 9 anos, para ser um aprendiz. Em 1917, abriu seu próprio negócio fazendo soquetes elétricos e, em 1918,

# DIRETÓRIO 337

começou uma nova empresa, que mais tarde se chamou National e, depois, Panasonic. Seu estilo de liderança foi louvado por John Kotter em seu livro *Matsushita: lições de liderança para o próximo milênio* (1997).

**Ver também:** John Kotter 336; Liderando bem 68-69

## ELTON MAYO
### 1880-1949

O guru de administração australiano e psicólogo industrial Elton Mayo nasceu em Adelaide. Na universidade da cidade estudou medicina, filosofia e psicologia, e sua pesquisa sobre as causas psicológicas da insatisfação industrial levou a um convite para ir para a Harvard Business School, EUA, onde fez parte da equipe que realizou as famosas experiências Hawthorne. Elas demonstraram que a performance dos empregados é influenciada tanto pelo meio ao redor quanto por suas habilidades.

**Ver também:** O valor da equipe 70-71; Será que o dinheiro é a motivação? 90-91; *Kaizen* 302-309

## ROSALÍA MERA
### 1944-2013

Cofundadora da varejista de moda Zara, Rosalía Mera nasceu em La Coruña, Espanha, numa família de operários. Largou os estudos aos 11 anos para trabalhar como costureira. Aos 13, foi trabalhar numa loja de roupas que também empregava um jovem chamado Amancio Ortega, que se tornaria seu marido. Nove anos depois de se casar, em 1966, ela abriu a primeira loja Zara, vendendo roupas baratas copiando designs chiques. Em 2013, havia 1,7 mil lojas Zara no mundo, e a revista *Forbes* a chamou de mulher *self-made* mais rica do planeta.

**Ver também:** Obtendo uma vantagem 32-39; Reinventando e se adaptando 52-57

## AKIO MORITA
### 1921-1999

O fundador da Sony nasceu na vila de Kosugaya, Japão. Mostrou gosto pela matemática ainda jovem e estudou física na Universidade Imperial de Osaka. Enquanto servia na Marinha durante a II Guerra Mundial conheceu Masaru Ibuka, com quem fundou mais tarde a Tokyo Telecommunications Engineering Corporation. Com o novo nome, Sony, em 1958, a empresa produziu a primeira TV a transistor e o Sony Walkman, que revolucionou a indústria. Morita foi um dos pioneiros em criar um negócio internacional. A Sony foi a primeira empresa japonesa a construir fábricas nos EUA e a ter conselheiros norte-americanos em seu conselho.

**Ver também:** Obtendo uma vantagem 32-39; Mantendo a evolução da prática empresarial 48-51; Mudando o jogo 92-99

## RUPERT MURDOCH
### 1931-

O barão da mídia Keith Rupert Murdoch nasceu em Melbourne, Austrália. Foi para um internato em Geelong, Austrália, e, depois, para Oxford, Reino Unido, estudar economia. Em 1952, Rupert herdou um jornal regional, o *Adelaide News*. Murdoch, aprendeu o negócio como aprendiz no *Daily Express*, em Londres, e depois voltou à Austrália para assumir a direção de seu jornal. Aumentou sua circulação ao desenvolver uma mistura dramática de crime e escândalo. As receitas em alta lhe permitiram começar a comprar outros jornais. Entre 1968 e 2000, criou um império global de mídia de massa. A despeito de ter se

envolvido no "escândalo de escuta jornalística" de 2011-2012, seu negócio – News Corp – teve receitas de US\$ 34 bilhões em 2012.

**Ver também:** Destacando-se no mercado 28-31; Roberto Civita 334

## VINEET NAYAR
### 1962-

O empresário indiano Vineet Nayar nasceu em Pantnagar, uma cidade aos pés do Himalaia. Estudou engenharia mecânica e depois fez um MBA, entrando no mundo dos negócios. Em 2007, tornou-se CEO da HCL Technologies, onde pôs em prática sua controversa abordagem de gestão dos "empregados primeiro", invertendo a pirâmide operacional padrão. Usando sua abordagem inovadora, detalhada num livro com o mesmo nome, Nayar transformou a HCL numa empresa de US\$ 4,6 bilhões, com escritórios em 31 países.

**Ver também:** Organizando equipes e talentos 80-85; Será que o dinheiro é a motivação? 90-91

## HENRI NESTLÉ
### 1814-1890

Henrich ("Henri") Nestlé nasceu em Frankfurt-am-Main, Alemanha. Foi treinado como farmacêutico, mas em 1833 fugiu dos distúrbios sociais locais para se instalar em Vevey, Suíça. Continuou experimentando coisas e, em meados de 1860, começou a produzir uma papinha de bebê que combinava leite com farinha de trigo. A popularidade de sua "farine lactee" (o primeiro leite em pó para bebês) permitiu-lhe abrir escritórios de vendas e fábricas no Reino Unido, na França, na Alemanha e nos EUA, conforme comprava empresas locais. Nestlé também inventou a primeira fórmula de leite achocolatado e o café solúvel.

# 338 DIRETÓRIO

**Ver também:** Criatividade e invenção 72-73; Ignorando a manada 146-49

## INDRA NOOYI
### 1955-

Indra Krishnamurthy Nooyi nasceu em Madras (atual Chennai), Índia. Depois de terminar seu mestrado em finanças e marketing pelo Indian Institute of Management, Nooyi fez seu mestrado na Yale Management School, mantendo-se como recepcionista à noite. Depois trabalhou seis anos como consultora estratégica internacional, antes de entrar na empresa de telecomunicações Motorola como diretora de estratégia. Em 1994 tornou-se *chief strategy officer* na PepsiCo e teve papel importante no posicionamento de crescimento da empresa na China, no Oriente Médio e na Índia. Assumiu o cargo de CEO da empresa em 2006 e de presidente do conselho em 2007.
**Ver também:** O equilíbrio entre o longo e o curto prazo 190-191

## TAIICHI OHNO
### 1912-1990

Taiichi Ohno foi um engenheiro autodidata cujos métodos e ideias ajudaram a Toyota a se tornar uma das maiores montadoras do mundo. Nascido em Dalian, China, em 1912, Ohno começou na Toyota quando saiu da escola e passou o resto da vida trabalhando lá. Ficou mais conhecido por ter desenvolvido o sistema de produção *just-in-time* (JIT), no qual peças e produtos só são comprados momentos antes de ser usados, em vez de ser guardados em enormes estoques à disposição. Também defendia métodos flexíveis de fabricação para produção sob medida para mercados internacionais e para reduzir desperdícios. É considerado um dos gênios da produção do século XX.

**Ver também:** Produção enxuta 290-293; Satisfazendo a demanda 294-295

## PIERRE OMIDYAR
### 1967-

Fundador do eBay, Pierre Omidyar nasceu em Paris, na França, filho de pais iranianos. Mudou-se para os EUA com sua família ainda criança, tendo estudado ciência da computação na Tufts University, perto de Boston. Depois de se formar, trabalhou em desenvolvimento de *software* para a Apple antes de ser cofundador de uma empresa que desenvolvia *software* para *e-commerce* de *business-to--business*, em 1991. Omidyar saiu de lá para trabalhar numa empresa de comunicação móvel em 1994, mas continuou explorando as possibilidades do *e-commerce* para consumo em seu tempo livre. Em 1995, lançou o Action Web, que mais tarde virou o eBay. Em 2012, a empresa teve receita de £ 14 bilhões.
**Ver também:** A *startup* leve 62-63; Mudando o jogo 92-99

## TOM PETERS
### 1942-

Norte-americano que é uma autoridade em gestão, Tom Peters nasceu em Baltimore. Estudou engenharia civil na Cornell University até o mestrado. Depois estudou na Stanford Business School, onde fez MBA e doutorado. De 1966 a 1970, serviu no Vietnã para a Marinha os EUA; em seguida trabalhou para o governo dos EUA, em Washington. De 1974 a 1981, foi consultor da McKinsey & Company, até sair para trabalhar de forma independente. Seu livro *Em busca da excelência*, com Robert Waterman, é um clássico

da administração.
**Ver também:** Lidando com o caos 220-221

## C. K. PRAHALAD
### 1941-2010

Coimbatore Krishnarao Prahalad nasceu em Tamil Nadu, Índia. Depois de se formar em física na Universidade de Madras, Prahalad entrou na Union Carbide, onde trabalhou por quatro anos (ele considera essa experiência como o maior "ponto de virada" de sua vida). Também fez um MBA no Indian Institute of Management, seguido de um doutorado na Harvard Business School. A caminho de tornar-se professor de administração de empresas, virou um consultor famoso por ter ajudado a então cambaleante empresa de eletrônicos Philips. Publicou vários *best-sellers*, incluindo *Competindo pelo futuro*, escrito com Gary Hamel. É considerado um dos maiores pensadores em administração do mundo.
**Ver também:** Proteja o *core business* 170-171; A organização aprendiz 202-207; Gary Hamel 335

## CARLOS SLIM HELÚ
### 1940-

Magnata empresarial mexicano, Carlos Slim Helú nasceu na Cidade do México. Depois de estudar engenharia civil na Universidad Nacional Autónoma, México, fundou seu próprio negócio, a Inmobiliaria Carso, aos 25 anos. Por meio de aquisições e gestão talentosa, estabeleceu um grande grupo empresarial – o Grupo Carso –, que incluía empresas nos setores alimentício, varejista, de construção, mineração e tabaco. Em seguida fez fusões e aquisições internacionais, bem como parcerias com empresas como a Microsoft, com quem Slim Helú uniu forças em

2000 para lançar o portal em espanhol T1msn (hoje ProdigyMSN.com). Em março de 2013, a revista *Forbes* declarou que Helú era a pessoa mais rica do mundo, com um patrimônio de US$ 73 bilhões.

**Ver também:** Liderança eficaz 78-79; Bill Gates 335

## ALFRED SLOAN
### 1875-1966

Alfred Sloan foi um industrial revolucionário que mudou radicalmente a forma como as empresas eram organizadas no começo do século XX. Nasceu em New Haven, EUA, e estudou engenharia elétrica no MIT antes de entrar numa pequena empresa que fabricava rolamentos. Aos 24 anos já era o seu presidente e em menos de quatro anos levou-a da quase falência para um lucro anual de US$ 60 milhões. A empresa foi comprada pela General Motors, que fez de Sloan seu presidente em 1923. Ele reorganizou, com sucesso, a empresa em divisões autônomas e separadas, num processo de descentralização que desde então tem sido muito copiado. Também foi o primeiro a apresentar uma abordagem sistemática para o planejamento estratégico. Famoso filantropo, morreu aos 90 anos de ataque cardíaco.

**Ver também:** Simplifique os processos 296-299; Método do caminho crítico 328-329

## BROOKS STEVENS
### 1911-1995

O designer industrial Brooks Stevens nasceu em Milwaukee, EUA. Teve poliomielite ainda criança e se ocupou com o desenho nos longos anos que passou de cama. Mais tarde estudou arquitetura na Cornell University, EUA, antes de abrir seu próprio negócio de decoração. Ele disse que

a "obsolescência programada" era a missão do designer industrial e que o design deveria fazer com que os consumidores quisessem algo "um pouco mais novo, um pouco melhor e um pouco antes do necessário". Stevens foi um dos designers industriais mais influentes do século XX.

**Ver também:** Obsolescência programada 324-325

## ALVIN TOFFLER
### 1928-2016

O futurólogo e escritor norte-americano Alvin Toffler nasceu em Nova York, EUA, onde cresceu e cursou faculdade. Depois de conhecer sua esposa, Heidi, o casal partiu para a série de projetos de pesquisa colaborativos, identificando mudanças sociais presentes e futuras. No livro mais conhecido de Toffler, *O choque do futuro*, ele previu um futuro pós-industrial no qual as empresas terceirizam o trabalho e as mudanças acontecem tão rápido que as pessoas não conseguem se adaptar a elas a tempo.

**Ver também:** Reinventando e se adaptando 51-57; Foco no mercado futuro 244-249; Previsões 278-279

## CHER WANG
### 1958-

A pensadora sobre empreendedorismo Cher Wang nasceu em Taiwan e foi para os EUA para estudar. Fez economia na Universidade de Berkeley, Califórnia. Depois de se formar, trabalhou para uma empresa de computadores onde os gabinetes desses pesados equipamentos a fizeram pensar se os computadores não poderiam ser "menores". Em 1997, baseada nessa ideias, foi cofundadora da empresa de tecnologia HTC. Em 2013, a empresa fez um em cada seis

*smartphones* usados nos EUA. Uma importante filantropa, Wang é famosa por suas ideias marcantes sobre as tendências tecnológicas.

**Ver também:** Criatividade e invenção 72-73; A tecnologia certa 314-315

## YANG YUANQING
### 1964-

Yang Yuanqing nasceu na província de Anhui, China. Enquanto fazia seu mestrado em ciência da computação, começou a trabalhar com vendas na empresa de tecnologia Legend (hoje Lenovo). Aos 29 anos, era chefe do negócio de computadores pessoais da empresa e, em 2009, virou o seu CEO. Yang transformou a empresa tradicional num negócio orientado à performance com uma diversidade em termos de funcionários, rede de fornecedores e base de clientes. Em 2012 e 2013, redistribuiu seu bônus entre os empregados da empresa.

**Ver também:** Liderança eficaz 78-79; Mudando o jogo 92-99

## ZHANG XIN
### 1965-

A empresária Zhang Xin cresceu em Hong Kong e começou a trabalhar numa fábrica ainda adolescente para guardar dinheiro para estudar no Reino Unido. Fez um MBA na Universidade de Cambridge em 1992, tendo posteriormente trabalhado num banco de investimento. Em 1995 ela e seu marido fundaram a SOHO China, empresa de construção que oferecia imóveis para a nova classe dos super-ricos de Pequim. O sucesso não foi imediato, mas a SOHO China é hoje a maior e mais lucrativa empresa imobiliária do país. Em 2013, o patrimônio de Zhang era de US$ 4,6 bilhões.

**Ver também:** Vencendo os desafios na fase inicial 20-21

# GLOSSÁRIO

**Ação**
Unidade de propriedade numa empresa.

**Acionista**
Pessoa ou organização que detenha ações numa empresa.

**Ações (*Equity*)**
Em investimentos, o valor das ações emitidas por uma empresa. O *equity* também denota a propriedade parcial ou total de uma empresa. Na contabilidade, é o patrimônio líquido de uma empresa, calculado ao subtrair os passivos totais dos ativos totais.

**Alavancagem**
Extensão na qual pessoas ou empresas financiam suas atividades com dinheiro emprestado. Quando uma alavancagem alta está espalhada na economia, o grau de dívida pode criar um crescimento de curto prazo, mas quase sempre seguido de uma forte queda.

**Aperto de crédito**
Uma súbita redução da disponibilidade de crédito num sistema bancário. Um aperto de crédito com frequência acontece depois de um período no qual o crédito esteve amplamente disponível.

**Aquisição**
Compra total ou parcial de um negócio por outro negócio.

**Ativo**
Qualquer recurso econômico possuído por uma empresa e que pode ser usado para gerar valor para o negócio.

**Balanço patrimonial**
Resumo do valor financeiro de uma empresa, incluindo seus ativos, passivos e o patrimônio líquido dos seus donos, frequentemente publicado no fim do seu ano financeiro.

**Banco sombra**
Instituição financeira que não é um banco, mas empresta dinheiro a empresas. Os bancos sombra oferecerem serviços similares aos dos bancos tradicionais, mas não estão sujeitos às mesmas restrições supervisoras e reguladoras.

**Benchmarking**
Método de avaliar uma empresa ao comparar sua performance e sua prática com aquelas do negócio, ou dos negócios, que lideram o mercado.

**BRICs**
Acrônimo para quatro economias emergentes: Brasil, Rússia, China e Índia. São consideradas por alguns como um desafio à supremacia econômica ocidental.

**Cadeia de valor**
Teoria do professor norte-americano Michael Porter segundo a qual a cadeia de atividades inter-relacionadas de uma empresa pode ser explorada para adicionar valor a seus produtos ou serviços. Essas atividades se relacionam ao fluxo de um produto desde a produção até a compra pelo cliente.

**Cadeia logística**
Pessoas e processos envolvidos na produção e na distribuição de bens ou serviços.

**Capital**
O dinheiro e os ativos físicos (como máquinas e infraestrutura) usados por uma empresa para produzir receitas.

**Capital de giro**
Capital disponível para uso nas operações do dia a dia de um negócio, calculado como a diferença entre os ativos correntes e os passivos correntes.

**Cartel**
Grupo de empresas que concordam em cooperar de tal forma que a produção dos seus bens ou serviços é restringida, fazendo com que seus preços subam.

**Cauda Longa**
Expressão cunhada pelo escritor e empreendedor britânico Chris Anderson para descrever como as vendas totais de produtos de nicho na "cauda" fina de uma curva de demanda podem ser maiores que as vendas dos seus produtos mais populares na "cabeça".

**CEO**
Acrônimo em inglês para *chief executive officer*, o executivo mais poderoso de uma empresa. Ele é designado pelo Conselho e responde a ele.

**Commodity**
Termo para qualquer item, produto ou serviço que pode ser livremente comprado, vendido ou comercializado.

**Companhia limitada (Ltda.)**
Empresa na qual a responsabilidade de seus membros está limitada ao valor de seu investimento nela. As ações ou cotas não podem ser compradas nem vendidas pelo público.

**Conglomerado**
Corporação que é constituída por duas ou mais empresas que podem operar em campos ou setores diferentes.

**Conluio**
Acordo entre duas ou mais empresas para não concorrerem de modo a fixar preços.

**Conselho**
Num negócio, termo que se refere ao conselho de administração de uma empresa ou organização. Os conselheiros são eleitos ou indicados para supervisionar as atividades e a performance de uma empresa.

**Contabilidade criativa**
Práticas contábeis que buscam representar as finanças de uma empresa sob uma ótica ou positiva ou negativa, por meio de uma ampla possibilidade de técnicas contábeis. Apesar de não

ortodoxa e com frequência usada para mostrar níveis de lucro artificiais, tais práticas são quase sempre dentro da lei.

## Contabilidade de custos
Método de contabilidade que visa determinar os custos de uma empresa ao medir seus custos diretos e aos quais se adiciona uma estimativa dos gastos não operacionais.

## Controle
Aquisição de uma empresa ao comprar ações suficientes para tal controle.

## Corporação
Entidade legal independente, cujos donos são os acionistas, e que recebeu autorização para exercer seus negócios. As corporações existem separadamente e estão isoladas de seus empregados e acionistas, tendo direitos e obrigações próprios: elas podem tomar empréstimos, ter ativos, processar os outros ou ser processadas.

## Crowdsourcing
Consulta ao conhecimento coletivo ao convidar um grande número de pessoas, via internet, para contribuir com ideias sobre diversos aspectos de um negócio. Um conceito correlato é o *crowdfunding*, que envolve o financiamento de um projeto ao levantar capital de investidores individuais via internet.

## Custo baseado em atividade (ABC)
Método de contabilidade que analisa os gastos não operacionais para determinar as atividades que geram custos. Isso resulta numa análise mais criteriosa dos custos do que com a contabilidade de custos tradicional, que mede os custos diretos e depois adiciona uma estimativa de gastos não operacionais.

## Custos fixos
Custo, como aluguel ou salários, que não muda na mesma proporção que a quantidade de bens ou serviços produzidos.

## Déficit
Situação financeira na qual os gastos de uma empresa são maiores que suas receitas.

## Demanda
Desejo, disposição ou habilidade dos consumidores de comprar um produto ou serviço.

## Diferenciação
Estratégia pela qual as empresas distinguem seus produtos ou serviços da oferta de seus rivais por meio de custo, características ou marketing, de modo a alcançar uma vantagem competitiva sobre as empresas concorrentes.

## Diversificação
Estratégia para minimizar riscos e aumentar receitas ao distribuir as despesas por um grande número de diferentes unidades de negócio ou produtos, e por meio de uma gama de mercados diferentes ou até mesmo outras áreas geográficas.

## Dividendo
Pagamento anual feito pela empresa aos seus acionistas, quase sempre como uma proporção de seu lucro. O pagamento dos dividendos é decidido pelos executivos de uma empresa.

## Distribuição
Movimento de bens e serviços do produtor ou fabricante por meio de um canal de distribuição (como um vendedor ou um agente) até o consumidor final, cliente ou usuário.

## E-commerce
Abreviatura de "comércio eletrônico" (em inglês), a compra e venda de produtos ou serviços por empresas e consumidorespor meio de internet e sistemas eletrônicos.

## Empreendedor
Pessoa que assume um risco na esperança de obter um lucro.

## Especulação
Investimento de alto risco que pode dar altos retornos, mas traz em si um alto risco de perda.

## Estoque
Bens de um negócio que são mantidos em suas instalações ou num armazém, disponíveis para venda ou distribuição.

## Excedente
Excesso de oferta em relação à demanda – quando a produção de bens, serviços ou recursos é maior que seu consumo.

## Falência
Declaração legal de que uma empresa está insolvente, implicando que ela não consegue pagar suas dívidas.

## Fatores higiênicos
Série de fatores nos locais de trabalho identificados pelo psicólogo norte--americano Frederick Herzberg que, quando mal gerenciados, contribuem para a insatisfação no trabalho. Um grupo de fatores distintos – os motivadores – encoraja a satisfação no trabalho.

## Finança não contabilizada
Métodos contábeis em que alguns passivos ou ativos não estão registrados no balanço patrimonial de uma empresa.

## Fluxo de caixa
As entradas e saídas de dinheiro de um negócio, representando suas atividades operacionais.

## Função de tesouraria
Uso de tesouraria de uma empresa (seu departamento de operações financeiras) para alcançar o equilíbrio ótimo entre a liquidez e a receita a partir do fluxo de caixa da empresa. Outras atividades podem incluir geração de lucro, gerenciamento de risco, planejamento e operações e relações com o acionista.

## Fusão
Combinação de dois ou mais negócios para formar uma organização separada, com uma nova identidade. A meta de uma fusão é, com frequência, aumentar o valor do acionista além da soma das duas (ou mais) empresas.

## Gastos não operacionais (*overhead*)
Qualquer gasto corrente de um negócio como o aluguel de instalações.

## Inadimplência
Impossibilidade de pagar de volta um empréstimo segundo os termos acordados.

## 342 GLOSSÁRIO

**Inflação**
Aumento constante e geral dos preços de bens e serviços numa economia.

**Inovação aberta**
Ideia de que a base de talento de um negócio — e, por conseguinte, de suas ideias sobre novos produtos e serviços — pode ser expandida baseando-se em *expertise* fora da empresa, geralmente via mídias sociais ou internet.

**Inovação fechada**
A ideia, popular no século XX, de que a inovação numa empresa deveria acontecer apenas dentro da sua estrutura, pelos seus empregados, e não se basear no conhecimento, em ideias ou na *expertise* de fora dela.

**Inteligência emocional (IE)**
Habilidade de reconhecer, controlar e avaliar as emoções em alguém ou em outros. O psicólogo Daniel Goleman percebeu que uma IE alta é comum entre líderes empresariais e facilita outros traços de liderança.

**Inventário**
Bens e materiais mantidos num depósito ou algo parecido. Também pode se referir ao valor total dos ativos de uma empresa, incluindo as matérias-primas e produtos acabados e em processo.

**Investimento**
Em termos empresariais, a atividade de comprar títulos ou ações de uma empresa. Pode também se referir ao gasto de uma empresa com itens dos quais se espera que gerem um aumento na performance operacional, como novas ferramentas.

**Kaizen**
Palavra japonesa para "boa mudança". Nos negócios, o termo se refere à melhoria contínua para melhorar a produtividade.

**Leveraged buy-out**
Aquisição de um negócio por uma empresa ou grupo de indivíduos usando uma grande proporção de dinheiro emprestado.

**Líder de mercado**
Produto ou empresa que tem a maior participação de mercado.

**Liderança em custo**
Estratégia pela qual as empresas visam oferecer os produtos ou serviços mais baratos no seu setor ou mercado, conquistando assim uma vantagem competitiva sobre seus rivais.

**Liquidez**
Facilidade com que um ativo pode ser comprado ou vendido sem que se afete negativamente o valor do ativo. O dinheiro é o ativo mais líquido, já que seu valor continua constante.

**Livre mercado**
Economia na qual as decisões sobre a produção são tomadas por pessoas ou empresas com base na oferta ou demanda e na qual os preços são determinados pelo mercado.

**Lucro**
Excedente da receita de uma empresa depois de todas as despesas, impostos e custos operacionais terem sido pagos.

**Marca**
"Identidade" reconhecida de uma empresa ou um produto que a distingue de seus concorrentes. Ela pode incluir várias coisas, como nome, design, logo e embalagem, mas também pode ter características mais amplas e externas que a distinguem de seus rivais (como o comércio ético e iniciativas de produção).

**Margem operacional**
Medida da lucratividade – o índice que mostra o lucro operacional de uma empresa em relação à sua receita.

**Marketing**
Promoção da venda de produtos ou serviços a consumidores ou outros negócios. O marketing efetivo identifica, antecipa e responde às necessidades dos clientes.

**Marketing viral**
Lançamento de um produto ou serviço via internet ou mídia social para atrair um interesse rápido e disseminado do consumidor.

**M-commerce**
Abreviatura em inglês de "comércio móvel", o uso de dispositivos portáteis como *laptops* ou *smartphones* para fazer transações comerciais *on-line*.

**Mercado**
Consumidores que compram um produto ou serviço. Também pode ser um lugar onde os compradores e vendedores comercializam bens, como uma loja ou um site.

**Mercado altista**
Período no qual o valor das ações sobe, levando ao otimismo e ao crescimento econômico.

**Mercado de ações**
Lugar onde bônus e ações são comprados e vendidos.

**Microcrédito**
Pequeno empréstimo feito para empreendedores ou pequenas empresas.

**Microempreendedor**
Empreendedor que começa e desenvolve um pequeno negócio por conta própria, quase sempre enquanto ainda mantém um emprego assalariado.

**Monopólio**
Mercado no qual está ativa somente uma empresa. As empresas monopolistas geralmente têm pouca diversidade de produto, que elas conseguem vender por um alto preço porque não há concorrência.

**Nicho de mercado**
Pequeno grupo de pessoas com um interesse num produto ou serviço que não é oferecido pelos fornecedores de massa.

**Oferta**
Quantidade de produto ou serviço disponível para compra.

**Orçamento**
Plano financeiro que lista todas as

# GLOSSÁRIO 343

despesas e receitas planejadas de uma unidade de negócio, projeto ou iniciativa.

## Participação de mercado
Porcentagem das vendas de um negócio num setor específico.

## Passivo
Obrigações financeiras de uma empresa com terceiros ou exigências contra os seus ativos por terceiros.

## Pensamento de grupo
Peculiaridade da dinâmica de grupo na qual os indivíduos de um grupo dão prioridade maior a alcançar um consenso em vez de tomar uma decisão efetiva.

## Portfólio de produto
Uma estratégia que envolve a junção de vários produtos ou unidades de negócios.

## Posicionamento
Estratégia de marketing que estabelece uma posição distinta para uma marca no mercado.

## Previsão
Uso de dados passados para prever tendências futuras e avaliar a probabilidade de demanda por bens ou serviços de uma empresa.

## Primeiro usuário
Negócio ou cliente que usa um novo produto ou uma nova tecnologia antes dos outros.

## Private equity
Tipo de investimento no qual ativos privados ou dinheiro emprestado são usados para financiar empresas de capital fechado (aquelas que não estão listadas nas bolsas de valores).

## Proposta Emocional de Vendas (ESP, no inglês)
Estratégia de marketing que cria uma conexão emocional (como orgulho, humor ou desejo) entre o cliente e a marca, impelindo-o a comprar.

## Proposta Única de Venda (USP, no inglês)
Estratégia de marketing pela qual a empresa distingue seus produtos dos rivais ao oferecer ao cliente algo que o seu concorrente não oferece ou não pode oferecer.

## Receitas
Também conhecida como vendas, a renda ganha por um negócio num período de tempo. A receita ganha depende do preço e do número de itens vendidos.

## Recessão
Período de tempo em que o produto total de uma região econômica diminui.

## Reservas
Nos negócios, o lucro retido por uma empresa para uso futuro e não distribuído aos acionistas.

## Retorno sobre o Investimento (ROI)
Índice de dinheiro ganho com o total investido na empresa.

## Retorno sobre o Patrimônio (ROE)
Medida da performance financeira de uma empresa, baseada no lucro e no patrimônio líquido dos acionistas.

## Risco
Em investimento, risco é a incerteza associada ao investimento ou ativo. Um investimento de alto risco, por exemplo, talvez dê um alto retorno. Mas, se não tiver sucesso, ele poderá fazer com que o investidor perca tudo. O risco operacional é o risco de perda devido a limitações nos procedimentos, nas pessoas ou nos sistemas.

## S/A de capital aberto (plc, na Inglaterra)
Parecida com uma companhia limitado, em que a obrigação de seus membros é limitada ao valor de seus investimentos na empresa. As ações de uma plc são negociadas em bolsa de valores e podem ser compradas e vendidas pelo público em geral.

## Sinergia
Suposto benefício de performance adicional que se alcança quando duas empresas ou unidades de um negócio são unidas.

## Startup
Negócio que foi – ou está sendo – lançado do zero.

## Sustentabilidade
Estratégia na qual o negócio garante que os recursos que ele usa serão restituídos, como por exemplo quando uma fábrica de papel planta árvores.

## Taxa de juros
Montante de juros – a cobrança por emprestar uma soma de dinheiro – pago anualmente por um tomador, medido como uma porcentagem do valor total emprestado.

## Terceirização
Contratação de tarefas ou funções específicas de um negócio oferecido por outras empresas.

## Títulos mobiliários
Termo amplo para vários instrumentos de investimentos que são negociados em bolsas, como bônus, opções e ações.

## Vantagem comparativa
Habilidade de uma empresa ou indivíduo de produzir bens ou serviços a um custo de oportunidade menor que o de seus rivais.

## Vantagem competitiva
Estratégia pela qual as empresas se posicionam além de seus concorrentes, seja cobrando menos ou diferenciando seus produtos daqueles dos seus rivais.

## Vantagem do pioneiro
Benefícios resultantes de ser a primeira empresa a entrar num mercado.

## Venture capital
Financiamento dado a uma *startup* desde o seu começo.

# ÍNDICE

Os números em negrito se referem às referências principais.

## A

Abordagem MABA (atratividade do mercado/atratividade do negócio) 192-193
Acionistas *ver* sustentabilidade dos acionistas **31**, **45**, 50-51, 57
ações e performance
 avaliação de risco 142-143, 156-157
 comportamento oportunista dos diretores 125
 medidas de corte de custos 125
 propriedade, controle e ganho pessoal 124-127
 retorno sobre o patrimônio (ROE), maximização 155
 *ver também* cultura organizacional; acionistas; sustentabilidade dos acionistas
adaptação e crescimento empresarial
 adaptação de processo 55-57
 ampliação de visão e realização 43, 50
 capacitadores e capacidades empresariais 49-50
 curva de Greiner 47, **58-61**
 matriz de crescimento compartilhado e portfólio de produto 253-255
 Modelo de Maturidade de Capacitação 218-219
 mudança tecnológica 54-55
 organização aprendiz 204-207
 perigos de expansão exagerada 45
 prática empresarial, evolução de 48-51
 recessão e adaptação 56-57
 sobrevivência no longo prazo 57
 taxa de crescimento, decisão sobre 44-45
 taxa de crescimento autofinanciável (SFG) 44-45

 *ver também* liderança; gestão; marketing; planejamento estratégico
AIDA de marketing, modelo 242-243
Air India 314-315
altos executivos
 clientes e funcionários, consciência das necessidades 136-137
 despesas de viagem e medidas de corte de custos 125
 e benefícios 124-127
 gerenciamento de risco 143-144
 prestação de contas e governança 130-131
 *ver também* liderança; gestão
Amazon **34-36**, **39**, 174, 175, 209, 240, 267, 317
análise de *big data* 316-317
análise de valor
análise SWOT **25-27**, 184
Anderson, Chris 208-209
Ansoff, matriz 256-257
 *ver também* planejamento estratégico
Apple 37, **96-99**, 127, 191
 iPad **97-98**, 149, **241**
 iPhone 29, 38, **97**, 148-149, 168, 196, 249, 266, 325
 iPod e iTunes 29-30, 55, **96-97**, 168
aprendendo com os erros dos pioneiros 36-37
Aquino, Tomás de 224-225
Aracruz 129
Argyris, Chris 206-207
Arkwright, Richard 166-167
Asos 275
Austrália
 Sistema Crim Trac 315
 Sydney Opera House 329
Avis 248

## B

Barnes & Noble 198
Barratt, Thomas 273

Barton, Bruce 272-273
Bass, Frank 233
Belbin, Meredith **82**, 84
Ben & Jerry's, sorvete 183
Bench 283
*benchmarking* 330-231
 e fidelidade à marca 35-36, 98, **322**
 e produtos copiados 148-149
Benetton 217
Bennis, Warren 69, 86, **87**
Bernays, Edward 273
Berners-Lee, Tim **174**, 177
Bezos, Jeff **39**, 63, 99, 174, 267
Body Shop, The 262, **263**
Borden, Neil 281, **283**
Bose Systems 181
Boston Consulting Group 252-255
BP 41, **200-201**
Branson, Richard 60, 320, **334**
Brin, Sergey 174
British Aerospace (BAe) 148
British Airways 223, **248-249**
Buffet, Warren 49, 129, 144, 147, **149**, 155

## C

Cadbury 171, **193**
canivete suíço 200
capacitadores e capacidades empresariais 49-50
Carnegie, Andrew **40-41**, 213
Caterpillar 123
China, desenvolvimento econômico **134-136**, 154, 279
Chowdhury, Subir 334
Christensen, Clayton **94-95**, 96, 99, **334**
Cisco Systems 71
Citroën 313
Civita, Roberto 334
Coca-Cola **165**, 260, 265, 271, 272, 276
Collins, Jim 101-103
comércio móvel 276-277

# ÍNDICE

barreiras de fornecimento, remoção das 209
investimento ver estratégia financeira
marketing de nicho 177
pequeno é bonito 174-177
serviço pessoal, importância do 177
ver também mídias sociais; mudança tecnológica; negócios na internet
Companhia Holandesa das Índias Orientais 127
concorrência
  a técnica dos "5 porquês" 199
  catástrofe, evitando 200-201
  10x (maiores) mudanças, consciência das 197-198
  e cultura organizacional 108
  e fixação de preço **222-223**, 239
  e redução de desperdício 301
  eventos cisne negro e previsão futura 198
  evitar a complacência
  pessoal de frente, importância de dar ouvidos ao 198-199
  pensando fora da caixa 199-200
  produtos complementares 197
  ver também gerenciamento de risco; planejamento estratégico
contabilidade com "marcação a mercado" 122-123
contabilidade e jogando contra as regras 120-123
  ver também ética empresarial; estratégia financeira
Covey, Stephen 131, **225**, 226
Crescimento ver adaptação e crescimento empresarial
criação de marca
  conceito do "terceiro lugar" 262-263
  e propaganda 260-261
  e ética 263
  e mídia social 263
  estratégia de diferenciação e foco 182
  marcas traduzíveis 261
criatividade e invenção 72-73
crises financeiras
  alavancagem e dívida 150-151
  crise global de crédito 102, 125, **129**
  crises do petróleo e planejamento de cenário 211

e a teoria do caos 220-221
e gerenciamento de risco 151, 154
Japão 144-145
planejamento de contingência 210
crises, gerenciamento de 59-60, 102, **188-189**
ver também liderança; gestão
cultura organizacional
  aspectos visuais 108
  benefícios da 108
  culturas coletivistas e individualistas, diferenças entre 75, **107**
  dimensões culturais 106-108
  dinâmica organizacional 76-77
  e satisfação no trabalho 108
  gerenciamento de risco ver gerenciamento de risco
  governança corporativa e prestação de contas 130-131
  hierarquia e poder 106-107
  masculina e feminina, diferenças entre 107
  natureza não estática da 109
  Modelo de Maturidade de Capacitação (CMM) 218-219
  organização aprendiz 204-207
  orientação no longo e no curto prazo 107-108
  problemas de arrogância 108
  problemas com pensamento de grupo 108
  tolerância 74-75
  ver também ações e performance; liderança; gerenciamento; acionistas
curva de Greiner 47, **58-61**

Daewoo Group 153
Daimlerchrysler 115, **187**
Dawkins, Richard 275
desenvolvimento ágil de software (ASD) 327
  ver também crises financeiras; estratégia financeira
Dell 149, 295, **298**
demanda

gestão de estoque 294-295
produção enxuta **290-293**, 307-308
Deming, W. Edwards 49, 51, 323
dívida, níveis de
  e alavancagem 150-151
  tomando emprestado e emprestando 128-129
Dr. Martens, sapatos 56
Drucker, Peter 69, 109, 126, 130, 199, **237**, 240-241, 252-253, 279, 323
Dunkerton, Julian 122
DuPont 328-329
Dyson 38, 164, **261**

e-commerce ver negócios na internet
easyJet 47, **261**, 263
eBay 63, **98**, 174-75, 338
Eisenhardt, Kathleen 335
empregados
  empoderamento dos funcionários 79, **86-87**, **306-307**
  empreendedorismo 20, 21, 43, **46-47**
  empresas quebradas e gerenciamento de risco 142-143
  Enron **142**, 150, 154, **227**
  envolvimento e gerenciamento do caos 220-221
  envolvimento e gestão participativa 137, **304-306**
  kaizen e melhora na eficiência 304-309
  microempreendedorismo, fase da startup 63
  níveis salariais e turnover 134-135
  organização aprendiz 204-07
  países em desenvolvimento, migração de trabalhadores 205
  pessoal de frente, importância de dar ouvidos ao 198-199
  satisfação e produtividade 136-137, **206**
  satisfação no emprego e cultura organizacional 108
  satisfação no emprego e "fatores higiênicos" 90-91
  turnover e aprendizado, e motivação

# 346 ÍNDICE

para desenvolvimento 205-206
*ver também* startups
Estée Lauder 321
estratégia financeira
  aposta de *hedge* 128-129
  bancos sombra 129
  contabilidade baseada em atividade 159
  contabilidade de custo 158-159
  e marketing 134-137
  fixação de preço e competitividade **222-223**, 239
  ganho como motivação 90-91
  gerenciamento de capital, abordagem MABA (atratividade do mercado/atratividade do negócio) 192-193
  International Financial Reporting Standards (IFRS) **121-122**, 123
  investimento e dividendos 126-127
  modelo das Cinco Forças Estratégicas 212-215
  nível de salários dos empregados e *turnover* 134-135
  prestação de contas e jogando segundo as regras 120-123
  risco, e dinheiro de outras pessoas 140-145
  técnica dos "5 porquês", e evitar a complacência 199
  tomando emprestado e emprestando 128-129
  vantagem do pioneiro *ver* vantagem competitiva
  *ver também* níveis de lucro; acionistas; planejamento estratégico
ética empresarial 222, **224-227**
  apelo da 270
  contabilidade e jogando conforme as regras 120-123
  e criação de marca 263
  eventos cisne negro e fixação de preço e conluio 223
  *greenwashing* 268-269
  liderança 226-227
  práticas de "contabilidade criativa" 122-123
  prestação de contas e governança 130-131
  previsão futura 198

Facebook 37, **72-73**, 89
Fayol, Henri 78, 112, **335**
Ferguson, sir Alex 84-85
Fernandes, "Tony" 21
Ferrari 182, **331**
fidelidade à marca 35-36, 98, **322**
fidelidade do cliente 264-267
  desafios on-line 267
  escala Likert 266
  esquemas de fidelidade 267
  oferecendo mais por menos 288-289
  qualidade do produto, importância da 265-267
Ford, Henry 78, 99, 136, **166-167**, 246, 290-291
Ford Motors **134-135**, 247, 288-289, **297-298**
fracasso, lidando com o 98-99
Fuld, Richard 102, 143, **145**
fusões e aquisições 60-61, **186-187**

Gates, Bill 238, **335**
Gennen, Harold 186, **187**
General Electric (GE) **129**, 190, 191
GE-McKinsey, matriz **192-193**, 255
General Motors (GM) 144, **155**, 247, 325
Gerber 189
gerenciamento
  arrogância levando à indisciplina 102
  baseado no tempo 326-327
  consultores e inovação 88-89
  cultura de clube 76, 77
  de crise 59-60, 102, **188-189**
  de risco 40-41, 157
  do caos 220-221
  eficaz 68-69, **112-113**
  egoísmo, perigos do 100-103
  empoderamento dos funcionários 79, **86-87**, **306-307**
  empresas de capital aberto e fechado, contraste em 191

evitar a complacência *ver* evitar a complacência
experiência, e prática empresarial 48-49
fracasso, aprendendo com o 164-165
gerenciamento de projeto, análise do caminho crítico 328-329
gerenciamento de risco *ver* gerenciamento de risco
gestão participativa 137
*kaizen* e melhora da eficiência 304-309
média gerência 49-50, 51
mudança e tecnologia da informação (TI) 314-315
o longo e o curto prazo 190-191
papéis de gestão de Mintzberg 47, **112-113**
prestação de contas e governança 130-131
pensamento de grupo, evitar 114
qualidades 69
tipologias estilísticas 76, 77
*ver também* adaptação e crescimento empresarial; altos executivos; liderança; cultura organizacional; trabalho em equipe
gerenciamento de risco
  acionistas **140-141**, 144, 145
  ações e performance 142-143, 156-157
  alavancagem e níveis de dívida 150-151
  cultura organizacional *ver* cultura organizacional
  diversificação 257
  e a organização aprendiz 207
  e crises financeiras 151, 154
  e desigualdade de renda 145
  empregados, e empresas quebradas 142-143
  eventos cisne negro e previsão futura 198
  executivos e CEOs 143-144
  falência, proteção contra 141-142
  *feedback*, importância do 109
  microempreendedorismo 63
  Modelo de Maturidade de Capacitação 218-219
  planejamento de cenário 211
  planejamento de contingência 210
  previsão de vendas 278-79
  retorno sobre o investimento (ROE), maximização do 155
  risco financeiro e o dinheiro de outras pessoas 140-145

risco não contabilizado 154
salvamento pelo contribuinte e empresas grandes demais para quebrar 144-145
*startups* 20-21, 41
subsidiárias não consolidadas 154
*ver também* evitar complacência; gerenciamento estratégico
Gestão de Qualidade Total 56
Getty, Jean Paul 75
Ghemawat, Pankaj 335
Ghoshal, Sumantra 335
Ghosn, Carlos 79
Gillette **35**, 36, 168, 171
GlowCap 95
Goleman, Daniel 110-111
Google 34, **36-37,** 72-73, 87, **174**, **249**, 276, 300
Gores, Alec 157
GPS, tecnologia 311
Greiner, Larry 47, **58-61**
Grove, Andy 102, **196-199**, 200, 201

Hamel, Gary 171, 256, **335**
Hammer, Michael **49-50**, 51
Handy, Charles **76-77**, 143, 300
*hedge*, aposta de 128-129
 *ver também* estratégia financeira
Herzberg, Frederick 87, **90-91**, 306
Hess, Edward 45
Hill, Emma 73
Hofstede, Geert **106-108**, 109
Honda 120-121, 127, **206**, 307-308
Hoover **38**, 271
Hornby 295
Humphrey, Albert 25, **27**
Humphrey, Watts S. 218-219
Hyundai 289

IBM 107, 109, **253**

IKEA **30**, 262, **336**
Índia, crescimento econômico da 135-136
Innocent 108, **262**
inovação
 aberta 312-313
 aprendendo com o fracasso 164-165
 colaboração e criatividade, encorajamento da 71, **206-207**
 e estratégia de diferenciação **181-182**, 183
 e gerenciamento da diversidade 115
 e invenção 72-73
 guerra de patentes e vantagem do pioneiro 36
 *kaizen* e melhora da eficiência 304-309
 melhora na produção 296-299
 quebra-cabeça de nove pontos 88-89
 pensando fora da caixa 88-89
 soluções e sabendo o que o cliente quer 241
 *ver também* vantagem competitiva; líderes de mercado; P&D
Instagram 41
Intel 102, **196-197**, 201
inteligência emocional 110-111
 proposta de venda emocional (ESP) **29-30**, 31
 *ver também* marketing
International Financial Reporting Standards (IFRS) **121-122**, 123
internet, negócios na
 análise de *big data* 316-317
 barreiras de fornecimento, remoção das 209
 comércio móvel 276-277
 como uma das 10x (maiores) mudanças 197-198
 criação de marca *ver* criação de marca
 *customer relationship marketing* (CRM) 240
 desafios da fidelidade do cliente 267
 *e-commerce* 34-36, 174-176
 *e-commerce* e modelo de marketing AIDA 243
 e feedback 176-177, 312-313
 marketing de nicho 177
 pequeno é bonito 174-177

serviço pessoal, importância do 177
teoria da "Cauda Longa" 208-209
vantagem competitiva **34-36**, 176
 *ver também* mídias sociais; mudança tecnológica
investimento *ver* estratégia financeira

Japão
 crise econômica 144-145
 *kaizen*, e melhora da eficiência 304-309
 terremotos e planejamento de contingência 210
JCB 191
Jobs, Steve 73, **94**, 95, 97, 99, 103, 127, 149, 168, 241, 298
Johnson, John H 99, **335-336**
Johnson & Johnson **38-39**, 189
Jupiter Shopping Channel 157
Juran, Joseph 300-301, **336**

*kaizen* e melhora na eficiência 304-306
Kamprad, Ingvar 336
Kanter, Rosabeth Moss 336
Kay, John 127
Kellogg's 311
Kidston, Cath 50, 51
Kodak 184, **185**
Kotler, Philip 29, 243, 248, 249, 283, **336**
Kotter, John 46, 69, **336**
Kraft Foods 193

Lauder, Estée 336
Lee Kun-Hee 51, 56, **57**
Lehman Brothers **102**, 143, 145, 154

# 348 ÍNDICE

Levitt, Theodore 29, 180, 246-248, **249**
liderança
  carismática 78-79
  credibilidade, importância da 79
  eficaz 78-79
  empoderamento dos funcionários 79,
    **86-87**, **306-307**
  estratégia de liderança em custo
    180-183
  ética 226-227
  gerenciamento comportamental 74-75
  gerenciamento de crise 59-60, 102,
    **188-189**
  gerenciamento do caos 220-221
  habilidades, e crescimento
    empresarial 46-47
  homens-sim, perigo dos 74-75
  inteligência emocional 110-111
  organização aprendiz 204-07
  qualidades 68, 69
  traços de personalidade 111
  treinamento do sucessor 69
  vaidade, perigos da 100-103
  *ver também* altos executivos; gestão;
    cultura organizacional, adaptação e
    crescimento empresarial; trabalho
    em equipe
Likert (escala), fidelidade do cliente 266
lisina, cartel da 223

# M

MABA, abordagem (atratividade do
  mercado/atratividade do negócio)
  192-193
Mccarthy, Edmund Jerome 281-82
McDonald's 24-25, **30-31**, 56, 91, 171,
  295
matriz McKinsey (General Electric)
  **192-193**, 255
Made-by 227
Madoff, Bernard 153
Manchester United 143
marketing
  análise de *big data* 316-317
  boca a boca 274-275
  campeões de marca 275

*customer experience management*
  (CEM) 240
*customer relationship marketing*
  (CRM) 240
destaque de 28-31
e serviço ao cliente 246-249
estratégia financeira 134-137
estratégias de 232-233
familiaridade como fonte de
  diferenciação 30-31
foco 236-241
lacunas de mercado 22-23
líderes de mercado 166-169
mapeamento de mercado 26-27
mercados de nicho **22-23**, 177, 180, 182
miopia 246-248
modelo AIDA 242-243
modelo Bass 233
modelos de medição 233
neuromarketing 240-241
necessidades e preferências dos
  clientes, entendendo as 236-239
originalidade, mantendo a 30, 31
os Quatro Ps e o conceito de mix de
  marketing 280-283
percepção do cliente e líderes de
  mercado 169
perfil psicográfico 239
pesquisa de mercado 239-240
promoções e incentivos 271
propostas de venda emocional (ESP)
  **29-30**, 31
previsão de vendas 278-279
unicidade funcional, natureza elusiva
  da 29
vantagem tecnológica 167-168
*ver também* propaganda; adaptação e
  crescimento empresarial; vantagem
  competitiva
Marks & Spencer (M&S) 201
Maslow, Abraham **70-71**, 73
Matsushita, Konosuke 336-337
Mayo, Elton 70, 112, **337**
Mera, Rosalie 337
Merrill Lynch 110
Microsoft 215
mídias sociais
  *crowdsourcing* 313
  e gestão de crise 188
  marketing de boca a boca 274-275

sites **54**, 57
  *ver também* negócios na internet;
    mudança tecnológica
Mintzberg, Henry 47, **112-113**
Modelo das Cinco Forças Estratégicas
  212-215
Modelo de Maturidade de Capacitação
  218-219
Moralidade *ver* ética
Morita, Akio 311, **337**
Motorola **50**, 51
Mourinho, José 69
mudança tecnológica
  adaptação empresarial, importância
    da 54-55
  Apple *ver* Apple
  e a superioridade do produto 36, 37-38
  tecnologia da informação (TI) 314-317
  vantagem de marketing e tecnológica
    167-168
  *ver também* negócios na internet;
    mídias sociais
Muji 263
Mulberry 73
multinacionais e troca de lucro 222
Murdoch, Rupert 337
MySpace 89

# N

Nayar, Vineet 47, **337**
negócios na internet **34-36**, 176
  análise SWOT **25-27**, 184
  cadeia de valor 216-219
  e atividades secundárias 217
  fases da *startup* 24-27
  mapeamento do mercado 26-27
  substitutos, ameaça dos 214
  superioridade técnica e de produto
    36-37
  *ver também* inovação; marketing;
    planejamento estratégico
Nestlé 62, **254-255**, 273
Netflix **55-56**, 209, 317
Nike 29, 108, 275
níveis de lucro
  acionistas e maximização do lucro

## ÍNDICE 349

124-25, **237-238**
e ética empresarial 122-123
fixação de preço e competitividade **222-223**, 239
gestão do estoque 294-295
indo até o ponto mais alto possível 121
multinacionais e troca de lucro 222
qualidade e preços *premium* 266-267
reinvestindo o lucro 301
versus fluxo de caixa 152-153
*ver também* estratégia financeira
novos entrantes *ver startups*
Nintendo 89
Nissan **79**, 313, 326
Nokia **148-149**, 184, 276, 309
Nooyi, Indra 338
Nordstrom 267
Not on the High Street 177

Ohno, Taiichi 292-93, **338**
Oliver, Jamie 59
Olympus, câmeras **131**, 154
Omidyar, Pierre **98**, 174-175, **338**
ONU, relatório Brundtland 269
os Quatro Ps e o conceito do mix de marketing 280-283
*ver também* marketing

Paccar 215
Page, Larry 174
P&D
 análise de *big data* 316-17
 aplicando e testando ideias 310-311
 aspecto multidisciplinar 311
 e estratégia de diferenciação **181--182**, 183
 e pesquisa de mercado 310-311
 reinvestindo o lucro 301
 *ver também* inovação

Pears, sabão 273
performance, e ações *ver* ações e performance
Peters, Tom 55, **221**, 298, 307, **338**
Pixar 83
planejamento estratégico 184-185
 abordagem MABA (atratividade do mercado/atratividade do negócio) 192-93
 análise do caminho crítico 328-329
 declarações e ações, diferença entre 198-199
 e escolha do consumidor 180, 181
 estratégia de diferenciação **181-182**, 183
 estratégia de foco 180, 182
 estratégia de liderança em custo 180-183
 gerenciamento de crise 188-189
 interesses secundários, venda 171
 matriz de Ansoff 256-257
 Modelo das Cinco Forças Estratégicas 212-215
 novos entrantes, ameaça aos 214-215
 poder do comprador 214
 poder do fornecedor 214
 ponto de inflexão estratégico **196-197**, 200-201
 posicionamento no setor 215
 proposta de compra 148
 proteção ao *core business* 170-171
 substitutos, ameaça dos 214
 teoria do caos 220-221
 terceirização 171
 *ver também* adaptação e crescimento empresarial; vantagem competitiva; evitar a complacência; estratégia financeira; gerenciamento de risco
Ponzi, esquemas 153
Porter, Michael **180-182**, 184, 197, **212-215**, 218-19
Post-it 42, 165
Prahalad, C. K. 171, 256, **338**
prática empresarial, evolução da 48-51
preço, fixação e competitividade **222-223**, 239
previsão futura e eventos cisne negro 198
Primark 136-137
Procter & Gamble **38-39**, 72-73, 89, 233, 260, 273

produção
 carro-chefe e avaliação de produto 252-255
 engenharia simultânea 326-327
 gestão baseada no tempo 326-327
 matriz crescimento participação e portfólio de produtos 253-255
 melhoria e inovação 296-299
 novos itens, promoção de 325
 obsolescência programada 324-325
 produção customizada 298
 produção em massa 297-298
 produção enxuta **290-293**, 307-308
 programas de Business Process Re-engineering (BPR) 308-309
 qualidade de produto e design 320-323
 qualidade de produto e fidelidade de cliente 265-267
 simplificação de processo 296-299
 sistema de distribuição 239
 superioridade de produto e mudança tecnológica 36, 37-38
 venda direta 298-299
 *ver também* redução de desperdício
Progressive Corp. 316-317
propaganda 272-273
 e criação de marca 260-261
 *ver também* marketing
Proposta Única de Venda (USP) 261-262

qualidade
 círculos e trabalho em equipe **305-306**, 308
 e preços *premium* 266-267
 gestão de Qualidade Total 56
 produtos e análise de valor 323
 produtos e design 320-323
 provisão e serviço ao cliente 322-323
 qualidade de produto e fidelidade de cliente 265-267
 superioridade de produto e mudança tecnológica 36, 37-38
 quebra-cabeça dos nove pontos 88-89
 *ver também* inovação

## 350 ÍNDICE

# R

Ratners 238
redução de desperdício
  e concorrência 301
  ideal de produção de Juran 300-301,
    **336**
  produção enxuta **290-293**, 307-308
  *ver também* produção
Reeves, Rosser 29, **31**
Reino Unido
  processo de falência 141-142
  socorro aos bancos no 122
Rockefeller, J. D. **164-165**, 222
Roddick, Anita **262**, 263
Rover 307-308
Royal Bank of Scotland 74, **127**, 144
Royal Dutch Shell 211
Rumelt, Richard 184, **185**
Ryan, Arthur 137
Ryanair 182-183

# S

Samsung 31, 38, 51, **56-57**, 321-322, 325
Selfridges **265-266**, 267
Semco 137
Senge, Peter 204-205, 206, **207**
  *ver também* cultura organizacional
serviço ao cliente
  *customer relationship marketing*
    (CRM) 240
  desenvolvimento ágil de *software*
    (ASD) 327
  e provisão de qualidade
  escolha, e estratégia de negócios 180,
    181
  e vantagem competitiva 249
  *feedback* e negócios da internet
    176-177, 312-313
  fragmentação e micromercados
    238-239
  necessidades, entendendo as **38-39**,
    136-37

e provisão de qualidade 322-323
Shingo, Shigeo 291-292
Siemens 62, **95-96**
Singapore Airlines (SIA) 183
Slim Helú, Carlos 338-339
Sloan, Alfred 339
Smith, Adam 124, 180, **218**, 219
Snapple 23
Sony **168**, 307, 311, **337**
Speedo 27
Spotify 61
Starbucks 262
*startups*
  compromisso de tempo e esforço
    62-63
  crise da burocracia 60
  crise de controle 60
  crises de crescimento e curva de
    Greiner 58-59
  estratégia de foco 182
  expansão do negócio 43-45
  gerenciamento de risco 20-21, 41
  microempreendedorismo 63
  novos entrantes, ameaça do
    planejamento estratégico aos 214-215
  oportunismo, e sorte 42
  plano de negócios 21
  pressão do acionista e
    desenvolvimento de parcerias 60-61
  taxa de crescimento autofinanciável
    (SFG) 44-45
  vantagem competitiva *ver* vantagem
    competitiva
  vantagens da Cauda Longa 209
  *ver também* empreendedorismo
Stevens, Brooks 339
Superdry 30, 45, **122**
Sustentabilidade **31**, **45**, 50-51, 57
  *ver também* adaptação e crescimento
    empresarial
sustentabilidade dos acionistas
  certificados de ações, primeiro 127
  dividendos 126-127
  e maximização do lucro 124-125,
    **237-238**
  e prestação de contas corporativas
    130-131
  empresas de capital fechado 125
  gerenciamento de risco **140-141**, 144,
    145

instinto de manada, ignorar o 146-149
mercado altista **121**, 146-147
mercados altistas e baixistas 146-147
pressão e desenvolvimento de
  parcerias, *startups* 60-61
prioridade do cliente, importância da
  238
recompra de ações 155
S/As de capital fechado 191
*ver também* ações e performance;
  estratégia financeira; cultura
  organizacional
SWOT, análise **25-27**, 184

# T

T-systems International 125
Tata Group 108, **131**, 308
taxa de crescimento autofinanciável
  (SFG) 44-45
taxa de crescimento, decisão sobre
  44-45
Taylor, Frederick Winslow 159
Trabalho em equipe
  Belbin Team Inventory 82, **84**
  benefícios 82
  círculos de qualidade **305-306**, 308
  colaboração e criatividade,
    encorajamento da 71, **206-207**
  dinâmica de grupo (pensamento de
    grupo) 114, 115
  e a organização aprendiz 205
  e anomia 70, 71
  fatores de eficácia 83-84
  gerenciamento de talentos 84-85
  gestão baseada em tempo 326-327
  grupos e o senso de pertencimento
    70-71
  normatização 82-83
  produtos de trabalho coletivo 85
  *ver também* liderança; gerenciamento
Ted Baker 227
teoria da Cauda Longa 208-209
teoria do caos e crises financeiras
  220-221
terrorismo, impacto do 200
Tesco 165, 181, **257**

## ÍNDICE 351

TiVo 317
Toffler, Alvin 54, **339**
Toyota 44, 108, 135, 155, **169**, 189, 199, **290-293**, **304-306**
Toys R Us 37, **147-148**
Tune Hotels 21, 29, **293**
TWG, chá 27
Twitter **22**, 54

USP - Proposta Única de Venda 29, 31

# V

vantagem competitiva 162, 166, 170
  abordagem MABA (atratividade do mercado/atratividade do negócio) 192-193
  análise SWOT **25-27**, 184
  *benchmarking* 330-231
  criatividade e invenção 72-73
  e atividades secundárias 217
  e cadeia de valor 216-219
  e fidelidade à marca 35-36, 98, **322**
  e produtos copiados 148-149
  erros dos pioneiros, aprendendo com os 36-37
  fases da *startup* 24-27
  fracasso, lidando com o 98-99
  mapeamento do mercado 26-27
  Modelo das Cinco Forças Estratégicas 212-215
  necessidade do cliente, entendimento 38-39
  negócios na internet **34-36**, 176
  serviço ao cliente 249
  substitutos, ameaça dos 214
  superioridade técnica e de produto 36-37
  vantagem do pioneiro 34-36
  vantagem do pioneiro, inovação disruptiva 94-96
  vantagem do pioneiro, consideração quanto ao tempo 37-39
  *ver também* inovação; marketing; planejamento estratégico
Victorinox 200
visão
  ampliação e realização 43, 50
  criação de marca 261-262
  e liderança *ver* liderança compartilhada, e a organização
  aprendiz 204-205
  gerenciamento de crise 188-189
Volkswagen **301**, 324

Wal-Mart **265**, 279
Wang, Cher 339
Wedgwood 308
Welch, Jack 69, 75, 190, **191**, 206, 216
Wikipedia 313
Wonga.com e os empréstimos em folha 123

Xerox 331
Yang Yuanqing 339
Zappos 267
Zara 283
Zhang Xin 339
Zhang Yin 47
Zurich Insurance Group 322-323

# AGRADECIMENTOS

A Dorling Kindersley gostaria de agradecer a Chris Westhorp, pela revisão; Margaret McCormack, pelo índice; Harish Aggarwa, pelo design da capa; Alex Lloyd e Ankita Mukherjee, pela assistência de design; e Alexandra Beeden, Henry Fry e Miezan van Zyl, pela assistência editorial.

## CRÉDITOS DAS IMAGENS

A editora gostaria de agradecer, pela gentil permissão para reproduzir suas fotos, a

(Legenda: a-acima; c-no canto; d-à direita; e-à esquerda; ex-embaixo; m-no meio; t-no topo.)

21 Getty Images: Bloomberg (exe). 27 Getty Images: Al Bello (te). 30 Getty Images: Bloomberg (exe). 35 Alamy Images: DPA Picture Alliance (te).36 Corbis: Bettmann (te). 38 Corbis: Lucidio Studio Inc (exe). 39 Corbis: Karen Moskowitz (exe). 41 Alamy Images: Everett Collection Historical (exe). 43 Alamy Images: Ashway (exd). 45 NASA: JPL-Caltech (td). 47 Getty Images: MN Chan (exe). 50 Corbis: Jenny Lewis (exe). 56 Alamy Images: Eddie Linssen (exe). 57 Corbis: Bettmann (te). Getty Images: Chung Sung-Jun (exe). 61 Getty Images: Charles Eshelman (te). 63 Corbis: Kimberly White (te). 69 Getty Images: WireImage (td). 71 Corbis: Ann Kaplan (te). Getty Images: View Pictures / UIG (td). 73 Getty Images: Dave M. Benett (td). 75 Corbis: Bettmann (exe); Jade / Blend Images (td). 79 Corbis: Catherine Cabrol (te). 85 Getty Images: Paul Taylor (exd). 87 Corbis: James Brittain (te). Warren Bennis: (bl). 89 Getty Images: Godong / UIG (te). 94 Corbis: Kim Kulish (exe). 95 Corbis: David Cabrera / Arcaid (exe). 97 Getty Images: Bloomberg (ex). 98 Getty Images: Bloomberg (exd). 101 Getty Images: WireImage (td). 102 Corbis: Gonzalo Fuentes / Reuters (exe). 103 Corbis: Porter Gifford (td). 109 Getty Images: Britt Erlanson (te). 111 Getty Images: Kris Connor (exe). 114 Corbis: Arnd Wiegmann / Reuters (exd). 121 Alamy Images: Wavebreakmedia Ltd PH07

(exd). 123 Getty Images: Bloomberg (td). 125 Getty Images: AFP (te). 127 Corbis: The Gallery Collection (te). 129 Getty Images: Bloomberg (te). 131 Corbis: Martin Harvey (te). 134 Alamy Images: Everett Collection Historical (td). 135 Getty Images: Yawar Nazir (exe). 137 Alamy Images: Islandstock (te). 141 Getty Images: Bloomberg (te). 142 Corbis: Monty Rakusen / Cultura (td). 144 Getty Images: Giuseppe Cacace (te). 145 Corbis: Endiaferon / Demotix (exe). Getty Images: Bloomberg (td). 149 Corbis: Brooks Kraft (td). Getty Images: Phil Boorman (exe). 151 Corbis: Roderick Chen / First Light (te). 153 Corbis: John Eveson / Frank Lane Picture Library (exd). 154 Getty Images: James Nielsen (md). 157 Corbis: Alan Levenson (td). Getty Images: Bloomberg (exd). 159 akg-images: (exd). 165 Corbis: (exd). 167 Corbis: Frank Moore Studio (td). 168 Corbis: George Grantham Bain (te). 169 Corbis: Tony Savino (exe). 171 Alamy Images: Lilyana Vynogradova (td). 174 Corbis: James Leynse. 175 Alamy Images: Allan Cash Picture Library (exd). 176 Corbis: Juice Images (te). 181 David Tenser: (exd). 183 Alamy Images: Allstar Picture Library (exe). Getty Images: AFP (td). 184 Getty Images: Cavan Images (md). 187 Corbis: Bettmann (te). 189 Corbis: Leif Skoogfors (te). 191 Getty Images: WireImage / R. Born (exe). 197 Alamy Images: SiliconValleyStock (exe). 198 Corbis: Ocean (exe). 199 Corbis: Bettmann (te). 200 Courtesy of Victorinox, Switzerland: (te). 201 Alamy Images: PhotoEdit (tm). Corbis: Brooks Kraft / Sygma (exe). 206 Alamy Images: Brett Gardner (exe). 207 TopFoto.co.uk: (exe). 209 Getty Images: Tim Klein (exe). 211 Getty Images: AFP (exd). 214 Corbis: Imagerie / The Food Passionates (exd). 215 Getty Images: Allan Baxter (td). 217 Fotolia: Africa Studio (exd). 219 Dreamstime.com: Adistock (te). 220 Getty Images: Diana Kraleva (exm). 222 Getty Images: Image Source / Dan Bannister (exd). 226 Alamy Images: Newscast (td). 233 Getty Images: wdstock / E+ (mda). 237 Corbis: Steve Smith (exe). 238 Alamy Images: Ashley

Cooper (te). 239 Rex Features: Everett Collection (exd). 241 Getty Images: Justin Sullivan (exe). 247 Corbis: Timothy Fadek (exe). 249 Corbis: C. Devan (exe). Getty Images: Duane Howell (td). 253 Science Photo Library: Hank Morgan (mdex). 255 Alamy Images: Interfoto (exe); The Natural History Museum (exm). Getty Images: Bloomberg (td). 261 Getty Images: AFP / EADS (td). 262 Corbis: Colin McPherson (exe). 263 Corbis: Brendan McDermid / Reuters (exd). 265 Rex Features: Daily Mail (exm). 266 Getty Images: Marco Secchi (td). 267 Corbis: Fotodesign Holzhauser (exe). 270 Alamy Images: Guatebrian (mex). 273 The Advertising Archives: (te). 277 Alamy Images: Benedicte Desrus (exd). 279 Getty Images: Junko Kimura / Bloomberg (exe). 283 Corbis: James Leynse (exe). 289 Alamy Images: Marc MacDonald (exe). Corbis: Alexander Demianchuk / Reuters (td). 292 Alamy Images: Chris Pearsall (te). 293 Getty Images: Gerenme / E+ (tm). 297 Getty Images: Science & Society Picture Library (exd). 298 Corbis: Bettmann (exe). 299 Getty Images: George Frey / Bloomberg (te); Andrew Harrer / Bloomberg (td). 301 Alamy Images: CoverSpot (exe). 304 Getty Images: Kurita Kaku / Gamma-Rapho (exe). 307 123RF.com: Hongqi Zhang (exe). 308 Getty Images: Peter Macdiarmid (td). 311 Alamy Images: World History Archive / Image Asset Management Ltd (exe) 313 Getty Images: Jo Hale (te). 315 Corbis: George Steinmetz (exd). 321 Getty Images: Buena Vista Images / Stockbyte (exe). 322 Alamy Images: Photosindia Batch11 / PhotosIndia.com LLC (mex). 323 Corbis: Catherine Karnow (td). Dreamstime.com: Weixin Shen (te). 325 Getty Images: Tom Shaw / Allsport (exd). 329 Dreamstime.com: Mishkacz (exd). 331 Alamy Images: DPA Picture Alliance Archive (exe).

Todas as outras imagens © Dorling Kindersley.

Para mais informações, acesse: **www.dkimages.com**